Consulte le dictionnaire. **Consultez...** consulter	Schlage im Wörterbuch nach. Schlagt … nach.
Continue avec d'autres photos. **Continuez**… continuer	Mache weiter mit anderen Fotos. Macht weiter …
Contrôle ta prononciation. **Contrôlez**… contrôler	Kontrolliere deine Aussprache. Kontrolliert …
Copie le mot. **Copiez**… copier	Schreibe das Wort ab. Schreibt … ab.
Corrige ton texte. **Corrigez**… corriger	Korrigiere deinen Text. Korrigiert …
Crée un poème. **Créez...** créer	Kreiere ein Gedicht. Kreiert …

D

Décide comment tu aimerais réciter le poème. **Décidez...** décider	Entscheide, wie du das Gedicht rezitieren möchtest. Entscheidet …
Décore la feuille. **Décorez...** décorer	Verziere das Blatt. Verziert …
Découpe la photo. **Découpez**… découper	Schneide das Foto aus. Schneidet … aus.
Décris ta machine. **Décrivez**… décriver	Beschreibe deine Maschine. Beschreibt …
Dessine ton symbole. **Dessinez**… dessiner	Zeichne dein Symbol. Zeichnet …
Devine. **Devinez.** deviner	Rate. Ratet.
Dicte les mots. **Dictez**… dicter	Diktiere die Wörter. Diktiert …
Distribue les cartes. **Distribuez**… distribuer	Teile die Karten aus. Teilt … aus.
Dis deux phrases. **Dites**… dire	Sage zwei Sätze. Sagt …
Donne un titre à ton reportage. **Donnez**… donner	Gib deiner Reportage einen Titel. Gebt …

E

Echange tes résultats avec un partenaire. **Echangez**… échanger	Tausche deine Resultate mit einem Partner aus. Tauscht … aus.
Ecoute le texte. **Ecoutez**… écouter	Höre den Text. Hört …

Ecris le mot. **Ecrivez**… écrire	Schreibe das Wort auf. Schreibt … auf.
Enregistre le text. **Enregistrez**… enregistrer	Nimm den Text auf. Nehmt … auf.
Enrichis cette scène de tes idées. **Enrichissez**… enrichir	Erweitere diese Szene mit deinen Ideen. Erweitert …
Entraîne-toi à l'ordinateur. **Entraînez**-vous… s'entraîner	Übe am Computer. Übt …
Essaie encore une fois. **Essayez**… essayer	Versuche es noch einmal. Versucht …

Esquisse ton invention. **Esquissez**… esquisser	Skizziere deine Erfindung. Skizziert …

Exerce la lecture à haute voix. **Exercez**… exercer	Übe vorzulesen. Übt …
Explique l'expérience. **Expliquez**… expliquer	Erkläre das Experiment. Erklärt …
Expose le texte. **Exposez**… exposer	Stelle den Text aus. Stellt … aus.

F

Fais un dessin. **Faites**… faire	Mache eine Zeichnung. Macht …
Feuillete les pages 12 à 19. **Feuilletez**… feuilleter	Blättere die Seiten 12 bis 19 durch. Blättert … durch.
Fixe une feuille à chaque texte. **Fixez**… fixer	Befestige an jeden Text ein Blatt. Befestigt …
Forme deux groupes. **Formez**… former	Bilde zwei Gruppen. Bildet …

I

Imagine ce qui manque. **Imaginez**… imaginer	Stelle dir vor, was fehlt. Stellt euch vor …
Imite le cri d'un animal. **Imitez**… imiter	Ahme einen Tierlaut nach. Ahmt … nach.
Imprime la feuille. **Imprimez**… imprimer	Drucke das Blatt aus. Druckt … aus.
Indique les pays. **Indiquez**… indiquer	Gib die Länder an. Gebt … an.
Instruis un élève à faire l'expérience. **Instruisez**… instruire	Weise einen Schüler an, das Experiment durchzuführen. Weist … an.
Invente une histoire. **Inventez**… inventer	Erfinde eine Geschichte. Erfindet …

J

Jette le dé. **Jetez** le dé. jeter	Würfle. Würfelt.
Jette un coup d'œil sur le texte. **Jetez** un coup d'œil sur… jeter	Wirf einen Blick auf den Text. Werft … auf …
Joue aux cartes. **Jouez**… jouer	Spiele Karten. Spielt …

L

Lance la carte en l'air. **Lancez**… lancer	Wirf die Karte in die Luft. Werft…
Lis le texte. **Lisez.** lire	Lies den Text. Lest…
Localise les curiosités. **Localisez**… localiser	Finde die Sehenswürdigkeiten. Findet…

M

Marque les mots. **Marquez**… marquer	Markiere die Wörter. Markiert…
Mélange les cartes. **Mélangez**… mélanger	Mische die Karten. Mischt…
Mets le pion sur la case. **Mettez**… mettre	Stelle die Spielfigur auf das Feld. Stellt…
Montre ton affiche. **Montrez**… montrer	Zeige dein Plakat. Zeigt…

N

Note la traduction. **Notez**… noter	Notiere die Übersetzung. Notiert…
Numérote les expressions. **Numérotez**… numéroter	Nummeriere die Ausdrücke. Nummeriert…

O

Observe la fille. **Observez**… observer	Beobachte das Mädchen. Beobachtet…
Ouvre le dictionnaire. **Ouvrez**… ouvrir	Öffne das Wörterbuch. Öffnet…

P

Parle français. **Parlez**… parler	Sprich französisch. Sprecht…
Pioche une carte. **Piochez**… piocher	Nimm eine Karte auf. Ziehe eine Karte. Nehmt … auf. Zieht…
Pose des questions. **Posez**… poser	Stelle Fragen. Stellt…
Prends le dictionnaire. **Prenez**… prendre	Nimm das Wörterbuch. Nehmt…
Prépare des cartes pour ton fichier. **Préparez**… préparer	Bereite Karten für deinen *fichier* vor. Bereitet… vor.
Présente ton portrait. **Présentez**… présenter	Stelle dein Porträt vor. Stellt… vor.
Procède comme dans l'activité B. **Procédez**… procéder	Gehe wie in *activité* B vor. Geht… vor.
Prononce le mot. **Prononcez**… prononcer	Sprich das Wort aus. Sprecht… aus.

R

Raconte. **Racontez.** raconter	Erzähle. Erzählt.
Rajoute des petits dessins. **Rajoutez**… rajouter	Füge kleine Skizzen hinzu. Fügt … hinzu.
Range la carte dans la deuxième case. **Rangez**… ranger	Ordne die Karte in das zweite Fächlein ein. Ordnet… ein.
Récite la deuxième strophe. **Récitez**… réciter	Sage die zweite Strophe auf. Sagt auf…
Recule de deux cases. **Reculez**… reculer	Gehe zwei Felder zurück. Geht… zurück.

Réécoute le texte. **Réécoutez**… réécouter	Höre den Text noch einmal. Hört … noch einmal.
Regarde le film. **Regardez**… regarder	Schau den Film an. Schaut … an.
Regroupe les mots. **Regroupez...** regrouper	Gruppiere die Wörter. Gruppiert …
Relie les noms aux langues. **Reliez...** relier	Verbinde die Namen mit den Sprachen. Verbindet …
Remplis le questionnaire. **Remplissez...** remplir	Fülle den Fragebogen aus. Füllt …
Répartis ton histoire en trois scènes. **Répartissez**… répartir	Unterteile deine Geschichte in drei Szenen. Unterteilt …
Répète chaque mot à haute voix. **Répétez**… répéter	Sprich jedes Wort laut nach. Sprecht … nach.
Réponds aux questions. **Répondez**… répondre	Beantworte die Fragen. Beantwortet …
Reprends une BD. **Reprenez**… reprendre	Nimm noch einmal eine BD. Nehmt noch einmal …
Retiens six mots. **Retenez**… retenir	Behalte sechs Wörter. Behaltet …
Retourne au musée. **Retournez**… retourner	Kehre in das Museum zurück. Kehrt … zurück.
Retravaille ton texte. **Retravaillez**… retravailler	Überarbeite deinen Text. Überarbeitet …
Retrouve les trois parties. **Retrouvez**… retrouver	Finde die drei Teile wieder. Findet … wieder.

S

Souviens-toi. **Souvenez**-vous. se souvenir	Erinnere dich. Erinnert euch.

T

Tire une ligne. **Tirez**… tirer	Ziehe eine Linie. Zieht …
Travaille avec les stratégies. **Travaillez**… travailler	Arbeite mit den Strategien. Arbeitet …
Trouve quatre mots parallèles. **Trouvez**… trouver	Finde vier Parallelwörter. Findet …

U

Utilise les boîtes de traduction. **Utilisez**… utiliser	Benutze die *boîtes de traduction.* Benutzt …

V

Varie la voix. **Variez**… varier	Variiere die Stimme. Variiert …
Vérifie ta prononciation. **Vérifiez**… vérifier	Überprüfe deine Aussprache. Überprüft …
Visite le musée. **Visitez**… visiter	Besuche das Museum. Besucht …
Visualise ce mot dans la tête. **Visualisez**… visualiser	Stelle dir die Bedeutung dieses Wortes als Bild vor. Stellt euch … vor.

Nous parlons français!

Poser des questions Fragen stellen		**Donner des réponses** Antworten geben	
On a cours de quoi? Welches Fach haben wir?	> <	maths, informatique, histoire, géo Mathe, Informatik, Geschichte, Geo	
Qu'est-ce qui se passe? Was ist los?	> <		
On travaille ensemble? Arbeiten wir zusammen?	> <	Oui, d'accord. Ja, einverstanden.	Non, désolé/-e. Nein, tut mir leid.
Je te dérange? Störe ich dich?	> <	Non, pas du tout. Nein, überhaupt nicht.	
On parle français? Sprechen wir französisch?	> <	Oui, d'accord. Ja, einverstanden.	
Qu'est-ce qu'il faut faire? Was muss man tun?	> <	Il faut... Man muss ...	
Qu'est-ce que c'est en allemand...? Was heisst ... auf Deutsch?	> <	C'est... Das ist ...	
Qu'est-ce que c'est en français...? Was heisst ... auf Französisch?	> <	C'est... Das ist ...	
Qu'est-ce que c'est? Was ist das?	> <		
Qu'est-ce que ça veut dire? Was bedeutet das?	> <	... ...	
Qu'est-ce que tu fais? Was machst du? Qu'est-ce que vous faites? Was macht ihr?	> <	Je... Ich ... On... Wir ...	
Tu veux me rendre un service? Tust du mir einen Gefallen?	> <	Oui, bien sûr! Ja, klar!	
Tu piges? Hast du's geschnallt?	> <	Oui. / Non. Ja. / Nein.	
Tu te souviens? Erinnerst du dich?	> <	Oui. / Non. Ja. / Nein.	
Tu es prêt/-e? Bist du bereit?	> <		
Tu as fini? Bist du fertig?	> <	Oui, ça y est. Ja, das wär's.	Non, pas encore. Nein, noch nicht.
C'est juste? Ist das richtig?	> <	Oui, c'est juste. Ja, das ist richtig.	Non, c'est faux. Nein, das ist falsch.
Qu'est-ce que tu as écrit? Was hast du geschrieben?	> <		
Comment ça s'écrit? Wie schreibt man das?	> <	Ça s'écrit avec... Das schreibt man mit ...	Je ne sais pas. Ich weiss es nicht.
Est-ce...? Ist das ... ?	> <	Oui. / Non. Ja. / Nein.	
Ce sont...? Sind das ... ?	> <	Oui. / Non. Ja. / Nein.	
Et ça, c'est quoi? Und das, was ist das?	> <	C'est... Das ist ...	
Où est...? Wo ist ... ?	> <		
Tu ne crois pas? Meinst du nicht?	> <		

Donner des consignes
Anweisungen geben

Aide-moi, s'il te plaît.
Hilf mir, bitte.

Cherche… dans le dictionnaire, s'il te plaît.
Schlage … im Wörterbuch nach, bitte.

Commence.
Fang an.

Continue.
Mach weiter.

Ecoute.
Hör zu.

Ecris…
Schreibe …

Lis…
Lies …

Lis plus fort.
Lies lauter.

Montre…
Zeige …

Fais voir!
Zeig!

Dépêche-toi!
Beeile dich!

Ne traîne pas!
Trödle nicht!

Arrête ça!
Hör auf damit!

Vas-y!
Los!

Répète, s'il te plaît.
Wiederhole, bitte.

Regarde…
Schau …

S'exclamer
Ausrufen

Nom d'un chien!
Verdammt! Verflixt! Donnerwetter!

Assez!
Genug!

C'est pas vrai!
Das darf doch nicht wahr sein!

Franchement!
Also wirklich!

Ça roule!
Geht in Ordnung!

Sans blague?
Ohne Witz?

Ça va pas?
Bist du noch bei Trost?

Attention!
Achtung!

Incroyable!
Unglaublich!

Zut!
Verflixt!

Jamais de la vie!
Nie im Leben!

C'est fou!
Das ist verrückt!

Fastoche!
Einfach!

J'en ai marre!
Ich habe es satt!

Faire des hypothèses
Hypothesen bilden

Je pense que c'est...
Ich denke, das ist ...

C'est peut-être...
Das ist vielleicht ...

En français, c'est peut-être...
Auf Französisch ist das vielleicht …

... me fait penser à...
… erinnert mich an …

Clarifier
Arbeitsanweisungen klären

Il faut…
Man muss …

Je pense qu'il faut...
Ich denke, man muss …

C'est écrit: «…»
Es steht: «…»

Je t'explique.
Ich erkläre es dir.

D'abord, on doit…
Zuerst muss man …

Ensuite, il faut…
Nachher muss man …

A la fin, on doit…
Am Schluss muss man …

Puis…
Dann …

Plus tard…
Später …

Finalement...
Schliesslich …

Téléphoner
Telefonieren

Allô?
Hallo?

Un instant!
Augenblick!

Je t'entends mal.
Ich höre dich schlecht.

Je te rappelle.
Ich rufe dich zurück.

Je te laisse mon numéro de portable.
Ich gebe dir meine Handynummer.

À la semaine prochaine!
Bis nächste Woche!

Combler un blanc
Füllwörter verwenden

du coup…
darum …

en fait…
eigentlich …

pour faire court…
um es kurz zu machen …

alors…
also, nun …

disons…
sagen wir …

bref…
kurzum …

enfin…
schliesslich …

mais…
aber …

donc…
also, doch …

euh…
äh, hm …

bon…
gut, schön …

hein…
nicht wahr, hä …

bof…
na ja, pff …

voilà…
natürlich, also …

puis…
dann, so …

ben…
nun, also …

Donner son avis
Die eigene Meinung äussern

Comment tu trouves…? Wie findest du…?	Je trouve ça magnifique! Ich finde das grossartig, wunderbar! Je trouve que c'est impressionnant! Ich finde, dass es beeindruckend, überwältigend ist! C'est trop fort. Das ist wirklich toll. Mon / Ma… préféré(e) est… Mein Lieblings… ist… Ça me plaît. Das gefällt mir. Ça ne me plaît pas. Das gefällt mir nicht.
Qu'est-ce que tu penses de…? Was hältst du von…?	Je préfère… Ich mag… lieber. Ça a l'air… Das wirkt… J'aime... Ich mag… J'adore… Ich mag… sehr gern. Je n'aime pas… Ich mag… nicht.
C'est facile. Das ist leicht.	C'est difficile. Das ist schwierig.
C'est très bien. Das ist sehr gut. C'est vachement bien. Das ist saumässig gut. C'est super! Das ist super! C'est le pied! Das ist der Hammer! Excellent! Ausgezeichnet! Ah oui, cool! Ah ja, toll! Bonne idée! Gute Idee! Extraordinaire! Aussergewöhnlich, einzigartig! Pas mal! Nicht schlecht!	C'est nul. Das ist miserabel. C'est absurde. Das ist absurd. C'est complètement loufoque. Das ist vollkommen verrückt. C'est faux. Das ist falsch. Non, ça ne va pas. Nein, das geht nicht. Ça ne sert à rien. Das bringt nichts. Cela ne veut rien dire. Das hat nichts zu bedeuten.
Tu es formidable! Du bist super!	Cela ne vous regarde pas. Das geht Sie / euch nichts an. Ce n'est pas de ma faute. Das ist nicht mein Fehler.

Donner son avis Die eigene Meinung äussern	
C'est possible. Das ist möglich. C'est logique. Das ist logisch. C'est correct. Das ist korrekt.	C'est difficile à dire. Das ist schwierig zu sagen.
J'aimerais écouter «…». Ich möchte gern «…» hören. J'aimerais lire «…». Ich möchte gern «…» lesen.	Je préfère écouter «…». Ich würde lieber «…» hören. Je préfère lire «…». Ich würde lieber «…» lesen.

Se présenter Sich vorstellen	
Salut! Ça va? Ciao! Wie geht's?	Ça va bien! Es geht gut!
Comment tu t'appelles? Wie heisst du?	Je m'appelle… Ich heisse… Je me présente: Je suis… Ich stelle mich vor: Ich bin… Enchanté / Enchantée! Moi, c'est… Freut mich! Ich bin… Mon nom est… Mein Name ist… On m'appelle… Man nennt mich…
Quel âge as-tu? Wie alt bist du?	J'ai... ans. Ich bin… Jahre alt.
Où habites-tu? Wo wohnst du?	J'habite... Ich wohne…
Quel / Quelle est ton / ta… préféré/-e? Was ist dein Lieblings…? Quels / Quelles sont tes… préférés/-es? Was sind deine Lieblings…?	Mon sport préféré est… Mein Lieblingssport ist… Ma chanson préférée est… Mein Lieblingslied ist… Mes matières préférées sont… Meine Lieblingsfächer sind…
	J'aime... Ich mag… J'aime moins… Ich mag… weniger. Ma passion est… Meine Passion ist… Mes hobbies sont:… Meine Hobbys sind…

Jouer aux jeux
Spielen

Commence.
Fange an.

Continue.
Fahre fort.

C'est mon tour.
Ich bin dran.

C'est ton tour.
Du bist dran.

A toi de jouer.
Du bist dran.

Je passe mon tour.
Ich setze eine Runde aus.

Mélange les cartes.
Mische die Karten.

Distribue les cartes.
Teil die Karten aus.

Prends une carte.
Nimm eine Karte.

Reprends ta carte.
Nimm deine Karte wieder.

Pioche une carte.
Nimm eine Karte auf.

Pose la carte.
Lege die Karte ab.

Je n'ai plus de cartes.
Ich habe keine Karten mehr.

Mets le pion sur la case départ.
Stelle die Spielfigur auf das Startfeld.

Jette le dé.
Würfle.

Avance de trois cases.
Rücke drei Felder vor.

Recule de deux cases.
Gehe zwei Felder zurück.

Compte les points.
Zähle die Punkte.

Ce n'est qu'un jeu.
Es ist nur ein Spiel.

Ça ne compte pas.
Das gilt nicht.

Jouer aux jeux
Spielen

On ne triche pas.
Es wird nicht geschummelt.

Pas de chance!
Pech gehabt!

Qui a gagné?
Wer hat gewonnen?

J'ai gagné!
Ich habe gewonnen!

Remonter le moral
Ermutigen

Laisse tomber!
Vergiss es!

Courage!
Kopf hoch!

Ne t'en fais pas.
Mach dir nichts draus.

Calme-toi!
Beruhige dich!

Ce n'est pas grave.
Das ist nicht schlimm.

Comparer des résultats
Ergebnisse vergleichen

J'ai noté… Ich habe … notiert. J'ai marqué… Ich habe … markiert. J'ai trouvé… Ich habe … gefunden.	
J'ai la même chose. Ich habe das Gleiche.	J'ai autre chose. Ich habe etwas anderes.
Le numéro... correspond à… Die Nummer … gehört zu …	Je suis d'accord avec toi. Ich bin mit dir einverstanden. Je ne suis pas d'accord avec toi. Ich bin mit dir nicht einverstanden. Ça ne correspond pas. Das passt nicht.
On a choisi… Wir haben … gewählt. Nous avons choisi le / la… Wir haben … gewählt. On prend… Wir nehmen …	
C'est le numéro… Das ist Nummer …	Je pense que c'est le numéro… Ich glaube, es ist Nummer …
La réponse est… Die Antwort ist …	A mon avis, la réponse est… Meiner Meinung nach ist die Antwort …
Je ne comprends pas. Ich verstehe es nicht.	

Présenter quelque chose
Etwas präsentieren

Notre présentation parle de… Unsere Präsentation handelt von …
Nous vous présentons… Wir präsentieren euch …
On vous présente… Wir präsentieren euch …
Il s'agit d'un/ d'une… Es handelt sich um …
Je vous présente… qui s'intitule «…» Ich präsentiere euch … mit dem Titel « … »

Vocabulaire de classe 5

Et si on allait voir?

Il s'agit d'un/d'une…	Es handelt sich um…
un concours	ein Wettbewerb
une fête	ein Fest
une exposition	eine Ausstellung
un événement	eine Veranstaltung
une curiosité	eine Sehenswürdigkeit
une foire	ein Jahrmarkt
un ascenseur	ein Lift
une montagne	ein Berg
…se trouve…	…befindet sich…
près de…	nahe bei…
entre…et…	zwischen…und…
au bord de…	am Rande von…
…a lieu…	…findet…statt.
au printemps, en été, en automne, en hiver	im Frühling, im Sommer, im Herbst, im Winter
au mois de…	im Monat…
janvier, février, mars, avril, mai, juin, juillet, août, septembre, octobre, novembre, décembre	Januar, Februar, März, April, Mai, Juni, Juli, August, September, Oktober, November, Dezember
…fait… de haut/de long/de large	…ist…hoch/lang/breit
Je trouve ça…	Ich finde das…
magnifique	grossartig, wunderbar
extraordinaire	aussergewöhnlich, einzigartig
impressionnant	beeindruckend, überwältigend

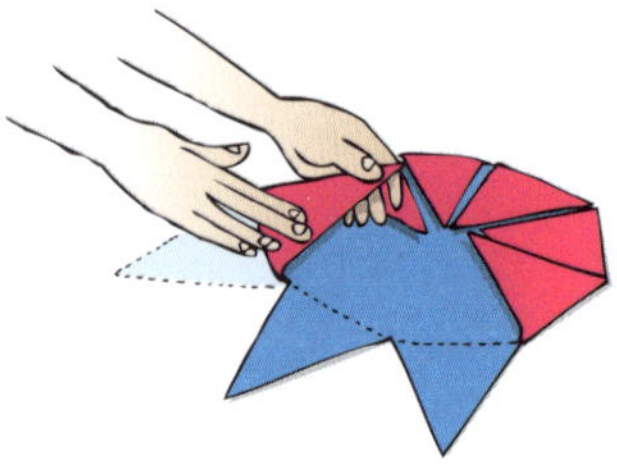

Expériences

plier	falten
découper	ausschneiden
remplir (remplis–remplissez)	füllen
placer	platzieren
poser	hinlegen, hinstellen
boucher	zuhalten
sortir (sors–sortez)	herausnehmen
scotcher	kleben
taper	schlagen
colorier	ausmalen
approcher	näherrücken
fermer	schliessen
remonter	hochkrempeln
retourner	umdrehen
toucher	berühren
pencher	kippen
plonger	tauchen
tapoter	leicht klopfen

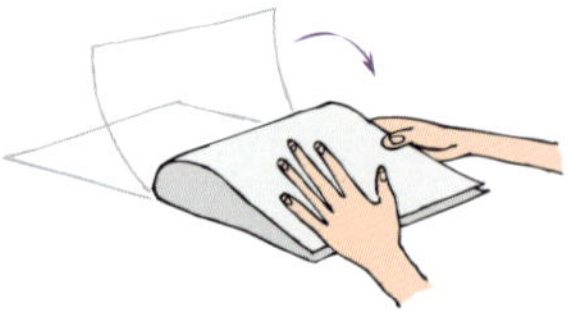

Blagues

Cela ne vous regarde pas.	Das geht Sie/euch nichts an.
Ça ne sert à rien.	Das bringt nichts.
Ce n'est pas de ma faute.	Das ist nicht mein Fehler.
Je n'ai jamais essayé.	Ich habe es nie probiert.
Je ne sais pas.	Ich weiss es nicht.
Ce n'est pas un…/une…	Das ist kein(e) …
Je ne comprends pas.	Ich verstehe es nicht.
Il n'y a plus de…	Es hat kein(e/en) … mehr.
rien du tout	überhaupt nichts
Ça fait 15 euros.	Das kostet 15 Euro.
Comment ça s'écrit?	Wie schreibt man das?

Jouer un bon tour

On a fait…	faire	Wir haben … gemacht.
J'ai dit…	dire	Ich habe … gesagt.
J'ai eu…	avoir	Ich habe … gehabt.
Elle a vu…	voir	Sie hat … gesehen.
J'ai été…	être	Ich bin … gewesen.
J'ai mis…	mettre	Ich habe … gelegt. Ich habe … gestellt.
Je suis allé(e)…	aller	Ich bin … gegangen.

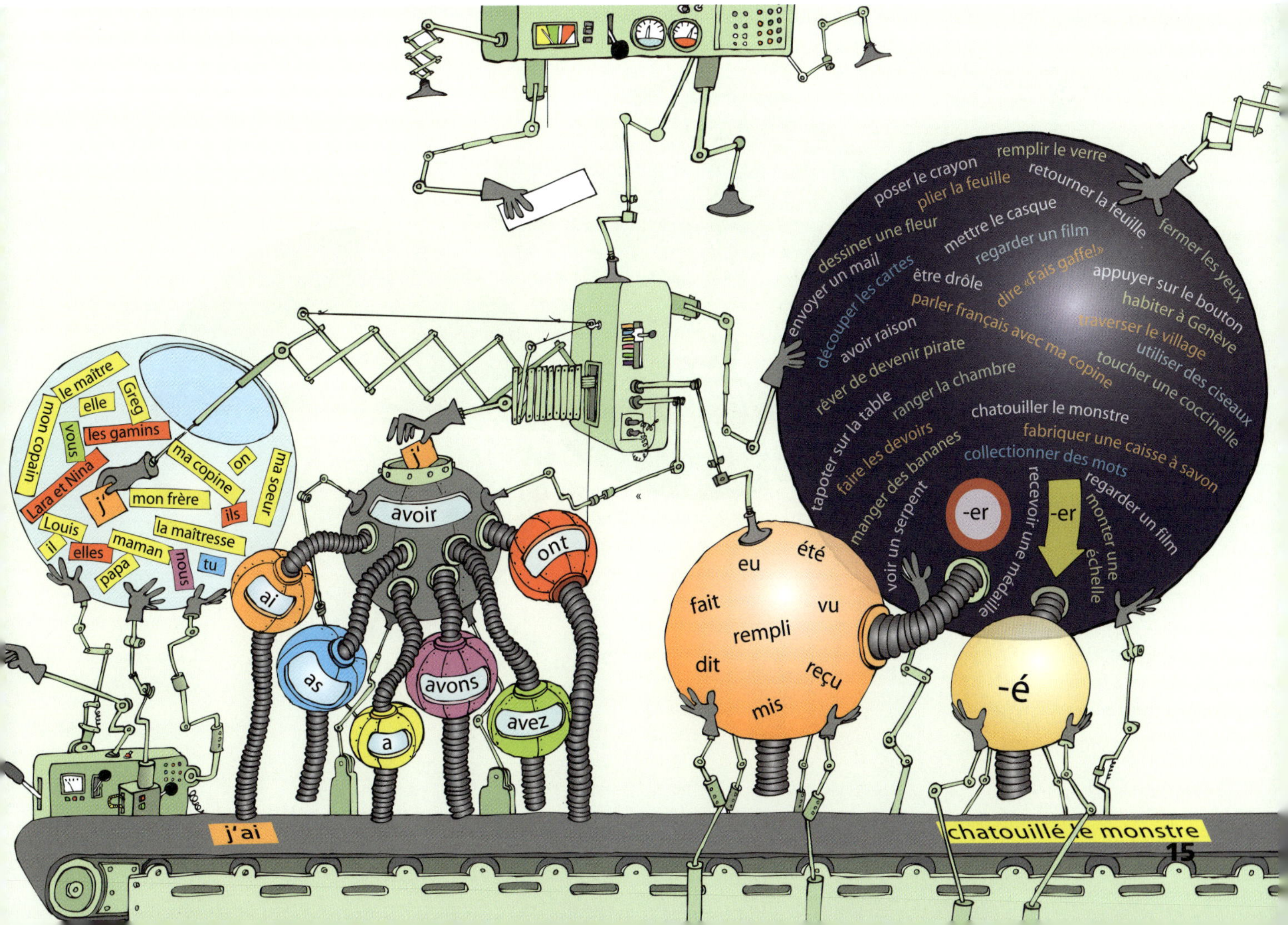

Vocabulaire de classe 6

Poésie

commencer	anfangen, beginnen
chaque jour	jeder Tag
une cage	ein Käfig
une larme	eine Träne
une forêt	ein Wald
une vague	eine Welle
le loup	der Wolf
pauvre	arm
le fromage	der Käse
les déchets (m pl)	der Müll, der Abfall, der Kehricht
le silence	die Ruhe, die Stille
la fourmi	die Ameise
la tête	der Kopf
Ça n'existe pas.	Das gibt es nicht. Das existiert nicht.
Pourquoi pas?	Warum nicht?
l'arbre (m)	der Baum
le magasin	das Geschäft, der Laden
acheter	kaufen, einkaufen
le feu rouge	das Rotlicht, die Verkehrsampel
la montre	die Armbanduhr

une cage
a cage

pauvre
poor

une forêt
a forest

Ça n'existe pas.
It doesn't exist.

une vague
a wave

le silence
the silence

rond
round

carré
square

l'objet
the object

le caddie
the caddy

une invention
an invention

inventer
to invent

apparaître
to appear

Inventions

Quand?	Wann?
Cette invention date de / du…	Diese Erfindung gibt es seit…
Où?	Wo?
Cette invention apparaît à / en / au / aux…	Diese Erfindung kommt aus… / tritt in… auf.
Qui?	Wer?
C'est… qui a inventé cet objet.	…hat diesen Gegenstand erfunden.
Ce sont… qui ont inventé cet objet.	…haben diesen Gegenstand erfunden.
Pour quoi faire?	Wozu?
On utilise cet objet pour…	Man braucht diesen Gegenstand, um…
Pour qui?	Für wen?
Cette invention est pour…	Diese Erfindung ist für…
tout le monde	alle, jedermann
Comment?	Wie?
Cet objet est… / Cette invention est…	Dieser Gegenstand ist… / Diese Erfindung ist…
en bois	aus Holz
en verre	aus Glas
bon / bonne	gut
rond / ronde	rund
carré / carrée	viereckig
utile	nützlich
passionnant / passionnante	faszinierend
le dentifrice	die Zahnpasta
la brosse à dents	die Zahnbürste
le réveil	der Wecker
le mouchoir	das Taschentuch
le caddie	der Einkaufswagen
l'allumette (f)	das Zündholz, das Streichholz
les lunettes (f pl)	die Brille
la paille	der Trinkhalm (das Stroh)
la poussette	der Kinderwagen
la chasse d'eau	die WC-Spülung
le dessin animé	der Zeichentrickfilm
l'ours en peluche (m)	der Plüschbär
la souris d'ordinateur	die Computermaus

Quelle question!

Que?	
Que signifie… ?	Was bedeutet … ?
Quel / Quelle?	
Quel est le… de… ? / Quelle est la… de… ?	Welches ist der … von … ?
Quel est le plus grand… ? / Quelle est la plus grande… ?	Welcher ist der grösste … ?
Quel est le plus petit… ? / Quelle est la plus petite… ?	Welche ist die kleinste … ?
Quel objet sert à… ?	Welcher Gegenstand dient zum … ?
Qui?	
Qui a inventé… ?	Wer hat … erfunden?
Qui a… ?	Wer hat … ?
Qui est… ?	Wer ist … ?
Où?	
Où se trouve… ?	Wo befindet sich … ?
Comment?	
Comment dit-on… en… ?	Wie sagt man … auf … ?
Pourquoi?	Warum?

Quel / Quelle / Quels / Quelles?	
Quel est le… de tes rêves?	Welcher ist dein Traum… ?
Quelle est la… de tes rêves?	
Quel est ton… préféré?	Welcher ist dein Lieblings… ?
Quelle est ta… préférée?	
Quels sont tes… préférés?	
Quelles sont tes… préférées?	Welches sind deine Lieblings… ?
Qui?	
A ton avis, qui est le meilleur… / la meilleure… ?	Wer ist deiner Meinung nach der beste … ?
Où?	
Où aimerais-tu… ?	Wo möchtest du … ?
passer les vacances	die Ferien verbringen
vivre	leben
Comment?	
Comment s’appelle ton / ta… ?	Wie heisst dein … ?

Le premier voyage de Christoph Colomb

Mon nom est...	Mein Name ist …
On m'appelle...	Man nennt mich …
Nous n'avons pas de / d'...	Wir haben kein …
Nous n'avons plus de / d'...	Wir haben kein … mehr.
(de) pain (m)	Brot
(de) biscottes (f pl)	Zwieback
(d') eau (f)	Wasser
On a faim.	Wir haben Hunger.
Quoi encore?	Was ist denn jetzt schon wieder?
Rentrons!	Kehren wir nach Hause zurück!
Nous allons découvrir…	Wir werden … entdecken.

Stratégies

Comprendre un texte

S'informer auparavant
Sich im Voraus informieren

Verschaffe dir im Voraus einen Überblick über die Personen und die Handlung einer Geschichte, um sie besser zu verstehen.

Parcourir le texte
Überfliegen

Überfliege den Text. Gewinne einen ersten Eindruck und erfasse einzelne Informationen.

Titres
Titel

Achte auf den Titel eines Textes. Er kann dir schon viel über den Inhalt verraten.

Deviner
Raten

Errate die Bedeutung eines Wortes oder eines Satzes.

Entendre ce qui est connu
Bekanntes heraushören

Achte beim Hören auf Parallelwörter, bekannte Wörter, Namen und Zahlen.

Mots parallèles anglais – français
Parallelwörter Englisch – Französisch

Achte auf Wörter, die auf Englisch und Französisch gleich oder ähnlich sind. Das hilft dir beim Verstehen von Texten und beim Wörterlernen.

Noms et nombres
Namen und Zahlen

Markiere Namen und Zahlen.

Vocabulaire connu et mots parallèles
Bekannter Wortschatz und Parallelwörter

Markiere Wörter, die du kennst oder entschlüsseln kannst, wie z. B. Parallelwörter.

Images
Bilder

Schau die Bilder gut an. Sie helfen dir, einen Text zu verstehen.

Voix
Stimme

Achte auf die Stimme der Erzählerin oder des Erzählers. Der Ausdruck der Stimme verrät viel über den Inhalt der Geschichte.

Bruitages
Geräusche

Achte auf die Geräusche.

Dictionnaires (en ligne)
(Online-)Wörterbücher

Schau ein Wort in verschiedenen (Online-) Wörterbüchern nach, damit du die treffendste Übersetzung findest.

Dictionnaire
Wörterbuch

Schau Wörter im Wörterbuch nach.

Mots-clés
Stichwörter

Notiere einzelne Stichwörter aus dem Text, um dich an den Inhalt erinnern zu können.

Questions
W-Fragen

Stelle Fragen an einen Text, z.B.: Wer? Was? Mit wem? Womit? Wo? Wann?

Das kann dir beim Verstehen oder Schreiben eines Textes helfen.

Caractéristiques d'un type de texte
Die Merkmale einer Textsorte kennen

Untersuche, wie ein Text aufgebaut ist. Das hilft dir, den Text zu verstehen und ihn nachzuerzählen.

Parler et écrire

Expérimenter
Experimentieren

Finde durch Experimentieren gute Formulierungen.

Mots et phrases modèles
Musterwörter und -sätze

Suche in den Texten Wörter und Sätze, die du beim Sprechen und Schreiben verwenden kannst.

BD comme modèle pour le langage parlé
BD als Modell für Alltagsgespräche

Übernimm Ausrufe, kurze Sätze und Redewendungen aus den BD und verwende sie in Alltagsgesprächen.

Fichier et revue
Fichier und *revue*

Wende Wörter und Sätze aus deinem *fichier* und deiner *revue* an.

Phrases modèles
Sätze als Vorlage

Übernimm einen ganzen Satz oder Teile davon.

Caractéristiques d'un type de texte
Die Merkmale einer Textsorte kennen

Untersuche, wie ein Text aufgebaut ist. Das hilft dir, den Text zu verstehen und ihn nachzuerzählen.

Parler français ensemble
Untereinander französisch sprechen

Nutze beim Arbeiten und Spielen möglichst viele Gelegenheiten, um französisch zu sprechen.

Demander de répéter
Um Wiederholung bitten

Bitte deine Gesprächspartnerin oder deinen -partner um Wiederholung, wenn du etwas nicht verstanden hast.

Pense-bêtes
Spick-Notizen

Notiere Sätze, die du verwenden kannst. Wirf beim Sprechen wenn nötig einen Blick auf die vorbereiteten Sätze und wende sie an.

Surmonter des limites en rédaction
Schreibgrenzen überwinden

Wenn du etwas schreiben möchtest und dir die Worte fehlen, so zeichne eine Skizze.

Combler un blanc
Füllwörter verwenden

Verwende Füllwörter, um Sprechpausen zu überbrücken und um beim Sprechen natürlich zu wirken.

D'autres moyens d'expression que la parole
Andere Ausdrucksmittel als Sprache

Setze auch Zeichnungen, Bewegungen und Geräusche ein, um dich auszudrücken.

Présence
Auftreten

Überlege dir, wie du in einer bestimmten Situation auftreten möchtest.

Capter l'attention par des questions
Aufmerksamkeit durch Fragen gewinnen

Baue Fragen in deinen Vortrag ein, damit dir das Publikum seine Aufmerksamkeit schenkt.

Pauses de discours
Sprechpausen machen

Mache beim Vorlesen oder Rezitieren bewusst kurze Pausen.

Capter l'attention par le regard
Aufmerksamkeit durch Blickkontakt gewinnen

Nimm Blickkontakt mit dem Publikum auf, damit es dir seine Aufmerksamkeit schenkt.

Expression de la voix
Ausdruck der Stimme

Variiere deine Stimme, um den Inhalt von Aussagen zu verdeutlichen.

Parler et écrire

Dictionnaire
Wörterbuch

Schau Wörter im Wörterbuch nach.

Dictionnaires (en ligne)
(Online-)Wörterbücher

Schau ein Wort in verschiedenen (Online-) Wörterbüchern nach, damit du die treffendste Übersetzung findest.

Grammaire de référence
Referenzgrammatik

Schlage Grammatikthemen in einer Referenzgrammatik nach.

La revue comme ouvrage de référence
Die *revue* als Nachschlagewerk

Nutze die *revue* als Nachschlagewerk.

Chercher des formes verbales
Verbformen suchen

Schlage Verbformen nach.

Retravailler un texte
Einen Text überarbeiten

Überarbeite einen eigenen Text, indem du beim Durchlesen auf je ein ausgewähltes Kriterium achtest.

Corriger
Korrigieren

Überprüfe Texte von anderen auf sprachliche Korrektheit. So gewinnst du mehr Sicherheit im Verwenden von Formen.

Conférence de rédaction
Schreibkonferenz

Überarbeite mit andern zusammen deinen Text. Sie geben dir Rückmeldungen zu deinem Entwurf und sagen, was du noch besser machen könntest.

Relecture
Gegenlesen

Gibt den Text jemandem zu lesen. Er/Sie soll dir den Inhalt auf Deutsch erzählen. So kannst du merken, ob dein Text verständlich ist.

Ecrire correctement
Wörter richtig schreiben

Schreibe Wörter mehrmals auf und lasse sie von jemandem in der Klasse oder vom Computer korrigieren.

Collaboration
Zusammenarbeit

Unterstützt euch gegenseitig beim Schreiben: Tauscht eure Ideen aus, gebt einander Tipps, sucht gemeinsam nach Formulierungen, überprüft eure Texte gegenseitig …

Einen Text überarbeiten

Wähle einzelne Fragen aus und überprüfe deinen Text.

Retravailler un texte
Einen Text überarbeiten

Überarbeite einen eigenen Text, indem du beim Durchlesen auf je ein ausgewähltes Kriterium achtest.

Textaufbau				
1. Titel Ist der Titel treffend?				
2. Erster Satz Ist der erste Satz ansprechend und interessant?				
3. Drei Textteile Hat der Text eine Einleitung, einen Hauptteil und einen Schluss?				
4. Verständlichkeit Ist der Ablauf der Geschichte verständlich?				
Stilmittel				
5. Anschaulichkeit Sind die Personen und Schauplätze so beschrieben, dass man sie sich gut vorstellen kann?				
6. Satzanfänge Habe ich abwechslungsreiche Satzanfänge gewählt?				
7. Direkte Rede Habe ich wenn möglich direkte Rede verwendet, damit der Text lebendiger wirkt? Ist klar, wer jeweils spricht?				
8. Fragen Habe ich wenn möglich Fragen verwendet, um Spannung zu erzeugen?				
9. Wortwahl Habe ich unnötige Wortwiederholungen vermieden?				
Korrektheit				
10. Verbformen Habe ich schwierige Verbformen nachgeschaut?				
11. Rechtschreibung Habe ich schwierige Wörter im Wörterbuch nachgeschaut?				

Mémoriser et apprendre par cœur

Images
Bilder

Schau die Bilder gut an oder stelle dir selber Bilder zu einem Wort vor. Bilder helfen dir, Wörter zu verstehen und zu behalten.

Mots parallèles anglais – français
Parallelwörter Englisch – Französisch

Achte auf Wörter, die auf Englisch und Französisch gleich oder ähnlich sind. Das hilft dir beim Verstehen von Texten und beim Wörterlernen.

Fichier électronique
Elektronischer *fichier*

Übe Wortschatz mit dem *fichier électronique* ein.

Mémoriser des mots en jouant
Sich beim Spielen Wörter merken

Lerne Wörter, indem du sie beim Spielen anwendest.

Répéter le vocabulaire
Wortschatz repetieren

Repetiere systematisch die Wörter in deinem *fichier*.

Classer des mots
Wörter ordnen

Schreibe Wörter nach Themen geordnet auf. So kannst du dich besser an sie erinnern.

Méthode mots-clés
Schlüsselwortmethode

Merke dir Wörter, die dir immer wieder entfallen, indem du dir ein bewegtes Bild vorstellst. Es verbindet das Bild des französischen Wortes mit dem Bild eines deutschen Wortes, das ähnlich gesprochen oder geschrieben wird.

Ecrire correctement
Wörter richtig schreiben

Schreibe Wörter mehrmals auf und lasse sie von jemandem in der Klasse oder vom Computer korrigieren.

Mémoriser des formes à l'oreille
Sich Formen über das Gehör merken

Nutze möglichst viele Hörgelegenheiten, um dir die unterschiedlichen Formen eines Verbs zu merken.

Aide-mémoire
Merkhilfe

Erinnere dich an bekannte Sätze, um dir korrekte Formen zu merken.

Apprendre par cœur – rythmer les textes
Sich Textstellen merken – Texte rhythmisieren

Merke dir Textstellen, indem du sie mehrmals hintereinander rhythmisch aussprichst.

Apprendre par cœur – en mouvement
In Bewegung auswendig lernen

Lies den Text im Gehen. Versuche, immer weniger auf den Text zu schauen und zunehmend grössere Abschnitte auswendig zu sprechen.

Apprendre par cœur – avec le CD
Mit der CD auswendig lernen

Höre den Text auf der CD immer wieder und sprich leise mit. Drehe die Lautstärke jedes Mal etwas zurück, bis du den Text ohne CD auswendig sprechen kannst.

Apprendre par cœur – avec des objets
Mit Gegenständen auswendig lernen

Lies den Text mehrmals durch. Lege mehr und mehr Gegenstände aus dem Etui auf den Text und lies ihn so lange, bis du nicht mehr stockst oder die Gegenstände nicht mehr verschieben musst.

Apprendre en enseignant

Apprendre en enseignant
Lernen durch Lehren

Lehre andere, was du gelernt hast. Dabei machst du selber Fortschritte.

Faciliter la compréhension de textes
Entschlüsselungshilfen zur Verfügung stellen

Mache zu einem Text Angaben wie Übersetzungen, Skizzen oder Anschriften, die anderen beim Entschlüsseln helfen.

Meine Einstellungen
zum Lernen

	selten … oft
Ich nutze Gelegenheiten, um französisch zu sprechen.	
Ich nutze fakultative Angebote.	
Ich traue mir beim Sprechen und Schreiben viel zu und gehe das Risiko ein, Fehler zu machen.	
Ich nutze Fehler, um weiterzulernen.	
Ich arbeite mit anderen zusammen.	
Ich hole bei anderen Hilfe.	
Meine Mitschülerinnen und Mitschüler korrigiere ich freundlich.	
Ich nutze Rückmeldungen und Beurteilungen von Mitschülerinnen und Mitschülern als Chance zum Weiterlernen.	
Ich frage nach, wenn ich etwas nicht verstanden habe.	
Wenn mir etwas nicht gelingt, versuche ich es noch einmal.	
Ich nutze auch ausserhalb der Schule französische Materialien und Medien wie Zeitschriften, Bücher, Videos, Spiele, Fernsehen, Radio, Internet …	

Das nehme ich mir vor

Über das Lernen nachdenken

	selten	oft
Ich organisiere mein Lernen selbstständig.		
Ich überlege mir, welche Lernstrategien mir besonders nützlich sind.		
Ich setze mir eigene Ziele.		
Ich wiederhole, was ich gelernt habe, damit ich es behalten kann.		
Ich schätze meine Lernergebnisse und meine Fortschritte selber ein.		
Ich vergleiche das Lernen verschiedener Sprachen miteinander (Deutsch, Französisch, Englisch …)		
Ich mache mir mit Hilfe des Sprachenportfolios Gedanken über abgeschlossene Arbeiten und ziehe für meine weitere Arbeit Schlüsse daraus.		

Das nehme ich mir vor

Bienvenue dans le futur!

Biz'Art?

Fastoche!

Si ça vous chante!

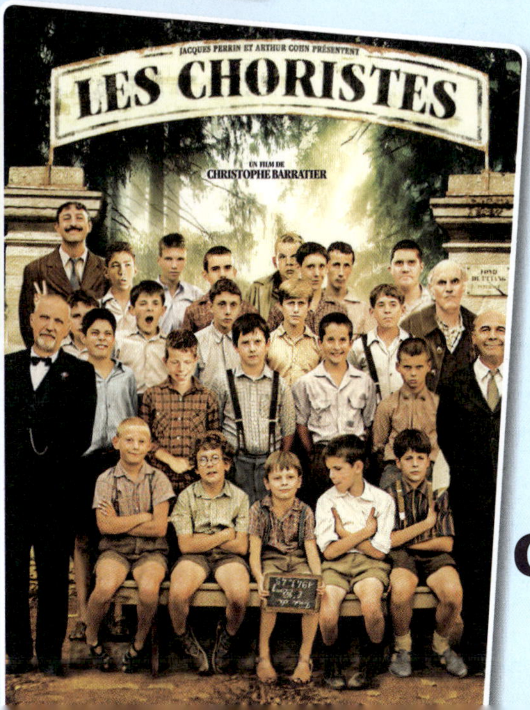

On se fait un ciné?

Wie unterstützt **die *revue*** **dein Lernen?**

Du siehst, an welchen übergreifenden Zielen du weitergearbeitet hast.

Du erinnerst dich an die *tâche*.

Du erinnerst dich, an welchen Zielen aus dem Bereich «Französisch hören, lesen, sprechen, schreiben» du gearbeitet hast.

Du erinnerst dich, an welchen Zielen aus dem Bereich «Bewusstheit für Sprachen und Kulturen» du gearbeitet hast.

Du erinnerst dich, an welchen Zielen aus dem Bereich «Lernstrategien» du gearbeitet hast.

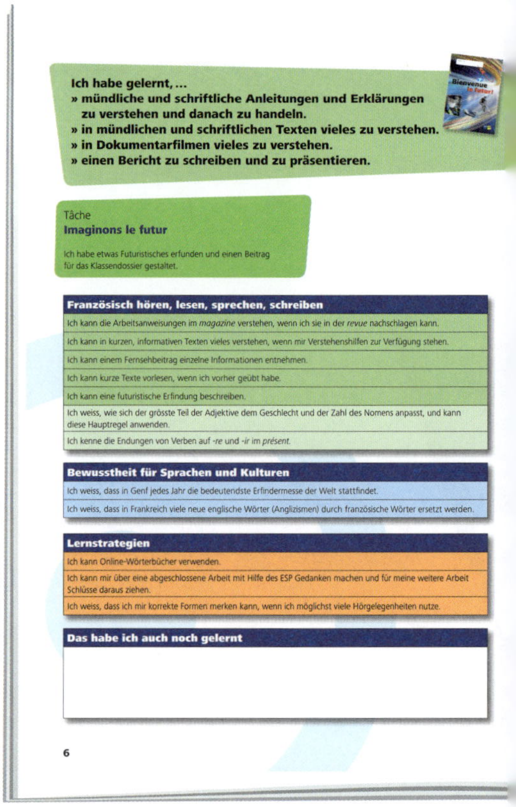
Ich habe gelernt, ...
» mündliche und schriftliche Anleitungen und Erklärungen zu verstehen und danach zu handeln.
» in mündlichen und schriftlichen Texten vieles zu verstehen.
» in Dokumentarfilmen vieles zu verstehen.
» einen Bericht zu schreiben und zu präsentieren.

Tâche
Imaginons le futur
Ich habe etwas Futuristisches erfunden und einen Beitrag für das Klassendossier gestaltet.

Französisch hören, lesen, sprechen, schreiben
Ich kann die Arbeitsanweisungen im *magazine* verstehen, wenn ich sie in der *revue* nachschlagen kann.
Ich kann in kurzen, informativen Texten vieles verstehen, wenn mir Verstehenshilfen zur Verfügung stehen.
Ich kann einem Fernsehbeitrag einzelne Informationen entnehmen.
Ich kann kurze Texte vorlesen, wenn ich vorher geübt habe.
Ich kann eine futuristische Erfindung beschreiben.
Ich weiss, wie sich der grösste Teil der Adjektive dem Geschlecht und der Zahl des Nomens anpasst, und kann diese Hauptregel anwenden.
Ich kenne die Endungen von Verben auf *-re* und *-ir* im *présent*.

Bewusstheit für Sprachen und Kulturen
Ich weiss, dass in Genf jedes Jahr die bedeutendste Erfindermesse der Welt stattfindet.
Ich weiss, dass in Frankreich viele neue englische Wörter (Anglizismen) durch französische Wörter ersetzt werden.

Lernstrategien
Ich kann Online-Wörterbücher verwenden.
Ich kann mir über eine abgeschlossene Arbeit mit Hilfe des ESP Gedanken machen und für meine weitere Arbeit Schlüsse daraus ziehen.
Ich weiss, dass ich mir korrekte Formen merken kann, wenn ich möglichst viele Hörgelegenheiten nutze.

Das habe ich auch noch gelernt

6

Du schreibst Wörter und Ausdrücke auf, die du dir merken möchtest.

Du siehst, welche grammatikalischen Regeln du entdeckt hast.

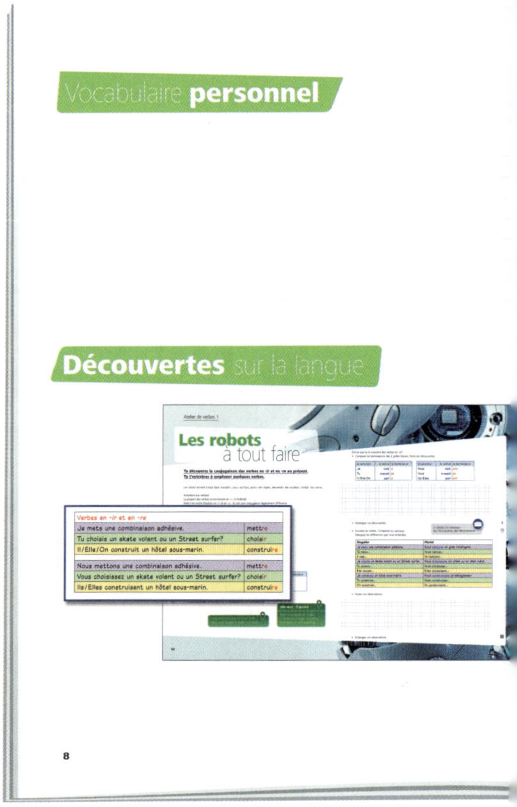
Vocabulaire **personnel**

Découvertes sur la langue

8

Vocabulaire de classe

…'est une sorte de…	Das ist eine Art …
…n véhicule	ein Fahrzeug
…n bâtiment	ein Gebäude
…n robot	ein Roboter
…ne construction	eine Konstruktion
… ressemble à un/une …	… gleicht … / ist ähnlich wie …
… est comme un/une …	… ist wie …
… a la forme d'un/d'une …	… hat die Form …
… mesure … (de long, de large, de haut)	… misst … (ist … lang/ breit/hoch)
…'est pratique pour …	Das ist für … praktisch.
… est capable de …	… ist fähig zu … / … kann …
faire un tour	eine Runde machen/drehen
faire du sport	Sport machen/treiben
… permet de …	… ermöglicht zu … / … erlaubt zu …
voler	fliegen
…l/Elle a …	Er/Sie/Es hat …
…l y a un/une … pour …	Es hat … um zu …
…l/Elle/C'est …	Er/Sie/Es/Das ist …
nouveau/nouvelle	neu
le premier … /la première …	der/die/das erste …
intelligent/intelligente	intelligent
sportif/sportive	sportlich
artificiel/artificielle	künstlich
rapide	schnell
…as mal!	Nicht schlecht!
…achement bien!	Saugut!
…'est fou!	Das ist verrückt!
…'est le pied!	Das ist der Hammer!

7

Du siehst die Wörter und Sätze, die du dir für die *tâche* gemerkt hast und die du bei weiteren Gelegenheiten verwenden kannst.

Du notierst die Ausdrücke, die gemeinsam ausgehandelt worden sind, um den Klassenwortschatz zu ergänzen.

9

Du hältst deine Einsichten in die Grammatik mit eigenen Worten, Skizzen, Schemata und Beispielen fest. Vielleicht vergleichst du dabei die französische Sprache auch mit anderen Sprachen.

Deinen Eintrag besprichst du mit Mitschülerinnen und Mitschülern.

Deine Einträge helfen dir, dich an Regeln zu erinnern. Was man selber darstellt, kann man besser behalten.

Du kannst deine Einträge auch zum Nachschlagen verwenden.

Ich habe gelernt, …

» **mündliche und schriftliche Anleitungen und Erklärungen zu verstehen und danach zu handeln.**

» **in mündlichen und schriftlichen Texten vieles zu verstehen.**

» **in Dokumentarfilmen vieles zu verstehen.**

» **einen Bericht zu schreiben und zu präsentieren.**

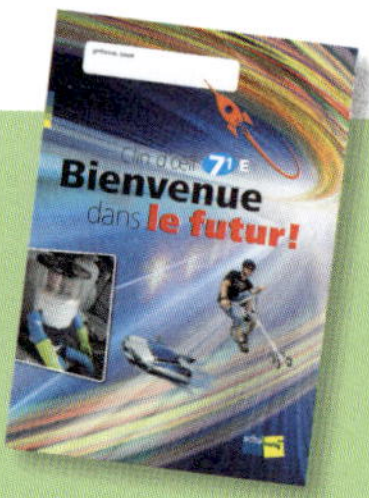

Tâche

Imaginons le futur

Ich habe etwas Futuristisches erfunden und einen Beitrag für das Klassendossier gestaltet.

Französisch hören, lesen, sprechen, schreiben
Ich kann die Arbeitsanweisungen im *magazine* verstehen, wenn ich sie in der *revue* nachschlagen kann.
Ich kann in kurzen, informativen Texten vieles verstehen, wenn mir Verstehenshilfen zur Verfügung stehen.
Ich kann einem Fernsehbeitrag einzelne Informationen entnehmen.
Ich kann kurze Texte vorlesen, wenn ich vorher geübt habe.
Ich kann eine futuristische Erfindung beschreiben.
Ich weiss, wie sich der grösste Teil der Adjektive dem Geschlecht und der Zahl des Nomens anpasst, und kann diese Hauptregel anwenden.
Ich kenne die Endungen von Verben auf *-re* und *-ir* im *présent*.

Bewusstheit für Sprachen und Kulturen
Ich weiss, dass in Genf jedes Jahr die bedeutendste Erfindermesse der Welt stattfindet.
Ich weiss, dass in Frankreich viele neue englische Wörter (Anglizismen) durch französische Wörter ersetzt werden.

Lernstrategien
Ich kann Online-Wörterbücher verwenden.
Ich kann mir über eine abgeschlossene Arbeit mit Hilfe des ESP Gedanken machen und für meine weitere Arbeit Schlüsse daraus ziehen.
Ich weiss, dass ich mir korrekte Formen merken kann, wenn ich möglichst viele Hörgelegenheiten nutze.

Das habe ich auch noch gelernt

Vocabulaire de classe

C'est une sorte de...	Das ist eine Art …
un véhicule	ein Fahrzeug
un bâtiment	ein Gebäude
un robot	ein Roboter
une construction	eine Konstruktion
…ressemble à un/une…	… gleicht …/ist ähnlich wie …
…est comme un/une…	… ist wie …
…a la forme d'un/d'une…	… hat die Form …
…mesure... (de long, de large, de haut)	… misst … (ist … lang/ breit/hoch)
C'est pratique pour…	Das ist für … praktisch.
…est capable de…	… ist fähig zu …/… kann …
faire un tour	eine Runde machen/drehen
faire du sport	Sport machen/treiben
…permet de…	… ermöglicht zu …/… erlaubt zu …
voler	fliegen
Il/Elle a...	Er/Sie/Es hat …
Il y a un/une… pour…	Es hat … um zu …
Il/Elle/C'est…	Er/Sie/Es/Das ist …
nouveau/nouvelle	neu
le premier…/la première…	der/die/das erste …
intelligent/intelligente	intelligent
sportif/sportive	sportlich
artificiel/artificielle	künstlich
rapide	schnell
Pas mal!	Nicht schlecht!
Vachement bien!	Saugut!
C'est fou!	Das ist verrückt!
C'est le pied!	Das ist der Hammer!

Vocabulaire **personnel**

Découvertes sur la langue

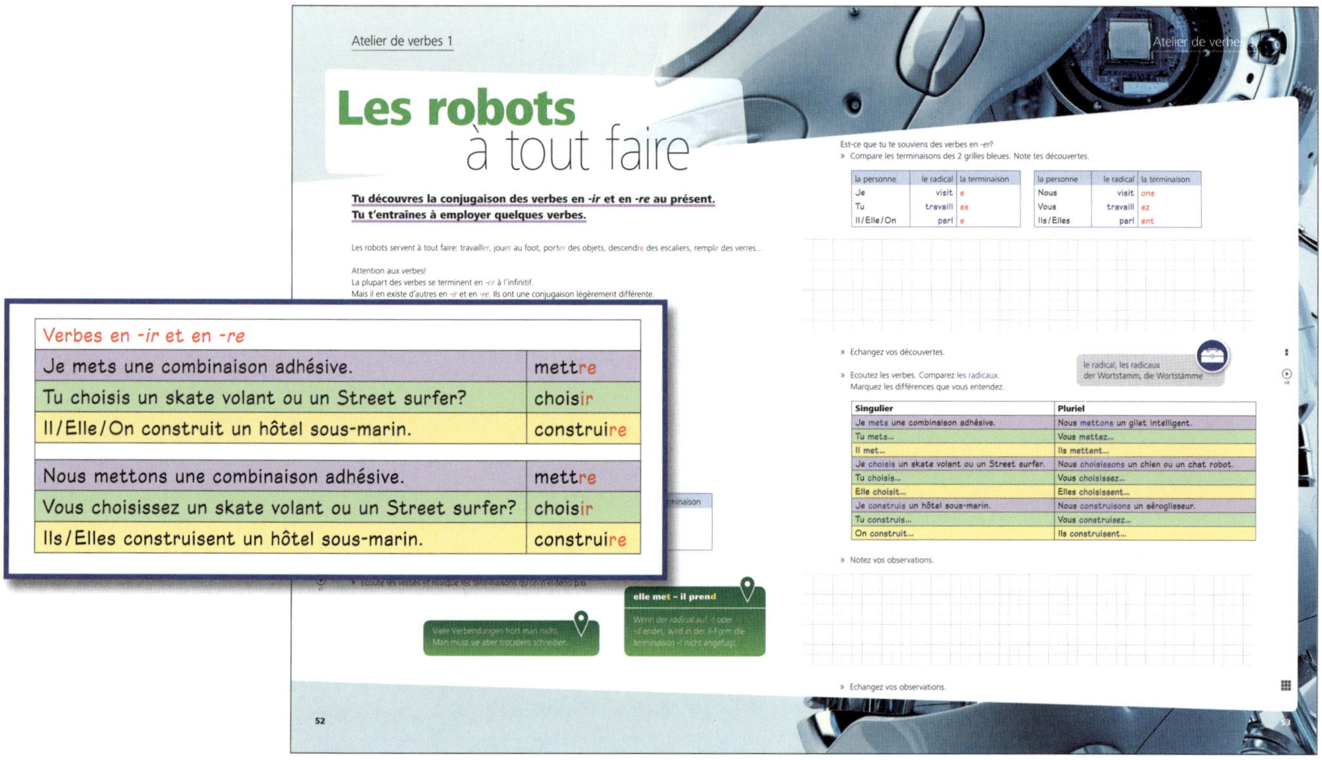

Atelier de verbes 1

Les robots à tout faire

Tu découvres la conjugaison des verbes en *-ir* et en *-re* au présent.
Tu t'entraînes à employer quelques verbes.

Les robots servent à tout faire: travailler, jouer au foot, porter des objets, descendre des escaliers, remplir des verres...

Attention aux verbes!
La plupart des verbes se terminent en *-er* à l'infinitif.
Mais il en existe d'autres en *-ir* et en *-re*. Ils ont une conjugaison légèrement différente.

Verbes en *-ir* et en *-re*	
Je mets une combinaison adhésive.	mettre
Tu choisis un skate volant ou un Street surfer?	choisir
Il/Elle/On construit un hôtel sous-marin.	construire
Nous mettons une combinaison adhésive.	mettre
Vous choisissez un skate volant ou un Street surfer?	choisir
Ils/Elles construisent un hôtel sous-marin.	construire

Viele Verbendungen hört man nicht. Man muss sie aber trotzdem schreiben.

elle met – il prend
Wenn der radical auf -t oder -d endet, wird in der il-Form die terminaison -t nicht angefügt.

52

Est-ce que tu te souviens des verbes en -er?
» Compare les terminaisons des 2 grilles bleues. Note tes découvertes.

la personne	le radical	la terminaison
Je	visit	e
Tu	travaill	es
Il/Elle/On	parl	e

la personne	le radical	la terminaison
Nous	visit	ons
Vous	travaill	ez
Ils/Elles	parl	ent

» Echangez vos découvertes.

» Ecoutez les verbes. Comparez les radicaux.
Marquez les différences que vous entendez.

le radical, les radicaux
der Wortstamm, die Wortstämme

Singulier	Pluriel
Je mets une combinaison adhésive.	Nous mettons un gilet intelligent.
Tu mets...	Vous mettez...
Il met...	Ils mettent...
Je choisis un skate volant ou un Street surfer.	Nous choisissons un chien ou un chat robot.
Tu choisis...	Vous choisissez...
Elle choisit...	Elles choisissent...
Je construis un hôtel sous-marin.	Nous construisons un aéroglisseur.
Tu construis...	Vous construisez...
On construit...	Ils construisent...

» Notez vos observations.

» Echangez vos observations.

53

Ich habe gelernt, …
» mündliche und schriftliche Beschreibungen zu verstehen.
» eine Beschreibung zu schreiben und zu präsentieren.

Tâche
Audioguide

Ich habe einen Audioguide erstellt, um den anderen ein Bild vorzustellen.

Französisch hören, lesen, sprechen, schreiben
Ich kann Bildbeschreibungen verstehen, wenn mir Entschlüsselungshilfen zur Verfügung stehen.
Ich kann über ein Bild sprechen.
Ich kann in der Gruppe französisch sprechen.
Ich kann zu einem Bild einen Text schreiben und ihn vorlesen.
Ich kenne verschiedene Frageformen und kann Fragen stellen.

Bewusstheit für Sprachen und Kulturen
Ich kenne eine Künstlerin und ein Künstlerkollektiv aus der Suisse romande und weiss etwas über ihr künstlerisches Schaffen.

Lernstrategien
Ich kann in meinen Vortrag Fragen einbauen, um die Aufmerksamkeit der Zuhörerinnen und Zuhörer zu gewinnen.
Ich kann meine Einstellungen zum Lernen mit Hilfe der *revue* reflektieren.

Das habe ich auch noch gelernt

Vocabulaire de classe

Ça se passe à / en…?	Spielt sich das in … ab?
Est-ce qu'on est à / en…?	Ist man in …?
Qu'est-ce que c'est?	Was ist das?
S'agit-il d'un / d'une…?	Handelt es sich um …?
Est-ce…	Ist es …
peut-être un / une…?	vielleicht …?
vraiment un / une…?	wirklich …?
Voyez-vous le / la / les…?	Seht ihr …?
On voit un / une / des…	Man sieht …
Ça fait penser à un / une / des…	Das erinnert an …
C'est possible?	Ist das möglich?
C'est difficile à dire.	Das ist schwer zu sagen.
Au premier plan, il y a un / une / des…	Im Vordergrund hat es …
A l'arrière-plan, on voit un / une / des…	Im Hintergrund sieht man …
Au milieu,…	In der Mitte …
En haut,…	Oben …
En bas,…	Unten …
A gauche,…	Links …
A droite,…	Rechts …
C'est…	Das ist …
étrange	seltsam, eigenartig
bizarre	seltsam, eigenartig
incroyable	unglaublich
…est…	… ist …
bleu / bleue	blau
bleu clair	hellblau
bleu foncé	dunkelblau
rouge	rot
jaune	gelb
vert / verte	grün
brun / brune	braun
blanc / blanche	weiss
noir / noire	schwarz
Le tableau montre…	Das Bild zeigt …
La photo montre…	Das Foto zeigt …
Le titre de ce tableau est «…».	Der Titel dieses Bildes ist «…».

Vocabulaire **personnel**

Découvertes sur la langue

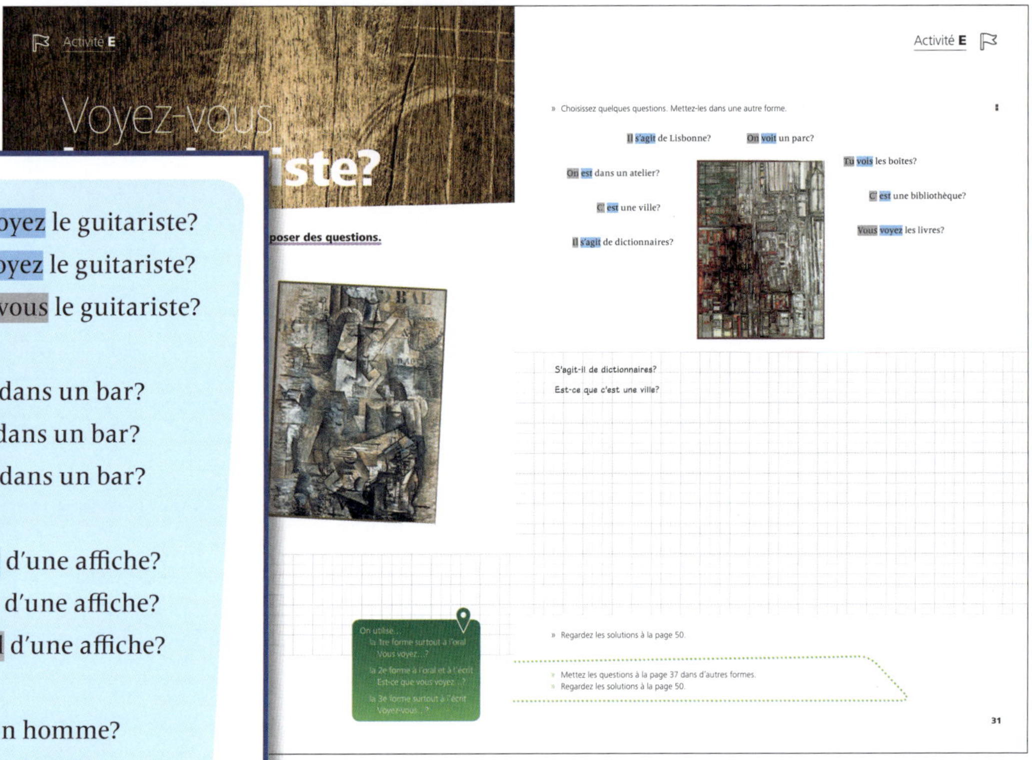

Vous voyez le guitariste?
Est-ce que vous voyez le guitariste?
Voyez-vous le guitariste?

On est dans un bar?
Est-ce qu' on est dans un bar?
Est-on dans un bar?

Il s'agit d'une affiche?
Est-ce qu' il s'agit d'une affiche?
S'agit-il d'une affiche?

C' est un homme?
Est-ce que c' est un homme?
Est-ce un homme?

Ich habe gelernt, …
» Comics *(bandes dessinées)* zu verstehen.
» in einem Dokumentarfilm vieles zu verstehen.
» in einem Rollenspiel eine Rolle zu übernehmen.
» während Partner- und Gruppenarbeiten und bei Lernspielen französisch zu sprechen und die Mitschülerinnen und Mitschüler zu verstehen.

Tâche
Ben quoi?

Ich habe Szenen zu Unterrichtssituationen erfunden und sie anderen vorgespielt.

Französisch hören, lesen, sprechen, schreiben
Ich kann BD (*bandes dessinées*) verstehen, die in der Schule spielen.
Ich kann eine BD ausdrucksvoll vorlesen.
Ich kann Redemittel aus den BD und aus der *revue* («Nous parlons français!») im schulischen Alltag verwenden.
Ich kann einem kurzen Filmbericht einzelne Informationen entnehmen.
Ich kann mit anderen zusammen eine Szene erfinden und vorspielen.
Ich weiss, dass sich die Possessivbegleiter *mon, ton, son* … in Zahl und Geschlecht dem Nomen anpassen.

Bewusstheit für Sprachen und Kulturen
Ich kenne den Erfinder und Zeichner der BD-Figur Titeuf.

Lernstrategien
Ich kann meine Stimme variieren, um den Inhalt von Aussagen zu verdeutlichen.
Ich kann Füllwörter verwenden, um Sprechpausen zu überbrücken und um beim Sprechen natürlich zu wirken.
Ich kann die *revue* als Nachschlagewerk nutzen.
Ich weiss, dass ich Grammatikthemen in einer Referenzgrammatik nachschlagen kann.

Das habe ich auch noch gelernt

Vocabulaire de classe

Je me présente: Je suis…	Ich stelle mich vor: Ich bin…
Enchanté / Enchantée! Moi, c'est…	Freut mich! Ich bin…
Qui a gagné?	Wer hat gewonnen?
Ce n'est qu'un jeu.	Es ist nur ein Spiel.
Ça ne compte pas.	Das gilt nicht.
On ne triche pas.	Es wird nicht geschummelt.
C'est écrit «…».	Es steht «…».
Je t'explique.	Ich erkläre es dir.
Laisse tomber!	Vergiss es!
Courage!	Kopf hoch!
Ne t'en fais pas.	Mach dir nichts draus.
Calme-toi!	Beruhige dich!
Ce n'est pas grave.	Das ist nicht schlimm.
Fastoche!	Einfach!
J'en ai marre!	Ich habe es satt!
C'est trop fort.	Das ist wirklich toll.
J'adore…	Ich mag… sehr gern.
Cela ne veut rien dire.	Das hat nichts zu bedeuten.
On a cours de quoi?	Welches Fach haben wir?
maths, informatique, histoire, géo	Mathe, Informatik, Geschichte, Geo
Qu'est-ce que vous faites?	Was macht ihr?
Tu es prêt? / Tu es prête?	Bist du bereit?
Qu'est-ce qui se passe?	Was ist los?
Je te dérange?	Störe ich dich?
Non, pas du tout.	Nein, überhaupt nicht.
Allô?	Hallo?
Un instant!	Augenblick!
Je t'entends mal.	Ich höre dich schlecht.
Je te rappelle.	Ich rufe dich zurück.
Je te laisse mon numéro de portable.	Ich gebe dir meine Handynummer.
À la semaine prochaine!	Bis nächste Woche!

Vocabulaire **personnel**

Découvertes sur la langue

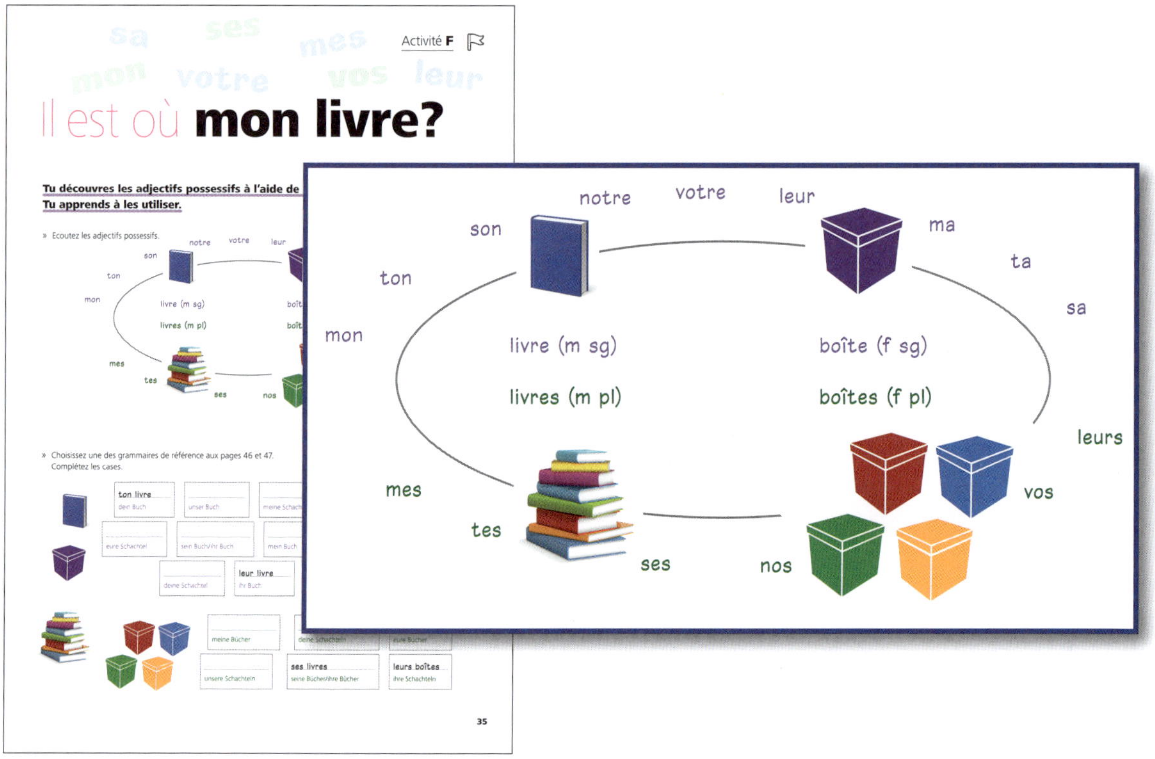

Ich habe gelernt…
» mündliche und schriftliche Erzählungen zu verstehen.
» eine Erzählung zu schreiben und zu präsentieren.

Tâche
Cette histoire vous chante?

Ich habe eine Geschichte geschrieben und sie anderen vorgelesen.

Französisch hören, lesen, sprechen, schreiben
Ich kann aus Hörtexten (Chansons) einzelne Ausschnitte heraushören.
Ich kann den Inhalt von einigen Chansons verstehen, wenn mir Verstehenshilfen zur Verfügung stehen.
Ich kann eine eigene Geschichte schreiben.
Ich kann eine selbst geschriebene Geschichte vorlesen.
Ich kann das *passé composé* mit den Hilfsverben *avoir* und *être* bilden und beim Schreiben eines Textes verwenden.

Bewusstheit für Sprachen und Kulturen
Ich kenne einige französische Chansons und deren Interpretinnen und Interpreten.
Ich kenne verschiedene Sehenswürdigkeiten und Besonderheiten von Paris.

Lernstrategien
Ich weiss, dass ich Verbformen in einer Verbentabelle oder in einem Online-Wörterbuch nachschauen kann.
Ich weiss, dass ich durch Blickkontakt die Aufmerksamkeit des Publikums gewinnen kann.
Ich kann mein Lernen und meine Lernstrategien mit HIlfe der *revue* oder des ESP reflektieren.

Das habe ich auch noch gelernt

Vocabulaire de classe

demander: «…»	fragen: «…»
fermer	schliessen
rêver	träumen
rencontrer	begegnen, treffen
oublier	vergessen
répondre: «…»	antworten: «…»
répondu	geantwortet
dormir	schlafen
dormi	geschlafen
ouvrir	öffnen
ouvert	geöffnet
d'abord	zuerst
ensuite	dann, danach
puis	dann, danach
plus tard	später
finalement	schliesslich
tout à coup	plötzlich
en même temps	gleichzeitig
malheureusement	leider
un matin	eines Morgens
le lendemain	am nächsten Tag
aller	gehen
monter	hinaufsteigen, einsteigen
arriver	ankommen
venir	kommen
venu/-e	gekommen
entrer	eintreten
retourner	zurückkehren
rester	bleiben
partir	weggehen, verreisen
parti/-e	weggegangen, verreist
sortir	hinausgehen
sorti/-e	hinausgegangen
descendre	hinabsteigen, aussteigen
descendu/-e	hinabgestiegen, ausgestiegen
tomber	hinfallen, fallen, stürzen

Vocabulaire **personnel**

Découvertes sur la langue

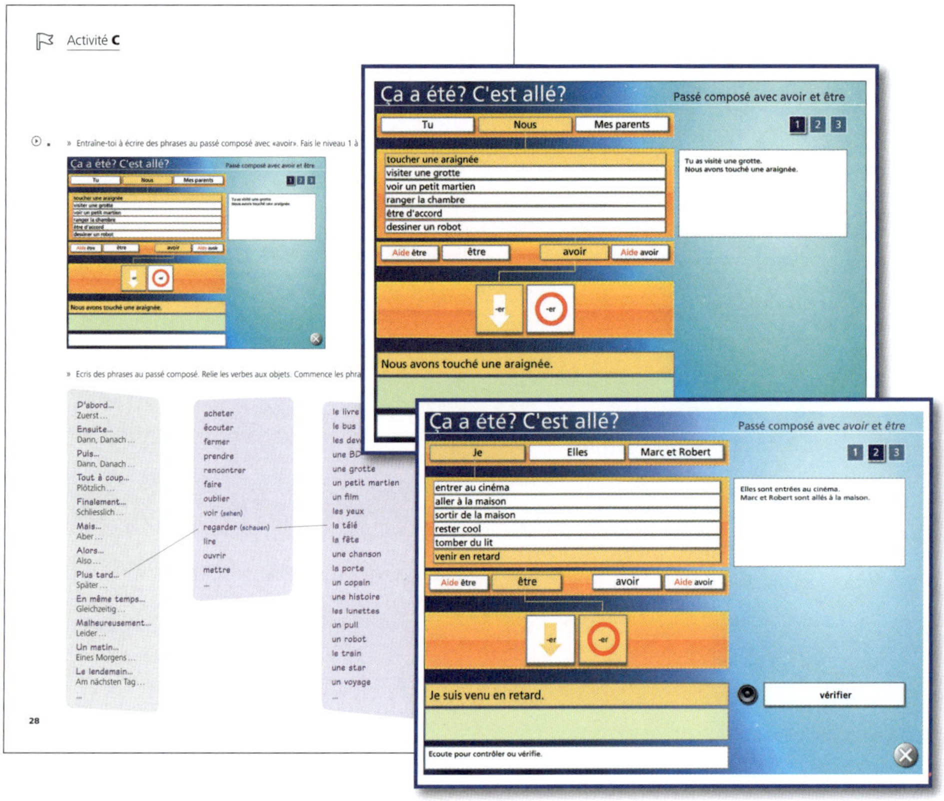

Ich habe gelernt, …
» kurze Filme oder Filmausschnitte im Grossen und Ganzen zu verstehen.

Tâche
Rétrospective

Ich habe meine Eindrücke vom Film «Les Choristes» mit anderen ausgetauscht.

Französisch hören, lesen, sprechen, schreiben

Ich kann einen französischen Spielfilm im Grossen und Ganzen verstehen.

Ich kann mich in einfachen Worten zu einzelnen Gesichtspunkten des Films äussern.

Bewusstheit für Sprachen und Kulturen

Ich kenne den französischen Spielfilm «Les Choristes».

Lernstrategien

Ich weiss, dass ich einen Spielfilm besser verstehen kann, wenn ich mir im Voraus einen Überblick über den Inhalt verschaffe.

Das habe ich auch noch gelernt

Vocabulaire de classe

Je trouve que… est…	Ich finde, dass… …ist.
Peut-être que… est…	Vielleicht ist… …
A mon avis… est…	Meiner Meinung nach ist… …
sympa	sympathisch
arrogant / arrogante	arrogant
malheureux / malheureuse	unglücklich
timide	schüchtern
sensible	sensibel
sévère	streng
stressé / stressée	nervös
effrayé / effrayée	erschrocken
joyeux / joyeuse	fröhlich
impatient / impatiente	ungeduldig
maladroit / maladroite	ungeschickt
fâché / fâchée	zornig, wütend
content / contente	zufrieden
sûr de lui / sûre d'elle	selbstsicher
Je pense que… se sent…	Ich denke, dass… sich… fühlt.
triste	traurig
mal à l'aise	nicht wohl
heureux / heureuse	glücklich

Vocabulaire **personnel**

Consulte le dictionnaire. **Consultez…** consulter	Schlage im Wörterbuch nach. Schlagt … nach.
Continue avec d'autres photos. **Continuez**… continuer	Mache weiter mit anderen Fotos. Macht weiter …
Contrôle ta prononciation. **Contrôlez**… contrôler	Kontrolliere deine Aussprache. Kontrolliert …
Copie le mot. **Copiez**… copier	Schreibe das Wort ab. Schreibt … ab.
Corrige ton texte. **Corrigez**… corriger	Korrigiere deinen Text. Korrigiert …
Crée un poème. **Créez…** créer	Kreiere ein Gedicht. Kreiert …

D

Décide comment tu aimerais réciter le poème. **Décidez…** décider	Entscheide, wie du das Gedicht rezitieren möchtest. Entscheidet …
Décore la feuille. **Décorez…** décorer	Verziere das Blatt. Verziert …
Découpe la photo. **Découpez**… découper	Schneide das Foto aus. Schneidet … aus.
Décris ta machine. **Décrivez**… décriver	Beschreibe deine Maschine. Beschreibt …
Dessine ton symbole. **Dessinez**… dessiner	Zeichne dein Symbol. Zeichnet …
Devine. **Devinez.** deviner	Rate. Ratet.
Dicte les mots. **Dictez**… dicter	Diktiere die Wörter. Diktiert …
Distribue les cartes. **Distribuez**… distribuer	Teile die Karten aus. Teilt … aus.
Dis deux phrases. **Dites**… dire	Sage zwei Sätze. Sagt …
Donne un titre à ton reportage. **Donnez**… donner	Gib deiner Reportage einen Titel. Gebt …

E

Echange tes résultats avec un partenaire. **Echangez**… échanger	Tausche deine Resultate mit einem Partner aus. Tauscht … aus.
Ecoute le texte. **Ecoutez**… écouter	Höre den Text. Hört …

Ecris le mot. **Ecrivez**… écrire	Schreibe das Wort auf. Schreibt … auf.
Enregistre le text. **Enregistrez**… enregistrer	Nimm den Text auf. Nehmt … auf.
Enrichis cette scène de tes idées. **Enrichissez**… enrichir	Erweitere diese Szene mit deinen Ideen. Erweitert …
Entraîne-toi à l'ordinateur. **Entraînez**-vous… s'entraîner	Übe am Computer. Übt …
Essaie encore une fois. **Essayez**… essayer	Versuche es noch einmal. Versucht …

Esquisse ton invention. **Esquissez**… esquisser	Skizziere deine Erfindung. Skizziert…

Exerce la lecture à haute voix. **Exercez**… exercer	Übe vorzulesen. Übt…
Explique l'expérience. **Expliquez**… expliquer	Erkläre das Experiment. Erklärt…
Expose le texte. **Exposez**… exposer	Stelle den Text aus. Stellt … aus.

F

Fais un dessin. **Faites**… faire	Mache eine Zeichnung. Macht…
Feuillete les pages 12 à 19. **Feuilletez**… feuilleter	Blättere die Seiten 12 bis 19 durch. Blättert… durch.
Fixe une feuille à chaque texte. **Fixez**… fixer	Befestige an jeden Text ein Blatt. Befestigt…
Forme deux groupes. **Formez**… former	Bilde zwei Gruppen. Bildet…

I

Imagine ce qui manque. **Imaginez**… imaginer	Stelle dir vor, was fehlt. Stellt euch vor…
Imite le cri d'un animal. **Imitez**… imiter	Ahme einen Tierlaut nach. Ahmt… nach.
Imprime la feuille. **Imprimez**… imprimer	Drucke das Blatt aus. Druckt … aus.
Indique les pays. **Indiquez**… indiquer	Gib die Länder an. Gebt… an.
Instruis un élève à faire l'expérience. **Instruisez**… instruire	Weise einen Schüler an, das Experiment durchzuführen. Weist… an.
Invente une histoire. **Inventez**… inventer	Erfinde eine Geschichte. Erfindet…

J

Jette le dé. **Jetez** le dé. jeter	Würfle. Würfelt.
Jette un coup d'œil sur le texte. **Jetez** un coup d'œil sur… jeter	Wirf einen Blick auf den Text. Werft… auf…
Joue aux cartes. **Jouez**… jouer	Spiele Karten. Spielt…

L

Lance la carte en l'air. **Lancez**… lancer	Wirf die Karte in die Luft. Werft…
Lis le texte. **Lisez.** lire	Lies den Text. Lest…
Localise les curiosités. **Localisez**… localiser	Finde die Sehenswürdigkeiten. Findet…

M

Marque les mots. **Marquez**… marquer	Markiere die Wörter. Markiert…
Mélange les cartes. **Mélangez**… mélanger	Mische die Karten. Mischt…
Mets le pion sur la case. **Mettez**… mettre	Stelle die Spielfigur auf das Feld. Stellt…
Montre ton affiche. **Montrez**… montrer	Zeige dein Plakat. Zeigt…

N

Note la traduction. **Notez**… noter	Notiere die Übersetzung. Notiert…
Numérote les expressions. **Numérotez**… numéroter	Nummeriere die Ausdrücke. Nummeriert…

O

Observe la fille. **Observez**… observer	Beobachte das Mädchen. Beobachtet…
Ouvre le dictionnaire. **Ouvrez**… ouvrir	Öffne das Wörterbuch. Öffnet…

P

Parle français. **Parlez**… parler	Sprich französisch. Sprecht…
Pioche une carte. **Piochez**… piocher	Nimm eine Karte auf. Ziehe eine Karte. Nehmt … auf. Zieht…
Pose des questions. **Posez**… poser	Stelle Fragen. Stellt…
Prends le dictionnaire. **Prenez**… prendre	Nimm das Wörterbuch. Nehmt…
Prépare des cartes pour ton fichier. **Préparez**… préparer	Bereite Karten für deinen *fichier* vor. Bereitet … vor.
Présente ton portrait. **Présentez**… présenter	Stelle dein Porträt vor. Stellt … vor.
Procède comme dans l'activité B. **Procédez**… procéder	Gehe wie in *activité* B vor. Geht … vor.
Prononce le mot. **Prononcez**… prononcer	Sprich das Wort aus. Sprecht … aus.

R

Raconte. **Racontez.** raconter	Erzähle. Erzählt.
Rajoute des petits dessins. **Rajoutez**… rajouter	Füge kleine Skizzen hinzu. Fügt … hinzu.
Range la carte dans la deuxième case. **Rangez**… ranger	Ordne die Karte in das zweite Fächlein ein. Ordnet … ein.
Récite la deuxième strophe. **Récitez**… réciter	Sage die zweite Strophe auf. Sagt auf…
Recule de deux cases. **Reculez**… reculer	Gehe zwei Felder zurück. Geht … zurück.

Réécoute le texte. **Réécoutez**… réécouter	Höre den Text noch einmal. Hört … noch einmal.
Regarde le film. **Regardez**… regarder	Schau den Film an. Schaut … an.
Regroupe les mots. **Regroupez...** regrouper	Gruppiere die Wörter. Gruppiert …
Relie les noms aux langues. **Reliez...** relier	Verbinde die Namen mit den Sprachen. Verbindet …
Remplis le questionnaire. **Remplissez...** remplir	Fülle den Fragebogen aus. Füllt …
Répartis ton histoire en trois scènes. **Répartissez**… répartir	Unterteile deine Geschichte in drei Szenen. Unterteilt …
Répète chaque mot à haute voix. **Répétez**… répéter	Sprich jedes Wort laut nach. Sprecht … nach.
Réponds aux questions. **Répondez**… répondre	Beantworte die Fragen. Beantwortet …
Reprends une BD. **Reprenez**… reprendre	Nimm noch einmal eine BD. Nehmt noch einmal …
Retiens six mots. **Retenez**… retenir	Behalte sechs Wörter. Behaltet …
Retourne au musée. **Retournez**… retourner	Kehre in das Museum zurück. Kehrt … zurück.
Retravaille ton texte. **Retravaillez**… retravailler	Überarbeite deinen Text. Überarbeitet …
Retrouve les trois parties. **Retrouvez**… retrouver	Finde die drei Teile wieder. Findet … wieder.

S

Souviens-toi. **Souvenez**-vous. se souvenir	Erinnere dich. Erinnert euch.

T

Tire une ligne. **Tirez**… tirer	Ziehe eine Linie. Zieht …
Travaille avec les stratégies. **Travaillez**… travailler	Arbeite mit den Strategien. Arbeitet …
Trouve quatre mots parallèles. **Trouvez**… trouver	Finde vier Parallelwörter. Findet …

U

Utilise les boîtes de traduction. **Utilisez**… utiliser	Benutze die *boîtes de traduction.* Benutzt …

V

Varie la voix. **Variez**… varier	Variiere die Stimme. Variiert …
Vérifie ta prononciation. **Vérifiez**… vérifier	Überprüfe deine Aussprache. Überprüft …
Visite le musée. **Visitez**… visiter	Besuche das Museum. Besucht …
Visualise ce mot dans la tête. **Visualisez**… visualiser	Stelle dir die Bedeutung dieses Wortes als Bild vor. Stellt euch … vor.

Nous parlons français!

Poser des questions Fragen stellen		Donner des réponses Antworten geben	
On a cours de quoi? Welches Fach haben wir?	> <	maths, informatique, histoire, géo Mathe, Informatik, Geschichte, Geo	
Qu'est-ce qui se passe? Was ist los?	> <		
On travaille ensemble? Arbeiten wir zusammen?	> <	Oui, d'accord. Ja, einverstanden.	Non, désolé/-e. Nein, tut mir leid.
Je te dérange? Störe ich dich?	> <	Non, pas du tout. Nein, überhaupt nicht.	
On parle français? Sprechen wir französisch?	> <	Oui, d'accord. Ja, einverstanden.	
Qu'est-ce qu'il faut faire? Was muss man tun?	> <	Il faut... Man muss …	
Qu'est-ce que c'est en allemand...? Was heisst ... auf Deutsch?	> <	C'est... Das ist …	
Qu'est-ce que c'est en français...? Was heisst ... auf Französisch?	> <	C'est... Das ist …	
Qu'est-ce que c'est? Was ist das?	> <		
Qu'est-ce que ça veut dire? Was bedeutet das?	> <	... …	
Qu'est-ce que tu fais? Was machst du? Qu'est-ce que vous faites? Was macht ihr?	> <	Je... Ich … On... Wir …	
Tu veux me rendre un service? Tust du mir einen Gefallen?	> <	Oui, bien sûr! Ja, klar!	
Tu piges? Hast du's geschnallt?	> <	Oui. / Non. Ja. / Nein.	
Tu te souviens? Erinnerst du dich?	> <	Oui. / Non. Ja. / Nein.	
Tu es prêt/-e? Bist du bereit?	> <		
Tu as fini? Bist du fertig?	> <	Oui, ça y est. Ja, das wär's.	Non, pas encore. Nein, noch nicht.
C'est juste? Ist das richtig?	> <	Oui, c'est juste. Ja, das ist richtig.	Non, c'est faux. Nein, das ist falsch.
Qu'est-ce que tu as écrit? Was hast du geschrieben?	> <		
Comment ça s'écrit? Wie schreibt man das?	> <	Ça s'écrit avec... Das schreibt man mit …	Je ne sais pas. Ich weiss es nicht.
Est-ce...? Ist das … ?	> <	Oui. / Non. Ja. / Nein.	
Ce sont...? Sind das … ?	> <	Oui. / Non. Ja. / Nein.	
Et ça, c'est quoi? Und das, was ist das?	> <	C'est... Das ist ...	
Où est...? Wo ist … ?	> <		
Tu ne crois pas? Meinst du nicht?	> <		

Donner des consignes
Anweisungen geben

Aide-moi, s'il te plaît.
Hilf mir, bitte.

Cherche… dans le dictionnaire, s'il te plaît.
Schlage … im Wörterbuch nach, bitte.

Commence.
Fang an.

Continue.
Mach weiter.

Ecoute.
Hör zu.

Ecris…
Schreibe …

Lis…
Lies …

Lis plus fort.
Lies lauter.

Montre…
Zeige …

Fais voir!
Zeig!

Dépêche-toi!
Beeile dich!

Ne traîne pas!
Trödle nicht!

Arrête ça!
Hör auf damit!

Vas-y!
Los!

Répète, s'il te plaît.
Wiederhole, bitte.

Regarde…
Schau …

S'exclamer
Ausrufen

Nom d'un chien!
Verdammt! Verflixt! Donnerwetter!

Assez!
Genug!

C'est pas vrai!
Das darf doch nicht wahr sein!

Franchement!
Also wirklich!

Ça roule!
Geht in Ordnung!

Sans blague?
Ohne Witz?

Ça va pas?
Bist du noch bei Trost?

Attention!
Achtung!

Incroyable!
Unglaublich!

Zut!
Verflixt!

Jamais de la vie!
Nie im Leben!

C'est fou!
Das ist verrückt!

Fastoche!
Einfach!

J'en ai marre!
Ich habe es satt!

Faire des hypothèses
Hypothesen bilden

Je pense que c'est...
Ich denke, das ist ...

C'est peut-être...
Das ist vielleicht ...

En français, c'est peut-être...
Auf Französisch ist das vielleicht …

... me fait penser à...
… erinnert mich an …

Clarifier
Arbeitsanweisungen klären

Il faut…
Man muss…

Je pense qu'il faut...
Ich denke, man muss…

C'est écrit: «…»
Es steht: «…»

Je t'explique.
Ich erkläre es dir.

D'abord, on doit…
Zuerst muss man…

Ensuite, il faut…
Nachher muss man…

A la fin, on doit…
Am Schluss muss man…

Puis…
Dann…

Plus tard…
Später…

Finalement...
Schliesslich…

Téléphoner
Telefonieren

Allô?
Hallo?

Un instant!
Augenblick!

Je t'entends mal.
Ich höre dich schlecht.

Je te rappelle.
Ich rufe dich zurück.

Je te laisse mon numéro de portable.
Ich gebe dir meine Handynummer.

À la semaine prochaine!
Bis nächste Woche!

Combler un blanc
Füllwörter verwenden

du coup…
darum…

en fait…
eigentlich…

pour faire court…
um es kurz zu machen…

alors…
also, nun…

disons…
sagen wir…

bref…
kurzum…

enfin…
schliesslich…

mais…
aber…

donc…
also, doch…

euh…
äh, hm…

bon…
gut, schön…

hein…
nicht wahr, hä…

bof…
na ja, pff…

voilà…
natürlich, also…

puis…
dann, so…

ben…
nun, also…

Donner son avis
Die eigene Meinung äussern

Comment tu trouves…? Wie findest du …?	Je trouve ça magnifique! Ich finde das grossartig, wunderbar! Je trouve que c'est impressionnant! Ich finde, dass es beeindruckend, überwältigend ist! C'est trop fort. Das ist wirklich toll. Mon / Ma… préféré(e) est… Mein Lieblings… ist… Ça me plaît. Das gefällt mir. Ça ne me plaît pas. Das gefällt mir nicht.
Qu'est-ce que tu penses de…? Was hältst du von …?	Je préfère… Ich mag … lieber. Ça a l'air… Das wirkt… J'aime... Ich mag … J'adore… Ich mag … sehr gern. Je n'aime pas… Ich mag … nicht.
C'est facile. Das ist leicht.	C'est difficile. Das ist schwierig.
C'est très bien. Das ist sehr gut. C'est vachement bien. Das ist saumässig gut. C'est super! Das ist super! C'est le pied! Das ist der Hammer! Excellent! Ausgezeichnet! Ah oui, cool! Ah ja, toll! Bonne idée! Gute Idee! Extraordinaire! Aussergewöhnlich, einzigartig! Pas mal! Nicht schlecht!	C'est nul. Das ist miserabel. C'est absurde. Das ist absurd. C'est complètement loufoque. Das ist vollkommen verrückt. C'est faux. Das ist falsch. Non, ça ne va pas. Nein, das geht nicht. Ça ne sert à rien. Das bringt nichts. Cela ne veut rien dire. Das hat nichts zu bedeuten.
Tu es formidable! Du bist super!	Cela ne vous regarde pas. Das geht Sie / euch nichts an. Ce n'est pas de ma faute. Das ist nicht mein Fehler.

Donner son avis
Die eigene Meinung äussern

C'est possible. Das ist möglich. C'est logique. Das ist logisch. C'est correct. Das ist korrekt.	C'est difficile à dire. Das ist schwierig zu sagen.
J'aimerais écouter «…». Ich möchte gern «…» hören. J'aimerais lire «…». Ich möchte gern «…» lesen.	Je préfère écouter «…». Ich würde lieber «…» hören. Je préfère lire «…». Ich würde lieber «…» lesen.

Se présenter
Sich vorstellen

Salut! Ça va? Ciao! Wie geht's?	Ça va bien! Es geht gut!
Comment tu t'appelles? Wie heisst du?	Je m'appelle… Ich heisse… Je me présente: Je suis… Ich stelle mich vor: Ich bin… Enchanté / Enchantée! Moi, c'est… Freut mich! Ich bin… Mon nom est… Mein Name ist… On m'appelle… Man nennt mich…
Quel âge as-tu? Wie alt bist du?	J'ai... ans. Ich bin… Jahre alt.
Où habites-tu? Wo wohnst du?	J'habite... Ich wohne…
Quel / Quelle est ton / ta… préféré/-e? Was ist dein Lieblings…? Quels / Quelles sont tes… préférés/-es? Was sind deine Lieblings…?	Mon sport préféré est… Mein Lieblingssport ist… Ma chanson préférée est… Mein Lieblingslied ist… Mes matières préférées sont… Meine Lieblingsfächer sind…
	J'aime... Ich mag… J'aime moins… Ich mag… weniger. Ma passion est… Meine Passion ist… Mes hobbies sont:… Meine Hobbys sind…

Jouer aux jeux
Spielen

Commence.
Fange an.

Continue.
Fahre fort.

C'est mon tour.
Ich bin dran.

C'est ton tour.
Du bist dran.

A toi de jouer.
Du bist dran.

Je passe mon tour.
Ich setze eine Runde aus.

Mélange les cartes.
Mische die Karten.

Distribue les cartes.
Teil die Karten aus.

Prends une carte.
Nimm eine Karte.

Reprends ta carte.
Nimm deine Karte wieder.

Pioche une carte.
Nimm eine Karte auf.

Pose la carte.
Lege die Karte ab.

Je n'ai plus de cartes.
Ich habe keine Karten mehr.

Mets le pion sur la case départ.
Stelle die Spielfigur auf das Startfeld.

Jette le dé.
Würfle.

Avance de trois cases.
Rücke drei Felder vor.

Recule de deux cases.
Gehe zwei Felder zurück.

Compte les points.
Zähle die Punkte.

Ce n'est qu'un jeu.
Es ist nur ein Spiel.

Ça ne compte pas.
Das gilt nicht.

Jouer aux jeux
Spielen

On ne triche pas.
Es wird nicht geschummelt.

Pas de chance!
Pech gehabt!

Qui a gagné?
Wer hat gewonnen?

J'ai gagné!
Ich habe gewonnen!

Remonter le moral
Ermutigen

Laisse tomber!
Vergiss es!

Courage!
Kopf hoch!

Ne t'en fais pas.
Mach dir nichts draus.

Calme-toi!
Beruhige dich!

Ce n'est pas grave.
Das ist nicht schlimm.

Comparer des résultats
Ergebnisse vergleichen

J'ai noté… Ich habe … notiert. J'ai marqué… Ich habe … markiert. J'ai trouvé… Ich habe … gefunden.	
J'ai la même chose. Ich habe das Gleiche.	J'ai autre chose. Ich habe etwas anderes.
Le numéro... correspond à… Die Nummer … gehört zu …	Je suis d'accord avec toi. Ich bin mit dir einverstanden. Je ne suis pas d'accord avec toi. Ich bin mit dir nicht einverstanden. Ça ne correspond pas. Das passt nicht.
On a choisi… Wir haben … gewählt. Nous avons choisi le / la… Wir haben … gewählt. On prend… Wir nehmen …	
C'est le numéro… Das ist Nummer …	Je pense que c'est le numéro… Ich glaube, es ist Nummer …
La réponse est… Die Antwort ist …	A mon avis, la réponse est… Meiner Meinung nach ist die Antwort …
Je ne comprends pas. Ich verstehe es nicht.	

Présenter quelque chose
Etwas präsentieren

Notre présentation parle de… Unsere Präsentation handelt von …
Nous vous présentons… Wir präsentieren euch …
On vous présente… Wir präsentieren euch …
Il s'agit d'un/ d'une… Es handelt sich um …
Je vous présente… qui s'intitule «…» Ich präsentiere euch … mit dem Titel « … »

Vocabulaire de classe 5

Et si on allait voir?

Il s'agit d'un/d'une…	Es handelt sich um…
un concours	ein Wettbewerb
une fête	ein Fest
une exposition	eine Ausstellung
un événement	eine Veranstaltung
une curiosité	eine Sehenswürdigkeit
une foire	ein Jahrmarkt
un ascenseur	ein Lift
une montagne	ein Berg
…se trouve…	… befindet sich…
près de…	nahe bei…
entre…et…	zwischen… und…
au bord de…	am Rande von…
…a lieu…	… findet… statt.
au printemps, en été, en automne, en hiver	im Frühling, im Sommer, im Herbst, im Winter
au mois de…	im Monat…
janvier, février, mars, avril, mai, juin, juillet, août, septembre, octobre, novembre, décembre	Januar, Februar, März, April, Mai, Juni, Juli, August, September, Oktober, November, Dezember
…fait… de haut/de long/de large	… ist… hoch/lang/breit
Je trouve ça…	Ich finde das…
magnifique	grossartig, wunderbar
extraordinaire	aussergewöhnlich, einzigartig
impressionnant	beeindruckend, überwältigend

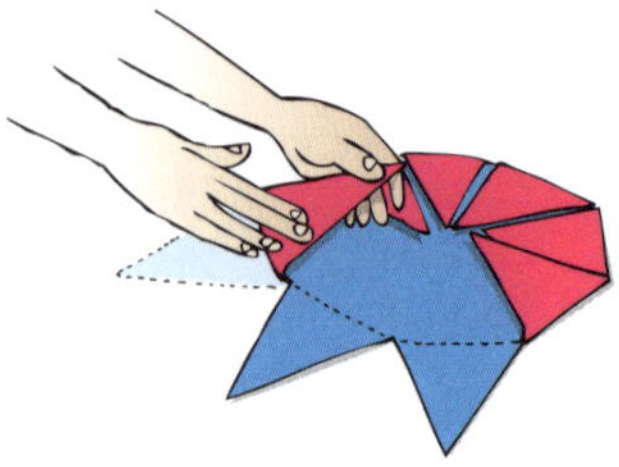

Expériences

plier	falten
découper	ausschneiden
remplir (remplis–remplissez)	füllen
placer	platzieren
poser	hinlegen, hinstellen
boucher	zuhalten
sortir (sors–sortez)	herausnehmen
scotcher	kleben
taper	schlagen
colorier	ausmalen
approcher	näherrücken
fermer	schliessen
remonter	hochkrempeln
retourner	umdrehen
toucher	berühren
pencher	kippen
plonger	tauchen
tapoter	leicht klopfen

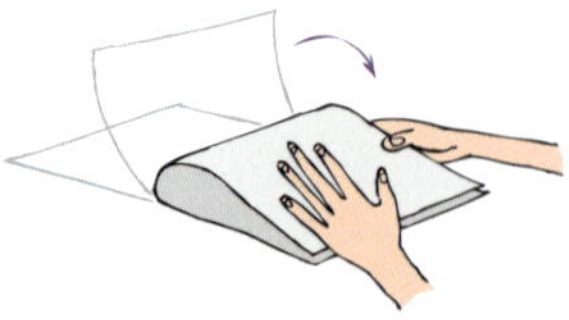

Blagues

Cela ne vous regarde pas.	Das geht Sie/euch nichts an.
Ça ne sert à rien.	Das bringt nichts.
Ce n'est pas de ma faute.	Das ist nicht mein Fehler.
Je n'ai jamais essayé.	Ich habe es nie probiert.
Je ne sais pas.	Ich weiss es nicht.
Ce n'est pas un…/une…	Das ist kein(e)…
Je ne comprends pas.	Ich verstehe es nicht.
Il n'y a plus de…	Es hat kein(e/en) … mehr.
rien du tout	überhaupt nichts
Ça fait 15 euros.	Das kostet 15 Euro.
Comment ça s'écrit?	Wie schreibt man das?

Jouer un bon tour

On a fait…	faire	Wir haben … gemacht.
J'ai dit…	dire	Ich habe … gesagt.
J'ai eu…	avoir	Ich habe … gehabt.
Elle a vu…	voir	Sie hat … gesehen.
J'ai été…	être	Ich bin … gewesen.
J'ai mis…	mettre	Ich habe … gelegt.
		Ich habe … gestellt.
Je suis allé(e)…	aller	Ich bin … gegangen.

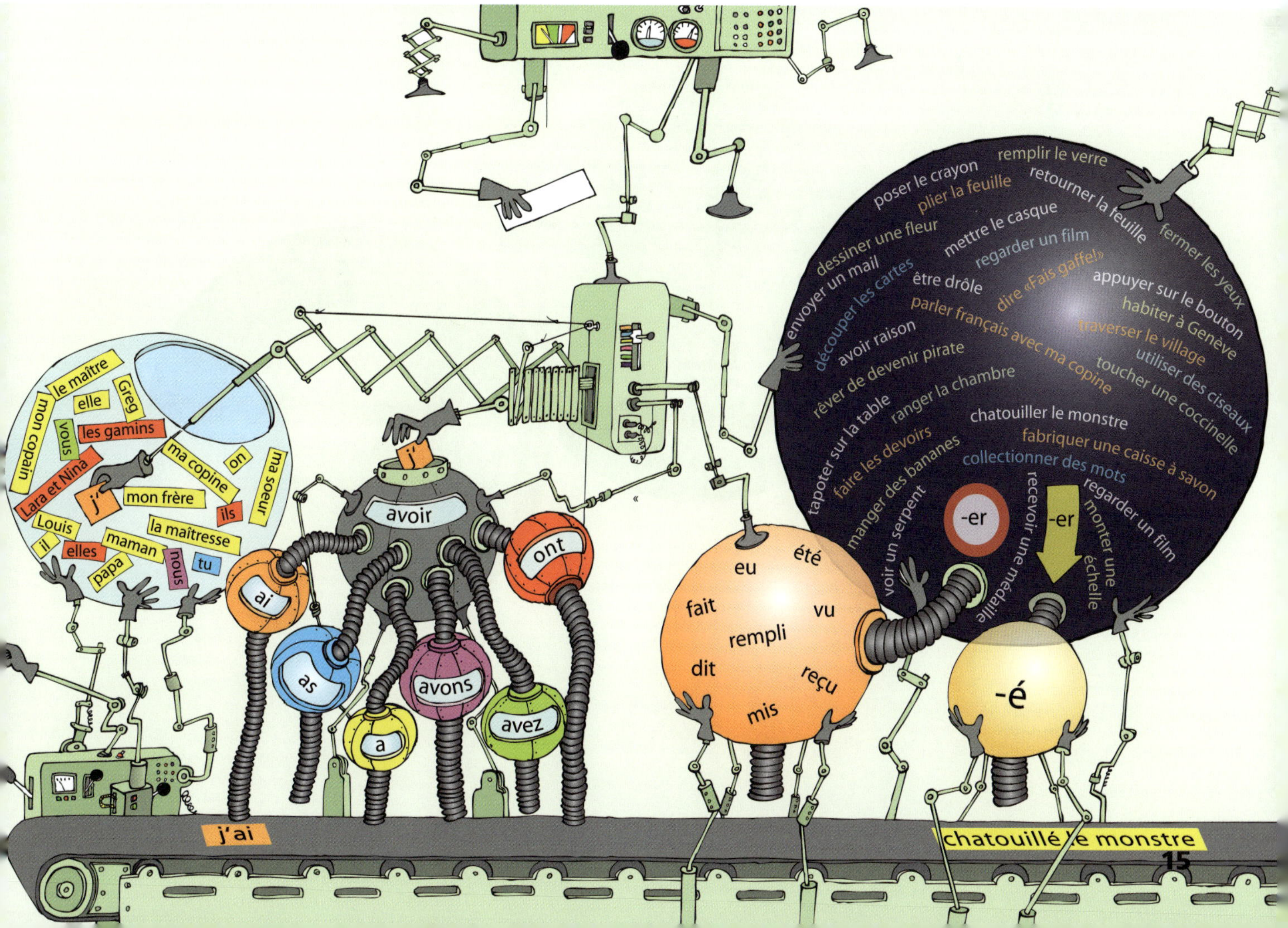

Vocabulaire de classe 6

Poésie

commencer	anfangen, beginnen
chaque jour	jeder Tag
une cage	ein Käfig
une larme	eine Träne
une forêt	ein Wald
une vague	eine Welle
le loup	der Wolf
pauvre	arm
le fromage	der Käse
les déchets (m pl)	der Müll, der Abfall, der Kehricht
le silence	die Ruhe, die Stille
la fourmi	die Ameise
la tête	der Kopf
Ça n'existe pas.	Das gibt es nicht. Das existiert nicht.
Pourquoi pas?	Warum nicht?
l'arbre (m)	der Baum
le magasin	das Geschäft, der Laden
acheter	kaufen, einkaufen
le feu rouge	das Rotlicht, die Verkehrsampel
la montre	die Armbanduhr

une cage
a cage

pauvre
poor

une forêt
a forest

Ça n'existe pas.
It doesn't exist.

une vague
a wave

le silence
the silence

rond
round

carré
square

l'objet
the object

le caddie
the caddy

une invention
an invention

inventer
to invent

apparaître
to appear

Inventions

Quand?	Wann?
Cette invention date de / du…	Diese Erfindung gibt es seit…
Où?	Wo?
Cette invention apparaît à / en / au / aux…	Diese Erfindung kommt aus… / tritt in… auf.
Qui?	Wer?
C'est… qui a inventé cet objet.	…hat diesen Gegenstand erfunden.
Ce sont… qui ont inventé cet objet.	…haben diesen Gegenstand erfunden.
Pour quoi faire?	Wozu?
On utilise cet objet pour…	Man braucht diesen Gegenstand, um…
Pour qui?	Für wen?
Cette invention est pour…	Diese Erfindung ist für…
tout le monde	alle, jedermann
Comment?	Wie?
Cet objet est… / Cette invention est…	Dieser Gegenstand ist… / Diese Erfindung ist…
en bois	aus Holz
en verre	aus Glas
bon / bonne	gut
rond / ronde	rund
carré / carrée	viereckig
utile	nützlich
passionnant / passionnante	faszinierend
le dentifrice	die Zahnpasta
la brosse à dents	die Zahnbürste
le réveil	der Wecker
le mouchoir	das Taschentuch
le caddie	der Einkaufswagen
l'allumette (f)	das Zündholz, das Streichholz
les lunettes (f pl)	die Brille
la paille	der Trinkhalm (das Stroh)
la poussette	der Kinderwagen
la chasse d'eau	die WC-Spülung
le dessin animé	der Zeichentrickfilm
l'ours en peluche (m)	der Plüschbär
la souris d'ordinateur	die Computermaus

Quelle question!

Que?	
Que signifie… ?	Was bedeutet … ?
Quel / Quelle?	
Quel est le… de… ? / Quelle est la… de… ?	Welches ist der … von … ?
Quel est le plus grand… ? / Quelle est la plus grande… ?	Welcher ist der grösste … ?
Quel est le plus petit… ? / Quelle est la plus petite… ?	Welche ist die kleinste … ?
Quel objet sert à… ?	Welcher Gegenstand dient zum … ?
Qui?	
Qui a inventé… ?	Wer hat … erfunden?
Qui a… ?	Wer hat … ?
Qui est… ?	Wer ist … ?
Où?	
Où se trouve… ?	Wo befindet sich … ?
Comment?	
Comment dit-on… en… ?	Wie sagt man … auf … ?
Pourquoi?	Warum?
Quel / Quelle / Quels / Quelles?	
Quel est le… de tes rêves?	Welcher ist dein Traum… ?
Quelle est la… de tes rêves?	
Quel est ton… préféré?	Welcher ist dein Lieblings… ?
Quelle est ta… préférée?	
Quels sont tes… préférés?	
Quelles sont tes… préférées?	Welches sind deine Lieblings… ?
Qui?	
A ton avis, qui est le meilleur… / la meilleure… ?	Wer ist deiner Meinung nach der beste … ?
Où?	
Où aimerais-tu… ?	Wo möchtest du … ?
passer les vacances	die Ferien verbringen
vivre	leben
Comment?	
Comment s'appelle ton / ta… ?	Wie heisst dein … ?

Le premier voyage de Christoph Colomb

Mon nom est...	Mein Name ist …
On m'appelle...	Man nennt mich …
Nous n'avons pas de / d'...	Wir haben kein …
Nous n'avons plus de / d'...	Wir haben kein … mehr.
(de) pain (m)	Brot
(de) biscottes (f pl)	Zwieback
(d') eau (f)	Wasser
On a faim.	Wir haben Hunger.
Quoi encore?	Was ist denn jetzt schon wieder?
Rentrons!	Kehren wir nach Hause zurück!
Nous allons découvrir…	Wir werden … entdecken.

Stratégies

Comprendre un texte

S'informer auparavant
Sich im Voraus informieren

Verschaffe dir im Voraus einen Überblick über die Personen und die Handlung einer Geschichte, um sie besser zu verstehen.

Parcourir le texte
Überfliegen

Überfliege den Text. Gewinne einen ersten Eindruck und erfasse einzelne Informationen.

Titres
Titel

Achte auf den Titel eines Textes. Er kann dir schon viel über den Inhalt verraten.

Deviner
Raten

Errate die Bedeutung eines Wortes oder eines Satzes.

Entendre ce qui est connu
Bekanntes heraushören

Achte beim Hören auf Parallelwörter, bekannte Wörter, Namen und Zahlen.

Mots parallèles anglais – français
Parallelwörter Englisch – Französisch

Achte auf Wörter, die auf Englisch und Französisch gleich oder ähnlich sind. Das hilft dir beim Verstehen von Texten und beim Wörterlernen.

Noms et nombres
Namen und Zahlen

Markiere Namen und Zahlen.

Vocabulaire connu et mots parallèles
Bekannter Wortschatz und Parallelwörter

Markiere Wörter, die du kennst oder entschlüsseln kannst, wie z. B. Parallelwörter.

Images
Bilder

Schau die Bilder gut an. Sie helfen dir, einen Text zu verstehen.

Voix
Stimme

Achte auf die Stimme der Erzählerin oder des Erzählers. Der Ausdruck der Stimme verrät viel über den Inhalt der Geschichte.

Bruitages
Geräusche

Achte auf die Geräusche.

Dictionnaires (en ligne)
(Online-)Wörterbücher

Schau ein Wort in verschiedenen (Online-) Wörterbüchern nach, damit du die treffendste Übersetzung findest.

Dictionnaire
Wörterbuch

Schau Wörter im Wörterbuch nach.

Mots-clés
Stichwörter

Notiere einzelne Stichwörter aus dem Text, um dich an den Inhalt erinnern zu können.

Questions
W-Fragen

Stelle Fragen an einen Text, z.B.: Wer? Was? Mit wem? Womit? Wo? Wann?

Das kann dir beim Verstehen oder Schreiben eines Textes helfen.

Caractéristiques d'un type de texte
Die Merkmale einer Textsorte kennen

Untersuche, wie ein Text aufgebaut ist. Das hilft dir, den Text zu verstehen und ihn nachzuerzählen.

Parler et écrire

Mots et phrases modèles
Musterwörter und -sätze

Suche in den Texten Wörter und Sätze, die du beim Sprechen und Schreiben verwenden kannst.

Expérimenter
Experimentieren

Finde durch Experimentieren gute Formulierungen.

Fichier et revue
Fichier und *revue*

Wende Wörter und Sätze aus deinem *fichier* und deiner *revue* an.

BD comme modèle pour le langage parlé
BD als Modell für Alltagsgespräche

Übernimm Ausrufe, kurze Sätze und Redewendungen aus den BD und verwende sie in Alltagsgesprächen.

Caractéristiques d'un type de texte
Die Merkmale einer Textsorte kennen

Untersuche, wie ein Text aufgebaut ist. Das hilft dir, den Text zu verstehen und ihn nachzuerzählen.

Phrases modèles
Sätze als Vorlage

Übernimm einen ganzen Satz oder Teile davon.

Demander de répéter
Um Wiederholung bitten

Bitte deine Gesprächspartnerin oder deinen -partner um Wiederholung, wenn du etwas nicht verstanden hast.

Parler français ensemble
Untereinander französisch sprechen

Nutze beim Arbeiten und Spielen möglichst viele Gelegenheiten, um französisch zu sprechen.

Surmonter des limites en rédaction
Schreibgrenzen überwinden

Wenn du etwas schreiben möchtest und dir die Worte fehlen, so zeichne eine Skizze.

Pense-bêtes
Spick-Notizen

Notiere Sätze, die du verwenden kannst. Wirf beim Sprechen wenn nötig einen Blick auf die vorbereiteten Sätze und wende sie an.

Combler un blanc
Füllwörter verwenden

Verwende Füllwörter, um Sprechpausen zu überbrücken und um beim Sprechen natürlich zu wirken.

D'autres moyens d'expression que la parole
Andere Ausdrucksmittel als Sprache

Setze auch Zeichnungen, Bewegungen und Geräusche ein, um dich auszudrücken.

Présence
Auftreten

Überlege dir, wie du in einer bestimmten Situation auftreten möchtest.

Capter l'attention par des questions
Aufmerksamkeit durch Fragen gewinnen

Baue Fragen in deinen Vortrag ein, damit dir das Publikum seine Aufmerksamkeit schenkt.

Pauses de discours
Sprechpausen machen

Mache beim Vorlesen oder Rezitieren bewusst kurze Pausen.

Capter l'attention par le regard
Aufmerksamkeit durch Blickkontakt gewinnen

Nimm Blickkontakt mit dem Publikum auf, damit es dir seine Aufmerksamkeit schenkt.

Expression de la voix
Ausdruck der Stimme

Variiere deine Stimme, um den Inhalt von Aussagen zu verdeutlichen.

Parler et écrire

Dictionnaire
Wörterbuch

Schau Wörter im Wörterbuch nach.

Dictionnaires (en ligne)
(Online-)Wörterbücher

Schau ein Wort in verschiedenen (Online-) Wörterbüchern nach, damit du die treffendste Übersetzung findest.

Grammaire de référence
Referenzgrammatik

Schlage Grammatikthemen in einer Referenzgrammatik nach.

La revue comme ouvrage de référence
Die *revue* als Nachschlagewerk

Nutze die *revue* als Nachschlagewerk.

Chercher des formes verbales
Verbformen suchen

Schlage Verbformen nach.

Retravailler un texte
Einen Text überarbeiten

Überarbeite einen eigenen Text, indem du beim Durchlesen auf je ein ausgewähltes Kriterium achtest.

Corriger
Korrigieren

Überprüfe Texte von anderen auf sprachliche Korrektheit. So gewinnst du mehr Sicherheit im Verwenden von Formen.

Conférence de rédaction
Schreibkonferenz

Überarbeite mit andern zusammen deinen Text. Sie geben dir Rückmeldungen zu deinem Entwurf und sagen, was du noch besser machen könntest.

Relecture
Gegenlesen

Gibt den Text jemandem zu lesen. Er/Sie soll dir den Inhalt auf Deutsch erzählen. So kannst du merken, ob dein Text verständlich ist.

Ecrire correctement
Wörter richtig schreiben

Schreibe Wörter mehrmals auf und lasse sie von jemandem in der Klasse oder vom Computer korrigieren.

Collaboration
Zusammenarbeit

Unterstützt euch gegenseitig beim Schreiben: Tauscht eure Ideen aus, gebt einander Tipps, sucht gemeinsam nach Formulierungen, überprüft eure Texte gegenseitig …

Retravailler un texte
Einen Text überarbeiten

Überarbeite einen eigenen Text, indem du beim Durchlesen auf je ein ausgewähltes Kriterium achtest.

Einen Text überarbeiten

Wähle einzelne Fragen aus und überprüfe deinen Text.

Textaufbau				
1. Titel Ist der Titel treffend?				
2. Erster Satz Ist der erste Satz ansprechend und interessant?				
3. Drei Textteile Hat der Text eine Einleitung, einen Hauptteil und einen Schluss?				
4. Verständlichkeit Ist der Ablauf der Geschichte verständlich?				
Stilmittel				
5. Anschaulichkeit Sind die Personen und Schauplätze so beschrieben, dass man sie sich gut vorstellen kann?				
6. Satzanfänge Habe ich abwechslungsreiche Satzanfänge gewählt?				
7. Direkte Rede Habe ich wenn möglich direkte Rede verwendet, damit der Text lebendiger wirkt? Ist klar, wer jeweils spricht?				
8. Fragen Habe ich wenn möglich Fragen verwendet, um Spannung zu erzeugen?				
9. Wortwahl Habe ich unnötige Wortwiederholungen vermieden?				
Korrektheit				
10. Verbformen Habe ich schwierige Verbformen nachgeschaut?				
11. Rechtschreibung Habe ich schwierige Wörter im Wörterbuch nachgeschaut?				

Mémoriser et apprendre par cœur

Images
Bilder

Schau die Bilder gut an oder stelle dir selber Bilder zu einem Wort vor. Bilder helfen dir, Wörter zu verstehen und zu behalten.

Mots parallèles anglais – français
Parallelwörter Englisch – Französisch

Achte auf Wörter, die auf Englisch und Französisch gleich oder ähnlich sind. Das hilft dir beim Verstehen von Texten und beim Wörterlernen.

Fichier électronique
Elektronischer *fichier*

Übe Wortschatz mit dem *fichier électronique* ein.

Mémoriser des mots en jouant
Sich beim Spielen Wörter merken

Lerne Wörter, indem du sie beim Spielen anwendest.

Répéter le vocabulaire
Wortschatz repetieren

Repetiere systematisch die Wörter in deinem *fichier.*

Classer des mots
Wörter ordnen

Schreibe Wörter nach Themen geordnet auf. So kannst du dich besser an sie erinnern.

Méthode mots-clés
Schlüsselwortmethode

Merke dir Wörter, die dir immer wieder entfallen, indem du dir ein bewegtes Bild vorstellst. Es verbindet das Bild des französischen Wortes mit dem Bild eines deutschen Wortes, das ähnlich gesprochen oder geschrieben wird.

Ecrire correctement
Wörter richtig schreiben

Schreibe Wörter mehrmals auf und lasse sie von jemandem in der Klasse oder vom Computer korrigieren.

Mémoriser des formes à l'oreille
Sich Formen über das Gehör merken

Nutze möglichst viele Hörgelegenheiten, um dir die unterschiedlichen Formen eines Verbs zu merken.

Aide-mémoire
Merkhilfe

Erinnere dich an bekannte Sätze, um dir korrekte Formen zu merken.

Apprendre par cœur – rythmer les textes
Sich Textstellen merken – Texte rhythmisieren

Merke dir Textstellen, indem du sie mehrmals hintereinander rhythmisch aussprichst.

Apprendre par cœur – en mouvement
In Bewegung auswendig lernen

Lies den Text im Gehen. Versuche, immer weniger auf den Text zu schauen und zunehmend grössere Abschnitte auswendig zu sprechen.

Apprendre par cœur – avec le CD
Mit der CD auswendig lernen

Höre den Text auf der CD immer wieder und sprich leise mit. Drehe die Lautstärke jedes Mal etwas zurück, bis du den Text ohne CD auswendig sprechen kannst.

Apprendre par cœur – avec des objets
Mit Gegenständen auswendig lernen

Lies den Text mehrmals durch. Lege mehr und mehr Gegenstände aus dem Etui auf den Text und lies ihn so lange, bis du nicht mehr stockst oder die Gegenstände nicht mehr verschieben musst.

Apprendre en enseignant

Apprendre en enseignant
Lernen durch Lehren

Lehre andere, was du gelernt hast. Dabei machst du selber Fortschritte.

Faciliter la compréhension de textes
Entschlüsselungshilfen zur Verfügung stellen

Mache zu einem Text Angaben wie Übersetzungen, Skizzen oder Anschriften, die anderen beim Entschlüsseln helfen.

Meine Einstellungen
zum Lernen

	selten	oft
Ich nutze Gelegenheiten, um französisch zu sprechen.		
Ich nutze fakultative Angebote.		
Ich traue mir beim Sprechen und Schreiben viel zu und gehe das Risiko ein, Fehler zu machen.		
Ich nutze Fehler, um weiterzulernen.		
Ich arbeite mit anderen zusammen.		
Ich hole bei anderen Hilfe.		
Meine Mitschülerinnen und Mitschüler korrigiere ich freundlich.		
Ich nutze Rückmeldungen und Beurteilungen von Mitschülerinnen und Mitschülern als Chance zum Weiterlernen.		
Ich frage nach, wenn ich etwas nicht verstanden habe.		
Wenn mir etwas nicht gelingt, versuche ich es noch einmal.		
Ich nutze auch ausserhalb der Schule französische Materialien und Medien wie Zeitschriften, Bücher, Videos, Spiele, Fernsehen, Radio, Internet …		

Das nehme ich mir vor

Über das Lernen nachdenken

	selten	oft
Ich organisiere mein Lernen selbstständig.		
Ich überlege mir, welche Lernstrategien mir besonders nützlich sind.		
Ich setze mir eigene Ziele.		
Ich wiederhole, was ich gelernt habe, damit ich es behalten kann.		
Ich schätze meine Lernergebnisse und meine Fortschritte selber ein.		
Ich vergleiche das Lernen verschiedener Sprachen miteinander (Deutsch, Französisch, Englisch …)		
Ich mache mir mit Hilfe des Sprachenportfolios Gedanken über abgeschlossene Arbeiten und ziehe für meine weitere Arbeit Schlüsse daraus.		

Das nehme ich mir vor

Bienvenue dans le futur!

Biz'Art?

Fastoche!

Si ça vous chante!

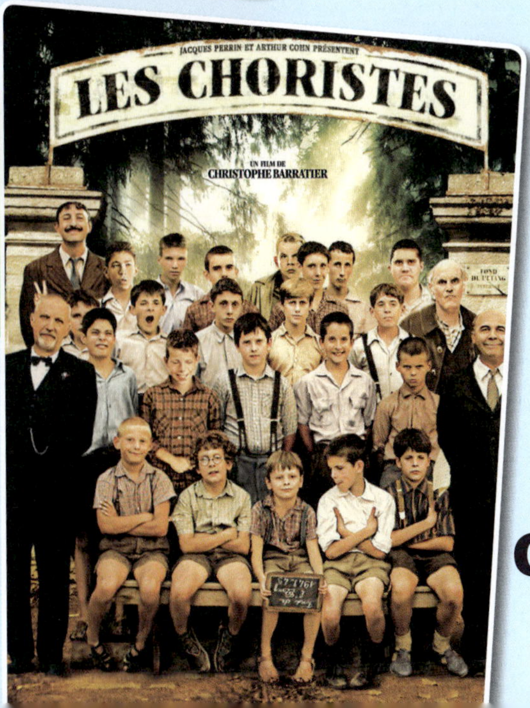

On se fait un ciné?

Wie unterstützt **die *revue*** **dein Lernen?**

Du siehst, an welchen übergreifenden Zielen du weitergearbeitet hast.

Du erinnerst dich an die *tâche*.

Du erinnerst dich, an welchen Zielen aus dem Bereich «Französisch hören, lesen, sprechen, schreiben» du gearbeitet hast.

Du erinnerst dich, an welchen Zielen aus dem Bereich «Bewusstheit für Sprachen und Kulturen» du gearbeitet hast.

Du erinnerst dich, an welchen Zielen aus dem Bereich «Lernstrategien» du gearbeitet hast.

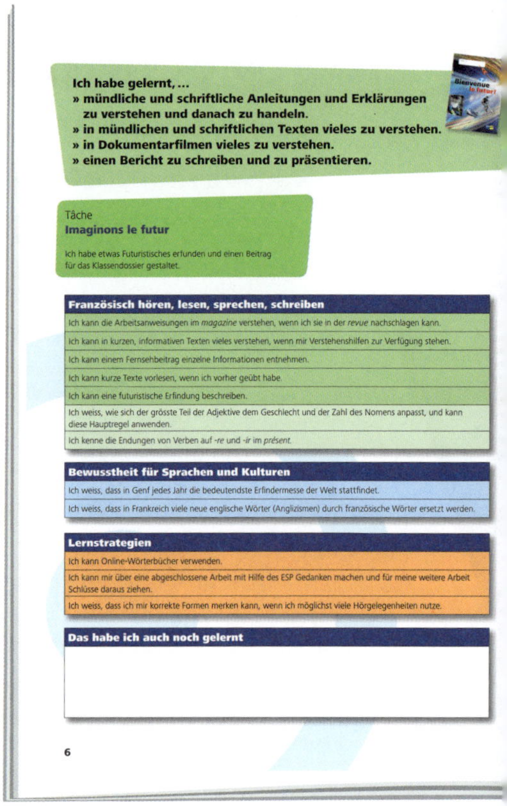

Ich habe gelernt, …
» mündliche und schriftliche Anleitungen und Erklärungen zu verstehen und danach zu handeln.
» in mündlichen und schriftlichen Texten vieles zu verstehen.
» in Dokumentarfilmen vieles zu verstehen.
» einen Bericht zu schreiben und zu präsentieren.

Tâche
Imaginons le futur
Ich habe etwas Futuristisches erfunden und einen Beitrag für das Klassendossier gestaltet.

Französisch hören, lesen, sprechen, schreiben
Ich kann die Arbeitsanweisungen im *magazine* verstehen, wenn ich sie in der *revue* nachschlagen kann.
Ich kann in kurzen, informativen Texten vieles verstehen, wenn mir Verstehenshilfen zur Verfügung stehen.
Ich kann einem Fernsehbeitrag einzelne Informationen entnehmen.
Ich kann kurze Texte vorlesen, wenn ich vorher geübt habe.
Ich kann eine futuristische Erfindung beschreiben.
Ich weiss, wie sich der grösste Teil der Adjektive dem Geschlecht und der Zahl des Nomens anpasst, und kann diese Hauptregel anwenden.
Ich kenne die Endungen von Verben auf *-re* und *-ir* im *présent*.

Bewusstheit für Sprachen und Kulturen
Ich weiss, dass in Genf jedes Jahr die bedeutendste Erfindermesse der Welt stattfindet.
Ich weiss, dass in Frankreich viele neue englische Wörter (Anglizismen) durch französische Wörter ersetzt werden.

Lernstrategien
Ich kann Online-Wörterbücher verwenden.
Ich kann mir über eine abgeschlossene Arbeit mit Hilfe des ESP Gedanken machen und für meine weitere Arbeit Schlüsse daraus ziehen.
Ich weiss, dass ich mir korrekte Formen merken kann, wenn ich möglichst viele Hörgelegenheiten nutze.

Das habe ich auch noch gelernt

6

Du schreibst Wörter und Ausdrücke auf, die du dir merken möchtest.

Du siehst, welche grammatikalischen Regeln du entdeckt hast.

/ocabulaire de classe

véhicule	ein Fahrzeug
bâtiment	ein Gebäude
robot	ein Roboter
e construction	eine Konstruktion
essemble à un/une…	… gleicht …/ist ähnlich wie …
nesure… (de long, de large, de haut)	… misst… (ist … lang/breit/hoch)
st pratique pour…	Das ist für … praktisch.
st capable de…	… ist fähig zu …/… kann …
ermet de…	… ermöglicht zu …/… erlaubt zu …
aire un tour	eine Runde machen/drehen
aire du sport	Sport machen/treiben
voler	fliegen
Elle a…	Er/Sie/Es hat …
à un/une… pour…	Es hat … um zu …
Elle/C'est…	Er/Sie/Es/Das ist …
intelligent/intelligente	intelligent
sportif/sportive	sportlich
rapide	schnell
s mal!	Nicht schlecht!
chement bien!	Saugut!
est fou!	Das ist verrückt!
est le pied!	Das ist der Hammer!

7

Du siehst die Wörter und Sätze, die du dir für die *tâche* gemerkt hast und die du bei weiteren Gelegenheiten verwenden kannst.

Du notierst die Ausdrücke, die gemeinsam ausgehandelt worden sind, um den Klassenwortschatz zu ergänzen.

9

Du hältst deine Einsichten in die Grammatik mit eigenen Worten, Skizzen, Schemata und Beispielen fest. Vielleicht vergleichst du dabei die französische Sprache auch mit anderen Sprachen.

Deinen Eintrag besprichst du mit Mitschülerinnen und Mitschülern.

Deine Einträge helfen dir, dich an Regeln zu erinnern. Was man selber darstellt, kann man besser behalten.

Du kannst deine Einträge auch zum Nachschlagen verwenden.

Ich habe gelernt, …

- **mündliche und schriftliche Anleitungen und Erklärungen zu verstehen und danach zu handeln.**
- **in mündlichen und schriftlichen Texten vieles zu verstehen.**
- **in Dokumentarfilmen vieles zu verstehen.**
- **einen Bericht zu schreiben und zu präsentieren.**

Tâche

Imaginons le futur

Ich habe etwas Futuristisches erfunden und einen Beitrag für das Klassendossier gestaltet.

Französisch hören, lesen, sprechen, schreiben
Ich kann die Arbeitsanweisungen im *magazine* verstehen, wenn ich sie in der *revue* nachschlagen kann.
Ich kann in kurzen, informativen Texten vieles verstehen, wenn mir Verstehenshilfen zur Verfügung stehen.
Ich kann einem Fernsehbeitrag einzelne Informationen entnehmen.
Ich kann kurze Texte vorlesen, wenn ich vorher geübt habe.
Ich kann eine futuristische Erfindung beschreiben.
Ich weiss, wie sich der grösste Teil der Adjektive dem Geschlecht und der Zahl des Nomens anpasst, und kann diese Hauptregel anwenden.
Ich kenne die Endungen von Verben auf *-re* und *-ir* im *présent.*

Bewusstheit für Sprachen und Kulturen
Ich weiss, dass in Genf jedes Jahr die bedeutendste Erfindermesse der Welt stattfindet.
Ich weiss, dass in Frankreich viele neue englische Wörter (Anglizismen) durch französische Wörter ersetzt werden.

Lernstrategien
Ich kann Online-Wörterbücher verwenden.
Ich kann mir über eine abgeschlossene Arbeit mit Hilfe des ESP Gedanken machen und für meine weitere Arbeit Schlüsse daraus ziehen.
Ich weiss, dass ich mir korrekte Formen merken kann, wenn ich möglichst viele Hörgelegenheiten nutze.

Das habe ich auch noch gelernt

Vocabulaire de classe

un véhicule	ein Fahrzeug
un bâtiment	ein Gebäude
un robot	ein Roboter
une construction	eine Konstruktion
...ressemble à un/une...	... gleicht .../ist ähnlich wie ...
...mesure... (de long, de large, de haut)	... misst... (ist ... lang/ breit/hoch)
C'est pratique pour...	Das ist für ... praktisch.
...est capable de...	... ist fähig zu .../... kann ...
...permet de...	... ermöglicht zu .../... erlaubt zu ...
faire un tour	eine Runde machen/drehen
faire du sport	Sport machen/treiben
voler	fliegen
Il/Elle a...	Er/Sie/Es hat ...
Il y a un/une... pour...	Es hat ... um zu ...
Il/Elle/C'est...	Er/Sie/Es/Das ist ...
intelligent/intelligente	intelligent
sportif/sportive	sportlich
rapide	schnell
Pas mal!	Nicht schlecht!
Vachement bien!	Saugut!
C'est fou!	Das ist verrückt!
C'est le pied!	Das ist der Hammer!

Vocabulaire **personnel**

Découvertes sur la langue

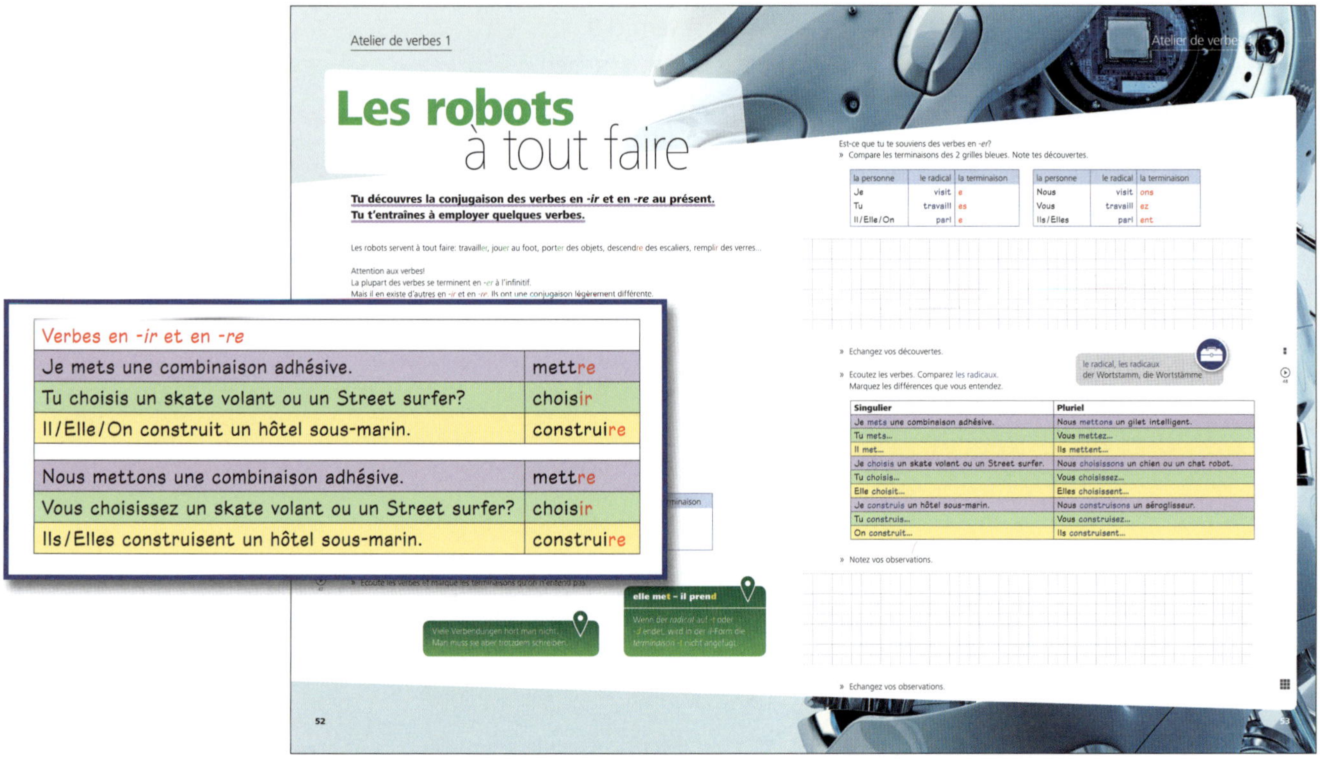

Verbes en *-ir* et en *-re*	
Je mets une combinaison adhésive.	mettre
Tu choisis un skate volant ou un Street surfer?	choisir
Il/Elle/On construit un hôtel sous-marin.	construire
Nous mettons une combinaison adhésive.	mettre
Vous choisissez un skate volant ou un Street surfer?	choisir
Ils/Elles construisent un hôtel sous-marin.	construire

Ich habe gelernt, …
» mündliche und schriftliche Beschreibungen zu verstehen.
» eine Beschreibung zu schreiben und zu präsentieren.

Tâche
Audioguide

Ich habe einen Audioguide erstellt, um den anderen ein Bild vorzustellen.

Französisch hören, lesen, sprechen, schreiben
Ich kann Bildbeschreibungen verstehen, wenn mir Entschlüsselungshilfen zur Verfügung stehen.
Ich kann über ein Bild sprechen.
Ich kann in der Gruppe französisch sprechen.
Ich kann zu einem Bild einen Text schreiben und ihn vorlesen.
Ich kenne verschiedene Frageformen und kann Fragen stellen.

Bewusstheit für Sprachen und Kulturen
Ich kenne eine Künstlerin und ein Künstlerkollektiv aus der Suisse romande und weiss etwas über ihr künstlerisches Schaffen.

Lernstrategien
Ich kann in meinen Vortrag Fragen einbauen, um die Aufmerksamkeit der Zuhörerinnen und Zuhörer zu gewinnen.
Ich kann meine Einstellungen zum Lernen mit Hilfe der *revue* reflektieren.

Das habe ich auch noch gelernt

Vocabulaire de classe

Ça se passe à / en…?	Spielt sich das in … ab?
Qu'est-ce que c'est?	Was ist das?
Est-ce peut-être un / une…?	Ist es vielleicht…?
On voit un / une / des…	Man sieht…
Ça fait penser à un / une / des…	Das erinnert an…
Voyez-vous le / la / les…?	Seht ihr…?
C'est possible?	Ist das möglich?
C'est difficile à dire.	Das ist schwer zu sagen.
Au premier plan, il y a un / une / des…	Im Vordergrund hat es…
A l'arrière-plan, on voit un / une / des…	Im Hintergrund sieht man…
En haut,…	Oben…
En bas,…	Unten…
A gauche,…	Links…
A droite,…	Rechts…
C'est…	Das ist…
étrange	seltsam, eigenartig
bizarre	seltsam, eigenartig
…est…	…ist…
bleu / bleue	blau
rouge	rot
jaune	gelb
vert / verte	grün
brun / brune	braun
blanc / blanche	weiss
noir / noire	schwarz
Le titre de ce tableau est «…».	Der Titel dieses Bildes ist «…».

Vocabulaire **personnel**

Découvertes sur la langue

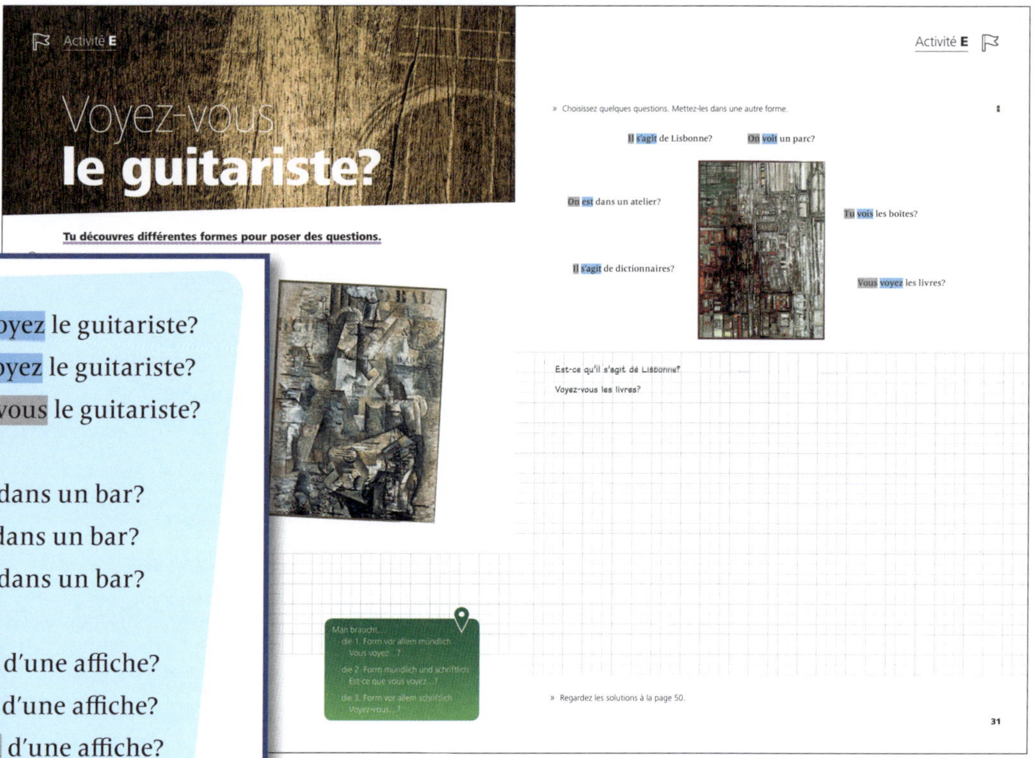

Vous voyez le guitariste?
Est-ce que vous voyez le guitariste?
Voyez-vous le guitariste?

On est dans un bar?
Est-ce qu' on est dans un bar?
Est-on dans un bar?

Il s'agit d'une affiche?
Est-ce qu' il s'agit d'une affiche?
S'agit-il d'une affiche?

Ich habe gelernt, …
» Comics *(bandes dessinées)* zu verstehen.
» in einem Dokumentarfilm vieles zu verstehen.
» in einem Rollenspiel eine Rolle zu übernehmen.
» während Partner- und Gruppenarbeiten und bei Lernspielen französisch zu sprechen und die Mitschülerinnen und Mitschüler zu verstehen.

Tâche
Ben quoi?

Ich habe Szenen zu Unterrichtssituationen erfunden und sie anderen vorgespielt.

Französisch hören, lesen, sprechen, schreiben
Ich kann BD (*bandes dessinées*) verstehen, die in der Schule spielen.
Ich kann eine BD ausdrucksvoll vorlesen.
Ich kann Redemittel aus den BD und aus der *revue* («Nous parlons français!») im schulischen Alltag verwenden.
Ich kann einem kurzen Filmbericht einzelne Informationen entnehmen.
Ich kann mit anderen zusammen eine Szene erfinden und vorspielen.
Ich weiss, dass sich die Possessivbegleiter *mon*, *ton*, *son*… in Zahl und Geschlecht dem Nomen anpassen.

Bewusstheit für Sprachen und Kulturen
Ich kenne den Erfinder und Zeichner der BD-Figur Titeuf.

Lernstrategien
Ich kann meine Stimme variieren, um den Inhalt von Aussagen zu verdeutlichen.
Ich kann Füllwörter verwenden, um Sprechpausen zu überbrücken und um beim Sprechen natürlich zu wirken.
Ich kann die *revue* als Nachschlagewerk nutzen.
Ich weiss, dass ich Grammatikthemen in einer Referenzgrammatik nachschlagen kann.

Das habe ich auch noch gelernt

Vocabulaire de classe

Je me présente: Je suis…	Ich stelle mich vor: Ich bin …
Enchanté / Enchantée! Moi, c'est…	Freut mich! Ich bin …
Qui a gagné?	Wer hat gewonnen?
Ça ne compte pas.	Das gilt nicht.
C'est écrit «…».	Es steht «…».
Je t'explique.	Ich erkläre es dir.
Laisse tomber!	Vergiss es!
Courage!	Kopf hoch!
Ce n'est pas grave.	Das ist nicht schlimm.
Fastoche!	Einfach!
J'en ai marre!	Ich habe es satt!
C'est trop fort.	Das ist wirklich toll.
J'adore…	Ich mag … sehr gern.
On a cours de quoi?	Welches Fach haben wir?
maths, informatique, histoire, géo	Mathe, Informatik, Geschichte, Geo
Qu'est-ce qui se passe?	Was ist los?
Je te dérange?	Störe ich dich?
Non, pas du tout.	Nein, überhaupt nicht.
Allô?	Hallo?
Un instant!	Augenblick!
Je t'entends mal.	Ich höre dich schlecht.
Je te rappelle.	Ich rufe dich zurück.
À la semaine prochaine!	Bis nächste Woche!

Vocabulaire **personnel**

Découvertes sur la langue

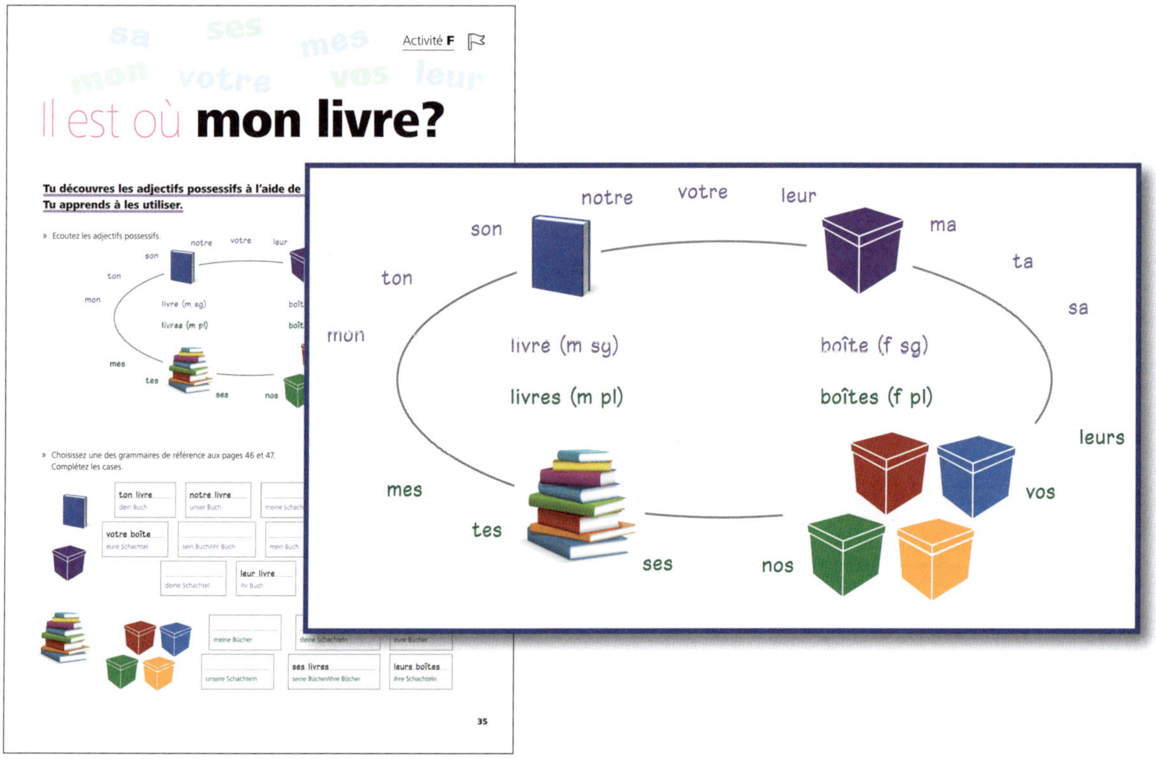

Ich habe gelernt …
» mündliche und schriftliche Erzählungen zu verstehen.
» eine Erzählung zu schreiben und zu präsentieren.

Tâche
Cette histoire vous chante?

Ich habe eine Geschichte geschrieben und sie anderen vorgelesen.

Französisch hören, lesen, sprechen, schreiben
Ich kann aus Hörtexten (Chansons) einzelne Ausschnitte heraushören.
Ich kann den Inhalt von einigen Chansons verstehen, wenn mir Verstehenshilfen zur Verfügung stehen.
Ich kann eine eigene Geschichte schreiben.
Ich kann eine selbst geschriebene Geschichte vorlesen.
Ich kann das *passé composé* mit den Hilfsverben *avoir* und *être* bilden und beim Schreiben eines Textes verwenden.

Bewusstheit für Sprachen und Kulturen
Ich kenne einige französische Chansons und deren Interpretinnen und Interpreten.
Ich kenne verschiedene Sehenswürdigkeiten und Besonderheiten von Paris.

Lernstrategien
Ich weiss, dass ich Verbformen in einer Verbentabelle oder in einem Online-Wörterbuch nachschauen kann.
Ich weiss, dass ich durch Blickkontakt die Aufmerksamkeit des Publikums gewinnen kann.
Ich kann mein Lernen und meine Lernstrategien mit Hilfe der revue oder des ESP reflektieren.

Das habe ich auch noch gelernt

Vocabulaire de classe

demander: «…»	fragen: «…»
fermer	schliessen
rêver	träumen
rencontrer	begegnen, treffen
oublier	vergessen
répondre: «…»	antworten: «…»
répondu	geantwortet
dormir	schlafen
dormi	geschlafen
ouvrir	öffnen
ouvert	geöffnet
d'abord	zuerst
ensuite	dann, danach
puis	dann, danach
plus tard	später
tout à coup	plötzlich
un matin	eines Morgens
aller	gehen
monter	hinaufsteigen, einsteigen
arriver	ankommen
venir	kommen
venu/-e	gekommen
entrer	eintreten
retourner	zurückkehren
rester	bleiben
partir	weggehen, verreisen
parti/-e	weggegangen, verreist
sortir	hinausgehen
sorti/-e	hinausgegangen
descendre	hinabsteigen, aussteigen
descendu/-e	hinabgestiegen, ausgestiegen
tomber	hinfallen, fallen, stürzen

Vocabulaire **personnel**

Découvertes sur la langue

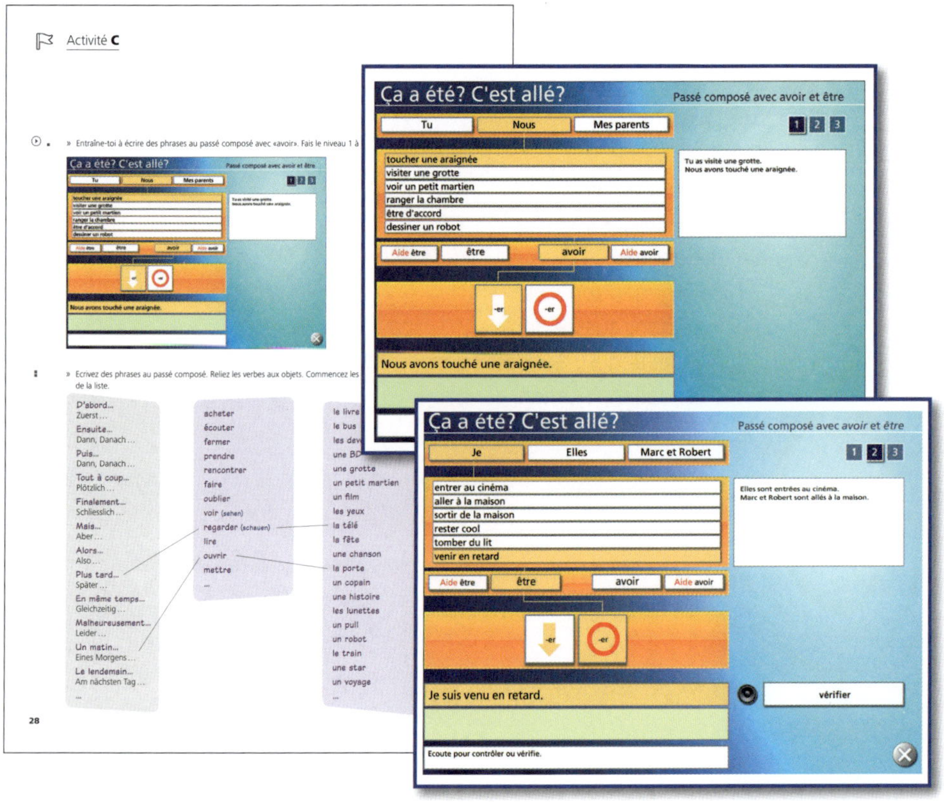

Ich habe gelernt, …
» kurze Filme oder Filmausschnitte im Grossen und Ganzen zu verstehen.

Tâche
Rétrospective

Ich habe meine Eindrücke vom Film «Les Choristes» mit anderen ausgetauscht.

Französisch hören, lesen, sprechen, schreiben

Ich kann einen französischen Spielfilm im Grossen und Ganzen verstehen.

Ich kann mich in einfachen Worten zu einzelnen Gesichtspunkten des Films äussern.

Bewusstheit für Sprachen und Kulturen

Ich kenne den französischen Spielfilm «Les Choristes».

Lernstrategien

Ich weiss, dass ich einen Spielfilm besser verstehen kann, wenn ich mir im Voraus einen Überblick über den Inhalt verschaffe.

Das habe ich auch noch gelernt

Vocabulaire de classe

Je trouve que… est…	Ich finde, dass… …ist.
Peut-être que… est…	Vielleicht ist… …
A mon avis… est…	Meiner Meinung nach ist… …
sympa	sympathisch
arrogant / arrogante	arrogant
malheureux / malheureuse	unglücklich
timide	schüchtern
sensible	sensibel
sévère	streng
stressé / stressée	nervös
effrayé / effrayée	erschrocken
joyeux / joyeuse	fröhlich
impatient / impatiente	ungeduldig
maladroit / maladroite	ungeschickt
fâché / fâchée	zornig, wütend
content / contente	zufrieden
sûr de lui / sûre d'elle	selbstsicher
Je pense que… se sent…	Ich denke, dass… sich… fühlt.
triste	traurig
mal à l'aise	nicht wohl
heureux / heureuse	glücklich

Vocabulaire personnel

«Der Unterricht geht von Themen aus, vermittelt Wissen in der Fremdsprache und kommuniziert über Dinge, die für die Lernenden eine Bedeutung haben» (Lehrplan «Passepartout», Seite 8). Am Anfang des Erwerbsprozesses steht demnach die Beschäftigung mit den Inhalten, hier mit einem futuristischen Projekt.

Beim Erfassen der Inhalte spielen Entschlüsselungsstrategien eine zentrale Rolle. Die Lernenden erkennen, dass die in der Primarschule eingeübten Strategien auch in den neuen Lehr- und Lernmaterialien Verwendung finden. Als neue Strategie lernen sie zudem das Benutzen von Online-Wörterbüchern kennen. Beim Vergleichen verschiedener *dictionnaires en ligne* werden Unterschiede in Bezug auf Informationsgehalt und Darstellung offensichtlich. Die Lernenden erfahren, dass es sich als sinnvoll erweisen kann, einen Begriff in mehr als einem Wörterbuch nachzuschauen.

In den authentischen Texten begegnen die Lernenden einem reichen Wortschatz, vielfältigen grammatikalischen Strukturen, und sie nehmen die Aussprache wahr. Sie beschäftigen sich in dieser ersten Phase also gleichzeitig mit den Inhalten und mit der Zielsprache, allerdings ohne dass ihre Aufmerksamkeit bereits auf bestimmte sprachliche Phänomene gelenkt wird.

Die *activité* dient als Modell für die nachfolgende, in der die Lernenden mit Hilfe der Entschlüsselungsstrategien einzelne Inputtexte nach Wahl entschlüsseln.

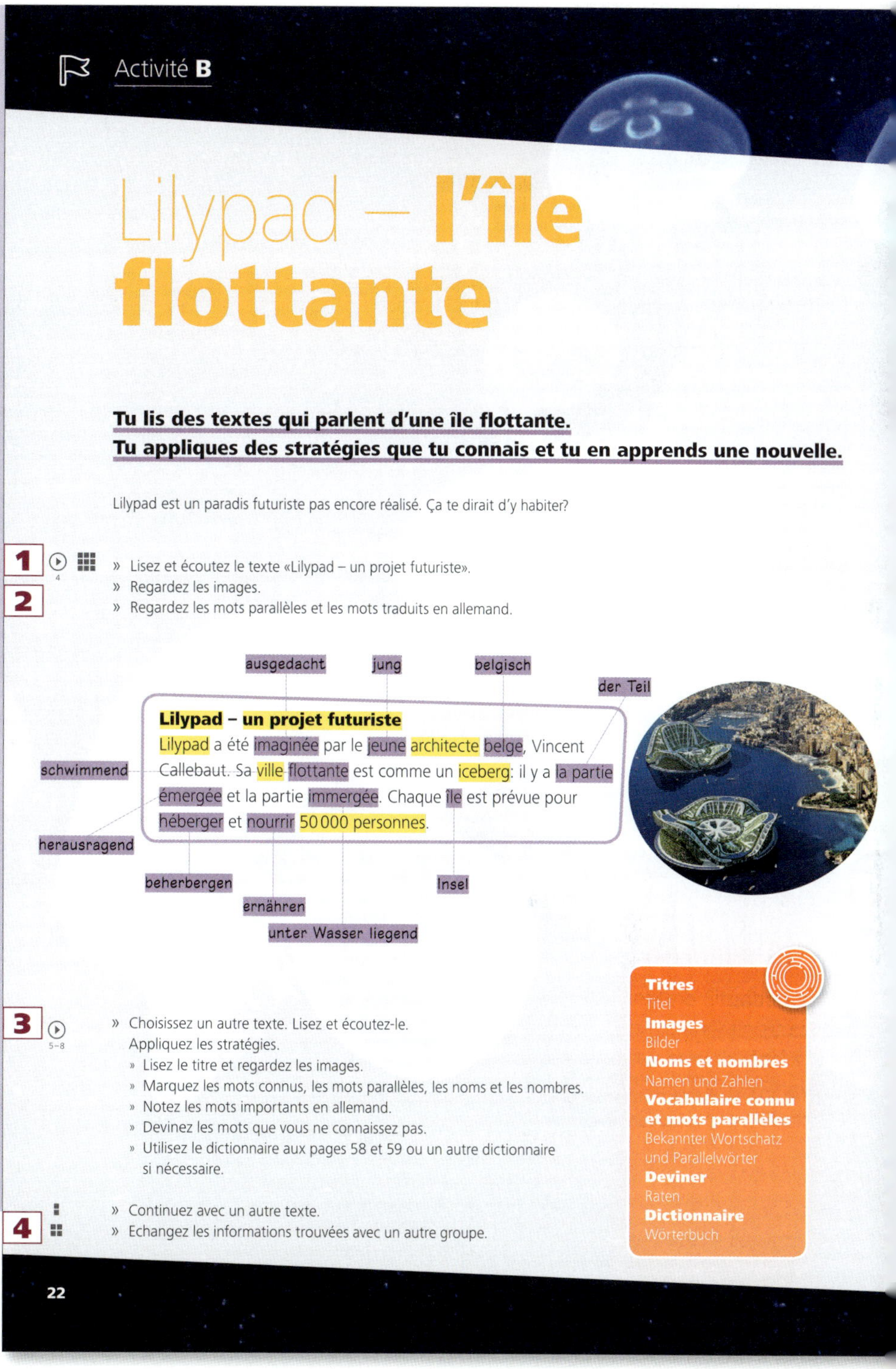
Activité **B**

Lilypad – **l'île flottante**

Tu lis des textes qui parlent d'une île flottante.
Tu appliques des stratégies que tu connais et tu en apprends une nouvelle.

Lilypad est un paradis futuriste pas encore réalisé. Ça te dirait d'y habiter?

1 **2** (4)
» Lisez et écoutez le texte «Lilypad – un projet futuriste».
» Regardez les images.
» Regardez les mots parallèles et les mots traduits en allemand.

Lilypad – un projet futuriste
Lilypad a été imaginée par le jeune architecte belge, Vincent Callebaut. Sa ville flottante est comme un iceberg: il y a la partie émergée et la partie immergée. Chaque île est prévue pour héberger et nourrir 50 000 personnes.

3 (5–8)
» Choisissez un autre texte. Lisez et écoutez-le.
Appliquez les stratégies.
» Lisez le titre et regardez les images.
» Marquez les mots connus, les mots parallèles, les noms et les nombres.
» Notez les mots importants en allemand.
» Devinez les mots que vous ne connaissez pas.
» Utilisez le dictionnaire aux pages 58 et 59 ou un autre dictionnaire si nécessaire.

4
» Continuez avec un autre texte.
» Echangez les informations trouvées avec un autre groupe.

Titres
Titel
Images
Bilder
Noms et nombres
Namen und Zahlen
Vocabulaire connu et mots parallèles
Bekannter Wortschatz und Parallelwörter
Deviner
Raten
Dictionnaire
Wörterbuch

22

1 Das gleichzeitige Hören und Lesen von Texten begünstigt das Verstehen. Die Lernenden erfassen beim Hör-/Seh-Verstehen Inhalte über zwei verschiedene Kanäle. Sie aktivieren ihr Weltwissen und verknüpfen die neuen Informationen mit Bekanntem, was ihnen das Verstehen erst wirklich möglich macht.

2 Mit dem ersten Text «Lilypad – un projet futuriste» wird exemplarisch aufgezeigt, mit welchem Vorgehen zum Entschlüsseln von fremdsprachlichen Texten die Lernenden vertraut sind. Zudem wird an die Lernstrategien erinnert, die während der Primarschulzeit aufgebaut und eingeübt worden sind.

Der bereits bearbeitete Beispieltext veranschaulicht, dass ein erster Zugang über Bild und Titel geschaffen wird. Anschliessend werden alle Wörter und Ausdrücke markiert, die auf Anhieb verständlich sind. Vor allem bereits bekannte Wörter, Parallelwörter, Zahlen oder Eigennamen sind einfach zugänglich (vgl. gelb markierte Ausdrücke). In einem nächsten Durchgang geht es darum, die nicht entschlüsselten Ausdrücke so weit wie möglich aus dem Kontext zu erraten, bevor – wenn nötig – als letzte Strategie das Nachschlagen im Wörterbuch zur Anwendung kommt (vgl. violett markierte Ausdrücke). Während des mehrmaligen Lesens und Hörens wird Verstandenes in Stichwörtern rund um den Text notiert.

Activité B

1

La partie émergée: vue imprenable sur l'océan
Au centre, on trouve un bassin d'environ 200 m de diamètre où est stockée l'eau douce destinée à la consommation. Le ballast sert aussi à loger des gens: sur 40 étages, toute sa paroi est tapissée d'appartements. «Ce sont des hôtels», précise l'architecte Vincent Callebaut, «des logements pour les visiteurs de l'île». Ces appartements offrent une vue imprenable sur l'océan. Manger ses tartines le matin au milieu des bancs de poissons, ça ne s'oublie pas!

La partie immergée: des logements pour les «Lilypadiens»
Les milliers d'appartements pour les habitants se trouvent dans les 3 montagnes de 20, 40 et 60 étages.

Cultiver son jardin
Pas mal la vue, non? De la plus haute des «montagnes» à 200 m au dessus du niveau de la mer, on a un panorama imprenable sur l'océan et sur la montagne en face! Mais la terrasse, c'est aussi le petit jardin privatif du locataire de l'appartement. Sur une bande de terre de 5 m de large, on fait pousser ses propres légumes. tomates, courgettes, radis, carottes: chacun et chacune dans Lilypad vit, du moins en partie, de la nourriture qu'il produit!

Fabriquer une énergie propre
Lilypad fabrique elle-même l'énergie consommée par ses habitants. Des milliers de panneaux solaires et des centaines d'éoliennes fournissent l'électricité nécessaire.

» Tu trouves d'autres projets futuristes de cet architecte sous www.vincent.callebaut.org

23

1 Die vier angebotenen Texte unterscheiden sich in Bezug auf Inhalt, Länge und Schwierigkeitsgrad, so dass alle Lernenden gemäss Interesse und Vermögen auswählen können.

Es ist explizit nicht die Meinung, dass Lernende fremdsprachliche Texte wortwörtlich übersetzen. Ziel der Lektüre ist es, den Inhalt im Grossen und Ganzen zu erfassen und dem Text die eine oder andere detaillierte Information zu entnehmen. Ein lückenloses Verstehen ist nicht vorgesehen.

3 Nachdem den Lernenden das Vorgehen beim Entschlüsseln in Erinnerung gerufen worden ist, werden sie eingeladen, zwei weitere Texte über dieses Zukunftsprojekt zu lesen. Dabei werden sie noch einmal Schritt für Schritt angeleitet, indem die sechs bekannten Lesestrategien in Form von Anweisungen ausformuliert sind. Die deutschen Anleitungen können bei Bedarf auf der Strategieübersicht in der *revue* nachgelesen werden.

Als zusätzliche Unterstützung wird hinten im *magazine* ein *dictionnaire* angeboten, in welchem sinntragende Wörter aus den Texten über Lilypad und aus den Inputtexten übersetzt sind.

4 Es ist sinnvoll, wenn die Lernenden bei der Bearbeitung dieser Aufgabe, die der Verstehenssicherung dient, auf die Schulsprache Deutsch zurückgreifen.

Auf individuelle Bedürfnisse eingehen

Anforderungen reduzieren
Zusätzlicher Support
» Mit den Lernenden, die das wünschen, einen Text von Seite 23 gemeinsam Schritt für Schritt entschlüsseln
Reduzierte Textmenge
» Die leicht gekürzten Texte 1 und 3 aus der G-Version zur Verfügung stellen (vgl. G, *magazine* Seite 23)

Anforderungen erweitern
Lernen durch Lehren
» Eine Mitschülerin oder einen Mitschüler beim Entschlüsseln der Texte anleiten
Fakultatives Zusatzangebot
» Weitere Texte von Seite 23 entschlüsseln

1 Aufgrund des Begriffs «panneau solaire» aus dem vierten Text von Seite 23 vergleichen die Lernenden die verschiedenen Online-Wörterbücher. Dabei können sie feststellen:

» «Pons» und «Leo» geben als erstes mehrere mögliche Übersetzungen des Ausdrucks an, wobei Leo das Wortfeld *panneau* noch weiter ausführt.
» «Reverso» führt die beiden eingegebenen Begriffe *panneau* und *solaire* separat auf, ohne sie zu verbinden. Die aufgeführten Wortfelder beziehen sich dementsprechend je nur auf einen der beiden Begriffe.

Zusammenfassend lässt sich sagen, dass Informationsgehalt und Differenziertheit der Angaben in den verschiedenen Online-Wörterbüchern unterschiedlich ausfallen können.

Activité **B**

Tu connais beaucoup de stratégies pour comprendre un texte.
Maintenant, tu utilises un nouvel instrument: le dictionnaire en ligne.

Voici les liens de 3 dictionnaires en ligne:
- de.pons.com
- woerterbuch.reverso.net
- dict.leo.org

1 Pour l'expression «panneau solaire», les dictionnaires en ligne donnent différents résultats.
» Comparez les résultats.

Dictionnaires en ligne
Online-Wörterbücher

Schau ein Wort in verschiedenen Online-Wörterbüchern nach, damit du die treffendste Übersetzung findest.

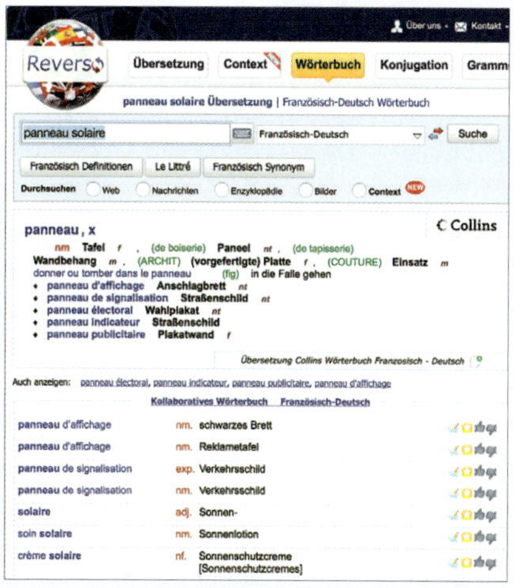

24

Activité **B**

1 » Cherchez d'autres mots dans les dictionnaires en ligne. Notez-les.
» Comparez les résultats. Marquez les traductions qui conviennent le mieux.

la paroi	pons:	Innenwand, Wand, Trennwand, Felswand
	reverso:	Wand, Trennwand
	leo:	Bergwand, Innenwand, Wand, Wandung, Seitenwand

2 Avec quels dictionnaires en ligne aimerais-tu travailler?
» Coche.
❒ reverso ❒ leo ❒ pons ❒ …

3 » Présentez vos résultats.

Nous avons cherché le mot «…». Voici nos résultats:…

Voici les traductions pour «…»: …

Selon nous, la meilleure traduction pour «…» est…

Moi, je préfère le dictionnaire «…».

J'aimerais travailler avec les dictionnaires «…» et «…».

25

1 Das Beispiel illustriert erneut, dass es in den verschiedenen *dictionnaires* unterschiedliche Übersetzungen eines Ausdrucks geben kann. Zudem zeigt es auf, dass es oft eine Entscheidung braucht, welche Übersetzung im entsprechenden Kontext die passende ist.

2 Nachdem die Lernenden die *dictionnaires* anhand weiterer Beispiele geprüft haben, entscheiden sie, welche dieser Nachschlagewerke ihnen besonders liegen.

3 In einem kurzen Klassengespräch werden einzelne Resultate der Recherchen in den *dictionnaires* präsentiert und die persönlichen Favoriten von Online-Wörterbüchern ausgetauscht. Wichtig ist die Erkenntnis, dass es durchaus sinnvoll ist, einen Begriff in zwei *dictionnaires* nachzuschauen und die Angaben zu vergleichen.

Apropos *dictionnaires*

Für die Rezeption und Produktion französischer Texte in den *activités*, *tâches* und Evaluationsaufgaben sollen die Lernenden jederzeit Zugang zu Wörterbüchern haben. Nebst den *dictionnaires en ligne* empfiehlt es sich, im Klassenzimmer die Print-Ausgaben verschiedener *dictionnaires* zur Verfügung zu stellen.

Ein Ziel dieser *activité* ist das Erfassen von Inhalten aus ausgewählten Inputtexten mit Hilfe von Entschlüsselungsstrategien. Die Lernenden sollen verstehen, worum es im Grossen und Ganzen geht und den Texten auch die eine oder andere Detailinformation entnehmen. Ein lückenloses Verstehen oder eine wortwörtliche Übersetzung ist nicht vorgesehen.

Zudem wird die mündliche Ausdrucksfähigkeit geschult, indem drei Sprechanlässe das Vorgehen begleiten. Die Lernenden klären vorgängig die Arbeitsanweisungen, handeln anschliessend aufgrund ihrer Interessen aus, welche Texte sie bearbeiten wollen, und tauschen sich zum Schluss kurz über das Gelesene aus.

Die Lernenden bearbeiten gemäss dem Beispiel in *activité* B mindestens drei Inputtexte nach Wahl. Zusätzlich zum Angebot an bekannten Strategien stehen ihnen dazu im *magazine* ein *dictionnaire* und die neu eingeführte Strategie «Dictionnaires en ligne» zur Verfügung.

In den Texten begegnen die Lernenden einer reichen Sprache. Beim Lesen und Hören und in der Interaktion mit Mitschülerinnen und Mitschülern wälzen sie Wortschatz und Strukturen um, ohne dass aber in dieser ersten Erwerbsphase bereits Elemente herausgelöst und systematisiert werden. Dieser Schritt im Erwerbsprozess ist im späteren Verlauf des *parcours* angelegt.

In dieser *activité* wird beispielhaft aufgezeigt, wie sich eine summative Evaluation in die Arbeit integrieren lässt.

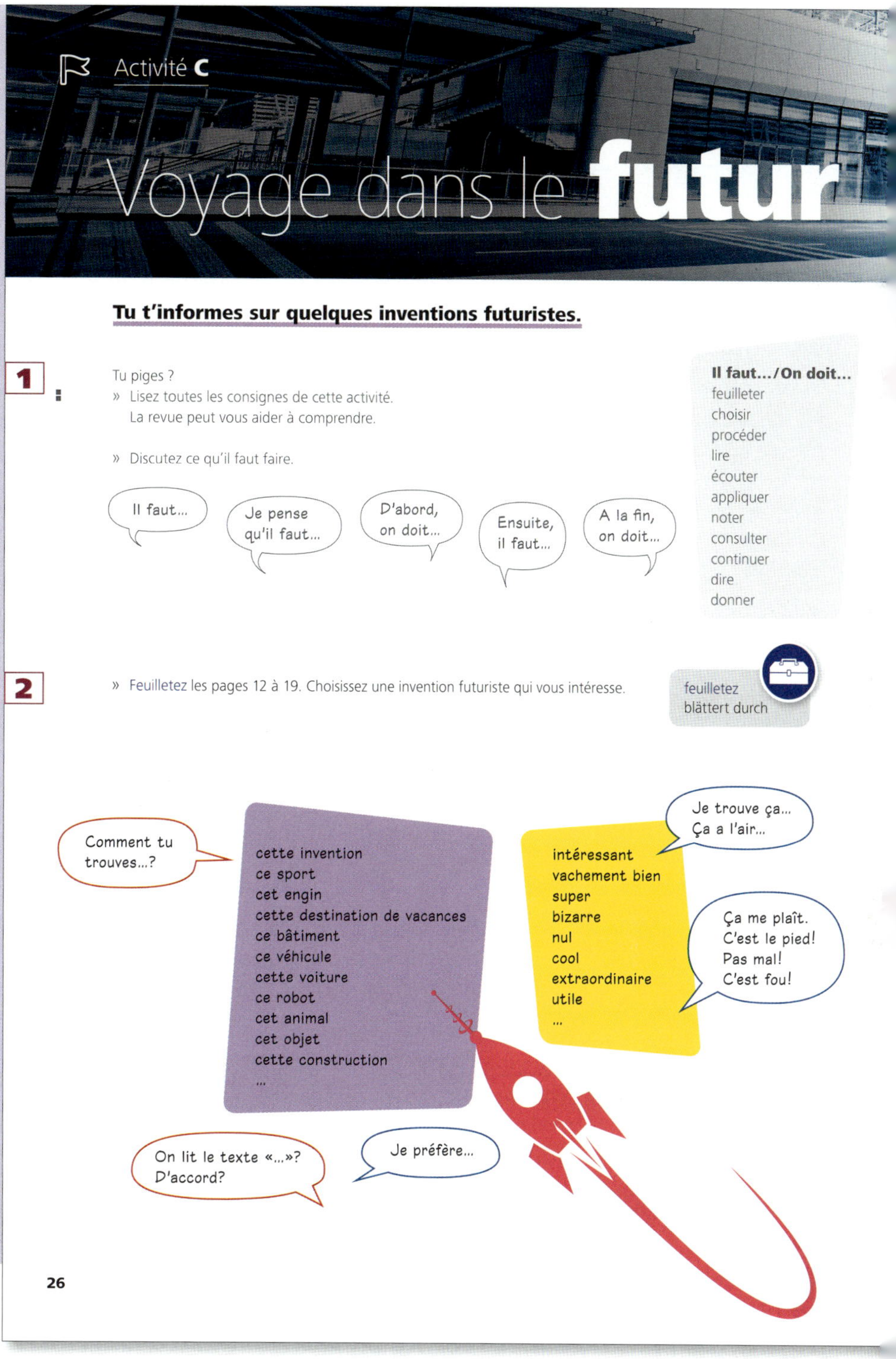
Activité C

Voyage dans le **futur**

Tu t'informes sur quelques inventions futuristes.

1

Tu piges ?

» Lisez toutes les consignes de cette activité. La revue peut vous aider à comprendre.

» Discutez ce qu'il faut faire.

Il faut…

Je pense qu'il faut…

D'abord, on doit…

Ensuite, il faut…

A la fin, on doit…

Il faut…/On doit…
feuilleter
choisir
procéder
lire
écouter
appliquer
noter
consulter
continuer
dire
donner

2

» Feuilletez les pages 12 à 19. Choisissez une invention futuriste qui vous intéresse.

feuilletez
blättert durch

Comment tu trouves…?

cette invention
ce sport
cet engin
cette destination de vacances
ce bâtiment
ce véhicule
cette voiture
ce robot
cet animal
cet objet
cette construction
…

Je trouve ça…
Ça a l'air…

intéressant
vachement bien
super
bizarre
nul
cool
extraordinaire
utile
…

Ça me plaît.
C'est le pied!
Pas mal!
C'est fou!

On lit le texte «…»? D'accord?

Je préfère…

26

1 Der Teil «Tu piges?» lädt die Lernenden ein, gemeinsam die Arbeitsanweisungen zu klären. Damit wird aufgezeigt, wie sie auch zukünftig den Einstieg in die Bearbeitung von *activités* selbstständig finden können. Die Lernenden üben das Verstehen von Anweisungen, erfassen das schrittweise Vorgehen und reformulieren, was zu tun ist. Dazu stehen ihnen im *magazine* die Sprechblasentexte und die Infinitivformen der Verben des Anweisungswortschatzes zur Verfügung. Zudem können sie bei Bedarf die Übersetzung der *consignes* in der *revue* nachschlagen.

Beim Diskutieren in der Gruppe arbeiten die Lernenden an folgendem Lehrplanziel: «Die Arbeitsanweisungen für ein kleines Lernprojekt verstehen und sich mit anderen Gruppenmitgliedern darüber verständigen» (Seite 38).

Apropos «Tu piges?»

Diesem umgangssprachlichen Ausdruck sind die Lernenden in einer in der Primarschule thematisierten *bande dessinée* begegnet.

2 Den Erfindungen auf den Inputseiten sind die Lernenden bereits kurz in *activité* A begegnet. Bevor sie sich nun entscheiden, über welche Erfindung sie mehr erfahren möchten, tauschen sie in der Partnergruppe ihre Meinungen aus und handeln aus, welchen Text sie gemeinsam entschlüsseln möchten. Dabei kommen die Redemittel aus *activité* A erneut zur Anwendung.

Activité C

1 » Procédez comme dans l'activité B.
» Lisez et écoutez le texte.
» Appliquez les stratégies. Notez les mots importants en allemand. Consultez le dictionnaire aux pages 58 et 59 si nécessaire.

9–24

consultez
schlagt nach

» Continuez avec au moins 2 autres inventions futuristes.

Titres
Titel
Images
Bilder
Noms et nombres
Namen und Zahlen
Vocabulaire connu et mots parallèles
Bekannter Wortschatz und Parallelwörter
Deviner
Raten
Dictionnaire
Wörterbuch
Dictionnaires en ligne
Online-Wörterbücher

2 » Dites à un autre groupe sur quelles inventions futuristes vous vous êtes informés. Donnez votre avis.
Les expressions de la page 26 peuvent vous aider.

Nous avons choisi le/la...

C'est un/une...
Il s'agit d'un/d'une ...

On trouve cette invention...
Ça a l'air...

» Lis et écoute d'autres textes. **3**

27

1 Die Musteraufgabe in *activité* B hat den Lernenden in Erinnerung gerufen, wie das Entschlüsseln eines fremdsprachigen Textes angegangen werden kann.

2 Zum Abschluss der *activité* tauschen sich die Lernenden in Vierergruppen aus. Dabei geht es darum, mit Mitschülerinnen und Mitschülern in Interaktion zu treten und die Zielsprache mündlich zu verwenden. Die Lernenden stellen kurz vor, über welche futuristischen Erfindungen sie sich informiert haben, und tun ihre Meinung darüber kund. Sie sind noch nicht befähigt worden, die Inhalte detailreich und differenziert wiederzugeben. Die angebotenen Strukturen, die eigenen Notizen und die Illustrationen unterstützen sie jedoch dabei, etwas in der Zielsprache zu formulieren. Dabei wird Wissen in der Gruppe zusammengetragen und ein gemeinsames Wissen wird konstruiert.

3 Dieses Symbol weist auf einen geeigneten Moment hin, ein ausgewähltes Lernziel zu überprüfen. Nach Bearbeitung von *activité* C ist dies: «Ich kann in kurzen informativen Texten vieles verstehen, wenn mir Verstehenshilfen zur Verfügung stehen».

Die Lehrperson kann Inputtexte vorgeben, welche die Lernenden noch nicht entschlüsselt haben, und dazu die Aufgabe stellen, die wesentlichen Informationen in einem kurzen deutschen Text wiederzugeben. Hilfreich wird es sein, wenn vorgängig die Erwartungen deklariert werden, indem eine Anzahl an Informationen, die herauszulösen sind, angegeben wird.

Unter «Grilles d'évaluation» auf Seite 91 (G) resp. Seite 93 (E) findet sich der entsprechende Raster mit Kurzbeschreibung der Aufgabe und Beurteilungskriterium.

Die Inputtexte unterscheiden sich in Bezug auf Inhalt, Länge und Schwierigkeitsgrad, so dass alle Lernenende gemäss Interesse und Vermögen auswählen können.

Auf individuelle Bedürfnisse eingehen

Anforderungen reduzieren

Reduzierte Textmenge
» Weniger Texte bearbeiten

Zusätzlicher Support
» Die Entschlüsselungshilfen von Mitschülerinnen und Mitschülern nutzen

Anforderungen erweitern

Lernen durch Lehren
» Folgende Strategie anwenden:

Faciliter la compréhension du texte
Entschlüsselungshilfen zur Verfügung stellen
Mache zu einem Text Angaben wie Übersetzungen, Skizzen oder Anschriften, die anderen beim Entschlüsseln helfen.

Als Grundlage dieser *activité* dient eine Reportage des Westschweizer Fernsehens (rts) über den jährlich stattfindenden «Salon International des Inventions de Genève». Die inhaltlichen Ziele sind, darüber informiert zu sein, dass in Genf seit Jahrzehnten die bedeutendste Erfindermesse der Welt stattfindet, und einen Eindruck von dieser internationalen Veranstaltung zu bekommen. In Bezug auf die Entwicklung von sprachlichen Kompetenzen geht es um die Schulung des Hörverstehens. Die Lernenden haben die Aufgabe, einzelne Ausschnitte aus den gesprochenen Texten herauszuhören und dies zu dokumentieren, indem sie den Textausschnitt der entsprechenden Person zuordnen.

1 Zur Einstimmung kann im Plenum kurz auf den Plakattext eingegangen werden, bevor die Lernenden die Reportage ein erstes Mal anschauen und dabei einen Eindruck des Anlasses gewinnen. Erst bei einer zweiten Visionierung werden die Inhalte detaillierter betrachtet. Die Reportage dauert etwas weniger als drei Minuten.

2 Im Plenum werden die Sprechblasentexte gemeinsam gelesen, wobei das Augenmerk auf die grün geschriebenen Ausdrücke zu richten ist. Es handelt sich dabei um Schlüsselwörter, die den Lernenden erlauben, wesentliche Inhalte zu verstehen.

3 Den Lernenden ist es freigestellt, den Film mehr als einmal zu schauen. Es ist eine Einzelarbeit vorgesehen, damit alle die Möglichkeit haben, die Textausschnitte herauszuhören und damit das Hörverstehen zu schulen.

Activité **D**

Bienvenue au Salon des Inventions à Genève!

Tu t'informes sur le Salon des Inventions en regardant un film.

Le Salon International des Inventions de Genève est la plus importante exposition dans le monde des inventions. Chaque année, des centaines de nouveautés y sont exposées.

1 » Regardez le reportage sur l'édition 2012 du Salon.

Il y a plusieurs personnes dans le reportage. Qui dit quoi?
Les expressions en vert sont les mots les plus importants.

2 » Lisez-les.

3 » Regarde le reportage une 2e fois et écris le numéro de la personne dans les bulles.

1

La présentatrice

2

L'envoyé spécial

- ( ) …un système pour chauffer une boîte de conserve sans l'ouvrir….
- ( ) …ce robot humanoïde, un des plus sophistiqués au monde… (dieser menschenähnliche Roboter, einer der hochentwickeltsten der Welt)
- (1) …un vélo sans selle…
- ( ) Vous avez eu cette idée il y a 40 ans. C'était une idée de génie?

28

Auf individuelle Bedürfnisse eingehen

Anforderungen reduzieren

Deklarierte Minimalanforderungen

» Nur eine vorgegebene Anzahl Textausschnitte heraushören, z. B 6 von 12

Unterstützung durch Partnerarbeit

» Die Höraufgabe zu zweit bearbeiten. Dabei den Film jedes Mal anhalten, wenn ein Textausschnitt von einem der beiden erkannt worden ist

Anforderungen erweitern

Erweiterte Textmenge

» Mehr Textausschnitte heraushören (vgl. E-Version Seiten 28 und 29)

Weiterführende Aufgabe

» Bei einer erneuten Visionierung des Films aus den Kommentaren weitere französische Wörter heraushören und festhalten

Erhöhte Komplexität der Aufgabe

» Bei einer erneuten Visionierung des Films weitere Informationen finden und auf Deutsch notieren

Selbstständige Recherche

» Aus dem Internet weitere Informationen zu diesem Anlass zusammentragen

Activité **D**

3

Le président-fondateur du salon

On se promène parmi plus de 700 exposants venus de 45 pays.

4

Le commentateur

Nous n'exposons que des nouveautés, que du jamais-vu.

This will be used when the engine… Ça peut être utile si le moteur tombe en panne.

5

Un robot humanoïde

Bonjour Genève, hello Geneva.

Lorsqu'on veut reconnaître une personne, comprendre un message vocal, faire un déplacement dans l'espace…

6

Un inventeur vaudois

…cet architecte italien qui a inventé une bibliothèque sur roulettes, de laquelle on peut extraire table et chaises.

7

Une inventrice chinoise

I met very… J'ai vu pas mal de gens intéressés par mon invention. … interested in my invention.

Au revoir.

8

Un inventeur italien

C'est le numéro…

D'accord.

Je pense que c'est le numéro…

1 » Comparez vos numéros. Regardez le film pour vérifier.

2 Qu'est-ce que vous trouvez intéressant?
» Echangez vos impressions.

29

1 In Partnerarbeit vergleichen die Lernenden ihre Lösungen und nutzen diesen Schritt, um die Zielsprache als Arbeitssprache zu verwenden.

Die Lösungen sind:

1 La présentatrice
» *…un système pour chauffer une boîte de conserve sans l'ouvrir…*
» *…un vélo sans selle…*

2 L'envoyé spécial
» *…ce robot humanoïde, un des plus sophistiqués au monde*
» *Vous avez eu cette idée il y a 40 ans. C'était une idée de génie?*

3 Le président-fondateur du salon
» *Nous n'exposons que des nouveautés, que du jamais-vu.*

4 Le commentateur
» *On se promène parmi plus de 700 exposants venus de 45 pays.*
» *…cet architecte italien qui a inventé une bibliothèque sur roulettes, de laquelle on peut extraire table et chaises.*

5 Un robot humanoïde
» *Bonjour Genève, hello Geneva.*
» *Au revoir.*

6 Un inventeur vaudois
» *Lorsqu'on veut reconnaître une personne, comprendre un message vocal, faire un déplacement dans l'espace…*

7 Une inventrice chinoise
» *This will be used, when the engine… Ça peut être utile si le moteur tombe en panne.*

8 Un inventeur italien
» *I met very… J'ai vu pas mal de gens intéressés par mon invention.*

2 Die Lernenden sind eingeladen, sich über den Film auszutauschen, um zum Abschluss der *activité* noch einmal die Inhalte ins Zentrum zu rücken. Dazu können sie sich teilweise der Redemittel bedienen, die im *magazine* abgedruckt sind. Um über andere Inhalte zu sprechen, werden sie vermutlich auf die Unterrichtssprache zurückgreifen müssen.

Als Grundlage dieser *activité* dient eine Reportage des Westschweizer Fernsehens (rts) über den jährlich stattfindenden «Salon International des Inventions de Genève». Die inhaltlichen Ziele sind, darüber informiert zu sein, dass in Genf seit Jahrzehnten die bedeutendste Erfindermesse der Welt stattfindet, und einen Eindruck von dieser internationalen Veranstaltung zu bekommen. In Bezug auf die Entwicklung von sprachlichen Kompetenzen geht es um die Schulung des Hörverstehens. Die Lernenden haben die Aufgabe, einzelne Ausschnitte aus den gesprochenen Texten herauszuhören und dies zu dokumentieren, indem sie den Textausschnitt der entsprechenden Person zuordnen.

1 Zur Einstimmung kann im Plenum kurz auf den Plakattext eingegangen werden, bevor die Lernenden die Reportage ein erstes Mal anschauen und dabei einen Eindruck des Anlasses gewinnen. Erst bei einer zweiten Visionierung werden die Inhalte detaillierter betrachtet. Die Reportage dauert etwas weniger als drei Minuten.

2 Im Plenum werden die Sprechblasentexte gemeinsam gelesen, wobei das Augenmerk auf die grün geschriebenen Ausdrücke zu richten ist. Es handelt sich dabei um Schlüsselwörter, die den Lernenden erlauben, wesentliche Inhalte zu verstehen.

3 Den Lernenden ist es freigestellt, den Film mehr als einmal zu schauen. Es ist eine Einzelarbeit vorgesehen, damit alle die Möglichkeit haben, die Textausschnitte herauszuhören und damit das Hörverstehen zu schulen.

Activité **D**

Bienvenue au Salon des Inventions à Genève!

Tu t'informes sur le Salon des Inventions en regardant un film.

Le Salon International des Inventions de Genève est la plus importante exposition dans le monde des inventions. Chaque année, des centaines de nouveautés y sont exposées.

1 » Regardez le reportage sur l'édition 2012 du Salon.

Il y a plusieurs personnes dans le reportage. Qui dit quoi?
Les expressions en vert sont les mots les plus importants.

2 » Lisez-les.

3 » Regarde le reportage une 2e fois et écris le numéro de la personne dans les bulles.

1

La présentatrice

2

L'envoyé spécial

...un système pour chauffer une boîte de conserve sans l'ouvrir....

...ce robot humanoïde, un des plus sophistiqués au monde...
dieser menschenähnliche Roboter, einer der hochentwickeltsten der Welt

1 ...un vélo sans selle...

...un dispositif anti-rayonnement WIFI...
eine nicht strahlende WIFI-Anlage

Vous avez eu cette idée il y a 40 ans. C'était une idée de génie?

28

Auf individuelle Bedürfnisse eingehen

Anforderungen reduzieren

Reduzierte Textmenge
» Weniger Sprechblasentexte vorgeben (vgl. G-Version Seiten 28 und 29)

Deklarierte Minimalanforderungen
» Nur eine vorgegebene Anzahl Textausschnitte heraushören, z. B. 10 von 16

Unterstützung durch Partnerarbeit
» Die Höraufgabe zu zweit bearbeiten. Dabei den Film jedes Mal anhalten, wenn ein Textausschnitt von einem der beiden erkannt worden ist

Anforderungen erweitern

Weiterführende Aufgabe
» Bei einer erneuten Visionierung des Films aus den Kommentaren weitere französische Wörter heraushören und festhalten

Erhöhte Komplexität der Aufgabe
» Bei einer erneuten Visionierung des Films weitere Informationen finden und auf Deutsch notieren

Selbstständige Recherche
» Aus dem Internet weitere Informationen zu diesem Anlass zusammentragen

Activité **D**

3

Le président-fondateur du salon

4

Le commentateur

5

Un robot humanoïde

6

Un inventeur vaudois

7

Une inventrice chinoise

8

Un inventeur italien

Est-ce qu'en 40 ans on arrive à trouver, chaque année, des inventions, des trouvailles attractives?

On se promène parmi plus de 700 exposants venus de 45 pays.

Il faut beaucoup voyager.

Nous n'exposons que des nouveautés, que du jamais-vu.

This will be used when the engine… Ça peut être utile si le moteur tombe en panne.

Bonjour Genève, hello Geneva.

Lorsqu'on veut reconnaître une personne, comprendre un message vocal, faire un déplacement dans l'espace…

…cet architecte italien qui a inventé une bibliothèque sur roulettes, de laquelle on peut extraire table et chaises.

…des centaines d'idées venues de partout dans le monde.

I met very… J'ai vu pas mal de gens intéressés par mon invention. … interested in my invention.

Au revoir.

C'est le numéro…

D'accord.

Je pense que c'est le numéro…

1 » Comparez vos numéros. Regardez le film pour vérifier.

2 Qu'est-ce que vous trouvez intéressant?
» Echangez vos impressions.

29

1 In Partnerarbeit vergleichen die Lernenden ihre Lösungen und nutzen diesen Schritt, um die Zielsprache als Arbeitssprache zu verwenden.

Die Lösungen sind:

1 La présentatrice
- *…un système pour chauffer une boîte de conserve sans l'ouvrir…*
- *…un vélo sans selle…*
- *…un dispositif anti-rayonnement WIFI…*

2 L'envoyé spécial
- *…ce robot humanoïde, un des plus sophistiqués au monde*
- *Vous avez eu cette idée il y a 40 ans. C'était une idée de génie?*
- *Est-ce qu'en 40 ans on arrive à trouver, chaque année, des inventions, des trouvailles attractives?*

3 Le président-fondateur du salon
- *Il faut beaucoup voyager.*
- *Nous n'exposons que des nouveautés, que du jamais-vu.*

4 Le commentateur
- *On se promène parmi plus de 700 exposants venus de 45 pays.*
- *…cet architecte italien qui a inventé une bibliothèque sur roulettes, de laquelle on peut extraire table et chaises.*
- *…des centaines d'idées venues de partout dans le monde.*

5 Un robot humanoïde
- *Bonjour Genève, hello Geneva.*
- *Au revoir.*

6 Un inventeur vaudois
- *Lorsqu'on veut reconnaître une personne, comprendre un message vocal, faire un déplacement dans l'espace…*

7 Une inventrice chinoise
- *This will be used, when the engine… Ça peut être utile si le moteur tombe en panne.*

8 Un inventeur italien
- *I met very… J'ai vu pas mal de gens intéressés par mon invention.*

2 Die Lernenden sind eingeladen, sich über den Film auszutauschen, um zum Abschluss der *activité* noch einmal die Inhalte ins Zentrum zu rücken. Dazu können sie sich teilweise der Redemittel bedienen, die im *magazine* abgedruckt sind. Um über andere Inhalte zu sprechen, werden sie vermutlich auf die Unterrichtssprache zurückgreifen müssen.

Das Thema «Adjektive» wird in dieser *activité* mit mehreren Zielsetzungen bearbeitet. In einem ersten Schritt erweitern die Lernenden ihren Wortschatz, indem ihnen eine Sammlung von Adjektiven aus den Inputtexten angeboten wird.

Als Nächstes schulen sie ihre auditive Wahrnehmung in Bezug auf männliche und weibliche Adjektivendungen und bekommen diese damit ins Ohr.

Die anschliessende Grammatikarbeit ist induktiv angelegt. Die Lernenden bestimmen, ausgehend von der Beobachtung der Sprache, Merkmale, die sie an weiteren Beispielen verifizieren. Sie verallgemeinern die gewonnenen Einsichten in Form von Regeln, die sie mit eigenen Worten festhalten. Dieses induktive Vorgehen eignet sich vor allem für «einsichtiges» Lernen und ist dem deduktiven, bei dem eine Regel vorgegeben wird, meist überlegen.

Als Erstes gilt es, die Hauptregel für männliche und weibliche Adjektive wiederzuentdecken, womit an eine Lernerfahrung aus der 6. Klasse angeknüpft wird. Anschliessend erweitern die Lernenden ihre Einsichten ins System, indem sie die Hauptregel für die Pluralbildung herausfinden. Im fakultativen Teil der *activité* können sie zudem drei weitere Regelmässigkeiten wahrnehmen.

Durch das Kombinieren von Nomen und Adjektiven wenden die Lernenden die erkannten Regelmässigkeiten anschliessend an. Bei der gegenseitigen Korrektur dieser Übung befassen sie sich ein weiteres Mal intensiv mit Endungen von Adjektiven. Zudem übernehmen sie dabei Verantwortung für das eigene Lernen und das Lernen von Mitschülerinnen und Mitschülern.

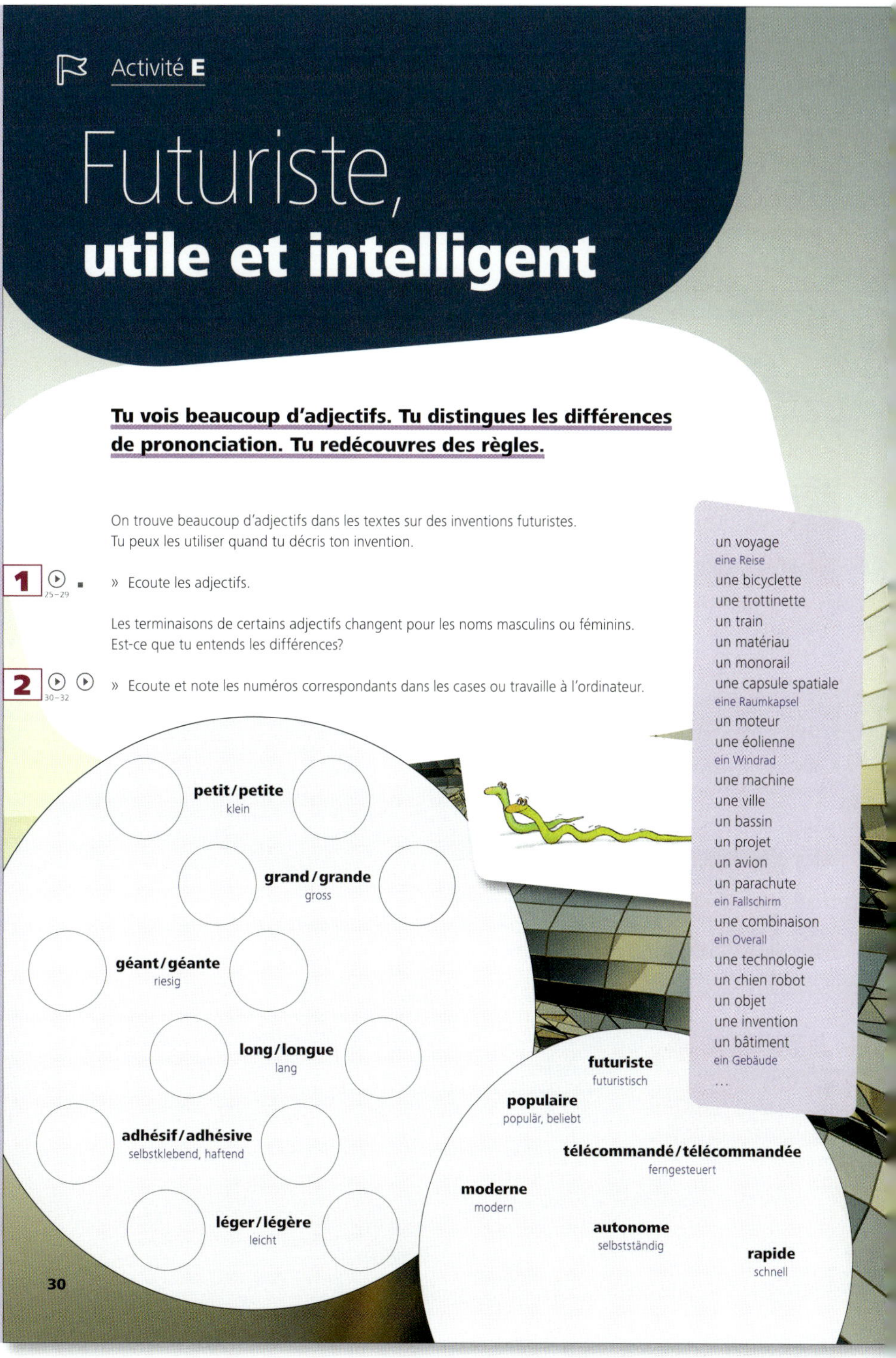
Activité **E**

Futuriste,
utile et intelligent

Tu vois beaucoup d'adjectifs. Tu distingues les différences de prononciation. Tu redécouvres des règles.

On trouve beaucoup d'adjectifs dans les textes sur des inventions futuristes.
Tu peux les utiliser quand tu décris ton invention.

1 25–29 » Ecoute les adjectifs.

Les terminaisons de certains adjectifs changent pour les noms masculins ou féminins.
Est-ce que tu entends les différences?

2 30–32 » Ecoute et note les numéros correspondants dans les cases ou travaille à l'ordinateur.

petit/petite klein
grand/grande gross
géant/géante riesig
long/longue lang
adhésif/adhésive selbstklebend, haftend
léger/légère leicht

futuriste futuristisch
populaire populär, beliebt
télécommandé/télécommandée ferngesteuert
moderne modern
autonome selbstständig
rapide schnell

un voyage
eine Reise
une bicyclette
une trottinette
un train
un matériau
un monorail
une capsule spatiale
eine Raumkapsel
un moteur
une éolienne
ein Windrad
une machine
une ville
un bassin
un projet
un avion
un parachute
ein Fallschirm
une combinaison
ein Overall
une technologie
un chien robot
un objet
une invention
un bâtiment
ein Gebäude
...

30

1 Fast alle 30 Adjektive sind den Inputtexten entnommen und bilden damit ein Vokabular ab, das sich eignet, futuristische Erfindungen zu beschreiben. Die Lernenden werden zu Beginn auf diese Zielsetzung hingewiesen, die in der *tâche* zur Anwendung kommen wird.

2 Diese Aufgabe lässt sich entweder am Computer oder mit Hilfe von Audio-Datei und *magazine* bearbeiten. In der Lernsoftware erhalten die Lernenden nach jeder Zuordnung die Rückmeldung Richtig oder Falsch; bei der Bearbeitung im *magazine* stehen ihnen Lösungen für die Selbstkorrektur zur Verfügung.

Die Lernenden hören genau hin, um die feinen Unterschiede der Adjektivendungen auditiv wahrzunehmen. Zudem werden sie durch wiederholtes Hören mit den Formen vertraut.

petit/grand/géant/long/adhésif/léger

1. *un grand bassin*
2. *une petite maison*
3. *une combinaison adhésive*
4. *un grand bâtiment*
5. *une éolienne géante*

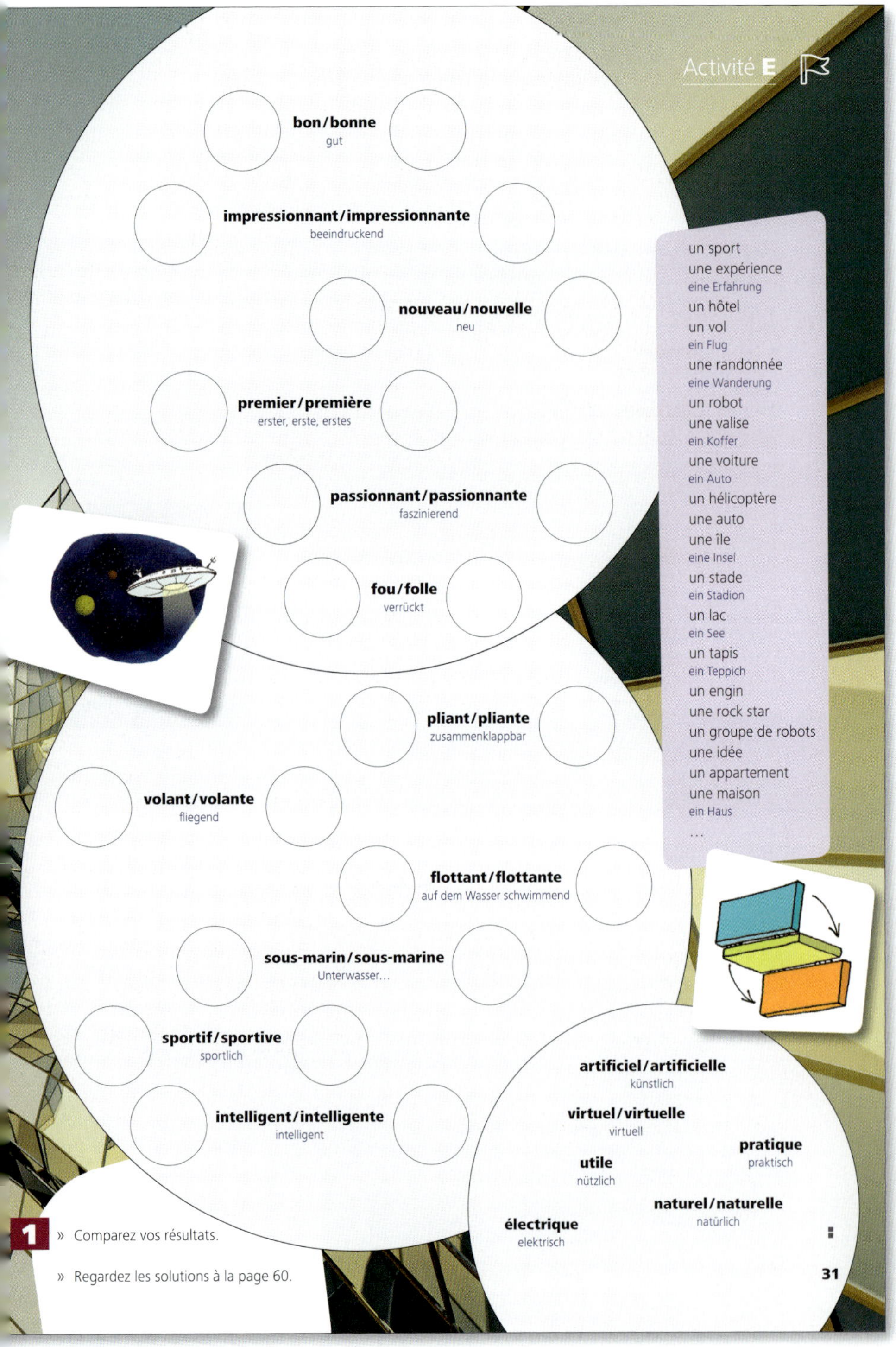

Activité **E**

bon/bonne
gut

impressionnant/impressionnante
beeindruckend

nouveau/nouvelle
neu

premier/première
erster, erste, erstes

passionnant/passionnante
faszinierend

fou/folle
verrückt

pliant/pliante
zusammenklappbar

volant/volante
fliegend

flottant/flottante
auf dem Wasser schwimmend

sous-marin/sous-marine
Unterwasser…

sportif/sportive
sportlich

intelligent/intelligente
intelligent

artificiel/artificielle
künstlich

virtuel/virtuelle
virtuell

pratique
praktisch

utile
nützlich

naturel/naturelle
natürlich

électrique
elektrisch

un sport
une expérience
eine Erfahrung
un hôtel
un vol
ein Flug
une randonnée
eine Wanderung
un robot
une valise
ein Koffer
une voiture
ein Auto
un hélicoptère
une auto
une île
eine Insel
un stade
ein Stadion
un lac
ein See
un tapis
ein Teppich
un engin
une rock star
un groupe de robots
une idée
un appartement
une maison
ein Haus
…

1 » Comparez vos résultats.

» Regardez les solutions à la page 60.

6. *un petit moteur*
7. *une bicyclette légère*
8. *une longue randonnée*
9. *un avion léger*
10. *un long tapis*
11. *une petite voiture*
12. *un parachute géant*
13. *un matériau adhésif*
14. *une île géante*
15. *un long voyage*
16. *une grande valise*
17. *une grande machine*
18. *un petit chien robot*
19. *un long train*
20. *une grande ville*
21. *une valise légère*
22. *une longue voiture*
23. *un projet géant*
24. *un petit lac*

bon/impressionnant/nouveau/premier/passionnant/fou

1. *une bonne idée*
2. *une expérience impressionnante*
3. *un voyage fou*
4. *un bon voyage*
5. *une nouvelle auto*
6. *une île passionnante*
7. *le premier vol*
8. *un engin impressionnant*
9. *une invention folle*
10. *un bon projet*
11. *une expérience passionnante*
12. *un nouveau sport*
13. *le premier robot*
14. *une idée folle*
15. *un projet fou*
16. *la première bicyclette*
17. *une nouvelle technologie*
18. *un groupe de robots impressionnant*
19. *un nouveau stade*
20. *un sport passionnant*

pliant/volant/flottant/sous-marin/sportif/intelligent

1. *une voiture pliante*
2. *un robot sportif*
3. *la ville flottante*
4. *un stade pliant*
5. *une auto volante*
6. *un robot intelligent*
7. *un engin volant*
8. *un appartement sous-marin*
9. *une valise intelligente*
10. *une maison pliante*
11. *une trottinette volante*
12. *un hôtel sous-marin*
13. *une maison flottante*
14. *un tapis volant*
15. *une randonnée sportive*
16. *une voiture sous-marine*
17. *un hôtel flottant*
18. *une machine intelligente*
19. *un monorail pliant*
20. *une rock star sportive*

1 Das Vergleichen der Lösungen ermöglicht den Lernenden, die Zielsprache erneut als Arbeitssprache zu verwenden. In der *revue* stehen ihnen unter dem Titel «Comparer les résultats» verschiedene bekannte Redemittel zur Verfügung, z. B. *Le numéro… correspond à… / …c'est le numéro… / Je pense que…, c'est le numéro… / D'accord. / J'ai la même chose. / J'ai autre chose.*

Activité **E**

Masculin ou féminin? Singulier ou pluriel?
Te souviens-tu des règles de base qui sont valables pour la plupart des adjectifs?

1 » Complète les 3 cases.

le robot intelligent	la valise intelligente
un hélicoptère pliant	la voiture pliante
un hôtel sous-marin	la plongée ....
un sport	une expérience passionnante

Facile?

le vélo électrique	la voiture électrique
un chien robot populaire	une rock star populaire
un engin	une idée futuriste
un objet pratique	une invention ....

Et au pluriel?

des robots intelligents (m)	des valises .... (f)
des hélicoptères .... (m)	des voitures pliantes (f)
les vélos .... (m)	les voitures électriques (f)
des engins futuristes (m)	des idées .... (f)

2 » Note les règles de base.

3 » Echangez vos notes.

4 » Echangez les règles en classe.

32

1 Es empfiehlt sich, nach dem Grundprinzip des kooperativen Lernens vorzugehen. Dieses sieht den dreischrittigen Prozess D – A – V (Denken – Austauschen – Vorstellen) vor.

1. D = Denken
Damit sich alle Lernenden aktiv am eigentlichen Denkprozess beteiligen können, bedürfen Lernprozesse einer individuellen Denkzeit.

2. A = Austauschen
In der zweiten Phase vergleichen die Lernenden in Partnerarbeit ihre Einsichten und ergänzen bei Bedarf ihre Notizen.

3. V = Vorstellen
Die Einsichten werden in der Klasse vorgestellt und besprochen, die Gesetzmässigkeit wird offizialisiert.

Anhand der Beispiele wiederholen die Lernenden hier die Entdeckung, dass ein Adjektiv seine Endung dem Geschlecht des Nomens anpasst und dass die weibliche Adjektivendung *-e* lautet. Zudem erweitern sie ihre Kenntnisse, indem sie die Plural-Anpassung *-s* wahrnehmen. Ihre Einsichten übertragen sie auf weitere Beispiele.

2 Die angegebenen Adjektive folgen einer Art *règles de base*, da sich zahlenmässig der grösste Teil der Adjektive entsprechend verhält. Die Regeln lassen sich von den Lernenden in dieser Art formulieren:

» Um die weibliche Form zu bilden, wird der männlichen Form der Buchstabe *-e* angefügt.
» Wenn die männliche Form des Adjektivs bereits auf *-e* endet, ist die weibliche Form gleich wie die männliche.
» Steht das Nomen im Plural, wird dem Adjektiv zudem der Buchstabe *-s* angefügt.

Wichtig ist, dass die Lernenden eigene Worte finden, um die grammatikalischen Erscheinungsformen zu beschreiben. Vorformulierte Regeln aus einem Grammatikbuch erweisen sich oft als weniger hilfreich, weil es für die Lernenden schwieriger ist, diese mit der eigenen Erkenntnis in Verbindung zu bringen. Regelmässigkeiten selber zu formulieren, führt daher meist zu einer vertiefteren und nachhaltigeren Einsicht. Es hat sich zum Beispiel gezeigt, dass Lernende bei diesem Thema oftmals einer Logik folgen, die sich von offiziellen Grammatiken unterscheidet, indem sie von der weiblichen Form ausgehen, die bei der Bildung der männlichen Form ein *-e* verliert.

3 Der Austausch (A) mit einer Partnerin oder einem Partner zeigt den Lernenden eine andere Möglichkeit auf, die grammatikalische Erscheinungsform in Worte zu fassen, und erlaubt, die eigene Einsicht allenfalls zu erweitern.

4 Der Austausch in der Klasse hat zum Ziel, die Arbeitsergebnisse der Partnergruppen zu vergleichen, fehlerhafte Annahmen richtigzustellen, das Wesentliche zusammenzufassen und die geltenden Regeln zu offizialisieren.

Activité **E**

Pas de règle sans exception.
Mais même dans les exceptions, on peut trouver des régularités.

1 » Regarde les adjectifs dans les cases 1, 2 et 3. Est-ce que tu trouves des régularités?

A droite, tu vois des adjectifs qui fonctionnent de la même façon.
» Attribue les numéros 1, 2 et 3.

1
virtuel/virtuelle
naturel/naturelle
artificiel/artificielle

2
léger/légère
premier/première

3
sportif/sportive
adhésif/adhésive

- [3] actif/active
- [ ] actuel/actuelle
- [ ] neuf/neuve
  neu, ungebraucht
- [ ] régulier/régulière
  regelmässig
- [ ] fier/fière
  stolz
- [ ] officiel/officielle
- [ ] dernier/dernière
  letzter
- [ ] réel/réelle
  real, wirklich
- [ ] cher/chère
  lieb
- [ ] industriel/industrielle
- [ ] vif/vive
  lebhaft, lebendig
- [ ] amer/amère
  bitter

2 » Comparez vos numéros.

Il existe d'autres exceptions.

3 » Regardez les adjectifs.
» Ajoutez-en d'autres si vous voulez.

fou/folle	long/longue
nouveau/nouvelle	
bon/bonne	

4 Pour trouver les formes correctes d'un adjectif, on peut consulter un dictionnaire (en ligne).

33

1 Anhand der Beispiele können die Lernenden in dieser fakultativen Aufgabe die Regelmässigkeiten im Singular folgender drei Adjektivgruppen entdecken:

Gruppe 1
Männliche Endung: *-el*
Weibliche Endung: *-elle*

Gruppe 2
Männliche Endung: *-er*
Weibliche Endung: *-ère*

Gruppe 3
Männliche Endung: *-f*
Weibliche Endung: *-ve*

Die Lernenden dokumentieren ihre Einsichten, indem sie diese auf weitere Beispiele übertragen.

3 *actif / active*
1 *actuel / actuelle*
3 *neuf / neuve*
2 *régulier / régulière*
2 *fier / fière*
1 *officiel / officielle*
2 *dernier / dernière*
1 *réel / réelle*
2 *cher / chère*
1 *industriel / industrielle*
3 *vif / vive*
2 *amer / amère*

2 Das Vergleichen der Lösungen ermöglicht den Lernenden, die Zielsprache als Arbeitssprache zu verwenden und bekannte Redemittel erneut anzuwenden und einzuüben.

3 Vielleicht erinnern sich die Lernenden an Adjektive wie *blanc – blanche, violet – violette, crémeux – crémeuse, gazeux – gazeuse, doux – douce…*, welchen sie in früheren *magazines* begegnet sind.

4 Mit der *règle de base* und vielleicht zusätzlich den drei Gruppen von *cas particuliers* erhalten die Lernenden einen Einblick in einen grossen Teil des Regelwerks der Adjektivanpassung. Zudem erkennen sie, dass es Adjektive gibt, die anders funktionieren. Der Hinweis auf den *dictionnaire* als Nachschlagewerk für korrekte Fomen ist wichtig. Auf dem Sprachniveau, das Lernende haben, «passieren bei der Verwendung je nach Unterstützungsgrad noch häufig Fehler» (vgl. Lehrplan «Passepartout», Seite 65). Diese können minimiert werden, wenn Lernende auf Unsicherheiten sensibilisiert sind und eine Strategie wie das Nachschlagen kennen und anwenden können.

Auf individuelle Bedürfnisse eingehen

Anforderungen erweitern
Selbstständige Recherche
» Im Internet oder in Grammatikbüchern weitere Adjektivgruppen recherchieren und die Regeln darstellen
Erstellung von Unterrichtshilfen
» Mit häufigen und/oder unregelmässigen Adjektiven ein Plakat für das Klassenzimmer gestalten

1 Die Lernenden wenden ihre Einsichten in einer kurzen mündlichen Übung an und üben damit gleichzeitig den Adjektivwortschatz ein.

2 In der schriftlichen Übung beschäftigen sich die Lernenden zusätzlich mit Adjektivendungen, die nicht artikuliert werden. Zudem werden sie eingeladen, nach Belieben die Chunks aus den Inputtexten oder aus früheren *magazines*, die auf Seite 35 zusammengestellt sind, zu verwenden.

3 Die Stellung des Adjektivs wird hier kurz gestreift. Es ist nicht vorgesehen, zum jetzigen Zeitpunkt das differenzierte Regelwerk zu thematisieren.

4 Das Korrigieren der Übungen von Mitschülerinnen und Mitschülern ist eine verantwortungsvolle Aufgabe. Die Lernenden befassen sich dabei intensiv mit der grammatikalischen Erscheinungsform, was die eigene Einsicht festigt.

Auf individuelle Bedürfnisse eingehen

Anforderungen reduzieren

Vorentlastung

» In der Gruppe eine Merkhilfe erarbeiten:
un → grand
une → grande
des → grands, grandes

Stoffreduktion

» Nur eine der beiden Übungen – die mündliche oder die schriftliche Aufgabe – bearbeiten

Anforderungen erweitern

Lernen durch Lehren

» Für Mitschülerinnen und Mitschüler eine schriftliche Übung erstellen

» Für Mitschülerinnen und Mitschüler mit Hilfe einer Vorlage auf learningapps.org eine einfache Lernsoftware entwickeln

Activité **E**

J'imagine un hélicoptère sous-marin. – Je pense à un tapis volant. – C'est une bonne idée.

1 » Créez quelques paires avec des noms et des adjectifs des pages 30 et 31. Accordez les adjectifs.

accordez
passt an

J'imagine un / une…

Je pense à un / une / des…

C'est un / une…
Ce sont des…

2 » Notez quelques phrases. Utilisez des noms et des adjectifs au singulier et au pluriel. Ajoutez quelques expressions de la page 35 si vous voulez.

Une île volante, c'est le pied.

C'est un tapis rapide. Cool!

Ce sont des trottinettes flottantes. Vachement bien!

J'imagine un robot intelligent.

3 **Stellung des Adjektivs**

Die meisten Adjektive stehen nach dem Nomen.
Beispiel: une voiture pliante

Vor dem Nomen stehen oft:
petit, grand, bon, premier, dernier, nouveau, long
Beispiel: une petite capsule

4 » Corrigez ensemble.

Corriger
Korrigieren

Überprüfe Texte von anderen auf sprachliche Korrektheit. So gewinnst du mehr Sicherheit im Verwenden von Formen.

34

Activité **E**

Chouette!
Toll!

C'est top!

Cool!

Utile!
Nützlich!

Ça risque d'être cool!
Das könnte cool sein!

C'est fou!
Das ist verrückt!

Pas si bête!
Gar nicht so dumm!

Vachement bien!
Saugut!

Pas mal!
Nicht schlecht!

C'est complètement loufoque!
Das ist vollkommen verrückt!

C'est le / la... à posséder.
Dieses ... muss man haben (besitzen)!

Fun garanti!
Vergnügen / Fun garantiert!

C'est pas vrai!
Das gibt's doch nicht!

Super!

Ça promet!
Das sind ja schöne Aussichten!

C'est du luxe, non?
Das ist Luxus, nicht?

Bienvenue dans le futur!
Willkommen in der Zukunft!

Ça ne fait pas un pli!
Darauf kannst du wetten!
Daran gibt's nichts zu rütteln!

Un / une... de rêve
Ein Traum ... / Eine Traum- ...

Sympa!
Sympathisch!

Trop facile!
Zu einfach!

Pour tous les ados!
Für alle Teenager!

La science-fiction!

Trop mignon!
Zu herzig! Zu niedlich!

C'est le pied!
Das ist der Hammer!

Dernier cri!
Hochmodern! Der letzte Schrei!

35

Die meisten der hier aufgeführten umgangssprachlichen Chunks stammen aus den Inputtexten. Andere nehmen *magazine*-Titel aus der Primarschule auf («Pas si bête!», «Vachement bien!», «C'est le pied!») oder sind Ausdrücke, die den Lernenden bereits bekannt sind *(Utile!; C'est complètement loufoque!)*.

Die Ausdrücke werden den Lernenden in der *tâche* erlauben, ihre eigene futuristische Erfindung im Stil der Inputtexte zu präsentieren. Vier Chunks sind Teil des Klassenwortschatzes 7.1. Sie lassen sich insbesondere in Alltagssituationen verwenden.

Das Thema «Adjektive» wird in dieser *activité* mit mehreren Zielsetzungen bearbeitet. In einem ersten Schritt erweitern die Lernenden ihren Wortschatz, indem ihnen eine Sammlung von Adjektiven aus den Inputtexten angeboten wird.

Als Nächstes schulen sie ihre auditive Wahrnehmung in Bezug auf männliche und weibliche Adjektivendungen und bekommen diese damit ins Ohr.

Die anschliessende Grammatikarbeit ist induktiv angelegt. Die Lernenden bestimmen, ausgehend von der Beobachtung der Sprache, Merkmale, die sie an weiteren Beispielen verifizieren. Sie verallgemeinern die gewonnenen Einsichten in Form von Regeln, die sie mit eigenen Worten festhalten. Dieses induktive Vorgehen eignet sich vor allem für «einsichtiges» Lernen und ist dem deduktiven, bei dem eine Regel vorgegeben wird, meist überlegen.

Als Erstes gilt es, die Hauptregel für männliche und weibliche Adjektive wiederzuentdecken, womit an eine Lernerfahrung aus der 6. Klasse angeknüpft wird. Anschliessend erweitern die Lernenden ihre Einsichten ins System, indem sie die Hauptregel für die Pluralbildung und drei weitere Regelmässigkeiten herausfinden.

Durch das Kombinieren von Nomen und Adjektiven wenden die Lernenden die erkannten Regelmässigkeiten anschliessend an. Bei der gegenseitigen Korrektur dieser Übung befassen sie sich ein weiteres Mal intensiv mit Endungen von Adjektiven. Zudem übernehmen sie dabei Verantwortung für das eigene Lernen und das Lernen von Mitschülerinnen und Mitschülern.

Activité **E**

Futuriste, utile et intelligent

Tu vois beaucoup d'adjectifs. Tu distingues les différences de prononciation. Tu redécouvres des règles et tu en trouves d'autres.

On trouve beaucoup d'adjectifs dans les textes sur des inventions futuristes.
Tu peux les utiliser quand tu décris ton invention.

1 (25–29) » Ecoute les adjectifs.

Les terminaisons de certains adjectifs changent pour les noms masculins ou féminins.
Est-ce que tu entends les différences?

2 (30–32) » Ecoute et note les numéros correspondants dans les cases ou travaille à l'ordinateur.

petit/petite klein
grand/grande gross
géant/géante riesig
long/longue lang
adhésif/adhésive selbstklebend, haftend
léger/légère leicht

futuriste futuristisch
populaire populär, beliebt
télécommandé/télécommandée ferngesteuert
moderne modern
autonome selbstständig
rapide schnell

un voyage *eine Reise*
une bicyclette
une trottinette
un train
un matériau
un monorail
une capsule spatiale *eine Raumkapsel*
un moteur
une éolienne *ein Windrad*
une machine
une ville
un bassin
un projet
un avion
un parachute *ein Fallschirm*
une combinaison *ein Overall*
une technologie
un chien robot
un objet
une invention
un bâtiment *ein Gebäude*
…

30

1 Fast alle 30 Adjektive sind den Inputtexten entnommen und bilden damit ein Vokabular ab, das sich eignet, futuristische Erfindungen zu beschreiben. Die Lernenden werden zu Beginn auf diese Zielsetzung hingewiesen, die in der *tâche* zur Anwendung kommen wird.

2 Diese Aufgabe lässt sich entweder am Computer oder mit Hilfe von Audio-Datei und *magazine* bearbeiten. In der Lernsoftware erhalten die Lernenden nach jeder Zuordnung die Rückmeldung Richtig oder Falsch; bei der Bearbeitung im *magazine* stehen ihnen Lösungen für die Selbstkorrektur zur Verfügung.

Die Lernenden hören genau hin, um die feinen Unterschiede der Adjektivendungen auditiv wahrzunehmen. Zudem werden sie durch wiederholtes Hören mit den Formen vertraut.

petit/grand/géant/long/adhésif/léger

1. *un grand bassin*
2. *une petite maison*
3. *une combinaison adhésive*
4. *un grand bâtiment*
5. *une éolienne géante*

Activité **E**

bon/bonne
gut

impressionnant/impressionnante
beeindruckend

nouveau/nouvelle
neu

premier/première
erster, erste, erstes

passionnant/passionnante
faszinierend

fou/folle
verrückt

pliant/pliante
zusammenklappbar

volant/volante
fliegend

flottant/flottante
auf dem Wasser schwimmend

sous-marin/sous-marine
Unterwasser…

sportif/sportive
sportlich

intelligent/intelligente
intelligent

un sport
une expérience
eine Erfahrung
un hôtel
un vol
ein Flug
une randonnée
eine Wanderung
un robot
une valise
ein Koffer
une voiture
ein Auto
un hélicoptère
une auto
une île
eine Insel
un stade
ein Stadion
un lac
ein See
un tapis
ein Teppich
un engin
une rock star
un groupe de robots
une idée
un appartement
une maison
ein Haus
…

artificiel/artificielle
künstlich

virtuel/virtuelle
virtuell

utile
nützlich

pratique
praktisch

naturel/naturelle
natürlich

électrique
elektrisch

1 » Comparez vos résultats.

» Regardez les solutions à la page 60.

6. *un petit moteur*
7. *une bicyclette légère*
8. *une longue randonnée*
9. *un avion léger*
10. *un long tapis*
11. *une petite voiture*
12. *un parachute géant*
13. *un matériau adhésif*
14. *une île géante*
15. *un long voyage*
16. *une grande valise*
17. *une grande machine*
18. *un petit chien robot*
19. *un long train*
20. *une grande ville*
21. *une valise légère*
22. *une longue voiture*
23. *un projet géant*
24. *un petit lac*

bon/impressionnant/nouveau/premier/passionnant/fou

1. *une bonne idée*
2. *une expérience impressionnante*
3. *un voyage fou*
4. *un bon voyage*
5. *une nouvelle auto*
6. *une île passionnante*
7. *le premier vol*
8. *un engin impressionnant*
9. *une invention folle*
10. *un bon projet*
11. *une expérience passionnante*
12. *un nouveau sport*
13. *le premier robot*
14. *une idée folle*
15. *un projet fou*
16. *la première bicyclette*
17. *une nouvelle technologie*
18. *un groupe de robots impressionnant*
19. *un nouveau stade*
20. *un sport passionnant*

pliant/volant/flottant/sous-marin/sportif/intelligent

1. *une voiture pliante*
2. *un robot sportif*
3. *la ville flottante*
4. *un stade pliant*
5. *une auto volante*
6. *un robot intelligent*
7. *un engin volant*
8. *un appartement sous-marin*
9. *une valise intelligente*
10. *une maison pliante*
11. *une trottinette volante*
12. *un hôtel sous-marin*
13. *une maison flottante*
14. *un tapis volant*
15. *une randonnée sportive*
16. *une voiture sous-marine*
17. *un hôtel flottant*
18. *une machine intelligente*
19. *un monorail pliant*
20. *une rock star sportive*

1 Das Vergleichen der Lösungen ermöglicht den Lernenden, die Zielsprache erneut als Arbeitssprache zu verwenden. In der *revue* stehen ihnen unter dem Titel «Comparer les résultats» verschiedene bekannte Redemittel zur Verfügung, z.B. *Le numéro… correspond à… / …c'est le numéro… / Je pense que…, c'est le numéro… / D'accord. / J'ai la même chose. / J'ai autre chose.*

Activité **E**

Masculin ou féminin? Singulier ou pluriel?
Te souviens-tu des règles de base qui sont valables pour la plupart des adjectifs?

1 » Complète les 3 cases.

le robot intelligent un hélicoptère pliant	la valise intelligente la voiture pliante
un hôtel sous-marin	la plongée ....
un sport	une expérience passionnante

Facile?

le vélo électrique un chien robot populaire	la voiture électrique une rock star populaire
un engin	une idée futuriste
un objet pratique	une invention ....

Et au pluriel?

des robots intelligents (m)	des valises .... (f)
des hélicoptères .... (m)	des voitures pliantes (f)
les vélos .... (m)	les voitures électriques (f)
des engins futuristes (m)	des idées .... (f)

2 » Note les règles de base.

3 » Echangez vos notes.

4 » Echangez les règles en classe.

32

1 Es empfiehlt sich, nach dem Grundprinzip des kooperativen Lernens vorzugehen. Dieses sieht den dreischrittigen Prozess D – A – V (Denken – Austauschen – Vorstellen) vor.

1. D = Denken
Damit sich alle Lernenden aktiv am eigentlichen Denkprozess beteiligen können, bedürfen Lernprozesse einer individuellen Denkzeit.

2. A = Austauschen
In der zweiten Phase vergleichen die Lernenden in Partnerarbeit ihre Einsichten und ergänzen bei Bedarf ihre Notizen.

3. V = Vorstellen
Die Einsichten werden in der Klasse vorgestellt und besprochen, die Gesetzmässigkeit wird offizialisiert.

Anhand der Beispiele wiederholen die Lernenden hier die Entdeckung, dass ein Adjektiv seine Endung dem Geschlecht des Nomens anpasst und dass die weibliche Adjektivendung *-e* lautet. Zudem erweitern sie ihre Kenntnisse, indem sie die Plural-Anpassung *-s* wahrnehmen. Ihre Einsichten übertragen sie auf weitere Beispiele.

2 Die angegebenen Adjektive folgen einer Art *règles de base*, da sich zahlenmässig der grösste Teil der Adjektive entsprechend verhält. Die Regeln lassen sich von den Lernenden in dieser Art formulieren:

» Um die weibliche Form zu bilden, wird der männlichen Form der Buchstabe *-e* angefügt.

» Wenn die männliche Form des Adjektivs bereits auf *-e* endet, ist die weibliche Form gleich wie die männliche.

» Steht das Nomen im Plural, wird dem Adjektiv zudem der Buchstabe *-s* angefügt.

Wichtig ist, dass die Lernenden eigene Worte finden, um die grammatikalischen Erscheinungsformen zu beschreiben. Vorformulierte Regeln aus einem Grammatikbuch erweisen sich oft als weniger hilfreich, weil es für die Lernenden schwieriger ist, diese mit der eigenen Erkenntnis in Verbindung zu bringen. Regelmässigkeiten selber zu formulieren, führt daher meist zu einer vertiefteren und nachhaltigeren Einsicht. Es hat sich zum Beispiel gezeigt, dass Lernende bei diesem Thema oftmals einer Logik folgen, die sich von offiziellen Grammatiken unterscheidet, indem sie von der weiblichen Form ausgehen, die bei der Bildung der männlichen Form ein *-e* verliert.

3 Der Austausch (A) mit einer Partnerin oder einem Partner zeigt den Lernenden eine andere Möglichkeit auf, die grammatikalische Erscheinungsform in Worte zu fassen, und erlaubt, die eigene Einsicht allenfalls zu erweitern.

4 Der Austausch in der Klasse hat zum Ziel, die Arbeitsergebnisse der Partnergruppen zu vergleichen, fehlerhafte Annahmen richtigzustellen, das Wesentliche zusammenzufassen und die geltenden Regeln zu offizialisieren.

Activité **E**

Pas de règle sans exception.
Mais même dans les exceptions, on peut trouver des régularités.

1 » Regarde les adjectifs dans les cases 1, 2 et 3. Est-ce que tu trouves des régularités?

A droite, tu vois des adjectifs qui fonctionnent de la même façon.
» Attribue les numéros 1, 2 et 3.

1
virtuel / virtuelle
naturel / naturelle
artificiel / artificielle

2
léger / légère
premier / première

3
sportif / sportive
adhésif / adhésive

- [3] actif / active
- [ ] actuel / actuelle
- [ ] neuf / neuve (neu, ungebraucht)
- [ ] régulier / régulière (regelmässig)
- [ ] fier / fière (stolz)
- [ ] officiel / officielle
- [ ] dernier / dernière (letzter)
- [ ] réel / réelle (real, wirklich)
- [ ] cher / chère (lieb)
- [ ] industriel / industrielle
- [ ] vif / vive (lebhaft, lebendig)
- [ ] amer / amère (bitter)

2 » Comparez vos numéros.

Il existe d'autres exceptions.

3 » Regardez les adjectifs.
» Ajoutez-en d'autres si vous voulez.

fou / folle	long / longue
nouveau / nouvelle	
bon / bonne	

4 Pour trouver les formes correctes d'un adjectif, on peut consulter un dictionnaire (en ligne).

33

1 Anhand der Beispiele können die Lernenden in dieser fakultativen Aufgabe die Regelmässigkeiten im Singular folgender drei Adjektivgruppen entdecken:

Gruppe 1
Männliche Endung: *-el*
Weibliche Endung: *-elle*

Gruppe 2
Männliche Endung: *-er*
Weibliche Endung: *-ère*

Gruppe 3
Männliche Endung: *-f*
Weibliche Endung: *-ve*

Die Lernenden dokumentieren ihre Einsichten, indem sie diese auf weitere Beispiele übertragen.
3 *actif / active*
1 *actuel / actuelle*
3 *neuf / neuve*
2 *régulier / régulière*
2 *fier / fière*
1 *officiel / officielle*
2 *dernier / dernière*
1 *réel / réelle*
2 *cher / chère*
1 *industriel / industrielle*
3 *vif / vive*
2 *amer / amère*

2 Das Vergleichen der Lösungen ermöglicht den Lernenden, die Zielsprache als Arbeitssprache zu verwenden und bekannte Redemittel erneut anzuwenden und einzuüben.

3 Vielleicht erinnern sich die Lernenden an Adjektive wie *blanc – blanche, violet – violette, crémeux – crémeuse, gazeux – gazeuse, doux – douce …*, welchen sie in früheren *magazines* begegnet sind.

4 Mit der *règle de base* und den drei Gruppen von *cas particuliers* erhalten die Lernenden einen Einblick in einen grossen Teil des Regelwerks der Adjektivanpassung. Zudem erkennen sie, dass es Adjektive gibt, die anders funktionieren. Der Hinweis auf den *dictionnaire* als Nachschlagewerk für korrekte Fomen ist wichtig. Auf dem Sprachniveau, das Lernende haben, «passieren bei der Verwendung je nach Unterstützungsgrad noch häufig Fehler» (vgl. Lehrplan «Passepartout», Seite 65). Diese können minimiert werden, wenn Lernende auf Unsicherheiten sensibilisiert sind und eine Strategie wie das Nachschlagen kennen und anwenden können.

Auf individuelle Bedürfnisse eingehen

Anforderungen erweitern
Selbstständige Recherche
» Im Internet oder in Grammatikbüchern weitere Adjektivgruppen recherchieren und die Regeln darstellen
Erstellung von Unterrichtshilfen
» Mit häufigen und / oder unregelmässigen Adjektiven ein Plakat für das Klassenzimmer gestalten

1 Die Lernenden wenden ihre Einsichten in einer kurzen mündlichen Übung an und üben damit gleichzeitig den Adjektivwortschatz ein.

2 In der schriftlichen Übung beschäftigen sich die Lernenden zusätzlich mit Adjektivendungen, die nicht artikuliert werden. Zudem werden sie eingeladen, nach Belieben die Chunks aus den Inputtexten oder aus früheren *magazines*, die auf Seite 35 zusammengestellt sind, zu verwenden.

3 Die Stellung des Adjektivs wird hier kurz gestreift. Es ist nicht vorgesehen, zum jetzigen Zeitpunkt das differenzierte Regelwerk zu thematisieren.

4 Das Korrigieren der Übungen von Mitschülerinnen und Mitschülern ist eine verantwortungsvolle Aufgabe. Die Lernenden befassen sich dabei intensiv mit der grammatikalischen Erscheinungsform, was die eigene Einsicht festigt.

Auf individuelle Bedürfnisse eingehen

Anforderungen reduzieren

Vorentlastung

» In der Gruppe eine Merkhilfe erarbeiten:
un → *grand*
une → *grande*
des → *grands, grandes*

Stoffreduktion

» Nur eine der beiden Übungen – die mündliche oder die schriftliche Aufgabe – bearbeiten

Anforderungen erweitern

Lernen durch Lehren

» Für Mitschülerinnen und Mitschüler eine schriftliche Übung erstellen
» Für Mitschülerinnen und Mitschüler mit Hilfe einer Vorlage auf learningapps.org eine einfache Lernsoftware entwickeln

Activité E

J'imagine un hélicoptère sous-marin. – Je pense à un tapis volant. – C'est une bonne idée.

1 » Créez quelques paires avec des noms et des adjectifs des pages 30 et 31. Accordez les adjectifs.

accordez
passt an

J'imagine un/une…

Je pense à un/une/des…

C'est un/une…
Ce sont des…

2 » Notez quelques phrases. Utilisez des noms et des adjectifs au singulier et au pluriel. Ajoutez quelques expressions de la page 35 si vous voulez.

Une île volante, c'est le pied.

C'est un tapis rapide. Cool!

Ce sont des trottinettes flottantes. Vachement bien!

J'imagine un robot intelligent.

3 **Stellung des Adjektivs**

Die meisten Adjektive stehen nach dem Nomen.
Beispiel: une voiture pliante

Vor dem Nomen stehen oft:
petit, grand, bon, premier, dernier, nouveau, long
Beispiel: une petite capsule

Corriger
Korrigieren

Überprüfe Texte von anderen auf sprachliche Korrektheit. So gewinnst du mehr Sicherheit im Verwenden von Formen.

4 » Corrigez ensemble.

34

Activité **E**

Chouette!
Toll!

C'est top!

Cool!

Utile!
Nützlich!

Ça risque d'être cool!
Das könnte cool sein!

C'est fou!
Das ist verrückt!

Pas si bête!
Gar nicht so dumm!

Vachement bien!
Saugut!

Pas mal!
Nicht schlecht!

C'est complètement loufoque!
Das ist vollkommen verrückt!

C'est le/la… à posséder.
Dieses … muss man haben (besitzen)!

Fun garanti!
Vergnügen/Fun garantiert!

C'est pas vrai!
Das gibt's doch nicht!

Super!

Ça promet!
Das sind ja schöne Aussichten!

C'est du luxe, non?
Das ist Luxus, nicht?

Bienvenue dans le futur!
Willkommen in der Zukunft!

Ça ne fait pas un pli!
Darauf kannst du wetten!
Daran gibt's nichts zu rütteln!

Sympa!
Sympathisch!

Un/une… de rêve
Ein Traum …/Eine Traum- …

Trop facile!
Zu einfach!

Pour tous les ados!
Für alle Teenager!

La science-fiction!

Trop mignon!
Zu herzig! Zu niedlich!

C'est le pied!
Das ist der Hammer!

Dernier cri!
Hochmodern! Der letzte Schrei!

35

Die meisten der hier aufgeführten umgangssprachlichen Chunks stammen aus den Inputtexten. Andere nehmen *magazine*-Titel aus der Primarschule auf («Pas si bête!», «Vachement bien!», «C'est le pied!») oder sind Ausdrücke, die den Lernenden bereits bekannt sind *(Utile!; C'est complètement loufoque!)*.

Die Ausdrücke werden den Lernenden in der *tâche* erlauben, ihre eigene futuristische Erfindung im Stil der Inputtexte zu präsentieren. Vier Chunks sind Teil des Klassenwortschatzes 7.1. Sie lassen sich insbesondere in Alltagssituationen verwenden.

Die Lernenden üben mit einem Kartenspiel und mit verschiedenen Mnemotechniken sprachliche Strukturen und Wortschatz ein, die es ihnen erlauben, in der *tâche* eine eigene Erfindung zu beschreiben. Diese sprachlichen Mittel bilden den verbindlichen Klassenwortschatz, der in der Regel den Inputtexten entnommen worden ist.

Auf den Karten sind mehrere futuristische Erfindungen aus dem Diaporama von *activité* A abgebildet und mit je vier Aussagen beschrieben. Die Lernenden üben die sprachlichen Mittel ein, indem sie die Aussagen lesen, hören, nachsprechen und anschliessend im Spiel verwenden.

Den vorgegebenen Wortschatz erweitern die Lernenden mit Ausdrücken, die sie selber auswählen und ihrem persönlichen Wortschatz beifügen.

Zum Einüben von Wortschatz wird als neues Instrument der *fichier* präsentiert. Zudem werden die Lernenden an verschiedene Strategien erinnert, die sie im Laufe der letzten Schuljahre zum Einüben von Wortschatz verwendet haben.

1 Den Bildern der verschiedenen Erfindungen sind die Lernenden bereits in *activité* A begegnet. Die kurzen Texte enthalten einzelne Informationen zu den jeweiligen Zukunftsideen. Die Lernenden können die Aussagen mit Hilfe der *boîte de traduction* und des Klassenwortschatzes von Seite 39 leicht entschlüsseln.

2 Das Spiel kann nur gelingen, wenn die Lernenden die Aussagen flüssig und korrekt vorlesen können: Darum ist das Vorlesen sorgfältig vorzubereiten.

Es ist möglich, das Vorlesen im Spiel als Moment zur summativen Evaluation zu nutzen (siehe Seite 38). Wird diese Evaluationsmöglichkeit wahrgenommen, sind die Lernenden bereits hier darauf hinzuweisen.

Activité **F**

Futuroscope – le jeu

Tu découvres plus d'inventions futuristes. Tu joues à un jeu de cartes.

Dans le jeu, tu lis des phrases. D'abord, tu prépares la lecture à haute voix.

1 (33–40) » Regardez les images. Lisez et écoutez les phrases.
Pour comprendre, consultez le vocabulaire de classe à la page 39 et les boîtes de traduction.

2 » Préparez la lecture à haute voix.

Aérocar – la voiture volante
- Ce véhicule est une sorte d'auto-avion.
- Cet engin a des ailes.
- Cette auto vole. C'est fou!
- Cette voiture est capable de se transformer en avion.

Solar Drop et Winds Tower – l'anti-smog à Paris
- Cette construction a la forme d'une grande balle de rugby.
- Cette invention est capable d'éliminer le smog.
- C'est comme un filtre pour le smog. Pas mal!
- La tour à côté du «Solar Drop» a des éoliennes.

Hydropolis – l'hôtel sous-marin
- Il s'agit d'un hôtel sous-marin avec 220 chambres.
- C'est un bâtiment dernier cri.
- On voit les poissons depuis sa chambre. C'est le pied!
- Dans cet hôtel, il y a un train pour transporter les clients.

une sorte de	eine Art
un avion	ein Flugzeug
des ailes (f)	Flügel
se transformer	sich verwandeln
comme	wie
la tour	der Turm
des éoliennes (f)	Windräder
dernier cri	hochmodern (der letzte Schrei)
un train	ein Zug

36

Auf individuelle Bedürfnisse eingehen

Anforderungen reduzieren

Kleinschrittigeres Vorgehen

» Das Vorlesen in mehreren Etappen einüben

Reduzierte Textmenge

» Das Spiel mit nur vier Kartensätzen vorbereiten und zu zweit spielen

Anforderungen erweitern

Zusätzliche Sprachproduktion

» Das Spiel mit eigenen Karten erweitern; dazu z.B. Bilder aus dem Diaporama (*activité* A) verwenden

Activité **F**

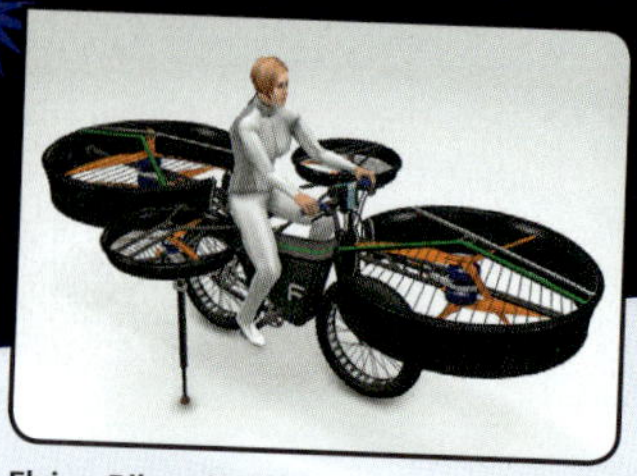

Flying Bike – le vélo volant
- Ce véhicule permet de faire du sport. Vachement bien!
- Ce vélo a quatre hélices.
- Il s'agit d'un vélo volant.
- Il faut pédaler pour faire un tour.

Engkey – le robot professeur
- On voit la professeure sur un écran.
- Cette invention est pratique pour les écoles.
- Ce robot sert à donner des cours d'anglais.
- Une professeure dirige cette machine à distance.

Lilypad – la ville flottante
- Cette construction ressemble à un nénuphar géant.
- Il s'agit d'une ville construite sur une île artificielle.
- Cette île est autonome.
- La ville flottante a la forme d'une grande fleur.

Sea Tree – l'arbre de mer
- Cette tour verte mesure 30 mètres de haut.
- Cet arbre artificiel permet aux animaux d'habiter en ville.
- Sur cette tour flottante, il y a des plantes.
- C'est pratique pour les animaux comme l'oiseau, la chauve-souris ou le corail.

Glowing Plant – l'arbre lampadaire
- C'est comme un arbre, mais aussi comme un lampadaire.
- Les gènes de lucioles éclairent les rues. C'est utile!
- C'est pratique pour les gens qui habitent en ville.
- Cette invention permet de voir la nuit.

des hélices (f)	Propeller
pédaler	in die Pedale treten
un nénuphar	eine Seerose
une fleur	eine Blume
des plantes (f)	Pflanzen
artificiel	künstlich
le corail	die Koralle
un lampadaire	eine Strassenlaterne
les gènes (m)	die Gene
des lucioles (f)	Glühwürmchen
les gens (pl)	die Leute
la nuit	nachts

1 Dem *fil rouge* sind vier Spielkartensätze à 32 Karten beigelegt, die hier zum Einsatz kommen. Auch wenn die Karten auf den ersten Blick an ein Quartett erinnern, wird hier ein anderes Spiel zum Einüben des Wortschatzes vorgeschlagen.

Zu Beginn erhalten die drei Spielerinnen und Spieler je drei Karten. Die restlichen Karten bilden den Aufnahmestapel. Der Spieler, der eine Spielrunde durch das Vorlesen eines Kartentextes eröffnet, kann seine Karte gleich ablegen. Besitzt eine andere Spielerin eine Karte, die zur gleichen Erfindung gehört, kann sie diese ablegen, nachdem dies zuerst durch Vorlesen und anschliessend durch Vergleichen der Bilder überprüft worden ist. Verfügt man über keine passende Karte, muss eine Karte vom Stapel aufgenommen werden, bei einem Irrtum gar deren zwei. Gewonnen hat, wer zuerst keine Karten mehr in der Hand hat.

Die Gruppe hat als Erstes die Aufgabe, die Spielanleitung zu klären. Es empfiehlt sich, die Anleitung Schritt für Schritt in Handlung umzusetzen, also eine erste Spielrunde mit offenen Karten zu spielen.

2 Die Schülerinnen und Schüler haben schon viele Lernspiele gespielt, immer mit der Aufforderung verbunden, während des Spielens miteinander ausschliesslich französisch zu sprechen. Damit wenden sie die Zielsprache in der Gruppe an, was im Lehrplan «Passepartout» als Handlungsfeld ausgewiesen wird. Die Sprechblasentexte erinnern sie an den bereits bekannten Spielwortschatz, der unter dem Titel «Jouer aux jeux» in der *revue* aufgelistet ist. Auf der Plattform www.clin-doeil.ch stehen die Sprechblasen zusätzlich zum Ausdrucken zur Verfügung. Sie können als eine Art «Spickzettel» und Merkhilfe im Klassenzimmer aufgehängt werden. Zudem befinden sich die entsprechenden mp3-Dateien auf der Plattform und unter *magazine* 7.4 auf der Multimedia-CD. Die Hörtexte können zur Erinnerung vorgängig abgespielt werden.

3 Das Symbol weist auf einen geeigneten Moment hin, ein ausgewähltes Lernziel zu überprüfen. Die Kurzbeschreibung der Aufgabe und die Beurteilungskriterien finden sich unter «Grilles d'évaluation» auf Seite 57.

Activité **F**

1 » Lisez les règles du jeu.

2 » Jouez au jeu.
Utilisez les expressions dans les bulles.

3

la pioche	der Kartenstapel
pioche	nimm auf/ziehe
plus de cartes	keine Karten mehr

Futuroscope – Le jeu

Matériel
- 3 cartes par joueur
- la pioche

Règles
» **A** Lis la phrase d'une de tes cartes à haute voix, sans montrer l'image.
» **B/C** Contrôle si tu as une carte de la même invention.
  » Oui: lis la phrase à haute voix.
  » Non: pioche 1 carte.
» **A** Pose ta carte.
B/C Vérifie:
  » la même image qu'A: pose la carte.
  » une autre image qu'A: pioche 2 cartes.
» **B** Lis la phrase d'une de tes cartes à haute voix, sans montrer l'image.
» **A/C** …

Gagné
Le premier/La première qui n'a plus de cartes.

38

Bei der Durchführung dieser Evaluation empfiehlt sich folgendes Vorgehen: Die Lernenden werden darüber informiert, dass sie beurteilt werden. Sie lesen das Beurteilungskriterium auf Seite 57. Die Lehrperson setzt sich für eine Weile zu jeder Gruppe und beurteilt die Leistung der einzelnen Mitspielerinnen und Mitspieler.

Auf individuelle Bedürfnisse eingehen

Anforderungen reduzieren
Stoffreduktion
» Die Anzahl zu lernender Ausdrücke des Klassenwortschatzes reduzieren

Anforderungen erweitern
Mehr und komplexere sprachliche Mittel
» Den Klassenwortschatz E lernen (vgl. E, *magazine* Seite 39)

Activité **F**

1 » Lis et écoute les expressions. Mémorise-les. La page 40 peut t'aider.

41–42

un véhicule	ein Fahrzeug
un bâtiment	ein Gebäude
un robot	ein Roboter
une construction	eine Konstruktion
...ressemble à un/une...	... gleicht .../ist ähnlich wie ...
...mesure... (de long, de large, de haut)	... misst... (ist ... lang/ breit/hoch)
C'est pratique pour...	Das ist für ... praktisch.
...est capable de...	... ist fähig zu .../... kann ...
...permet de...	... ermöglicht zu .../... erlaubt zu ...
faire un tour	eine Runde machen/drehen
faire du sport	Sport machen/treiben
voler	fliegen
Il/Elle a...	Er/Sie/Es hat ...
Il y a un/une... pour...	Es hat ... um zu ...
Il/Elle/C'est...	Er/Sie/Es/Das ist ...
intelligent/intelligente	intelligent
sportif/sportive	sportlich
rapide	schnell
Pas mal!	Nicht schlecht!
Vachement bien!	Saugut!
C'est fou!	Das ist verrückt!
C'est le pied!	Das ist der Hammer!

un véhicule – a vehicle

un robot – a robot

une construction – construction

ressembler – to resemble

mesurer – to measure

pratique – practical

capable – capable

intelligent – intelligent

rapide – rapid

2 » Choisis d'autres expressions pour ton vocabulaire personnel.
Note-les dans la revue.

39

1 Eine Auswahl an Wörtern und Strukturen, die in der Regel den Inputtexten entnommen sind, wird als so genannter Klassenwortschatz ausgewiesen. Die Auswahl beinhaltet sprachliche Mittel, die eine der Grundlagen für das Bearbeiten der *tâche* sind und sich leicht auf andere Inhalte und Kommunikationssituationen transferieren lassen. Der verbindliche Klassenwortschatz kann von der Lehrperson bei Bedarf erweitert oder in einem gemeinsamen Aushandlungsprozess in der Klasse angereichert werden. In der *revue* steht unter dem Klassenwortschatz Platz zur Verfügung, um weitere Ausdrücke aufzuführen.

Rund um das Wortschatzfeld finden sich Wörter, die im Englischen eine gleiche oder ähnliche Entsprechung haben. Das Angebot an Parallelwortschatz lädt die Lernenden ein, die Ausdrücke in beiden Sprachen zu hören und zu lesen, Gemeinsamkeiten und Unterschiede in Aussprache und Schriftbild wahrzunehmen und bei Interesse das eine oder andere Wort gleich in beiden Sprachen zu memorieren. In lockerer Art wird damit eine Verbindung zum Englischunterricht hergestellt.

2 Für den individuellen Wortschatz wählen die Lernenden Wörter und Wendungen aus, die sie sich zusätzlich merken möchten. Sie können sie den Inputtexten entnehmen und in der *revue* unter «Vocabulaire personnel» festhalten. Dieser Auftrag birgt ein grosses Differenzierungspotenzial.

Dem Aufbau eines persönlichen Wortschatzes wird in *Clin d'œil* wie schon in *Mille feuilles* eine grosse Bedeutung beigemessen. Die Lernenden sollen die Möglichkeit haben, Ausdrücke zu lernen, mit welchen sie ihre persönlichen Mitteilungsabsichten verwirklichen können, und sich ein Vokabular erarbeiten, das sie interessiert. Die Erfahrung zeigt, dass Schülerinnen und Schüler diese Aufgabe eher weniger wahrnehmen, wenn sie dabei keine Unterstützung erfahren. Es lohnt sich demnach, den Wert eines eigenen, selber gewählten Wortschatzes zu thematisieren und die diesbezüglichen Erwartungen auszuhandeln. Nebst dem Aufschreiben und Einüben kann der persönliche Wortschatz beispielsweise in dieser Art in den Unterricht integriert werden:

- Mit der kooperativen Lernform «Kugellager» tauschen sich die Lernenden über die Lieblingsausdrücke ihres persönlichen Wortschatzes aus.
- Die Lernenden bereiten für ihre Mitschülerinnen und Mitschüler einen Sprachkurs zu einem selber gewählten Thema vor und führen ihn mit Interessierten durch.
- Zu Beginn jeder Französischstunde stellt ein Schüler oder eine Schülerin den anderen einen Ausdruck des persönlichen Wortschatzes vor.
- Von Zeit zu Zeit stellen sich zwei Lernende gegenseitig den persönlichen Wortschatz vor und lesen sich aus der Sammlung der Lernpartnerin oder des Lernpartners einen Ausdruck aus, den sie in den eigenen Wortschatz integrieren.

1 Die Lernenden haben die Aufgabe, Klassenwortschatz zu memorieren. Dazu werden sie an Strategien erinnert, die ihnen aus der Primarschulzeit bekannt sind, mit der Idee verbunden, nach eigenen Vorlieben auszuwählen und die Übungen zu variieren.

Das Einüben von Wortschatz ist kein Selbstzweck, sondern geschieht im Hinblick auf das Ausführen von bedeutungsvollen mündlichen oder schriftlichen Sprachhandlungen.

Für die Lernenden kann es hilfreich sein, in Partnerübungen, mit Spielen oder mit Hilfe des *fichier* zu überprüfen, ob sie den Wortschatz erfolgreich memoriert haben. Von Prüfungen, in welchen einzelne Wörter und Strukturen abgefragt werden, ist unbedingt abzusehen. Die sprachlichen Mittel sind in der Anwendung zu überprüfen, also in der *tâche* oder in Aufgaben zur summativen Evaluation.

In Bezug auf Orthografie ist festzuhalten: Das Sprachniveau für Lernende des Niveaus G wird im Lehrplan «Passepartout» am Ende der 6. und der 7. Klasse für die Kompetenz «Schreiben» je mit A1.2 angegeben. Im qualitativen Beurteilungsraster von «Lingualevel» werden die Merkmale für dieses Niveau wie folgt beschrieben: «A1.2 – Kann Wörter und kurze Sätze aus Texten abschreiben, die für ihn/sie wichtig sind, […]; kann diese Sätze brauchen, um mit eigenen Wörtern analoge Sätze zu bilden, macht dabei aber oft Fehler.»

Auf das Ziel, den Klassenwortschatz möglichst korrekt verwenden zu können, soll zwar hingearbeitet werden. Der Abgleich mit dem Sprachniveau der Lernenden macht jedoch deutlich, dass die Erwartungen an die Korrektheit nicht übertrieben ausfallen sollen. Rechtschreibefehler sind auf dieser Stufe des Lernprozesses üblich und kommen notabene auch bei gleichaltrigen frankophonen Lernenden noch häufig vor.

2 Der *fichier* bietet zwei verschiedene Varianten zum Einüben des aktuellen oder zum Repetieren des früheren Klassenwortschatzes an, eine mündliche und eine schriftliche.

Als Erstes wählen die Lernenden den oder die entsprechenden *parcour* aus und entscheiden sich für eine der beiden Übungsvarianten.

Beim mündlichen Einüben des Wortschatzes sehen sie den deutschen Ausdruck. Klicken sie das Textfeld an, erscheint die französische Entsprechung. Zudem kann der französische Ausdruck durch Anklicken des Lautsprechersymbols angehört werden. Beim Symbol **+** lässt sich ein Beispielsatz abrufen, der gelesen und gehört werden kann.

Das Übungsformat zum zusätzlichen Einüben der Orthografie sieht folgendermassen aus: Die Lernenden sehen den deutschen Ausdruck und tragen die französische Entsprechung ins Schreibfeld ein. Bei Bedarf klicken sie auf das Textfeld oder auf das

Méli-mélo

Floating stadium

In den *magazines* findest du neu die Rubrik «Méli-mélo». Hier wird ein Sammelsurium an Inhalten zur Unterhaltung angeboten. Viel Vergnügen bei der Lektüre!

43

The Olympic Games usually provide the city with a positive impulse, at least in theory. They bring economic advantages and provide an opportunity for initiating urban renewal projects. But there is also one big disadvantage: afterwards, the city is left with overcapacity in sports facilities. For example, people visiting Beijing now can see that the impressive stadium designed by Herzog & De Meuron and the beautiful swimming hall designed by the Australian architect duo PTW have fallen into disuse. If those buildings had been implemented as floating structures, they could have been moved to locations with a real requirement.

41

Lautsprechersymbol, um den französischen Ausdruck zu sehen oder zu hören. Bei erneutem Klicken auf das Textfeld wird wieder der deutsche Ausdruck gezeigt. Mit der Funktion ✔ können die Lernenden ihren schriftlichen Eintrag überprüfen lassen und erhalten die Rückmeldung Richtig oder Falsch. Sie entscheiden, ob sie die Fehlerkorrekturen ausführen oder sich die richtige Schreibweise einprägen wollen, bevor sie zum nächsten Ausdruck wechseln.

In der Rubrik *méli-mélo* werden Inhalte angeboten, die in losem Zusammenhang zu den Inhalten des *magazine* stehen. Wie der Titel sagt, handelt es sich um ein Sammelsurium an assoziativ verknüpften Beiträgen. Diese sind nicht didaktisiert und richten sich als fakultatives Zusatzangebot an interessierte Lernende.

In diesem *magazine* wird mit einem englischen Text eine weitere futuristische Idee aus dem Bereich Architektur präsentiert. Sie ist der Website des «waterstudio» entnommen und berichtet über ein schwimmendes Stadion. Den ungekürzten Text findet man unter www.waterstudio.nl/archive/75.

Die Architekten des «waterstudio» in den Niederlanden haben sich auf eine besondere Architektur spezialisiert. Sie planen und verwirklichen auf dem Wasser treibende Bauten, die dank ihrer Flexibilität ihre Funktion an verschiedenen Orten wahrnehmen können.

In Westland, in der Nähe von Den Haag, gibt es bereits zahlreiche schwimmende Wohnkomplexe.

Seit 2010 wird die Idee der «schwimmenden Architektur» auch von der Regierung der Malediven unterstützt. Um dem Problem des steigenden Meeresspiegels zu begegnen, werden vermehrt auf dem Wasser treibende Golfplätze, Hotels und Konferenzzentren gebaut.

Den «waterstudio»-Architekten Koen Olthuis nennt man – in Anlehnung an den «Fliegenden Holländer» – auch den «Floating Dutchman», wurde er doch im Jahre 2011 von der französischen Zeitschrift «Terra Eco» als eine der hundert umweltbewusstesten Personen bezeichnet, die die Welt nachhaltig verändern können.

Die Lernenden üben mit einem Kartenspiel und mit verschiedenen Mnemotechniken sprachliche Strukturen und Wortschatz ein, die es ihnen erlauben, in der *tâche* eine eigene Erfindung zu beschreiben. Diese sprachlichen Mittel bilden den verbindlichen Klassenwortschatz, der in der Regel den Inputtexten entnommen worden ist.

Auf den Karten sind mehrere futuristische Erfindungen aus dem Diaporama von *activité* A abgebildet und mit je vier Aussagen beschrieben. Die Lernenden üben die sprachlichen Mittel ein, indem sie die Aussagen lesen, hören, nachsprechen und anschliessend im Spiel verwenden.

Den vorgegebenen Wortschatz erweitern die Lernenden mit Ausdrücken, die sie selber auswählen und ihrem persönlichen Wortschatz beifügen.

Zum Einüben von Wortschatz wird als neues Instrument der *fichier* präsentiert. Zudem werden die Lernenden an verschiedene Strategien erinnert, die sie im Laufe der letzten Schuljahre zum Einüben von Wortschatz verwendet haben.

1 Den Bildern der verschiedenen Erfindungen sind die Lernenden bereits in *activité* A begegnet. Die kurzen Texte enthalten einzelne Informationen zu den jeweiligen Zukunftsideen. Die Lernenden können die Aussagen mit Hilfe der *boîte de traduction* und des Klassenwortschatzes von Seite 39 leicht entschlüsseln.

2 Das Spiel kann nur gelingen, wenn die Lernenden die Aussagen flüssig und korrekt vorlesen können: Darum ist das Vorlesen sorgfältig vorzubereiten.

Es ist möglich, das Vorlesen im Spiel als Moment zur summativen Evaluation zu nutzen (siehe Seite 38). Wird diese Evaluationsmöglichkeit wahrgenommen, sind die Lernenden bereits hier darauf hinzuweisen.

Activité **F**

Futuroscope – le jeu

Tu découvres plus d'inventions futuristes. Tu joues à un jeu de cartes.

Dans le jeu, tu lis des phrases. D'abord, tu prépares la lecture à haute voix.

1 33–40
» Regardez les images. Lisez et écoutez les phrases.
Pour comprendre, consultez le vocabulaire de classe à la page 39 et les boîtes de traduction.

2 » Préparez la lecture à haute voix.

Aérocar – la voiture volante
- Ce véhicule est une sorte d'auto-avion.
- Cet engin a des ailes.
- Cette auto vole. C'est fou!
- Cette voiture est capable de se transformer en avion.

Solar Drop et Winds Tower – l'anti-smog à Paris
- Cette construction a la forme d'une grande balle de rugby.
- Cette invention est capable d'éliminer le smog.
- C'est comme un filtre pour le smog. Pas mal!
- La tour à côté du «Solar Drop» a des éoliennes.

Hydropolis – l'hôtel sous-marin
- Il s'agit d'un hôtel sous-marin avec 220 chambres.
- C'est un bâtiment dernier cri.
- On voit les poissons depuis sa chambre. C'est le pied!
- Dans cet hôtel, il y a un train pour transporter les clients.

un avion	ein Flugzeug
des ailes (f)	Flügel
se transformer	sich verwandeln
la tour	der Turm
des éoliennes (f)	Windräder
dernier cri	hochmodern (der letzte Schrei)
un train	ein Zug

36

Auf individuelle Bedürfnisse eingehen

Anforderungen reduzieren

Kleinschrittigeres Vorgehen
» Das Vorlesen in mehreren Etappen einüben

Reduzierte Textmenge
» Das Spiel mit nur vier Kartensätzen vorbereiten und zu zweit spielen

Anforderungen erweitern

Zusätzliche Sprachproduktion
» Das Spiel mit eigenen Karten erweitern; dazu z.B. Bilder aus dem Diaporama (*activité* A) verwenden

Activité **F**

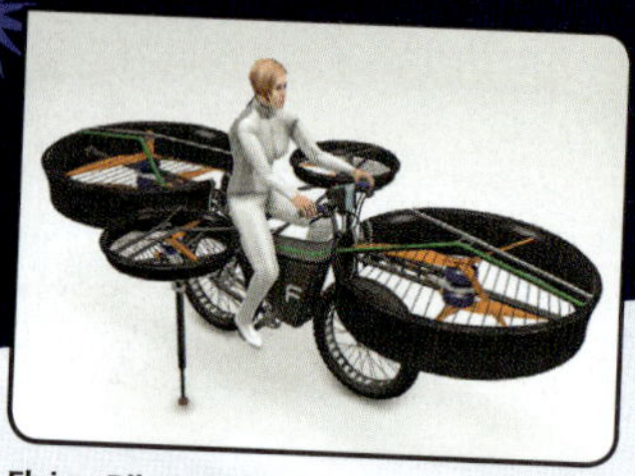

Flying Bike – le vélo volant
- Ce véhicule permet de faire du sport. Vachement bien!
- Ce vélo a quatre hélices.
- Il s'agit d'un vélo volant.
- Il faut pédaler pour faire un tour.

Engkey – le robot professeur
- On voit la professeure sur un écran.
- Cette invention est pratique pour les écoles.
- Ce robot sert à donner des cours d'anglais.
- Une professeure dirige cette machine à distance.

Lilypad – la ville flottante
- Cette construction ressemble à un nénuphar géant.
- Il s'agit d'une ville construite sur une île artificielle.
- Cette île est autonome.
- La ville flottante a la forme d'une grande fleur.

Sea Tree – l'arbre de mer
- Cette tour verte mesure 30 mètres de haut.
- Cet arbre artificiel permet aux animaux d'habiter en ville.
- Sur cette tour flottante, il y a des plantes.
- C'est pratique pour les animaux comme l'oiseau, la chauve-souris ou le corail.

Glowing Plant – l'arbre lampadaire
- C'est comme un arbre, mais aussi comme un lampadaire.
- Les gènes de lucioles éclairent les rues. C'est utile!
- C'est pratique pour les gens qui habitent en ville.
- Cette invention permet de voir la nuit.

des hélices (f)	Propeller
pédaler	in die Pedale treten
un nénuphar	eine Seerose
une fleur	eine Blume
des plantes (f)	Pflanzen
le corail	die Koralle
un lampadaire	eine Strassenlaterne
les gènes (m)	die Gene
des lucioles (f)	Glühwürmchen
les gens (pl)	die Leute
la nuit	nachts

1 Dem *fil rouge* sind vier Spielkartensätze à 32 Karten beigelegt, die hier zum Einsatz kommen. Auch wenn die Karten auf den ersten Blick an ein Quartett erinnern, wird hier ein anderes Spiel zum Einüben des Wortschatzes vorgeschlagen.

Zu Beginn erhalten die drei Spielerinnen und Spieler je drei Karten. Die restlichen Karten bilden den Aufnahmestapel. Der Spieler, der eine Spielrunde durch das Vorlesen eines Kartentextes eröffnet, kann seine Karte gleich ablegen. Besitzt eine andere Spielerin eine Karte, die zur gleichen Erfindung gehört, kann sie diese ablegen, nachdem dies zuerst durch Vorlesen und anschliessend durch Vergleichen der Bilder überprüft worden ist. Verfügt man über keine passende Karte, muss eine Karte vom Stapel aufgenommen werden, bei einem Irrtum gar deren zwei. Gewonnen hat, wer zuerst keine Karten mehr in der Hand hat.

Die Gruppe hat als Erstes die Aufgabe, die Spielanleitung zu klären. Es empfiehlt sich, die Anleitung Schritt für Schritt in Handlung umzusetzen, also eine erste Spielrunde mit offenen Karten zu spielen.

2 Die Schülerinnen und Schüler haben schon viele Lernspiele gespielt, immer mit der Aufforderung verbunden, während des Spielens miteinander ausschliesslich französisch zu sprechen. Damit wenden sie die Zielsprache in der Gruppe an, was im Lehrplan «Passepartout» als Handlungsfeld ausgewiesen wird. Die Sprechblasentexte erinnern sie an den bereits bekannten Spielwortschatz, der unter dem Titel «Jouer aux jeux» in der *revue* aufgelistet ist. Auf der Plattform www.clin-doeil.ch stehen die Sprechblasen zusätzlich zum Ausdrucken zur Verfügung. Sie können als eine Art «Spickzettel» und Merkhilfe im Klassenzimmer aufgehängt werden. Zudem befinden sich die entsprechenden mp3-Dateien auf der Plattform und unter *magazine* 7.4 auf der Multimedia-CD. Die Hörtexte können zur Erinnerung vorgängig abgespielt werden.

3 Das Symbol weist auf einen geeigneten Moment hin, ein ausgewähltes Lernziel zu überprüfen. Die Kurzbeschreibung der Aufgabe und die Beurteilungskriterien finden sich unter «Grilles d'évaluation» auf Seite 57.

Activité **F**

1 » Lisez les règles du jeu.

2 » Jouez au jeu.
Utilisez les expressions dans les bulles.

3

la pioche	der Kartenstapel
pioche	nimm auf/ziehe
plus de cartes	keine Karten mehr

Futuroscope – Le jeu

Matériel

- 3 cartes par joueur
- la pioche

Règles

» **A** Lis la phrase d'une de tes cartes à haute voix, sans montrer l'image.
» **B/C** Contrôle si tu as une carte de la même invention.
  » Oui: lis la phrase à haute voix.
  » Non: pioche 1 carte.
» **A** Pose ta carte.
B/C Vérifie:
  » la même image qu'A: pose la carte.
  » une autre image qu'A: pioche 2 cartes.
» **B** Lis la phrase d'une de tes cartes à haute voix, sans montrer l'image.
» **A/C** …

Gagné
Le premier/La première qui n'a plus de cartes.

38

Bei der Durchführung dieser Evaluation empfiehlt sich folgendes Vorgehen: Die Lernenden werden darüber informiert, dass sie beurteilt werden. Sie lesen das Beurteilungskriterium auf Seite 57. Die Lehrperson setzt sich für eine Weile zu jeder Gruppe und beurteilt die Leistung der einzelnen Mitspielerinnen und Mitspieler.

Auf individuelle Bedürfnisse eingehen

Anforderungen reduzieren
Stoffreduktion
» Die Anzahl zu lernender Ausdrücke des Klassenwortschatzes reduzieren (vgl. G, *magazine* Seite 39)

Anforderungen erweitern
Selbstständiger Wortschatzerwerb
» Einen umfangreichen persönlichen Wortschatz anlegen

Activité **F**

1 » Lis et écoute les expressions. Mémorise-les. La page 40 peut t'aider.

41–42

C'est une sorte de...	Das ist eine Art ...
un véhicule	ein Fahrzeug
un bâtiment	ein Gebäude
un robot	ein Roboter
une construction	eine Konstruktion
...ressemble à un/une...	... gleicht .../ist ähnlich wie ...
...est comme un/une...	... ist wie ...
...a la forme d'un/d'une...	... hat die Form ...
...mesure... (de long, de large, de haut)	... misst... (ist ... lang/ breit/hoch)
C'est pratique pour...	Das ist für ... praktisch.
...est capable de...	... ist fähig zu .../... kann ...
...permet de...	... ermöglicht zu .../... erlaubt zu ...
faire un tour	eine Runde machen/drehen
faire du sport	Sport machen/treiben
voler	fliegen
Il/Elle a...	Er/Sie/Es hat ...
Il y a un/une... pour...	Es hat ... um zu ...
Il/Elle/C'est...	Er/Sie/Es/Das ist ...
nouveau/nouvelle	neu
le premier.../la première...	der/die/das erste ...
intelligent/intelligente	intelligent
sportif/sportive	sportlich
artificiel/artificielle	künstlich
rapide	schnell
Pas mal!	Nicht schlecht!
Vachement bien!	Saugut!
C'est fou!	Das ist verrückt!
C'est le pied!	Das ist der Hammer!

une sorte de – a sort
un véhicule – a vehicle
un robot – a robot
une construction – construction
ressembler – to resemble
la forme – the form
mesurer – to measure
pratique – practical
capable – capable
intelligent – intelligent
artificiel – artificial
rapide – rapid

2 » Choisis d'autres expressions pour ton vocabulaire personnel. Note-les dans la revue.

39

» Mit der kooperativen Lernform «Kugellager» tauschen sich die Lernenden über die Lieblingsausdrücke ihres persönlichen Wortschatzes aus.

» Die Lernenden bereiten für ihre Mitschülerinnen und Mitschüler einen Sprachkurs zu einem selber gewählten Thema vor und führen ihn mit Interessierten durch.

» Zu Beginn jeder Französischstunde stellt ein Schüler oder eine Schülerin den anderen einen Ausdruck des persönlichen Wortschatzes vor.

» Von Zeit zu Zeit stellen sich zwei Lernende gegenseitig den persönlichen Wortschatz vor und lesen sich aus der Sammlung der Lernpartnerin oder des Lernpartners einen Ausdruck aus, den sie in den eigenen Wortschatz integrieren.

1 Eine Auswahl an Wörtern und Strukturen, die in der Regel den Inputtexten entnommen sind, wird als so genannter Klassenwortschatz ausgewiesen. Die Auswahl beinhaltet sprachliche Mittel, die eine der Grundlagen für das Bearbeiten der *tâche* sind und sich leicht auf andere Inhalte und Kommunikationssituationen transferieren lassen. Der verbindliche Klassenwortschatz kann von der Lehrperson bei Bedarf erweitert oder in einem gemeinsamen Aushandlungsprozess in der Klasse angereichert werden. In der *revue* steht unter dem Klassenwortschatz Platz zur Verfügung, um weitere Ausdrücke aufzuführen.

Rund um das Wortschatzfeld finden sich Wörter, die im Englischen eine gleiche oder ähnliche Entsprechung haben. Das Angebot an Parallelwortschatz lädt die Lernenden ein, die Ausdrücke in beiden Sprachen zu hören und zu lesen, Gemeinsamkeiten und Unterschiede in Aussprache und Schriftbild wahrzunehmen und bei Interesse das eine oder andere Wort gleich in beiden Sprachen zu memorieren. In lockerer Art wird damit eine Verbindung zum Englischunterricht hergestellt.

2 Für den individuellen Wortschatz wählen die Lernenden Wörter und Wendungen aus, die sie sich zusätzlich merken möchten. Sie können sie den Inputtexten entnehmen und in der *revue* unter «Vocabulaire personnel» festhalten. Dieser Auftrag birgt ein grosses Differenzierungspotenzial.

Dem Aufbau eines persönlichen Wortschatzes wird in *Clin d'œil* wie schon in *Mille feuilles* eine grosse Bedeutung beigemessen. Die Lernenden sollen die Möglichkeit haben, Ausdrücke zu lernen, mit welchen sie ihre persönlichen Mitteilungsabsichten verwirklichen können, und sich ein Vokabular erarbeiten, das sie interessiert. Die Erfahrung zeigt, dass Schülerinnen und Schüler diese Aufgabe eher weniger wahrnehmen, wenn sie dabei keine Unterstützung erfahren. Es lohnt sich demnach, den Wert eines eigenen, selber gewählten Wortschatzes zu thematisieren und die diesbezüglichen Erwartungen auszuhandeln. Nebst dem Aufschreiben und Einüben kann der persönliche Wortschatz beispielsweise in dieser Art in den Unterricht integriert werden:

1 Die Lernenden haben die Aufgabe, Klassenwortschatz zu memorieren. Dazu werden sie an Strategien erinnert, die ihnen aus der Primarschulzeit bekannt sind, mit der Idee verbunden, nach eigenen Vorlieben auszuwählen und die Übungen zu variieren.

Das Einüben von Wortschatz ist kein Selbstzweck, sondern geschieht im Hinblick auf das Ausführen von bedeutungsvollen mündlichen oder schriftlichen Sprachhandlungen.

Für die Lernenden kann es hilfreich sein, in Partnerübungen, mit Spielen oder mit Hilfe des *fichier* zu überprüfen, ob sie den Wortschatz erfolgreich memoriert haben. Von Prüfungen, in welchen einzelne Wörter und Strukturen abgefragt werden, ist unbedingt abzusehen. Die sprachlichen Mittel sind in der Anwendung zu überprüfen, also in der *tâche* oder in Aufgaben zur summativen Evaluation.

In Bezug auf Orthografie ist festzuhalten: Das Sprachniveau für Lernende des Niveaus E wird im Lehrplan «Passepartout» am Ende der 6. Klasse für die Kompetenz «Schreiben» mit A1.2, am Ende der 7. Klasse mit A2.1 angegeben. Im qualitativen Beurteilungsraster von «Lingualevel» werden die Merkmale für die beiden Niveaus wie folgt beschrieben:

» «A1.2 – Kann Wörter und kurze Sätze aus Texten abschreiben, die für ihn/sie wichtig sind, […]; kann diese Sätze brauchen, um mit eigenen Wörtern analoge Sätze zu bilden, macht dabei aber oft Fehler.»
» «A2.1 – Kann kürzere Texte zu vertrauten Anlässen […] insgesamt einigermassen korrekt schreiben; Rechtschreibefehler können noch ziemlich häufig sein.»

Auf das Ziel, den Klassenwortschatz möglichst korrekt verwenden zu können, soll zwar hingearbeitet werden. Der Abgleich mit dem Sprachniveau der Lernenden macht jedoch deutlich, dass die Erwartungen an die Korrektheit nicht übertrieben ausfallen sollen. Rechtschreibefehler sind auf dieser Stufe des Lernprozesses üblich und kommen notabene auch bei gleichaltrigen frankophonen Lernenden noch häufig vor.

Activité **F**

Comment mémoriser des expressions?
» Souviens-toi des stratégies.

1

Fichier

Répéter le vocabulaire
Wortschatz repetieren
Repetiere systematisch die Wörter in deinem *fichier*.

2

Le fichier se trouve sur le CD. Il existe aussi sous forme d'application sur l'*App Store* ou sur le *Google Play Store*.

Images
Imagine ou dessine des images.

Images
Bilder
Schau die Bilder gut an oder stelle dir selber Bilder zu einem Wort vor. Bilder helfen dir, Wörter zu verstehen oder zu behalten.

Activités fichier

Mémoriser des mots en jouant
Sich beim Spielen Wörter merken
Lerne Wörter, indem du sie beim Spielen anwendest.

Mots parallèles anglais-français
Parallelwörter Englisch–Französisch
Achte auf Wörter, die auf Englisch und Französisch gleich oder ähnlich sind. Das hilft dir beim Verstehen von Texten und beim Wörterlernen.

Prononcer et écrire
Lis et prononce les mots à haute voix.
Ecris les mots et corrige-les.
Ecris les mots les yeux fermés. Corrige.
Demande à ton partenaire de dire les mots en allemand. Note-les en français.

Ecrire correctement
Wörter richtig schreiben
Schreibe Wörter mehrmals auf und lasse sie von jemandem in der Klasse oder vom Computer korrigieren.

eine Welle **une vague** eine Waage

Méthode mots-clés
Schlüsselwortmethode
Merke dir Wörter, die dir immer wieder entfallen, indem du dir ein bewegtes Bild vorstellst. Es verbindet das Bild des französischen Wortes, das ähnlich gesprochen oder geschrieben wird.

40

2 Der *fichier* bietet zwei verschiedene Varianten zum Einüben des aktuellen oder zum Repetieren des früheren Klassenwortschatzes an, eine mündliche und eine schriftliche.

Als Erstes wählen die Lernenden den oder die entsprechenden *parcours* aus und entscheiden sich für eine der beiden Übungsvarianten.

Beim mündlichen Einüben des Wortschatzes sehen sie den deutschen Ausdruck. Klicken sie das Textfeld an, erscheint die französische Entsprechung. Zudem kann der französische Ausdruck durch Anklicken des Lautsprechersymbols angehört werden. Beim Symbol ✚ lässt sich ein Beispielsatz abrufen, der gelesen und gehört werden kann.

Das Übungsformat zum zusätzlichen Einüben der Orthografie sieht folgendermassen aus: Die Lernenden sehen den deutschen Ausdruck und tragen die französische Entspre-

chung ins Schreibfeld ein. Bei Bedarf klicken sie auf das Textfeld oder auf das Lautsprechersymbol, um den französischen Ausdruck zu sehen oder zu hören. Bei erneutem Klicken auf das Textfeld wird wieder der deutsche Ausdruck gezeigt. Mit der Funktion ✔ können die Lernenden ihren schriftlichen Eintrag überprüfen lassen und erhalten die Rückmeldung Richtig oder Falsch. Sie entscheiden, ob sie die Fehlerkorrekturen ausführen oder sich die richtige Schreibweise einprägen wollen, bevor sie zum nächsten Ausdruck wechseln.

Méli-mélo

Floating stadium

In den *magazines* findest du neu die Rubrik «Méli-mélo». Hier wird ein Sammelsurium an Inhalten zur Unterhaltung angeboten. Viel Vergnügen bei der Lektüre! 43

The Olympic Games usually provide the city with a positive impulse, at least in theory. They bring economic advantages and provide an opportunity for initiating urban renewal projects. But there is also one big disadvantage: afterwards, the city is left with overcapacity in sports facilities. For example, people visiting Beijing now can see that the impressive stadium designed by Herzog & De Meuron and the beautiful swimming hall designed by the Australian architect duo PTW have fallen into disuse. If those buildings had been implemented as floating structures, they could have been moved to locations with a real requirement.

41

In der Rubrik *méli-mélo* werden Inhalte angeboten, die in losem Zusammenhang zu den Inhalten des *magazine* stehen. Wie der Titel sagt, handelt es sich um ein Sammelsurium an assoziativ verknüpften Beiträgen. Diese sind nicht didaktisiert und richten sich als fakultatives Zusatzangebot an interessierte Lernende.

In diesem *magazine* wird mit einem englischen Text eine weitere futuristische Idee aus dem Bereich Architektur präsentiert. Sie ist der Website des «waterstudio» entnommen und berichtet über ein schwimmendes Stadion. Den ungekürzten Text findet man unter www.waterstudio.nl/archive/75.

Die Architekten des «waterstudio» in den Niederlanden haben sich auf eine besondere Architektur spezialisiert. Sie planen und verwirklichen auf dem Wasser treibende Bauten, die dank ihrer Flexibilität ihre Funktion an verschiedenen Orten wahrnehmen können.

In Westland, in der Nähe von Den Haag, gibt es bereits zahlreiche schwimmende Wohnkomplexe.

Seit 2010 wird die Idee der «schwimmenden Architektur» auch von der Regierung der Malediven unterstützt. Um dem Problem des steigenden Meeresspiegels zu begegnen, werden vermehrt auf dem Wasser treibende Golfplätze, Hotels und Konferenzzentren gebaut.

Den «waterstudio»-Architekten Koen Olthuis nennt man – in Anlehnung an den «Fliegenden Holländer» – auch den «Floating Dutchman», wurde er doch im Jahre 2011 von der französischen Zeitschrift «Terra Eco» als eine der hundert umweltbewusstesten Personen bezeichnet, die die Welt nachhaltig verändern können.

Die Illustrationen zeigen futuristische Erfindungen aus den Bereichen *sport*, *vacances*, *voitures* und *robots*. Die Lernenden beschreiben als Vorbereitung auf die *tâche* in Partnerarbeit eine Erfindung nach Wahl und wenden dabei den erworbenen Wortschatz an. Für die schriftliche Produktion stehen ihnen der Klassenwortschatz, die Adjektivsammlung und die Chunks im *magazine*, der persönliche Wortschatz in der *revue*, die Inputtexte und Wörterbücher zum Nachschlagen zur Verfügung.

Es ist möglich, diese schriftliche Produktion zum Anlass einer in das Unterrichtsgeschehen integrierten summativen Evaluation zu nehmen. Dazu steht im *magazine* ein Kriterienraster zur Verfügung.

1 Vorgängig sind mit den Lernenden zusammen die Kriterien für diese Sprachproduktion anzuschauen. Es geht gemäss Kriterienraster auf Seite 57 darum, einen Text zu schreiben, der mehrere verständliche Informationen über die Erfindungen enthält. Aufmerksamkeit ist dabei der korrekten Verwendung des Klassenwortschatzes zu schenken.

Soll der Schreibanlass für eine summative Evaluation genutzt werden, geben die Lernenden ihren Text zur Beurteilung ab. Es ist auch denkbar, dass sie zwei Erfindungen beschreiben und anschliessend entscheiden, welcher Text beurteilt werden soll.

Activité **G**

C'est **top!**

Tu t'entraînes à décrire des inventions futuristes.

Ces inventions sont plutôt cool.
Qui ne rêve pas de voler un jour ou de faire du cheval à dos de robot?
Tu préfères te déplacer en aéroglisseur ou rouler confortablement en voiture autonome?
Pourquoi pas passer tes prochaines vacances à l'hôtel volant «Star walk»?
Fun garanti!

1
» Choisissez une invention futuriste.
» Regardez les critères à la page 57.
» Décrivez l'invention. Les activités E et F peuvent vous aider.

» Continuez avec une autre invention.

42

Auf individuelle Bedürfnisse eingehen

Anforderungen reduzieren

Vorentlastung
» Mit den Lernenden, die dies wünschen, gemeinsam Ideen für die Beschreibung der Erfindungen sammeln
» In Gruppen zu jeder Erfindung eine Wortsammlung auf ein Plakat schreiben, das anschliessend allen zur Verfügung steht

Deklarierte Minimalanforderungen
» Eine überschaubare Textmenge vorgeben, z. B. 4 Sätze

Anforderungen erweitern

Selbstständigeres Vorgehen durch Einzelarbeit
» Die Texte in Einzelarbeit schreiben (vgl. E, *magazine* Seite 42)

Erweiterte Textmenge
» Mehr als eine Erfindung beschreiben

Beurteilung und Rückmeldung
» Mitschülerinnen und Mitschülern eine Rückmeldung zu ihren Texten geben

Activité G
43

Die Illustrationen zeigen futuristische Erfindungen aus den Bereichen *sport, vacances, voitures* und *robots*. Die Lernenden beschreiben als Vorbereitung auf die *tâche* zwei Erfindungen nach Wahl und wenden dabei den erworbenen Wortschatz an. Für die schriftliche Produktion stehen ihnen der Klassenwortschatz, die Adjektivsammlung und die Chunks im *magazine*, der persönliche Wortschatz in der *revue*, die Inputtexte und Wörterbücher zum Nachschlagen zur Verfügung.

Es ist möglich, diese schriftliche Produktion zum Anlass einer in das Unterrichtsgeschehen integrierten summativen Evaluation zu nehmen. Dazu steht im *magazine* ein Kriterienraster zur Verfügung.

1 Vorgängig sind mit den Lernenden zusammen die Kriterien für diese Sprachproduktion anzuschauen. Es geht gemäss Kriterienraster auf Seite 57 darum, einen Text zu schreiben, der mehrere verständliche Informationen über die Erfindungen enthält. Aufmerksamkeit ist dabei der korrekten Verwendung des Klassenwortschatzes zu schenken.

Soll der Schreibanlass für eine summative Evaluation genutzt werden, geben die Lernenden einen ihrer Texte zur Beurteilung ab.

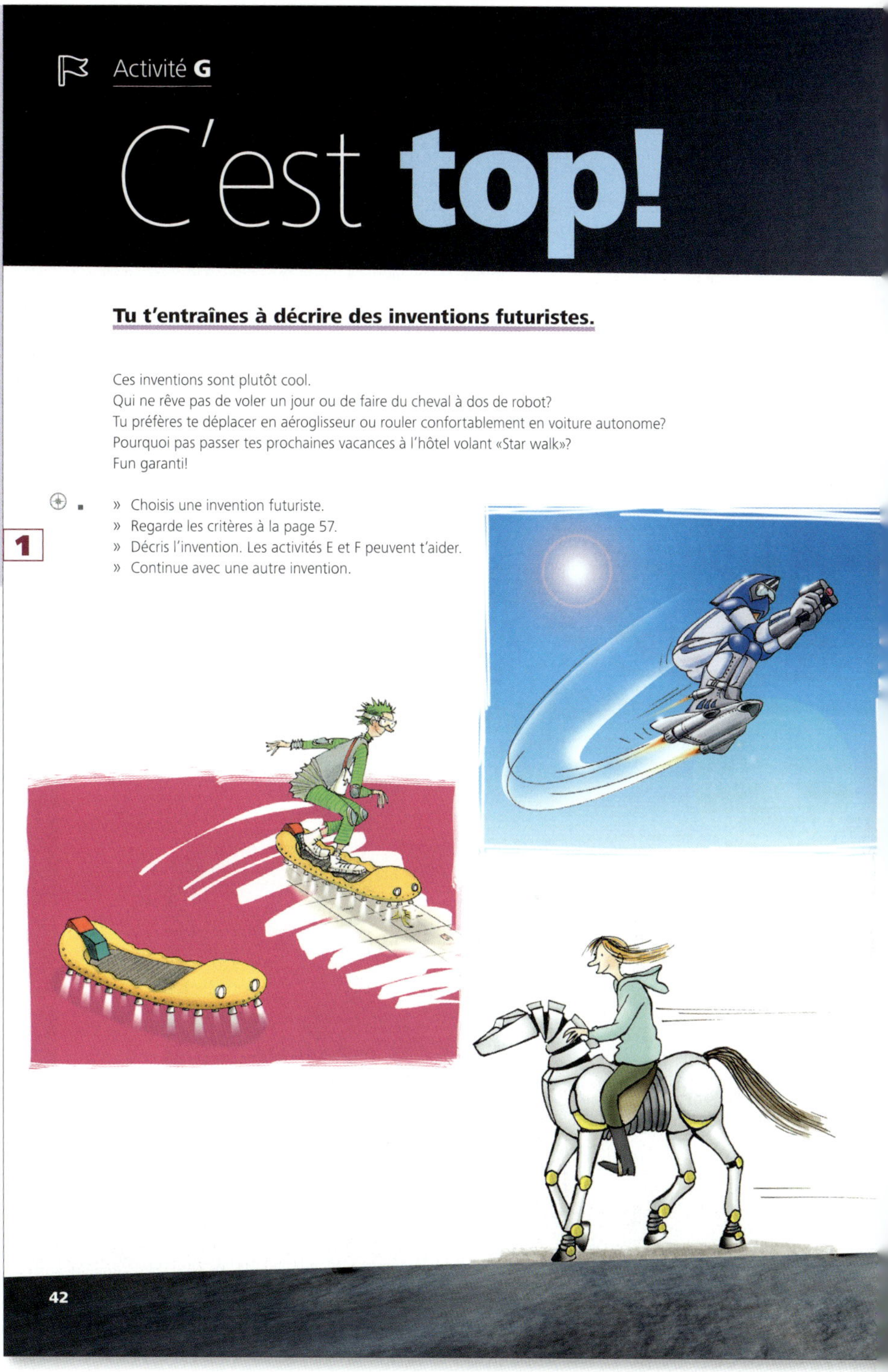
Activité **G**

C'est **top!**

Tu t'entraînes à décrire des inventions futuristes.

Ces inventions sont plutôt cool.
Qui ne rêve pas de voler un jour ou de faire du cheval à dos de robot?
Tu préfères te déplacer en aéroglisseur ou rouler confortablement en voiture autonome?
Pourquoi pas passer tes prochaines vacances à l'hôtel volant «Star walk»?
Fun garanti!

1
» Choisis une invention futuriste.
» Regarde les critères à la page 57.
» Décris l'invention. Les activités E et F peuvent t'aider.
» Continue avec une autre invention.

42

Auf individuelle Bedürfnisse eingehen

Anforderungen reduzieren

Unterstützung durch Partnerarbeit

» Die Texte mit einer Partnerin/einem Partner zusammen verfassen (vgl. G, *magazine* Seite 42)

Vorentlastung

» Mit den Lernenden, die dies wünschen, gemeinsam Ideen für die Beschreibung der Erfindungen sammeln

» In Gruppen zu jeder Erfindung eine Wortsammlung auf ein Plakat schreiben, das anschliessend allen zur Verfügung steht

Deklarierte Minimalanforderungen

» Eine überschaubare Textmenge vorgeben, z. B. 6 Sätze

Anforderungen erweitern

Erweiterte Textmenge

» Mehr als zwei Erfindungen beschreiben

Beurteilung und Rückmeldung

» Mitschülerinnen und Mitschülern eine Rückmeldung zu ihren Texten geben

Activité G
Fig. 1.
Fig. 2.
HOTEL STAR-WALK
43

Dem Phänomen der Sprachmischung sind die Lernenden schon wiederholt begegnet, haben verschiedene Ursachen für diese Erscheinung kennengelernt und sich mit Internationalismen und Parallelwörtern Französisch – Deutsch – Englisch beschäftigt. Ihr Wissen wird hier erweitert, indem neue Aspekte beleuchtet werden. Zum einen erkennen die Lernenden den grossen Anteil an englisch-französischen Parallelwörtern in den Inputtexten, in denen es um moderne Errungenschaften und um Futuristisches geht, und erfahren, dass Wortneuschöpfungen heutzutage oft englisch sind. Zum andern beschäftigen sie sich mit Anglizismen, für die eine französische Entsprechung kreiert worden ist. Damit arbeiten sie auf ein Ziel aus Kompetenzbereich II «Bewusstheit für Sprachen und Kulturen» hin.

Activité **H**

Joystick ou manche à balai?

Tu cherches des mots «franglais». Tu compares des expressions françaises aux mots «franglais».

Dans des textes français ou allemands, on trouve beaucoup de mots anglais.
Est-ce que tu reconnais les mots anglais dans ces extraits?

1 » Marquez les mots anglais.

La folie Street surfer

L'engin combine les sensations d'un BMX et d'un surf.

Fun garanti!

C'est top!

Ça plane en Hover scooter

On n'est pas loin du skate volant.

Bref, la science-fiction risque de devenir réelle plus vite que prévu.

Un niveau du cockpit qui permet de stabiliser la voiture en vol.

Dans le futur, les robots ASIMO serviront à aider les personnes handicapées.

Football, danse, course, basket, boxe...

Rock stars trop branchées

Au keyboard, on trouve Cosmo.

2

Street surfer
Bicycle Moto Cross (BMX)
Scooter

Seit jeher sind Wörter von einer Sprache in andere Sprachen «gewandert».
Für neue Erfindungen braucht es neue Namen. Heute stammen diese häufig aus der englischen Sprache und werden fast unverändert in andere Sprachen übernommen.

3 » Lisez les informations sur le «franglais».

Franglais = français + anglais

In Frankreich gibt es Bestrebungen, die französische Sprache zu erhalten. «Français» soll nicht zu stark zu «Franglais» werden. Deshalb gibt es im Französischen viele neue Wörter für englische Ausdrücke. Diese sind oft ebenso geläufig wie die Wörter, die aus dem Englischen übernommen worden sind.

46

1 Die Lernenden können vermutlich einige Wörter wie BMX *(Bicycle Moto-Cross), surf, fun, top, Hover scooter, skate, science-fiction, cockpit, football, basket, boxe, rock stars, keybord* oder *handicapées* als Wörter englischer Herkunft erkennen, wobei es nicht nötig ist, dass sie alle entsprechenden Ausdrücke markieren. Die Aufgabe hat lediglich zum Ziel, sie auf dieses Phänomen zu sensibilisieren.

2 Im Verlaufe der Primarschule haben die Lernenden unter anderem an folgenden Zielen und Inhalten zum Phänomen der Sprachmischung gearbeitet:

- Wissen, dass es Wörter gibt, die von einer Sprache in andere Sprachen gewandert sind, und solche Wörter nennen können
- Wissen, dass viele französische Wörter zum Thema Sport aus andern Sprachen stammen
- Wissen, dass verschiedene Pflanzen durch die Entdeckung Amerikas nach Europa gelangt sind und dass ihre ursprünglichen Namen in vielen Sprachen übernommen worden sind
- Erkennen, dass es Wörter gibt, die in der englischen, französischen und deutschen Sprache gleich oder ähnlich sind
- Den historischen Grund dafür kennen, dass es Wörter gibt, die in der englischen und französischen Sprache gleich oder ähnlich sind

3 Als «franglais» wird eine Form der französischen Sprache bezeichnet, die viele Anglizismen enthält. Der Begriff «franglais» ist ein Kunstwort, das aus den Wörtern *français* und *anglais* gebildet ist. In Frankreich und Quebec wird versucht, englische Spracheinflüsse zu unterbinden, indem neue Wörter kreiert werden. In einzelnen Bereichen von Verwaltung und Wirtschaft ist die Verwendung von Anglizismen untersagt. Im Alltag sind oft beide Ausdrücke geläufig.

Activité **H**

1 » Lisez et écoutez les expressions en «franglais» et en français.

44–45

» Cherchez les expressions françaises pour les expressions «franglaises». Notez les numéros correspondants ou travaillez à l'ordinateur. Lisez les traductions allemandes pour vous amuser.

	Franglais		Français
1.	le talk-show die Sprechschau		le manche à balai der Besenstiel
2.	un airbag ein Luftsack		une puce ein Floh
3.	le joystick der Freudenstiel		le mode de veille der Ruhezustand
4.	le fast-food das Schnellessen		le tir au but das Zielschiessen
5.	surfer sur le net Wellenreiten auf dem Netz		le lait frappé die geschlagene Milch
6.	le stand-by der Bei-Stand		un coussin de sécurité ein Sicherheitskissen
7.	le baby-sitting das Baby-Sitzen		un grille-pain ein Brotröster
8.	le milk-shake das Milch-Schütteln		une planche à roulettes ein Brett mit Rädchen
9.	un chip ein Baustein	1	l'émission-débat (f) die Streitgesprächssendung
10.	un Post-it ein Es-Ankleben		hors-jeu ausserhalb des Spiels
11.	un mountain bike ein Bergvelo		naviguer sur la toile auf dem Netz segeln
12.	un toaster ein Röster		la garde d'enfants das Kinderhüten
13.	le penalty die Strafe		la restauration rapide die schnelle Verpflegung
14.	un skateboard ein Gleitbrett		un vélo tout terrain (VTT) ein Alle-Gelände-Velo
15.	off-side weg von der Seite		une colle note eine Klebenotiz

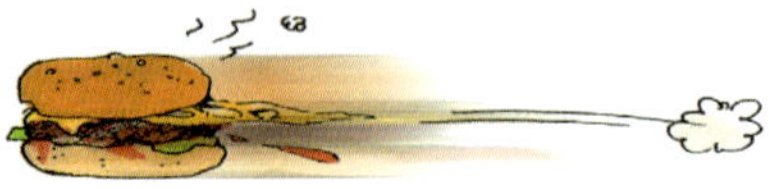

» Regardez les solutions à la page 60.

1 Die wörtlichen Übersetzungen und die drei Illustrationen weisen darauf hin, dass ein Begriff in verschiedenen Sprachen auf unterschiedlichen Bildern beruhen kann. Während beispielsweise beim Begriff *airbag* die Füllung des Sacks mit Luft betont wird, steht im französischen Wort *un coussin de sécurité* die Sicherheit, die das Kissen bietet, im Fokus. Oder – um einen *milk-shake* zu machen, wird die Milch geschüttelt, während sie bei der Herstellung eines Frappé (*un lait frappé*) geschlagen wird.

Die Lernenden haben die Aufgabe, den Anglizismen die französischen Wortneuschöpfungen zuzuordnen. Aufgrund der wörtlichen Übersetzungen können sie die Gemeinsamkeiten und Unterschiede der Sprachbilder wahrnehmen.

Vielleicht haben sie Interesse daran, weitere Sprach-Bilder zu suchen. Im Internet findet man unter dem Suchbegriff «franglais» viele weitere Ausdrücke.

Auf individuelle Bedürfnisse eingehen

Anforderungen erweitern
Selbstständige Recherche
» Im Internet weitere Ausdrücke in «franglais» mit offizieller französischer Entsprechung recherchieren und präsentieren

In diesem *méli-mélo* werden informative Texte in französischer und englischer Sprache angeboten. Damit wird eine Verbindung zwischen den beiden Fremdsprachen geschaffen.

Die kurzen Texte berichten über ein Projekt zweier Wissenschafter der Universitäten Toronto und Hamilton, das im Sommer 2014 viel Aufsehen erregte. Die beiden entwickelten *HitchBot,* einen Roboter, der – wie es sein Name verrät – selbstständig per Anhalter quer durch Kanada reisen sollte (*to hitchhike* = per Anhalter fahren, *Bot* = Kurzform für Roboter). Zum einen ging es darum, die Diskussion über Technik, Roboter und Sicherheit anzuregen, zum andern die Interaktion zwischen Menschen und autonomen Robotern zu untersuchen.

Méli-mélo

HitchBOT

« Making my way across Canada – one ride at the time »

Aujourd'hui, les robots sont une réalité. Pourtant, il reste rare de croiser un robot dans la rue. Rare – mais pas impossible: Les Canadiens ont pu rencontrer HitchBOT, un robot auto-stoppeur.

Le corps de HitchBOT est en fait un seau d'eau et sa tête une cloche à fromage ou à tarte. Avec ses bottes en caoutchouc, ses gants de jardin, ses bras et ses jambes fabriqués à partir de frites de piscine et son siège auto directement intégré à son derrière, il est parfaitement équipé pour faire du stop. En plus, il est capable de parler et d'afficher des messages sur les écrans de sa tête.

From the Atlantic to the Pacific Ocean
HitchBOT started his journey in Halifax. He hitchhiked all the way to Victoria – about 6000 km!
He was invented by researchers from Toronto to find out if humans can be trusted to help robots.

You can have a closer look at his profile on Twitter, on Facebook or at hitchbot.me.

48

Auf individuelle Bedürfnisse eingehen

Anforderungen reduzieren

Unterstützung durch Partnerarbeit

» Die *tâche* mit einem Partner oder einer Partnerin zusammen bearbeiten

Vorentlastung

» Vor der Textproduktion eine Wortsammlung erstellen

Verminderte Komplexität der Aufgabe

» Eine Erfindung aus dem Input übernehmen und in eigenen Worten beschreiben resp. den Text reformulieren

dass diese die Grundlage für die Beurteilung und Bewertung der Dossierseite sein werden.

Für die Beurteilung steht auf Seite 57 ein Kompetenzraster zur Verfügung, in dem die Kriterien differenziert werden.

2 In der Primarschule werden die Arbeitsergebnisse der *tâche* meist formativ evaluiert. Es ist für die Lernenden daher noch ungewohnt, dass ihre Produkte nun einer summativen Evaluation unterzogen werden.

Zu Beginn sind die Kriterien mit den Lernenden zu klären. Zudem soll transparent sein,

Tâche

Imaginons **le futur**

Tu inventes quelque chose de futuriste et tu crées une page pour le dossier de classe.

Il faut … / On doit …
chercher
regarder
faire
esquisser
décrire
échanger
retravailler
créer
ajouter
exposer
découvrir
écrire
créer

Tu piges ?

1

» Lisez toutes les consignes de la tâche. La revue peut vous aider à comprendre.

» Discutez ce qu'il faut faire.

Il faut…
Je pense qu'il faut…
D'abord, on doit…
Ensuite, il faut…
A la fin, on doit…

» Cherche une idée pour une invention futuriste.

» Regarde les critères.

2 **Les critères**
- Dein Text enthält viele Informationen und ist verständlich.
- Der Wortschatz, den du verwendest, ist passend und abwechslungsreich. Dein Text enthält Adjektive.
- Du verwendest den Klassenwortschatz korrekt. Die Adjektive sind angepasst.
- Du wagst es, eigene Formulierungen zu verwenden.
- Dein Blatt ist ansprechend gestaltet. Die Skizzen illustrieren die Erfindung.

» Fais un brouillon.
» Esquisse ton invention futuriste.
» Décris l'invention. Les activités E, F et G peuvent t'aider.

esquisse
skizziere

Mots et phrases modèles
Musterwörter und -sätze

Suche in den Texten Wörter und Sätze, die du beim Sprechen und Schreiben verwenden kannst.

49

Nachdem sich die Lernenden während des *parcours* mit vielen futuristischen Erfindungen beschäftigt haben, werden sie nun selber zu Erfinderinnen und Erfindern. Sie stellen eine eigene «fantastische» Idee in Bild und Text dar und kreieren gemeinsam ein Dossier mit Zukunftsideen.

In der *tâche* mobilisieren die Lernenden Ressourcen und Kompetenzen, die sie während der Bearbeitung des *parcours* aufgebaut haben. Nachdem sie ihre Idee skizziert haben, schreiben sie einen eigenen Text über ihre Erfindung.

Schreiben spielt im fremdsprachlichen Lernprozess eine bedeutende Rolle. Beim freien Schreiben aktivieren die Lernenden ihr Sprachwissen, ohne aber dabei unter Zeitdruck zu stehen, wie es beim Sprechen der Fall ist. Das freie Schreiben erweist sich damit als Übungsformat, das den formalen Übungen zum Erwerb von Wortschatz und sprachlichen Strukturen überlegen ist.

Allerdings ist nicht davon auszugehen, dass Schreibprodukte auf diesem Sprachniveau fehlerlos sind. Je mehr Lernende wagen, in der Zielsprache zu formulieren, was sie inhaltlich mitteilen möchten und nicht nur was sie sprachlich ausdrücken können, desto grösser wird die Fehlerquote sein. Fehler können demnach auch als Gradmesser für den Mut zum Risiko gewertet werden. Mut zum Risiko wiederum ist eine wichtige Voraussetzung für erfolgreiches Lernen. Es ist darum von grosser Wichtigkeit, dass bei solchen Schreibaufgaben realistische Ansprüche an die Korrektheit gestellt werden und ein pädagogischer Umgang mit Fehlern gepflegt wird.

In den aufgeführten Kriterien werden die Erwartungen an die Lernenden transparent. Sie werden ermuntert, möglichst viele Informationen zu geben und – ohne Angst vor Fehlern – eigene Formulierungen zu verwenden, die sie z. B. im *dictionnaire* finden können. Ein Korrektheitsanspruch besteht hingegen in Bezug auf die Verwendung des Klassenwortschatzes und die Anpassung der Adjektivendungen.

1 Die Lernenden werden daran erinnert, wie sie eine Aufgabenstellung gemeinsam klären können (vgl. *activité* C, Seite 26). Bei Bedarf stehen ihnen die Übersetzung der *consignes* in der *revue* zur Verfügung. Beim Diskutieren in der Gruppe arbeiten die Lernenden an einem Ziel, das im Lehrplan «Passepartout» im Handlungsfeld «Die Fremdsprache in der Gruppe anwenden» aufgeführt ist und entwickeln dabei ihre Kompetenz im Sprechen.

Eine freie Sprachproduktion kann vor allem dann gelingen, wenn die Lernenden geeignete Strategien einsetzen. So werden sie an die beiden bekannten Produktionsstrategien erinnert, bei Bedarf geeignete Wörter oder Textfragmente aus dem Input zu übernehmen und den Entwurf von Mitschülerinnen und Mitschülern gegenlesen zu lassen.

Tâche

50

Allgemein ist festzuhalten, dass sich der Lernzuwachs nicht durch eine erhöhte Korrektheit zeigt, sondern durch eine erhöhte Komplexität der Sprachverwendung.

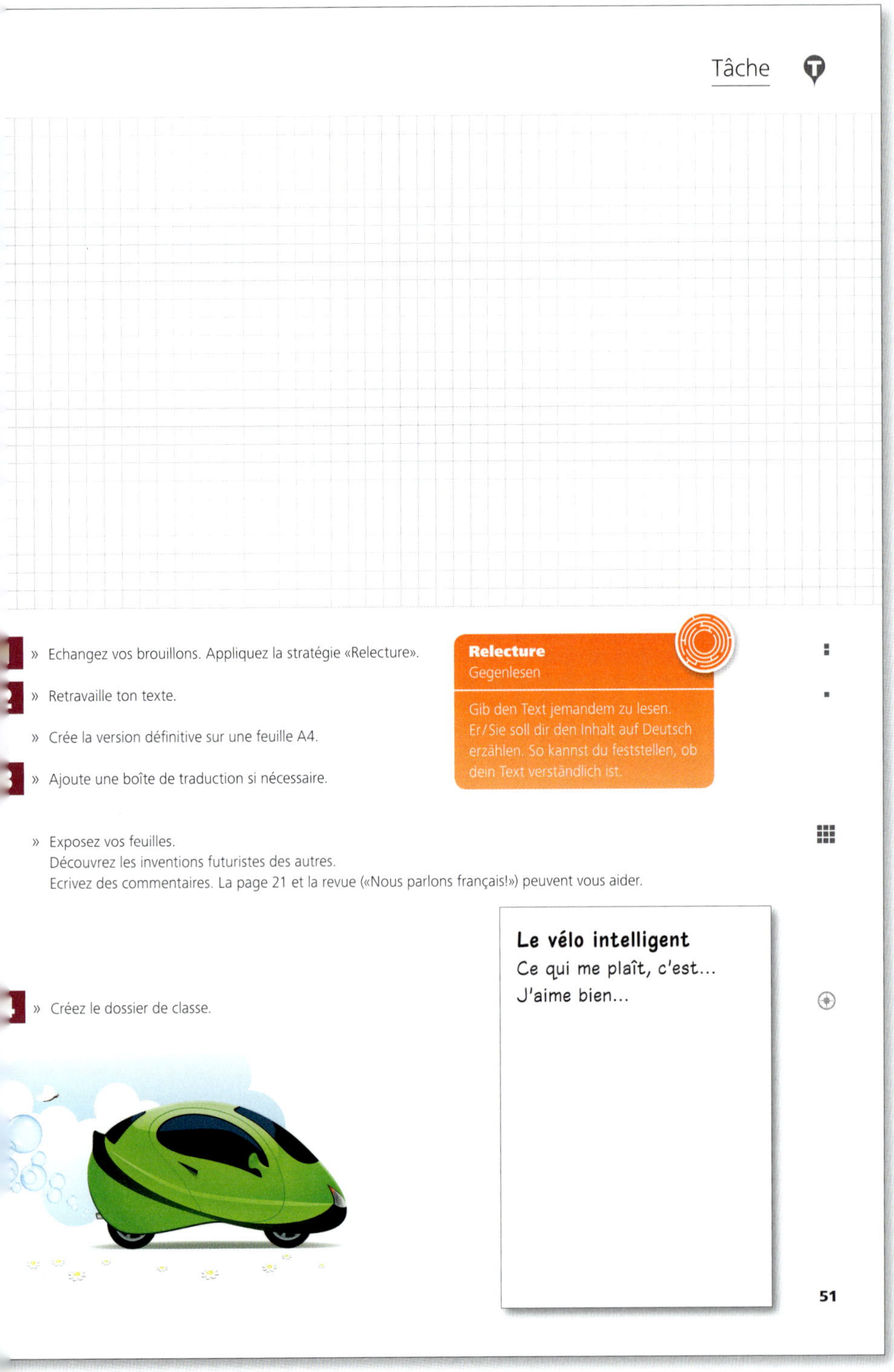
Tâche

» Echangez vos brouillons. Appliquez la stratégie «Relecture».
» Retravaille ton texte.
» Crée la version définitive sur une feuille A4.
» Ajoute une boîte de traduction si nécessaire.

Relecture
Gegenlesen
Gib den Text jemandem zu lesen. Er/Sie soll dir den Inhalt auf Deutsch erzählen. So kannst du feststellen, ob dein Text verständlich ist.

» Exposez vos feuilles.
Découvrez les inventions futuristes des autres.
Ecrivez des commentaires. La page 21 et la revue («Nous parlons français!») peuvent vous aider.

» Créez le dossier de classe.

Le vélo intelligent
Ce qui me plaît, c'est…
J'aime bien…

51

1 Die Strategie, die den Lernenden seit Längerem bekannt ist, erlaubt, Hinweise darauf zu bekommen, welche Textstellen einer Überarbeitung bedürfen.

2 Beim Überarbeiten ihres Entwurfs achten die Lernenden noch einmal auf die vorgegebenen Kriterien. Sie verwenden den Klassenwortschatz möglichst korrekt, wobei ihnen das *magazine* zum Abschreiben zur Verfügung steht. Zudem benutzen sie Wörterbücher, um Wörter und Formen nachzuschlagen.

3 Damit der eigene Text von Mitschülerinnen und Mitschülern ohne grossen Aufwand verstanden werden kann, sollen von der Verfasserin oder dem Verfasser Verstehenshilfen zur Verfügung gestellt werden.

4 Die fertiggestellten Beiträge werden im Sinne einer summativen Evaluation beurteilt und bewertet. Dazu steht der Kompetenzraster von Seite 57 auf der Plattform www.clin-doeil.ch als Formular in den Formaten PDF und Word zum Herunterladen zur Verfügung. Zusätzlich wird er in Form eines einfachen Kriterienrasters angeboten, so dass der Lehrperson zwei Rückmeldeformulare zur Wahl stehen.

Eine besondere Herausforderung beim Beurteilen und Bewerten von Texten stellen Fehler auf den Ebenen Wortschatz, Grammatik und Orthografie dar. Die folgenden Gedanken könnten leitend sein:

- Die Lernenden sollen den Klassenwortschatz möglichst fehlerfrei anwenden. Sie können ihn im *magazine* oder in der *revue* nachschlagen.
- Für die schriftliche Produktion steht ein Wörterbuch zur Verfügung. Wörter sollen orthografisch korrekt abgeschrieben werden.
- Der Zusammenarbeit mit einem Mitschüler oder einer Mitschülerin kommt eine wichtige Bedeutung zu. Lernende können sich gegenseitig unterstützen, indem sie während des Schreibprozesses Inhalte, Wortwahl, grammatikalische und orthografische Fragen besprechen und aushandeln, Texte gegenlesen und auch in Bezug auf formale Aspekte Rückmeldungen geben.
- Selbstinitiierte und -realisierte Fehlerkorrekturen sind wirkungsvoller als Fremdkorrekturen. Ein Hinweis der Lehrperson kann Lernende dabei unterstützen, Fehler selber zu entdecken und zu korrigieren.
- Die Lehrperson berücksichtigt bei ihren Korrekturen den Lernstand und das Lernvermögen der einzelnen Lernenden. Sie korrigiert nur, was dem Lernen des Einzelnen förderlich ist, den Mut zur Verwendung der Zielsprache stärkt und die Motivation, sich auf den Sprachlernprozess einzulassen, unterstützt und nicht bremst oder gar zerstört.
- In einem Text sind nicht alle Fehler zu korrigieren. Bei der Korrektur sind nur einzelne ausgewählte Phänomene zu berücksichtigen, die im Voraus vereinbart worden sind. Dies ermöglicht den Lernenden, die Aufmerksamkeit auf diese Phänomene zu lenken und die Anwendung ihrer korrekten Form zu sichern.

In der 6. Klasse haben sich die Lernenden einen Überblick über die Personalformen und die entsprechenden Endungen der Verben auf *-er* im Präsens verschafft und ihre Einsichten in einer Lernsoftware und einem Spiel angewandt. Zudem haben sie einen ersten Eindruck der übrigen Verbengruppen erhalten und erkannt, dass viele Verbendungen nur im Schriftbild erkennbar, jedoch nicht hörbar sind.

Im Atelier «Les robots à tout faire» werden den Lernenden ihre Einsichten ins Verbensystem in Erinnerung gerufen, bevor sie die Endungen von Verben auf *-ir* und *-re* im Präsens entdecken und die Zweistämmigkeit von einigen Verben wahrnehmen. Das Vorgehen lehnt sich an das Grundprinzip D – A – V (Denken – Austauschen – Vorstellen) des kooperativen Lernens an.

Mit einer Lernsoftware üben die Lernenden die Formen von neun ihnen bekannten zweistämmigen Verben im Präsens ein, indem sie diese in einem Satz verwenden. Das mehrmalige Üben mit der Lernsoftware hat zum Ziel, Hör- und Schriftbild der verschiedenen Verbformen zu automatisieren. Zudem ist in dieser Übung eine breite Wortschatzrepetition angelegt, indem die Lernenden in den angebotenen Sätzen Ausdrücken aus dem Klassenwortschatz früherer Schuljahre und bekanntem Alltagswortschatz begegnen. Das Angebot wird durch eine mündliche Übung ergänzt.

1 Die Lernenden werden sich bewusst, dass die Endungen in der 1., 2. und 3. Person Singular und in der 3. Person Plural nicht hörbar sind, sich aber im Schriftbild unterscheiden.

Atelier de verbes 1

Les robots à tout faire

Tu découvres la conjugaison des verbes en *-ir* et en *-re* au présent.
Tu t'entraînes à employer quelques verbes.

Les robots servent à tout faire: travailler, jouer au foot, porter des objets, descendre des escaliers, remplir des verres…

Attention aux verbes!
La plupart des verbes se terminent en *-er* à l'infinitif.
Mais il en existe d'autres en *-ir* et en *-re*. Ils ont une conjugaison légèrement différente.

46 ■ » Lis et écoute les phrases.

Verbes en -ir et en -re	
Je mets une combinaison adhésive.	mettre
Tu choisis un skate volant ou un Street surfer?	choisir
Il/Elle/On construit un hôtel sous-marin.	construire
Nous mettons une combinaison adhésive.	mettre
Vous choisissez un skate volant ou un Street surfer?	choisir
Ils/Elles construisent un hôtel sous-marin.	construire

» Ecris les terminaisons des verbes en *-ir* et en *-re* à côté du radical.

la personne	le radical	la terminaison
Je	met	s
Tu	choisi	
Il/Elle/On	construi	

la personne	le radical	la terminaison
Nous	mett	
Vous	choisiss	
Ils/Elles	construis	

1 47 » Ecoute les verbes et marque les terminaisons qu'on n'entend pas.

Viele Verbendungen hört man nicht.
Man muss sie aber trotzdem schreiben.

elle met – il prend

Wenn der *radical* auf *-t* oder *-d* endet, wird in der *il*-Form die *terminaison -t* nicht angefügt.

52

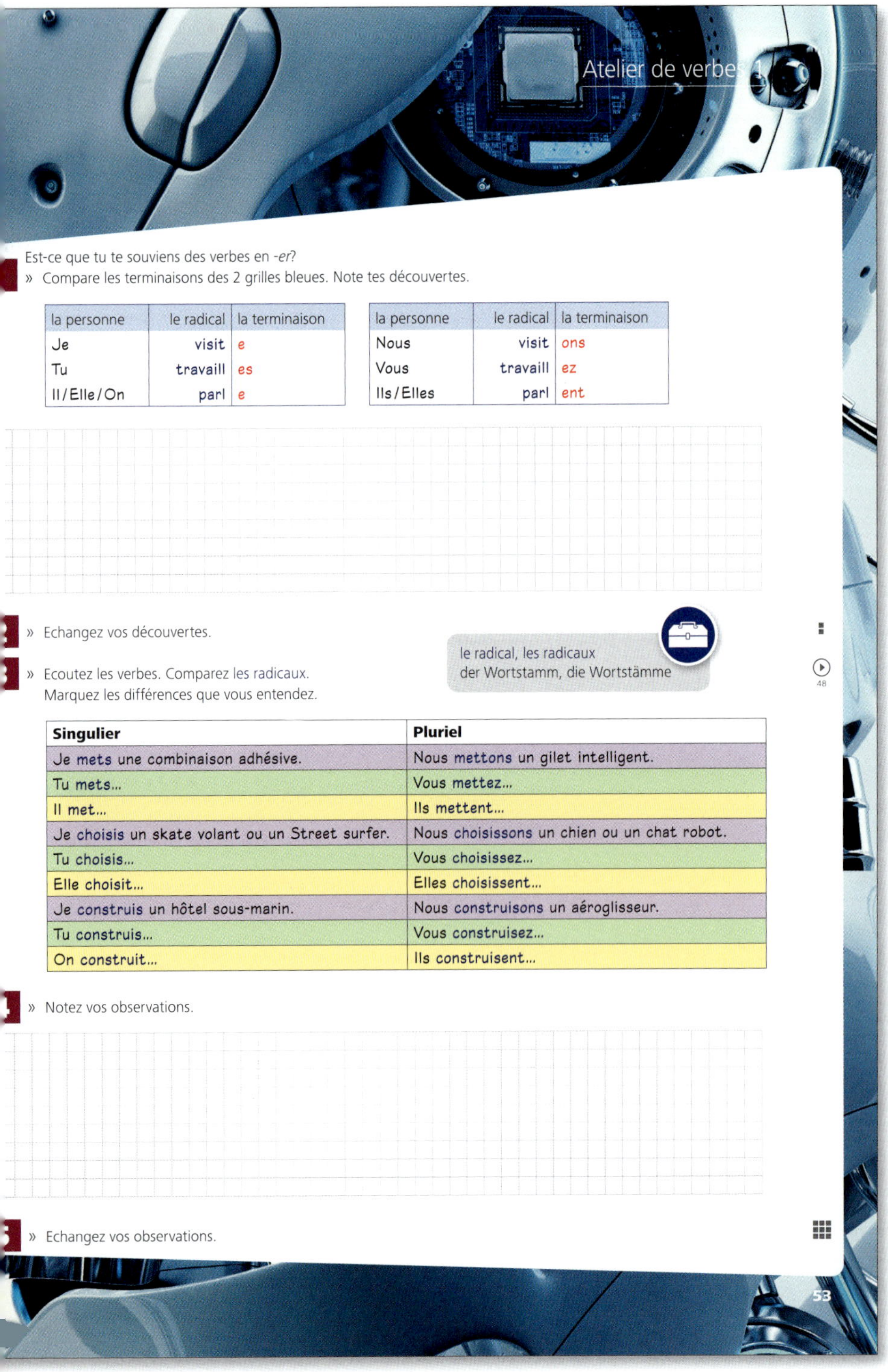

Atelier de verbes 1

1 Est-ce que tu te souviens des verbes en *-er*?
» Compare les terminaisons des 2 grilles bleues. Note tes découvertes.

la personne	le radical	la terminaison
Je	visit	e
Tu	travaill	es
Il / Elle / On	parl	e

la personne	le radical	la terminaison
Nous	visit	ons
Vous	travaill	ez
Ils / Elles	parl	ent

2 » Echangez vos découvertes.

3 » Ecoutez les verbes. Comparez les radicaux.
Marquez les différences que vous entendez.

le radical, les radicaux
der Wortstamm, die Wortstämme

Singulier	Pluriel
Je mets une combinaison adhésive.	Nous mettons un gilet intelligent.
Tu mets…	Vous mettez…
Il met…	Ils mettent…
Je choisis un skate volant ou un Street surfer.	Nous choisissons un chien ou un chat robot.
Tu choisis…	Vous choisissez…
Elle choisit…	Elles choisissent…
Je construis un hôtel sous-marin.	Nous construisons un aéroglisseur.
Tu construis…	Vous construisez…
On construit…	Ils construisent…

4 » Notez vos observations.

5 » Echangez vos observations.

53

Auf individuelle Bedürfnisse eingehen

Anforderungen reduzieren

Unterstützung durch Partnerarbeit

» Den Anfang der *activité* mit einer Lernpartnerin oder einem Lernpartner bearbeiten

Zusätzlicher Support

» Auf Wunsch die Grammatiksequenz durch Mitschülerinnen und Mitschüler vermittelt bekommen (vgl. Angaben zu Anforderungen erweitern)

Anforderungen erweitern

Lernen durch Lehren

» Die Grammatiksequenz «Verbes en *-ir* et en *-re*» im Sinne von «Lernen durch Lehren» für Mitschülerinnen und Mitschüler vorbereiten und durchführen

1 Die Lernenden gewinnen die Einsicht, dass die Endungen der beiden Verbengruppen im Singular unterschiedlich, im Plural hingegen gleich sind, nämlich *-ons*, *-ez*, *-ent*. Damit wird ein Thema aufgegriffen, das bereits in der 6. Klasse kurz gestreift wurde.

Im Sinne des Grundprinzips des kooperativen Lernens untersuchen die Lernenden hier eine grammatikalische Erscheinungsform in Einzelarbeit und halten ihre Einsichten schriftlich fest (Schritt 1: D = Denken).

2 Der Austausch mit einer Partnerin oder einem Partner ermöglicht den Lernenden, ihre Einsicht zu überprüfen (Schritt 2: A = Austausch).

Wie im Vorgehen D – A – V angelegt, würden nun die Präsentation und Offizialisierung im Plenum folgen (Schritt 3: V = Vorstellen). In Anbetracht der einfachen Aufgabenstellung kann dieser Schritt vermutlich übersprungen werden.

3 Aufgrund des Hör- und Schriftbildes lassen sich die zwei verschiedenen Stämme der Verben erkennen:

mettre: *met – met**t***
choisir: *choisi – choisi**s***
construire: *construi - construi**s***

4 Die Lernenden können festhalten, dass diese Verbformen zwei Stämme haben, einen Stamm im Singular, einen im Plural. Die Beispiele lassen keine weiteren Regelmässigkeiten erkennen.

Der Einblick ins System wird aus verschiedenen Gründen im Moment nicht weiter differenziert. Zum einen soll sich die gewonnene Einsicht in die Zweistämmigkeit von Verben erst einmal setzen, zum andern verfügen die Lernenden in ihrem Wortschatz erst über wenige Verben der beiden Hauptgruppen auf *-ir (ss)* und *-re (d)*, so dass der Korpus im Moment noch zu klein ist, um weitere Gruppen zu unterscheiden.

5 Vor der Übungsphase werden die Einsichten in der Klasse zusammengetragen, diskutiert und offizialisiert, wie es im dreischrittigen Grundprinzip des kooperativen Lernens vorgesehen ist.

1 Die Übungsanlage sieht vor, dass die Lernenden einen vorgegebenen Satz mit der korrekten Verbform ergänzen. Die zwei Verbformen des Singulars (z.B. *lis, lit*) und die drei Formen des Plurals (z.B. *lisons, lisez, lisent*) werden angezeigt, so dass die Lernenden die richtige auswählen und ins Schreibfeld übertragen können. Mit der Funktion «Vérifier» können sie die Korrektheit ihres Eintrags überprüfen und den ganzen Satz anhören. Das mehrmalige Üben mit der Lernsoftware hat zum Ziel, das Hör- und Schriftbild der Verbformen zu automatisieren.

In der Lernsoftware kommen folgende Verben aus dem Klassenwortschatz und aus den *consignes* der *revue* zur Anwendung:

» Verben auf *-ir: remplir, sortir, choisir*

» Verben auf *-re: mettre, écrire, vivre, conduire, lire, répondre*

Die Lernenden begegnen zudem einem reichen Wortschatz, da die Verben in gebräuchlichen Aussagen und Fragen verwendet werden. Damit dient die Lernsoftware gleichzeitig der Repetition und Festigung von Alltagswortschatz, der zu grossen Teilen dem gesamten Klassenwortschatz-Fundus entnommen worden ist.

2 Die Strategie «Mémoriser des formes à l'oreille» zeigt auf, dass für das Memorieren von Formen vor allem die wiederholte Begegnung im Kontext zielführend ist. Es geht demnach weniger darum, einzelne Formen kontextfrei einzutrainieren, als sie durch das häufige Hören in Anwendung zu automatisieren.

3 In der mündlichen Übung können die Lernenden die Verbformen anwenden und gegenseitig die korrekte Aussprache überprüfen.

4 In der *revue* steht pro *parcours* eine leere Seite zur Verfügung, auf der die Lernenden ihre Einsichten in die Grammatik darstellen. Dabei beschreiben sie die entdeckten Regelmässigkeiten in eigenen Worten, erstellen Skizzen oder Schemata und illustrieren sie mit Beispielen. Anschliessend besprechen sie ihren Eintrag mit Mitschülerinnen und Mitschülern und erhalten dadurch möglicherweise weitere Ideen, mit welchen sie ihren Eintrag ergänzen können.

Atelier de verbes 1

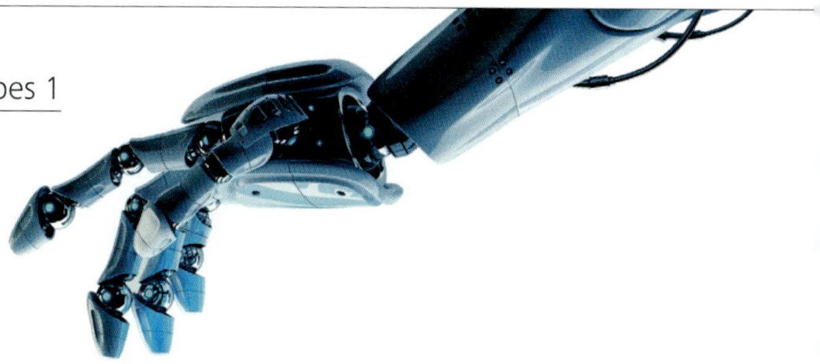

1 » Entraîne-toi à l'ordinateur à employer des verbes en *-ir* et en *-re* au présent. Note les points.

date	points

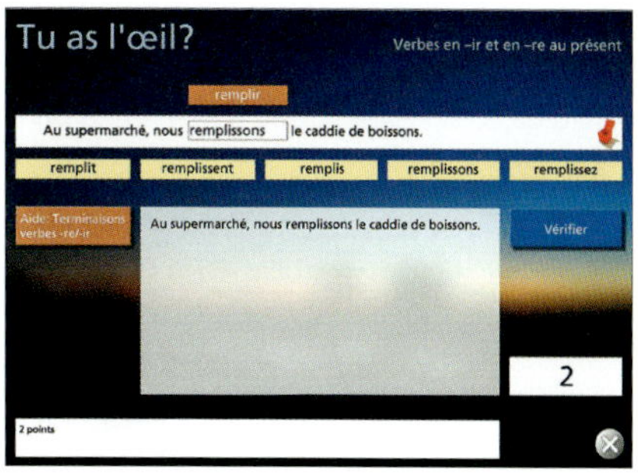

2 **Mémoriser des formes à l'oreille**
Sich Formen über das Gehör merken

Nutze möglichst viele Hörgelegenheiten, um dir die unterschiedlichen Formen eines Verbs zu merken.

3 » Choisissez à tour de rôle une personne pour former une phrase correcte.

Elle vit sur une île.

Nous remplissons le questionnaire.

vis en France (vivre)
vivez à Genève
vivent pour le sport
vit sur une île
vivons dans un appartement sous-marin

conduisez des vélos spéciaux? (conduire)
conduit une voiture hélico
conduis le scooter
conduisent des capsules spatiales
conduisons bien

remplissent le bassin (remplir)
remplis la valise intelligente
remplissez la grille
remplit la boîte
remplissons le questionnaire

4 » Note tes découvertes sur les verbes en -ir et en -re dans la revue.

54

Die selber verfasste Grammatik dient dazu, sich leichter an die Regelmässigkeiten zu erinnern; was man selber dargestellt hat, kann man besser behalten. Zudem können die Lernenden ihre *revue* auch verwenden, um Regeln nachzuschlagen.

Atelier de verbes 2

Ça roule?

Tu répètes la conjugaison des verbes en *-er* et des verbes *être* et *avoir* au présent.

Tu te souviens du magazine 6.2?
Voici une petite répétition. Ça roule?
» Entraîne-toi à l'ordinateur à employer des verbes en *-er*.

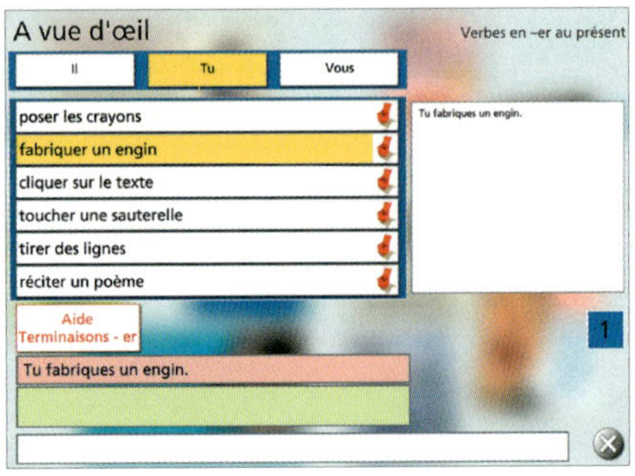

» Jouez au jeu «Avoir et être» à l'ordinateur.

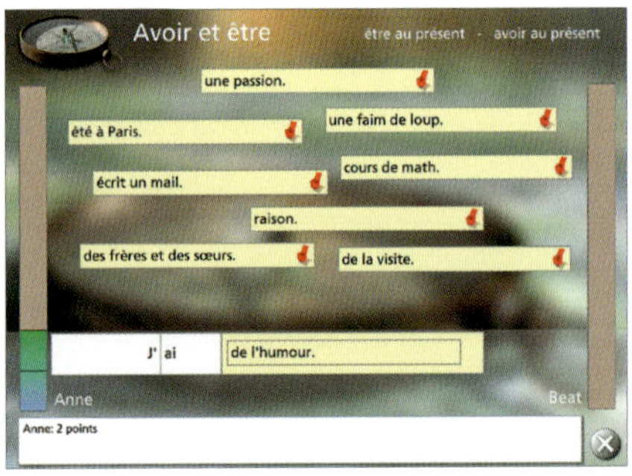

55

Mit den beiden Lernsoftwareangeboten aus *Mille feuilles* 6 können die Lernenden die Verben auf *-er* im *présent* und die beiden Hilfsverben *avoir* und *être* im *présent* repetieren und dabei bekannten Wortschatz wiederholen.

1 In der Lernsoftware begegnen die Lernenden rund 40 verschiedenen Verben auf *-er*, die sie kennen. Diese werden mit einer Satzergänzung angegeben, so dass insgesamt 66 sinnvolle Sätze gebildet werden können. Das Vorgehen ist folgendermassen: Die Lernenden wählen aus drei Personalformen und mehreren Verben je eine Variante aus und bilden aus diesen beiden Bausteinen einen Satz, den sie aufschreiben. Sie können den ganzen Satz jederzeit anhören oder Unterstützung in Form einer Übersetzung oder einer Tabelle mit den Verbendungen beanspruchen. Klicken sie auf «Vérifier», wird der korrekte Satz angegeben und, sofern die Eingabe richtig war, ein Punkt gutgeschrieben. Weist der Satz Fehler auf, kann er korrigiert und noch einmal überprüft werden. Wenn die Lernenden den Fehler erkannt haben, können sie auch gleich mit der Übung fortfahren. Der korrekte Satz erscheint im Feld, in dem alle Sätze gesammelt werden.

2 Die Lernsoftware zum Einüben der beiden Hilfsverben ist als Spiel angelegt. Zu Beginn wählen die beiden Lernenden, die gegeneinander spielen, das Hilfsverb aus, das sie einüben wollen. Abwechslungsweise wird ihnen dann eine Personalform vorgegeben, die mit der korrekten Form des entsprechenden Hilfsverbs und einem Satzende nach Wahl zu ergänzen ist. Die Lernenden schreiben die Verbform selber ein, während die Satzerweiterung ins Textfeld hineingezogen werden kann. Wird anschliessend auf «Vérifier» geklickt, ertönen der ganze Satz und das akustische Zeichen für Richtig oder Falsch. Den Lernenden werden für jedes der beiden Hilfsverben 54 Sätze zum Vervollständigen angeboten.

Auf individuelle Bedürfnisse eingehen

Anforderungen reduzieren
Stoffreduktion
» Die mündliche Übung nicht bearbeiten

Anforderungen erweitern
Erstellung von Unterrichtshilfen
» Verbformen von gebräuchlichen Verben auf *-ir* und *-re* auf Plakaten zur Verfügung stellen
» Für Mitschülerinnen und Mitschüler eine schriftliche Übung erstellen
» Für Mitschülerinnen und Mitschüler mit Hilfe der Vorlagen auf learningapps.org eine Lernsoftware entwickeln*

Zusätzliche Sprachproduktion
» Die mündliche Übung zusätzlich schriftlich bearbeiten

* Die kostenlose Web 2.0-Plattform «LearningApps.org» erlaubt es Lehrpersonen und Lernenden, mit wenig Aufwand multimediale Lernbausteine in ansprechender Form online zu erstellen und zu verwalten. Das Autorenwerkzeug bietet rund 30 Aufgabenformate zur Wahl an und wird stetig erweitert.

Im *zoom* werden die Lernenden angeleitet, einzelne Lernprozesse und -ergebnisse zu reflektieren. Damit werden Ziele aus Kompetenzbereich III des Lehrplans «Passepartout» bearbeitet, in dem es im Handlungsfeld Sprachlernreflexion unter anderem heisst: «Mit Hilfe des Sprachenportfolios und von Lernziellisten die eigenen Fortschritte und Lernergebnisse einschätzen, sich Stärken und Schwächen bewusst machen und persönliche Ziele formulieren».

1 Die Lernenden können festhalten, welche futuristischen Erfindungen ihrer Mitschülerinnen und Mitschüler sie besonders interessant gefunden haben. Damit dokumentieren sie, dass sie die Texte im Klassendossier verstanden haben.

2 Formular 2 ist Teil des Dossiers von ESP II und steht zusätzlich auf der Plattform www.clin-doeil.ch zum Herunterladen zur Verfügung. Die Lernenden werden mit Hilfe von Fragestellungen angeleitet, ihre Arbeit zu reflektieren und aus der Reflexion Schlüsse für eine nächste Arbeit zu ziehen. Es ist möglich, Fragen nach eigener Wahl bearbeiten zu lassen oder die Themen der Reflexion in der Klasse festzulegen. Das Formular kann zudem als Gesprächsgrundlage zwischen Lernenden und Lehrperson dienen.

Zoom

Zoom

1 Tu as regardé les inventions futuristes de ta classe. Lesquelles trouves-tu intéressantes?

Ich kann in kurzen, informativen Texten vieles verstehen, wenn mir Verstehenshilfen zur Verfügung stehen.

2 Ich kann eine futuristische Erfindung beschreiben.

In der *tâche* hast du eine eigene futuristische Erfindung beschrieben. Denke nun über deine Arbeit nach. Wähle im Sprachenportfolio auf Formular 2 des Arbeitsdossiers mehrere Fragen aus und beantworte sie schriftlich.

Ich kann mir über eine abgeschlossene Arbeit mit Hilfe des ESP Gedanken machen und für meine weitere Arbeit Schlüsse daraus ziehen.

Nachdenken über mein Sprachenlernen

Art der Arbeit: Nr. der Arbeit: Datum:

Korrektur/Rückmeldung: von wem:

Name: Sprache(n):

○ Arbeit in der Schule ○ private Arbeit ○ Einzelarbeit ○ Partnerarbeit ○ Gruppenarbeit

Was sagt mir diese Arbeit und die gemachte Erfahrung? Warum ist sie für mich wichtig?

Was sagt mir diese Arbeit über den Stand meines Könnens und meine Fortschritte?

Wie habe ich gearbeitet? Welche Lernstrategien und -techniken habe ich gebraucht?

Was habe ich gerne gemacht? Was habe ich nicht gerne gemacht?

Was nehme ich mir für eine nächste Arbeit vor? Was mache ich gleich, weil es mir gut gelungen ist?

Was will ich anders machen, weil es mir nicht gut gelungen ist?

Eigene Fragen und Bemerkungen:

Dossier de travail · Working dossier · Dossier di lavoro · Dossier da lavur Arbeitsdossier Formular 2

56

Zum Abschluss des *parcours* kann der Lernerfolg mit weiteren summativen Evaluationsaufgaben überprüft werden. Auf der Plattform www.clin-doeil.ch stehen Musteraufgaben zur Verfügung. Sie werden in den Formaten PDF und Word zur Verfügung gestellt, damit sie bei Bedarf den Gegebenheiten in der eigenen Klasse angepasst werden können. Tondokumente sind als mp3-Dateien verfügbar.

dienen. Zusätzlich werden folgende Dokumente, die die Beurteilung und Bewertung unterstützen könnnen, angeboten:

- Kriterienliste für das Erstellen eigener summativer Evaluationsaufgaben
- Qualitative Beurteilungsraster von «Lingualevel» für die transparente Beurteilung der Kompetenzen «Sprechen» und «Schreiben»

sind, oder dass wenige Informationen vorliegen, diese aber mühelos verständlich sind. Die Beurteilung berücksichtigt beide Indikatoren.

Auf der Plattform www.clin-doeil.ch stehen die Raster als Formulare in den Formaten PDF und Word zur Verfügung. Sie können bei Bedarf verändert werden und ausgedruckt als Rückmeldeformular an die Lernenden

Grilles d'évaluation

Activité C page 27

Einen Text über eine futuristische Erfindung lesen und wesentliche Informationen auf Deutsch aufschreiben	++	+	+/–	–
Dein Text enthält die wesentlichen Informationen.				

Activité F page 38

Die Texte auf den Spielkarten vorlesen	++	+	+/–	–
Du liest die Sätze richtig vor.				

Activité G pages 42 à 44

Eine futuristische Erfindung beschreiben	++	+	+/–	–
Dein Text enthält mehrere Informationen und ist verständlich.				
Du verwendest den Klassenwortschatz korrekt.				

Tâche pages 47 à 49

Punkte	4	3	2	1	0
Inhalt	Dein Text enthält sehr viele Informationen. Er ist verständlich. ❒	Dein Text enthält viele Informationen. Er ist meist verständlich. ❒	Dein Text enthält einige Informationen. Er ist einigermassen verständlich. ❒	Dein Text enthält sehr wenige Informationen. Er ist schwer verständlich. ❒	❒
Sprache Wortschatz		Der Wortschatz, den du verwendest, ist meist passend und abwechslungsreich. ❒	Der Wortschatz, den du verwendest, ist teilweise passend und wenig abwechslungsreich. ❒	Der Wortschatz, den du verwendest, ist oft unpassend und wiederholt sich häufig. ❒	❒
Klassenwortschatz und Adjektive		Du verwendest den Klassenwortschatz korrekt. Die meisten Adjektive sind richtig angepasst. ❒	Du verwendest einzelne Satzstrukturen und Ausdrücke des Klassenwortschatzes korrekt. Einige Adjektive sind richtig angepasst. ❒	Du verwendest nur wenige Satzstrukturen und Ausdrücke des Klassenwortschatzes korrekt. Die Adjektive sind kaum richtig angepasst. ❒	❒
Mut zum Risiko			Du wagst mehrmals, eigene Formulierungen zu verwenden. ❒	Du wagst, eine eigene Formulierung zu verwenden. ❒	❒
Gestaltung			Dein Blatt ist ansprechend gestaltet. Die Skizzen illustrieren die Erfindung gut. ❒	Dein Blatt ist teilweise ansprechend gestaltet. Die Skizzen illustrieren die Erfindung nur bedingt. ❒	❒

57

In den Lehr- und Lernmaterialien *Clin d'œil* wird vorgeschlagen, ausgewählte Lernziele während und das Arbeitsergebnis der *tâche* zum Abschluss des *parcours* summativ zu beurteilen und zu bewerten. Auf der Plattform stehen zudem Musteraufgaben zur Verfügung, um ausgewählte Lernziele zusätzlich zu überprüfen.

Die im Lehrplan «Passepartout» aufgeführten Ziele bilden Kompetenzen ab. Demnach sind bei Evaluationen insbesondere Kompetenzen zu beurteilen. Eine kompetenzorientierte Beurteilung überprüft, wie gut Lernende eine sprachliche Handlung mit Hilfe der erworbenen Strategien ausführen können. Eine defizitorientierte Beurteilung, in der Fehler gezählt werden, steht im Widerspruch zur Kompetenzorientierung.

1 Das Symbol in einer *activité* weist auf einen geeigneten Moment hin, ein ausgewähltes Lernziel zu überprüfen. Unter «Grilles d'évaluation» finden sich die Kurzbeschreibungen der Aufgaben und die Beurteilungskriterien. Die Skala reicht von ++ bis - und bildet damit den Grad der Lernzielerreichung ab, die folgendermassen beschrieben werden könnte:

++ Lernziel sehr gut erreicht/übertroffen
\+ Lernziel gut erreicht
+/- Lernziel erreicht
\- Lernziel noch nicht erreicht

Muss die Lernzielerreichung mit Noten ausgedrückt werden, lässt sich der Grad der Lernzielerreichung auf eine Notenskala von 6 bis 3 übertragen.

2 Für die summative Evaluation der *tâche* steht ein Instrument zur Verfügung, das eine kompetenzorientierte Beurteilung unterstützt.

» In der Matrix werden die Kompetenzen beschrieben, die in der Schlussaufgabe zur Anwendung kommen, wobei die verschiedenen Indikatoren den Erreichungsgrad aufzeigen.
» Unter «Sprache» werden nebst Kompetenzen auch Ressourcenziele ausgewiesen, die im Dienste der sprachlichen Handlung stehen. Die Beurteilung der Ressourcenziele (hier z.B. Klassenwortschatz und Adjektivanpassung) kann in die Gesamtbeurteilung integriert werden.
» Das Beurteilen mit einem Kompetenzraster ermöglicht den Lehrpersonen, die Texte der Lernenden als Gesamtes wahrzunehmen und beim Lesen auf gewisse Kriterien zu achten, ohne Fehler anzustreichen und zu zählen.
» Möglicherweise empfinden Lehrpersonen die Skala von 4 bis 0 Punkten als zu wenig differenziert. In diesem Fall können auch halbe Punkte gegeben werden.
» Ein Kriterium wird manchmal mit mehr als einem Indikator beschrieben; zum Beispiel Anzahl Informationen und Verständlichkeit. Bei der Beurteilung sind alle Indikatoren zu beachten und gegeneinander abzuwägen. So kann es sein, dass in einem Text viele Informationen gegeben werden, einige davon aber schwer verständlich

Im *zoom* werden die Lernenden angeleitet, einzelne Lernprozesse und -ergebnisse zu reflektieren. Damit werden Ziele aus Kompetenzbereich III des Lehrplans «Passepartout» bearbeitet, in dem es im Handlungsfeld Sprachlernreflexion unter anderem heisst: «Mit Hilfe des Sprachenportfolios und von Lernziellisten die eigenen Fortschritte und Lernergebnisse einschätzen, sich Stärken und Schwächen bewusst machen und persönliche Ziele formulieren».

1 Die Lernenden können festhalten, welche futuristischen Erfindungen ihrer Mitschülerinnen und Mitschüler sie besonders interessant gefunden haben. Damit dokumentieren sie, dass sie die Texte im Klassendossier verstanden haben.

2 Formular 2 ist Teil des Dossiers von ESP II und steht zusätzlich auf der Plattform www.clin-doeil.ch zum Herunterladen zur Verfügung. Die Lernenden werden mit Hilfe von Fragestellungen angeleitet, ihre Arbeit zu reflektieren und aus der Reflexion Schlüsse für eine nächste Arbeit zu ziehen. Es ist möglich, Fragen nach eigener Wahl bearbeiten zu lassen oder die Themen der Reflexion in der Klasse festzulegen. Das Formular kann zudem als Gesprächsgrundlage zwischen Lernenden und Lehrperson dienen.

Zoom

Zoom

1 Tu as regardé les inventions futuristes de ta classe. Lesquelles trouves-tu intéressantes?

Ich kann in kurzen, informativen Texten vieles verstehen, wenn mir Verstehenshilfen zur Verfügung stehen.

2 Ich kann eine futuristische Erfindung beschreiben.

In der *tâche* hast du eine eigene futuristische Erfindung beschrieben. Denke nun über deine Arbeit nach. Wähle im Sprachenportfolio auf Formular 2 des Arbeitsdossiers mehrere Fragen aus und beantworte sie schriftlich.

Ich kann mir über eine abgeschlossene Arbeit mit Hilfe des ESP Gedanken machen und für meine weitere Arbeit Schlüsse daraus ziehen.

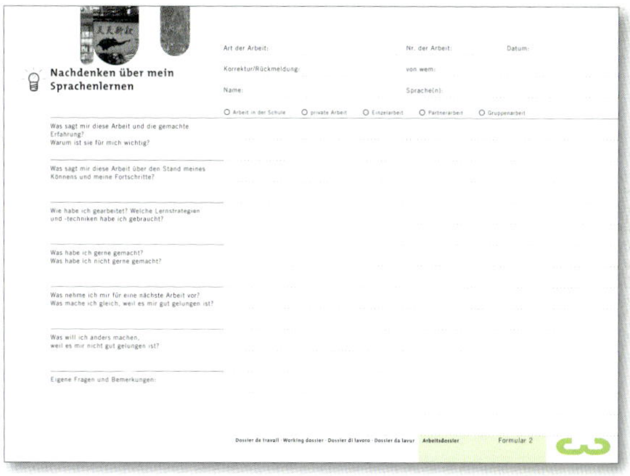
Nachdenken über mein Sprachenlernen

Art der Arbeit: Nr. der Arbeit: Datum:

Korrektur/Rückmeldung: von wem:

Name: Sprache(n):

○ Arbeit in der Schule ○ private Arbeit ○ Einzelarbeit ○ Partnerarbeit ○ Gruppenarbeit

Was sagt mir diese Arbeit und die gemachte Erfahrung? Warum ist sie für mich wichtig?

Was sagt mir diese Arbeit über den Stand meines Könnens und meine Fortschritte?

Wie habe ich gearbeitet? Welche Lernstrategien und -techniken habe ich gebraucht?

Was habe ich gerne gemacht? Was habe ich nicht gerne gemacht?

Was nehme ich mir für eine nächste Arbeit vor? Was mache ich gleich, weil es mir gut gelungen ist?

Was will ich anders machen, weil es mir nicht gut gelungen ist?

Eigene Fragen und Bemerkungen:

Dossier de travail · Working dossier · Dossier di lavoro · Dossier da lavur Arbeitsdossier Formular 2

56

Zum Abschluss des *parcours* kann der Lernerfolg mit weiteren summativen Evaluationsaufgaben überprüft werden. Auf der Plattform www.clin-doeil.ch stehen Musteraufgaben zur Verfügung. Sie werden in den Formaten PDF und Word zur Verfügung gestellt, damit sie bei Bedarf den Gegebenheiten in der eigenen Klasse angepasst werden können. Tondokumente sind als mp3-Dateien verfügbar.

dienen. Zusätzlich werden folgende Dokumente, die die Beurteilung und Bewertung unterstützen können, angeboten:

- Kriterienliste für das Erstellen eigener summativer Evaluationsaufgaben
- Qualitative Beurteilungsraster von «Lingualevel» für die transparente Beurteilung der Kompetenzen «Sprechen» und «Schreiben»

sind, oder dass wenige Informationen vorliegen, diese aber mühelos verständlich sind. Die Beurteilung berücksichtigt beide Indikatoren.

Auf der Plattform www.clin-doeil.ch stehen die Raster als Formulare in den Formaten PDF und Word zur Verfügung. Sie können bei Bedarf verändert werden und ausgedruckt als Rückmeldeformular an die Lernenden

Grilles d'évaluation

Activité C page 27

Einen Text über eine futuristische Erfindung lesen und wesentliche Informationen auf Deutsch aufschreiben	++	+	+/–	–
Dein Text enthält die wesentlichen Informationen.				

Activité F page 38

Die Texte auf den Spielkarten vorlesen	++	+	+/–	–
Du liest die Sätze richtig vor.				

Activité G pages 42 à 44

Eine futuristische Erfindung beschreiben	++	+	+/–	–
Dein Text enthält mehrere Informationen und ist verständlich.				
Du verwendest den Klassenwortschatz korrekt.				

Tâche pages 47 à 49

Punkte	**4**	**3**	**2**	**1**	**0**
Inhalt	Dein Text enthält sehr viele Informationen. Er ist verständlich. ☐	Dein Text enthält viele Informationen. Er ist meist verständlich. ☐	Dein Text enthält einige Informationen. Er ist einigermassen verständlich. ☐	Dein Text enthält sehr wenige Informationen. Er ist schwer verständlich. ☐	☐
Sprache Wortschatz	Der Wortschatz, den du verwendest, ist passend und sehr abwechslungsreich. ☐	Der Wortschatz, den du verwendest, ist meist passend und abwechslungsreich. ☐	Der Wortschatz, den du verwendest, ist teilweise passend und wenig abwechslungsreich. ☐	Der Wortschatz, den du verwendest, ist oft unpassend und wiederholt sich häufig. ☐	☐
Klassenwortschatz und Adjektive		Du verwendest den Klassenwortschatz korrekt. Alle Adjektive sind richtig angepasst. ☐	Du verwendest den Klassenwortschatz mehrheitlich korrekt. Die meisten Adjektive sind richtig angepasst. ☐	Du verwendest nur wenige Satzstrukturen und Ausdrücke des Klassenwortschatzes korrekt. Die Adjektive sind kaum richtig angepasst. ☐	☐
Mut zum Risiko			Du wagst mehrmals, eigene Formulierungen zu verwenden. ☐	Du wagst, eine eigene Formulierung zu verwenden. ☐	☐
Gestaltung			Dein Blatt ist ansprechend gestaltet. Die Skizzen illustrieren die Erfindung gut. ☐	Dein Blatt ist teilweise ansprechend gestaltet. Die Skizzen illustrieren die Erfindung nur bedingt. ☐	☐

57

In den Lehr- und Lernmaterialien *Clin d'œil* wird vorgeschlagen, ausgewählte Lernziele während und das Arbeitsergebnis der *tâche* zum Abschluss des *parcours* summativ zu beurteilen und zu bewerten. Auf der Plattform stehen zudem Musteraufgaben zur Verfügung, um ausgewählte Lernziele zusätzlich zu überprüfen.

Die im Lehrplan «Passepartout» aufgeführten Ziele bilden Kompetenzen ab. Demnach sind bei Evaluationen insbesondere Kompetenzen zu beurteilen. Eine kompetenzorientierte Beurteilung überprüft, wie gut Lernende eine sprachliche Handlung mit Hilfe der erworbenen Strategien ausführen können. Eine defizitorientierte Beurteilung, in der Fehler gezählt werden, steht im Widerspruch zur Kompetenzorientierung.

1 Das Symbol (Kompass) in einer *activité* weist auf einen geeigneten Moment hin, ein ausgewähltes Lernziel zu überprüfen. Unter «Grilles d'évaluation» finden sich die Kurzbeschreibungen der Aufgaben und die Beurteilungskriterien. Die Skala reicht von ++ bis - und bildet damit den Grad der Lernzielerreichung ab, die folgendermassen beschrieben werden könnte:

++ Lernziel sehr gut erreicht/übertroffen
\+ Lernziel gut erreicht
+/- Lernziel erreicht
\- Lernziel noch nicht erreicht

Muss die Lernzielerreichung mit Noten ausgedrückt werden, lässt sich der Grad der Lernzielerreichung auf eine Notenskala von 6 bis 3 übertragen.

2 Für die summative Evaluation der *tâche* steht ein Instrument zur Verfügung, das eine kompetenzorientierte Beurteilung unterstützt.

» In der Matrix werden die Kompetenzen beschrieben, die in der Schlussaufgabe zur Anwendung kommen, wobei die verschiedenen Indikatoren den Erreichungsgrad aufzeigen.

» Unter «Sprache» werden nebst Kompetenzen auch Ressourcenziele ausgewiesen, die im Dienste der sprachlichen Handlung stehen. Die Beurteilung der Ressourcenziele (hier z.B. Klassenwortschatz und Adjek-

differenziert. In diesem Fall können auch halbe Punkte angegeben werden.

» Ein Kriterium wird manchmal mit mehr als einem Indikator beschrieben; zum Beispiel Anzahl Informationen und Verständlichkeit. Bei der Beurteilung sind alle Indikatoren zu beachten und gegeneinander abzuwägen. So kann es sein, dass in einem Text viele Informationen gegeben werden, einige davon aber schwer verständlich

tivanpassung) kann in die Gesamtbeurteilung integriert werden.

» Das Beurteilen mit einem Kompetenzraster ermöglicht den Lehrpersonen, die Texte der Lernenden als Gesamtes wahrzunehmen und beim Lesen auf gewisse Kriterien zu achten, ohne Fehler anzustreichen und zu zählen.

» Möglicherweise empfinden Lehrpersonen die Skala von 4 bis 0 Punkten als zu wenig

Der *dictionnaire* unterstützt die Lernenden beim Entschlüsseln der Inputtexte. Sie finden hier die Übersetzung einer grösseren Anzahl sinntragender Wörter.

Die Strategie «Dictionnaire» soll im Entschlüsselungsprozess immer als letzte und einzig für die wenigen Ausdrücke angewandt werden, welche die Lernenden für ihr Verstehen als unabdingbar erachten. Falls der *dictionnaire* im *magazine* den gewünschten Ausdruck nicht enthält, können die Lernenden auf andere *dictionnaires* zurückgreifen.

Es ist aber explizit nicht die Meinung, dass die Lernenden die Texte wortwörtlich übersetzen sollen. Ziel der Lektüre ist es, den Inhalt im Grossen und Ganzen zu erfassen und dem Text die eine oder andere detailliertere Information zu entnehmen. Ein lückenloses Verstehen ist nicht vorgesehen.

Dictionnaires spielen nicht nur bei der Rezeption, sondern auch bei der Produktion eine Rolle. Für die Bearbeitung der entsprechenden *activités*, der *tâche* und der Evaluationsaufgaben auf der Plattform sollen die Lernenden jederzeit Zugang zu Wörterbüchern haben. Nebst den *dictionnaires en ligne* empfiehlt es sich, im Klassenzimmer die Print-Ausgaben verschiedener *dictionnaires* zur Verfügung zu stellen.

Dictionnaire

A

	adapter	anpassen
	adhésif/adhésive	selbstklebend, haftend
l'	ado m	der Jugendliche
	Abkürzung von: l'adolescent	
l'	air m	die Luft
l'	apparence f	das Erscheinungsbild
l'	autonomie f	*hier:* die Reichweite
d'	autrefois	aus früheren Zeiten/von früher

B

	battre	besiegen, schlagen
le	batteur	der Schlagzeuger
le	bémol	*siehe:* seul bémol
	branché/-e	in (sein), up to date
le	but	das Tor, der Treffer

C

le	capteur	der Sensor
la	circulation	der Verkehr
la	compétition	der Wettkampf
	conduire	lenken
	conçu/-e	entworfen
la	courgette	die Zucchini
le	coussin	das Kissen

D

	dangereux/dangereuse	gefährlich
	déçu/-e	enttäuscht
le	décollage	das Abheben, der Abflug
	décoller	(von der Startbahn) abheben
	démarrer	beginnen, in Gang kommen, starten
	dense	dicht
	dès aujourd'hui	von heute an, ab heute
	développé/-e	entwickelt
le	diamètre	der Durchmesser
le	doigt	der Finger

E

	effectuer	ausführen, vornehmen
	émergé/-e	herausragend
s'	empiler	sich stapeln
l'	environnement m	die Umgebung
l'	éolienne f	das Windrad
l'	équilibre m	das Gleichgewicht
	équipé/-e	ausgestattet
l'	espace m	der Weltraum
l'	exploration f	die Erforschung

F

les	fonds m pl	*hier:* die Tiefsee
	fou/folle	verrückt
la	foule	die Menschenmenge
	fournir	produzieren, liefern
la	fureur	die Furore
	faire fureur	*Aufsehen erregen, in Mode sein*

G

la	gamelle	der Sturz
	gare à …	*Vorsicht …*
	Gare aux gamelles!	*Vorsicht Sturzgefahr!*
	garder	behalten
	grimper	klettern

H

l'	habitant m	der Bewohner, der Einwohner
	humanoïde	menschenähnlich

I

l'	île f	die Insel
	immergé/-e	unter Wasser liegend
	imprenable	unverbaubar
	inégal/-e	uneben

58

Dictionnaire

L

la législation	das Recht, die Gesetzgebung
le légume	das Gemüse
le lever de…	der …aufgang
le lézard	die Eidechse
le locataire	der Mieter
le logement	die Unterkunft, die Wohnung
les loisirs m pl	die Freizeit
la Lune	der Mond

M

maîtriser	beherrschen
le monument	das Monument, das Bauwerk

N

nécessaire	nötig
la neige	der Schnee
la nourriture	die Nahrung

O

obéir	gehorchen
l' ordre m	der Befehl

P

la paroi	die Seitenwand, die Wand
le pied	der Fuss
à cloche pied	*auf einem Bein*
la patte	die Pfote, die Tatze
le pilier	der Pfeiler, die Stütze
planer	schweben, gleiten
Ça plane.	*Alles Spitze.*
le pli	die Falte
Ça ne fait pas un pli.	*Darauf kannst du wetten. Daran gibt's nichts zu rütteln.*
la plongée	der Tauchsport
posséder	besitzen
pousser	wachsen
propre	sauber
le propriétaire	der Besitzer

Q

la queue	das Heck, der Schwanz

R

ramener vers l'avant	nach vorne klappen
la randonnée	die Tour, die Wanderung
ravitailler	mit etwas versorgen
la recherche	die Forschung
reconnaître	erkennen
reconstitué/-e	wiederhergestellt
la route	die Strasse
ressusciter	wieder aufleben lassen

S

le saut	der Sprung
le secret	das Geheimnis
la sensation	die Empfindung, das Gefühl
serré/-e	eng
le seul bémol	der einzige Haken, der einzige negative Aspekt
le sous-marin	das Unterseeboot
sous-marin/sous-marine	Unterwasser…
le surface	die Oberfläche
surveiller	überwachen

T

la tartine	die Brotschnitte, das Butterbrot
la terre	die Erde, der Boden
la Terre	die Erde, die Welt
toucher	berühren
traîner	nachziehen

V

la vente	der Verkauf
la vie	das Leben
le visage	das Gesicht
le virage	die Kurve
la vitesse	die Geschwindigkeit
vivant/-e	lebendig
volant/-e	fliegend
la vue	die Aussicht

Solutions

Activité E pages 30 et 31

petit	6, 18, 22
petite	2, 11
grand	1, 4
grande	16, 20, 23
géant	12, 17
géante	5, 14
long	10, 15, 19
longue	8, 24
adhésif	13
adhésive	3
léger	9
légère	7, 21

bon	4, 10
bonne	1
impressionnant	8
impressionnante	2, 18
nouveau	12, 19
nouvelle	5, 17
premier	7, 13
première	16
passionnant	20
passionnante	6, 11
fou	3, 15
folle	9, 14

pliant	3, 19
pliante	1, 10
volant	7, 14
volante	5, 11
flottant	17
flottante	3, 13
sous-marin	8, 12
sous-marine	16
sportif	2
sportive	15, 20
intelligent	6
intelligente	9, 18

Activité H page 46

	Franglais		Français
1	le talk-show	**3**	le manche à balai
2	un airbag	**9**	une puce
3	le joystick	**6**	le mode de veille
4	le fast-food	**13**	le tir au but
5	surfer sur le net	**8**	le lait frappé
6	le stand-by	**2**	un coussin de sécurité
7	le baby-sitting	**12**	un grille-pain
8	le milk-shake	**14**	une planche à roulettes
9	un chip	**1**	l'émission-débat
10	un Post-it	**15**	hors jeu
11	un mountain bike	**5**	naviguer sur la toile
12	un toaster	**7**	la garde d'enfants
13	le penalty	**4**	la restauration rapide
14	un skateboard	**11**	un vélo tout terrain (VTT)
15	off-side	**10**	une colle note

Coup d'œil

Genève

In dieser Rubrik wirfst du noch einmal einen Blick auf das Bild des Ortes, den du auf deiner Reise durch den *parcours* durchquert hast.
Donc, tu jettes un coup d'œil à la photo aérienne de la carte de navigation.
Hast du den Ort erkannt? Hier erfährst du ein paar interessante Dinge darüber.

Genève est la plus grande ville de Suisse romande avec environ 200 000 habitants. Elle se situe tout à l'ouest de la Suisse, au bord du Lac Léman. Elle est mondialement connue pour son jet d'eau. C'est une ville internationale: on y trouve les Nations Unies et de nombreuses autres organisations internationales.

Genève accueille beaucoup de manifestations internationales dans son Palais des expositions, à Palexpo: le salon de l'auto, le salon du livre, le salon des inventions, le salon de la haute horlogerie, un concours hippique ou encore un Supercross.

Pour survoler cette ville impressionnante: vimeo.com/86976841

61

In der Rubrik *coup d'œil* werfen die Lernenden einen Blick auf den Ort, der auf der Navigationskarte abgebildet ist. Die Inhalte stehen als nicht didaktisiertes Angebot zur Verfügung.

In *activité* D haben sich die Lernenden mit dem «Salon International des Inventions de Genève» beschäftigt. Hier erhalten sie ein paar weitere Informationen über diese internationale Stadt, in der viele Messen stattfinden. Ein Film ermöglicht zudem, die Stadt zu überfliegen.

Es sind verschiedene Möglichkeiten denkbar, mit diesem *magazine*-Teil umzugehen:

» Es wird den Lernenden überlassen, sich bei Interesse mit den angebotenen Inhalten zu befassen.
» Die Inhalte werden im Sinne einer Differenzierung für besonders motivierte Lernende verwendet.
» Das Vorwissen der Lernenden in Bezug auf den Ort wird in der Klasse zusammengetragen und die Inhalte anschliessend gemeinsam besprochen.
» Im Wechsel bereitet je eine Gruppe von Lernenden eine kurze Präsentation der in *Clin d'œil* vorgestellten Orte vor, indem sie im Internet recherchiert und die Kurzinformationen in den *magazines* anreichert.
» Im Sinne eines fächerübergreifenden Unterrichts werden einzelne Inhalte vertieft und als bilinguale Sequenzen in den Sachfachunterricht integriert.

Bild- und Quellennachweis *fil rouge*

Titelseite
» von Mitte links nach Mitte rechts: Keystone; Arnold Metzinger/Keystone; wen23112006, www.flickr.com

Bienvenue dans le futur!
» Seite 22 von oben rechts nach unten rechts: AFP; Jochen Tack Imagebroker/© www.f1online.de; Massachusetts Institute of Technology M.I.T.; Christian Goupi AGE/© www.f1online.de

Rue des étoiles
» Seite 23: Bild unten: www.gregoire.fm, myspace.com/justegregoire
» Seite 24: « RUE DES ETOILES » (Grégoire BOISSENOT), Réalisé par Frédéric Barsikian/Moïse Cohen, Interprété par Grégoire, Editions Bamago – My Major Company Editions – Niluprod, ℗ 2008 My Major Company, Avec l'aimable autorisation de My Major Company

Aperçu de la tâche
» Seite 26, 27 (Hintergrund): Heinz Leuenberger/Keystone, (Streetsurfer):www.arbortech.com.au, (Flugobjekt): Arnold Metzinger/Keystone

Sport – fun garanti!
» Seite 28 oben: Text: © Bayard Jeunesse, OKAPI No 807 du juillet 2006, Bild: wen23112006, www.flickr.com, unten: Text: © Bayard Jeunesse, OKAPI No 807 du juillet 2006, unten rechts: www.arbortech.com.au
» Seite 29 oben: Text: Luc IHADDADENE, © Bayard Jeunesse, OKAPI No 940 d'août 2012, Bild: © Bayard Jeunesse, OKAPI No 940 d'août 2012, unten: Text: © Bayard Jeunesse, OKAPI No 807 du juillet 2006, Bild: Christian Goupi AGE/© www.f1online.de

Vacances de rêve
» Seite 30 oben rechts: Jochen Tack Imagebroker/© www.f1online.de, unten links: www.thinkstock.com
» Seite 31 unten links: Julian Baum/Keystone, Mitte rechts: Le GRANDI CIVILTA del MONDO ANTICO, 1996, 2009, © Giunti Editore S.p.A., Firenze-Milano, www.giunti.it

Voitures dernier cri
» Seite 32 oben: Text: Lucie de la HERONNIERE, © Bayard Jeunesse, OKAPI No 896 d'août 2010, Bild: REX/SIPA, unten: Text: © Bayard Jeunesse, OKAPI No 807 du juillet 2006, Bilder: Massachusetts Institute of Technology M.I.T.
» Seite 33 oben: © www.eduscol.education.fr – MEN – droits réservés, unten: PalVco, www.flickr.com

Des robots à tout faire – de la science-fiction?
» Seite 34 oben rechts: Bild: Peter Menzel/Keystone, unten: Text: Marie De CAZANOVE, © Bayard Jeunesse, OKAPI No 970 du décembre 2013, Bild: AFP
» Seite 35 Mitte links: Peter Menzel/Keystone, Mitte rechts: Ym Yik/Keystone

Futuroscope
» Seite 36 von Mitte links nach Mitte rechts: www.thinkstock.com; wen23112006, www.flickr.com; Ho/Keystone; www.FlashyDubai.com
» Seite 37 von Mitte links nach unten rechts: VINCENT CALLEBAUT ARCHITECTURES, www.vincent-callebaut.org; Smetek/Science Photo Library/Keystone; Arnold Metzinger/Keystone; www.arbortech.com.au

Lilypad – l'île flottante
» Seite 38 Mitte rechts: VINCENT CALLEBAUT ARCHITECTURES, www.vincent-callebaut.org
» Seite 39 oben links: VINCENT CALLEBAUT ARCHITECTURES, www.vincent-callebaut.org, Mitte rechts: Text: Olivier Lascar, Illustration: Laurent Hindryckx, Science & Vie Junior 235, Mondadori Magazines France
» Seite 40 Mitte links: PONS GmbH, www.de.pons.com, unten links: LEO GmbH, www.leo.org, unten rechts: www.reverso.net

Audiotracks

Track	Texte
1.	Rue des étoiles (Chanson)
2.	Rue des étoiles (Instrumental)
3.	Expressions
4.	«Lilypad – un projet futuriste»
5.	«La partie émergée: vue imprenable sur l'océan»
6.	«La partie immergée: des logements pour les Lilypadiens»
7.	«Cultiver son jardin»
8.	«Fabriquer une énergie propre»
9.	Sport: «La folie Street surfer»
10.	Sport: «Ça plane en Hover scooter»
11.	Sport: «Accrobranche géant en mode Spider-Man»
12.	Sport: «Ski sur route»
13.	Vacances: «Un hôtel sous-marin futuriste»
14.	Vacances: «Hop, la valise intelligente»
15.	Vacances: «Des monuments vivants»
16.	Vacances: «Vol autour de la Lune»
17.	Voitures: «En route pour les grands fonds»
18.	Voitures: «On peut plier les autos»
19.	Voitures: «La voiture autonome»
20.	Voitures: «La voiture hélico»
21.	Robots: «Un astronaute à tout faire»
22.	Robots: «Rock stars trop branchées»
23.	Robots: «Le sport c'est bon… pour les robots»

Track	Texte
24.	Robots: «Le chien – mon compagnon»
25.	Adjectifs 1er groupe
26.	Adjectifs 2e groupe
27.	Adjectifs 3e groupe
28.	Adjectifs 4e groupe
29.	Adjectifs 5e groupe
30.	Noms – adjectifs 1er groupe
31.	Noms – adjectifs 3e groupe
32.	Noms – adjectifs 4e groupe
33.	Futuroscope – le jeu: «Aérocar»
34.	Futuroscope – le jeu: «Solar Drop»
35.	Futuroscope – le jeu: «Hydropolis»
36.	Futuroscope – le jeu: «Flying Bike»
37.	Futuroscope – le jeu: «Engkey»
38.	Futuroscope – le jeu: «Lilypad»
39.	Futuroscope – le jeu: «Sea Tree»
40.	Futuroscope – le jeu: «Glowing Plant»
41.	Fichier
42.	Expressions français – anglais
43.	Méli-mélo: Floating stadium
44.	Expressions en «franglais»
45.	Expressions en français
46.	Verbes en -ir et en -re: phrases
47.	Verbes en -ir et en -re: verbes terminaisons
48.	Verbes en -ir et en -re: verbes radicaux

62

Bienvenue au Salon des Inventions à Genève!
» Seite 48, 50 Mitte links: © Gérard Chardonnens, Confignon, Mitte rechts: www.inventions-geneva.ch, unten links: (1), (2) RTS Radio Télévision Suisse
» Seite 49, 51 von oben nach unten: (3), (6), (7), (8) RTS Radio Télévision Suisse; (5) Martin Roell, www.flickr.com

Futuroscope – le jeu
» Seite 64, 70 von Mitte links nach unten links: Arnold Metzinger/Keystone; VINCENT CALLEBAUT ARCHITECTURES, www.vincent-callebaut.org; www.FlashyDubai.com
» Seite 65, 71 von oben links nach unten links: Dassault Systems Austria GmbH, AFP; VINCENT CALLEBAUT ARCHITECTURES, www.vincent-callebaut.org; Architect Koen Olthuis – Waterstudio.NL; © Theo Sanderson

Floating stadium
» Seite 69, 75: Architect Koen Olthuis – Waterstudio.NL

C'est top!
» Seite 76, 78 Mitte rechts: © Sigi Siegenthaler
» Seite 77, 79 oben links: © Konrad Beck, Luzern, www.konradbeck.ch

HitchBOT
» Seite 82 Mitte links, unten rechts: Keystone

Genève
» Seite 97 von Mitte rechts nach unten rechts: Heinz Leuenberger/Keystone; Thomas Guignard, www.flickr.com; Jimmy, www.flickr.com; Sébastien Magaud, www.flickr.com

Inhalt

7.2

7.2 G

7.2 E

Auf der Plattform des Schulverlags www.clin-doeil.ch befinden sich Angaben zum Zeitbedarf, Hinweise zur Planung des Unterrichts und weitere im *fil rouge* aufgeführte Dokumente.

Didaktische Aspekte

Biz'Art?

In diesem *magazine* besuchen die Lernenden ein virtuelles Kunstmuseum. Den ausgestellten Werken ist gemeinsam, dass sie neugierig machen und Fragen aufwerfen, da sie etwas Eigenartiges oder Seltsames an sich haben. Im Museum werden also Bilder gezeigt, die etwas bizarr oder eben «biz'Art» sind, wie es der Titel des *magazine* verheisst.

Die Kunstwelt, die den Lernenden präsentiert wird, ist leicht und locker und lädt ab und zu auch zum Schmunzeln ein. Vielleicht wird bei manchen Lernenden der Wunsch geweckt, einmal ein anderes virtuelles oder reales Museum zu besuchen.

Sprachhandeln

Der Input besteht aus Bildbeschreibungen zu fünf verschiedenen Gemälden. In diesen Texten begegnen die Lernenden einer besonderen Art von Beschreibung, die ihnen als Textsorte im Französischunterricht und vielleicht auch in der Erstsprache neu ist. Die Texte sind poetisch und stellen Fragen zu den Bildern, womit die Aufmerksamkeit des Betrachters oder der Betrachterin auf Einzelheiten gelenkt wird.

Mehrere Elemente unterstützen die Lernenden beim Verstehen der Texte: Zuerst hören sie eine kurze Audioversion der Bildbetrachtung auf Französisch – und, wenn sie Lust haben, zusätzlich auf Deutsch und/oder Englisch. Auch in Museen werden Audioversionen in der Regel in verschiedenen Sprachen angeboten. Danach befassen sie sich mit einzelnen Fragen, die sich an das Bild stellen lassen, bevor sie die ganze Bildbeschreibung lesen, die vertont und mit stimmungsvoller Musik unterlegt ist. Die Musik und der poetische Stil der Texte machen aus dem Hören ein Klangerlebnis und ermöglichen zusammen mit der visuellen Wahrnehmung des Kunstwerkes eine sinnliche Begegnung mit der Welt der Ästhetik.

Musée virtuel

Tâche

Für die Bearbeitung der *tâche* wählen die Lernenden im virtuellen Museum ein Bild aus, das sie besonders anspricht. Sie gestalten für Museumsbesucherinnen und -besucher einen Audioguide, der ein Klangerlebnis aus Text und Musik anbietet und damit zum Betrachten des Bildes einlädt.

Fokussieren von grammatikalischen Erscheinungsformen und Wortschatz

Die als Input verwendete Textsorte weist aus grammatikalischer Sicht besondere Merkmale auf. In den Beschreibungen werden auffallend viele Fragen verwendet, weshalb Fragen in diesem *magazine* erneut zum Thema gemacht werden.

Die Lernenden entdecken, wie man auf verschiedene Arten Fragen stellen kann, und eignen sich im Klassenwortschatz mehrere Strukturen zum Stellen von Fragen an. So werden sie befähigt, in der *tâche* Fragen an ein Bild zu stellen. Das Beispiel zeigt auf, dass *Clin d'œil* keiner grammatischen, sondern einer inhaltlichen, kompetenzorientierten Progression folgt, in der die Aneignung von Sprachmitteln und das Erkennen von grammatischen Phänomenen im Dienste des Sprachhandelns stehen. Fokussiert werden grammatikalische Erscheinungsformen, die in den Inputtexten eine besondere Bedeutung haben, beim Bearbeiten der *tâche* zur Anwendung gelangen und sich auf weitere Sprachhandlungssituationen übertragen lassen.

In der 4. und 5. Klasse sind die Lernenden einigen Fragewörtern bereits ein erstes Mal begegnet, in der 6. Klasse haben sie diese fokussiert und verwendet. In diesem *magazine* erweitern und vertiefen sie ihre Einsichten zum Thema «Fragen stellen». Sie erkennen, dass es verschiedene Arten gibt, Fragen zu formulieren, und erweitern so ihr Wissen. Im «Référentiel» wird auf Niveau A2.1 (Sekundarstufe) bei Fragesätzen mit Bezug zur Gegenwart Vertiefungsstufe 3 angegeben (vgl. Référentiel «Passepartout», Seite 70), während den Fragesätzen auf der Primarstufe Vertiefungsstufe 2 zugeordnet wird (vgl. Référentiel «Passepartout», Seite 67).

Für die Wahl des verbindlichen Klassenwortschatzes sind die Inputtexte und die Anforderungen, die in der *tâche* an die Lernenden gestellt werden, bestimmend. Geeigneter Wortschatz wird aus den Inputtexten herausgelöst und als Voraussetzung für das Lösen der *tâche* gelernt. Die Ausdrücke und

sprachlichen Strukturen haben ein hohes Transferpotenzial und stehen den Lernenden demnach auch in anderen ähnlichen Sprachhandlungssituationen zur Verfügung.

Bewusstheit für Sprachen und Kulturen

Kompetenzbereich II hat zum Ziel, das Wissen der Lernenden in Bezug auf Sprachen und Kulturen zu erweitern, eine Haltung der Offenheit und Wertschätzung für die frankophone Sprachkultur zu fördern und Fertigkeiten der Analyse und des Vergleichs von sprachlichen und kulturellen Eigenheiten zu schulen.

Zugänge zur frankophonen Kultur können durch die Begegnung mit Menschen oder mit Kulturgut aus dem Zielsprachgebiet geschaffen werden.

So lernen die Schülerinnen und Schüler in *magazine* 7.2 eine Künstlerin und zwei Künstler aus der Suisse romande kennen und erhalten aufgrund von zwei Filmen einen Einblick in ihr Schaffen. Die Ateliers von Catherine Louis und Plonk et Replonk befinden sich in La Chaux-de-Fonds, einer Stadt, in welcher sich in den letzten Jahren eine bedeutende Kunstszene entwickelt hat.

Ein weiterer Berührungspunkt mit dem Zielsprachgebiet sind Chansons. In jedem

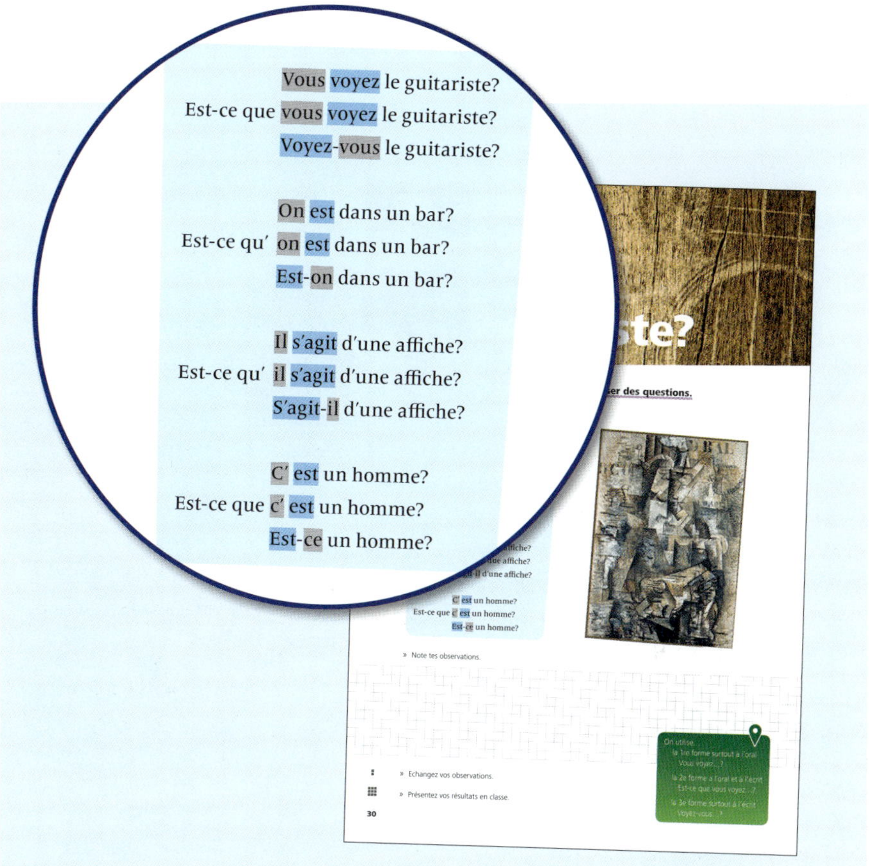

Fokussieren einer grammatikalischen Erscheinungsform

magazine werden darum Lieder aus traditionellem oder zeitgenössischem Kulturgut der frankophonen Welt angeboten, die zum Hören und oft auch zum Mitsingen einladen.

In *magazine* 7.2 lernen die Schülerinnen und Schüler im Chanson «Le Gardien de musée» die Geschichte des Museumswärters René kennen und begegnen dabei der bekannten Musikgruppe «Les Blaireaux» aus Lille.

Film «Plonk et Replonk»

Film «Catherine Louis»

Lernstrategische Kompetenzen

In Bereich III «Lernstrategische Kompetenzen» werden die Lernenden bei der Bearbeitung von Aufgaben an bereits bekannte Strategien erinnert und lernen neue kennen und anwenden. Aus diesem stets wachsenden Fundus können sie selbstständig die für sie zielführende Strategie auswählen und anwenden.

Eine Vielzahl von Strategien sind sprachen- und fächerübergreifend. Dies soll den Lernenden bei entsprechenden Aufgabenstellungen im Französisch-, Englisch-, Deutsch- oder Sachunterricht aufgezeigt werden. So können sie im Bereich der Strategien Synergien bewusst nutzen. Die erste in *magazine* 7.2 angebotene Strategie zeichnet sich ebenfalls durch ein grosses Transferpotenzial aus. «Fragen in einen Vortrag einbauen, um die Aufmerksamkeit der Zuhörerinnen und Zuhörer zu gewinnen» ist eine Strategie, die nicht nur im Französischunterricht, sondern auch in anderen Fächern gewinnbringend eingesetzt werden kann.

Die zweite angebotene Strategie, «die Einstellung zum Lernen reflektieren», kommt erst im *zoom* am Ende des *parcours* zur Anwendung. Die Lernenden werden im Laufe des 7. Schuljahres mehrmals über ihre Einstellungen und über ihr Lernen nachdenken. Ein erstes solches Reflexionsmoment ist in *magazine* 7.2 angelegt.

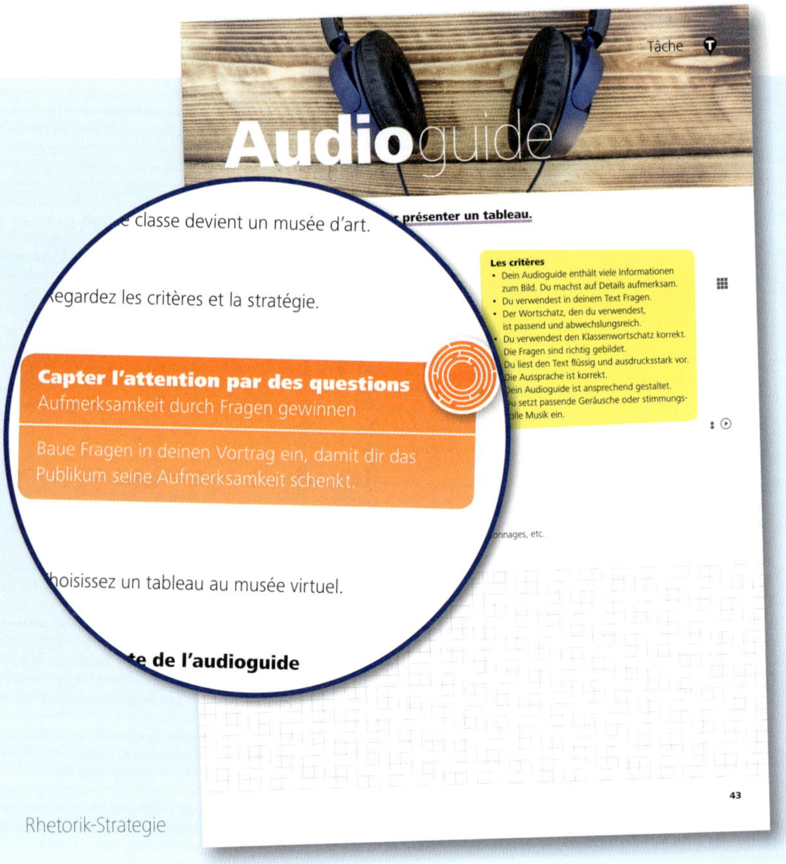

Rhetorik-Strategie

Sprachlernreflexion

In der Einleitung erhalten die Lernenden einen ersten Einblick in das Thema, mit welchem sie sich in diesem *parcours* beschäftigen werden.

Ein Vorspann auf Französisch und ein kurzer Bericht in deutscher Sprache entführen sie in die Welt der Kunst.

Biz'Art? ist ein Kunstwort, das sich aus «bizarre» und «art» zusammensetzt. In diesem *magazine* wird auf Kunstwerke eingegangen, die Erstaunen und Fragen auslösen. Die surrealistischen Bilder verschiedener Künstlerinnen und Künstler, die Fotomontagen von Plonk et Replonk oder die Fleckengebilde von Catherine Louis – alle wirken ein bisschen merkwürdig, unwirklich, bizarr.

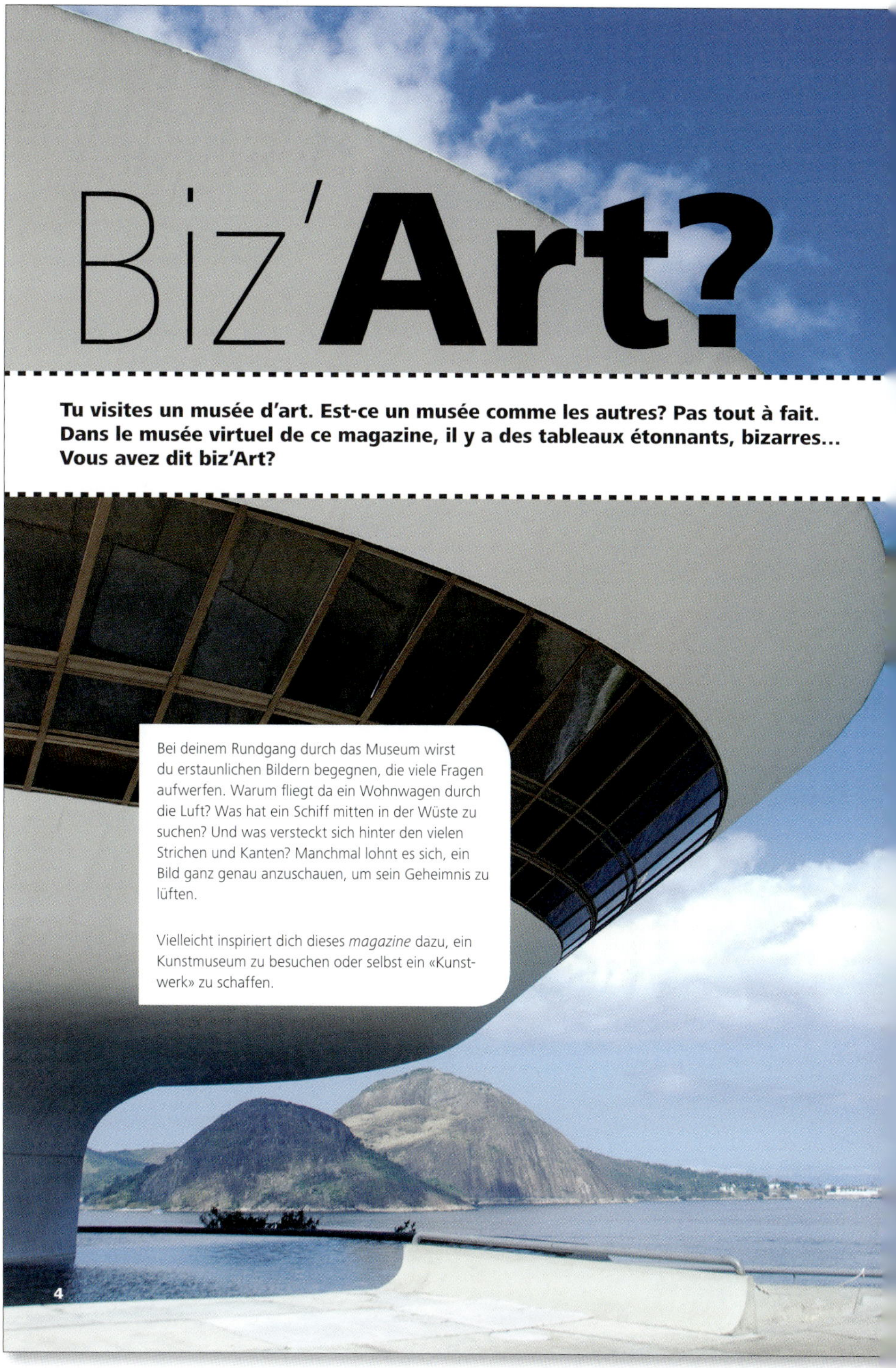
Biz'**Art?**

Tu visites un musée d'art. Est-ce un musée comme les autres? Pas tout à fait. Dans le musée virtuel de ce magazine, il y a des tableaux étonnants, bizarres... Vous avez dit biz'Art?

Bei deinem Rundgang durch das Museum wirst du erstaunlichen Bildern begegnen, die viele Fragen aufwerfen. Warum fliegt da ein Wohnwagen durch die Luft? Was hat ein Schiff mitten in der Wüste zu suchen? Und was versteckt sich hinter den vielen Strichen und Kanten? Manchmal lohnt es sich, ein Bild ganz genau anzuschauen, um sein Geheimnis zu lüften.

Vielleicht inspiriert dich dieses *magazine* dazu, ein Kunstmuseum zu besuchen oder selbst ein «Kunstwerk» zu schaffen.

4

Le gardien **de musée**

Les Blaireaux viennent du nord de la France, de la ville de Lille. C'est un groupe composé de six musiciens. Alex, au chant, raconte des petites histoires pleines d'humour.

Alexandre Lenoir - Pierre Marescaux
Les Blaireaux

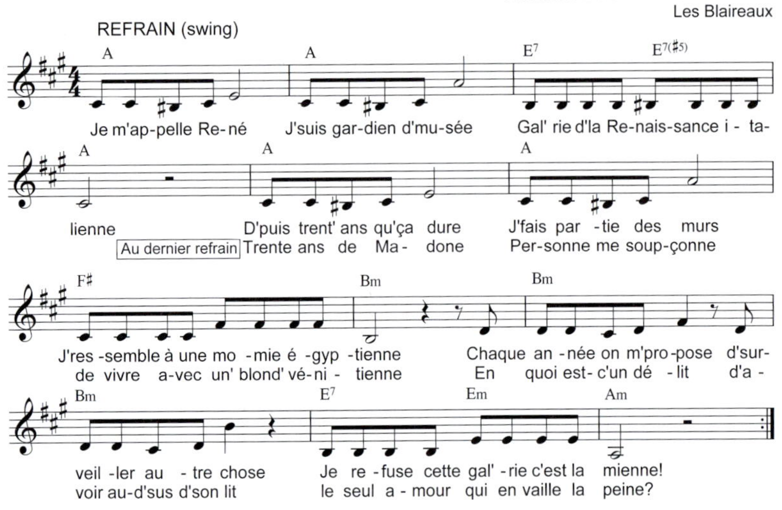

Si vous me cherchez,
Je suis toujours posté
Dans un coin de la salle des mythes antiques.
A côté de Vulcain
Contrit et contraint
De voir sa femme exposée en public:
Nue sous les zéphyrs
Belle à en mourir
Vénus ignore la foule des curieux.
Ah! Moi c'est pas pareil:
Il faut bien que je la surveille!
Je ne peux pas la quitter des yeux!

REFRAIN

Je suis René, le gardien de musée. Je surveille le fameux tableau de Botticelli qui montre la belle Vénus. Je suis tombé amoureux d'elle.

5

«Le gardien de musée» ist die Geschichte von René, einem Museumswärter, der sich in die Venus von Botticelli verliebt hat. Er bewacht sie jeden Tag im Museum und hat auch in den Ferien in Florenz nur sie vor Augen. In der letzten Strophe wird klar, dass René das Original der Venus aus dem Museum gestohlen hat. Dort hängt nämlich nur eine Kopie, während die echte Venus bei René zu Hause eine Wand des Schlafzimmers ziert.

Ein globales Verstehen der Geschichte wird durch die Illustrationen und die kurzen Texte, welche den Liedinhalt zusammenfassen, unterstützt.

Damit das Lied beschwingt und fröhlich klingt, wird es in einem leichten und durchgehenden Swing gesungen. Dazu müssen die Achtelnoten punktiert werden. Zum Mitsingen eignet sich vor allem der Refrain.

Im *magazine* sind daher nur die Noten des Refrains abgedruckt. Die vollständige Partitur mit Angaben zur Begleitung befindet sich auf der Plattform www.clin-doeil.ch

J'ai une collègue Fernande,
De la galerie allemande,
Qui vient me faire du gringue, pendant la pause:
René, pour les vacances
Il y a des vols pour Florence.
En plein soleil, ça doit être autre chose,
Non?
Je dis oui, mais sans plus,
Je pense à ma Vénus,
Dans sa coquille Saint-Jacques au bord de l'eau…
Je remets vite ma casquette,
J'écrase ma cigarette,
Et je retourne à mon quattrocento.

Je suis parti en vacances à Florence. Mais je pense tout le temps à ma Vénus. Alors je rentre vite à la maison.

REFRAIN

Quand 18 heures sonnent
Qu'il n'y a plus personne
Je mets mes dieux sous alarme infrarouge:
Vulcain est à sa place
Cupidon, Saint-Sébastien se tiennent à carreau,
Plus rien ne bouge.
Je finis ma ronde
Devant ma fausse blonde,
Je m'arrange comme je peux avec ma morale:
Tant que les gens s'extasient
Ah! Ce Botticelli!
A quoi bon rendre l'original?

DERNIER REFRAIN

De retour au musée, je reprends mon travail. Le soir, je mets les tableaux sous alarme. Même la fausse Vénus… La fausse? Eh oui, l'original, je l'admire chez moi.

6

mehr lernen, als in den Lernzielen ausgewiesen werden kann. Hier können sie weitere Lerninhalte festhalten, die sie für sich als wichtig erachten.

Das zweite Ziel dieses Bereichs ist im Handlungsfeld «Sprachemotion» angesiedelt. Zu den Hauptzielen des Fremdsprachenunterrichts gehört, dass die Lernenden positive Einstellungen zum Sprachenlernen aufbauen und ihre Haltung reflektieren können.

Die Kategorie «Was ich sonst noch gelernt habe» weist darauf hin, dass die Lernenden bei der Bearbeitung eines *parcours* noch

Das erste Ziel aus Kompetenzbereich III bezieht sich auf eine Produktionsstrategie des Handlungsfelds «Sprachlernen – Strategien aufbauen, um möglichst effizient zu lernen» des Lehrplans «Passepartout» (Seite 63). Sie kann in mündlichen und schriftlichen Sprachproduktionen angewendet werden und lässt sich auf viele schulische und ausserschulische Situationen übertragen.

Aperçu de la tâche | Objectifs

Aperçu de la tâche

Audioguide

Tu choisis un tableau du musée et tu crées un audioguide. Pour cela, tu poses des questions, tu montres des détails, tu décris les couleurs et les formes… Tu peux aussi ajouter de la musique ou des bruitages. Est-ce que les visiteurs vont s'arrêter devant ton tableau?

Objectifs

Französisch hören, lesen, sprechen, schreiben
Ich kann Bildbeschreibungen verstehen, wenn mir Entschlüsselungshilfen zur Verfügung stehen.
Ich kann über ein Bild sprechen.
Ich kann in der Gruppe französisch sprechen.
Ich kann zu einem Bild einen Text schreiben und ihn vorlesen.
Ich kenne verschiedene Frageformen und kann Fragen stellen.

Bewusstheit für Sprachen und Kulturen
Ich kenne eine Künstlerin und ein Künstlerkollektiv aus der Suisse romande und weiss etwas über ihr künstlerisches Schaffen.

Lernstrategien
Ich kann in meinen Vortrag Fragen einbauen, um die Aufmerksamkeit der Zuhörerinnen und Zuhörer zu gewinnen.
Ich kann meine Einstellungen zum Lernen mit Hilfe der *revue* reflektieren.

Das habe ich auch noch gelernt

7

Aperçu de la tâche

Der Blick auf die *tâche* zeigt den Lernenden, welche Aufgabe sie am Ende des *parcours* bearbeiten werden. In diesem *magazine* erstellen sie einen eigenen Audioguide zu einem Bild.

Von Anfang an wissen die Lernenden, worauf ihre Arbeit abzielt. Sie können den Zusammenhang zwischen *objectifs*, *activités* und *tâche* erkennen.

Objectifs

Es empfiehlt sich, die Ziele zu Beginn des Lernprozesses mit den Lernenden zu besprechen. Das Wissen um die Ziele ermöglicht ein zunehmend selbstständiges und eigenverantwortliches Lernen. Mit dem Thematisieren der Ziele wird ein Beitrag zur Entwicklung der Selbstkompetenz der Lernenden geleistet. Die Lehrperson kann zum Beispiel von den Zielen ausgehend die Inhalte und Lernangebote vorstellen und damit Interesse wecken und Orientierung ermöglichen.

Die Lernziele sind nach den drei Kompetenzbereichen des Lehrplans «Passepartout» geordnet: «Sprachhandeln», «Bewusstheit für Sprachen und Kulturen» und «Lernstrategische Kompetenzen».

In Kompetenzbereich I wird zwischen Kompetenz- und Ressourcenzielen unterschieden: Auf sattgrünem Grund sind die Kompetenzziele dargestellt, auf hellgrünem die Ressourcenziele, die im Dienste der sprachlichen Handlungsfähigkeit stehen und dieser somit untergeordnet sind.

Die Ziele betreffen rezeptive und produktive Sprachfertigkeiten. Im Bereich der Rezeption beschäftigen sich die Lernenden mit vertonten Bildbeschreibungen und je einem Film über eine Künstlerin und ein Künstlerkollektiv. Produktiv wenden sie die Zielsprache an, wenn sie in der Gruppe ein Lernspiel spielen und über Bilder sprechen oder selber geschriebene Bildbeschreibungen vorlesen. Damit bearbeiten sie Ziele aus folgenden drei Handlungsfeldern des Lehrplans «Passepartout»: «Berichte erschliessen und interpretieren», «Die Fremdsprache in der Gruppe anwenden» und «Neue Inhalte in der Fremdsprache erwerben».

Das aufgeführte Ressourcenziel bezieht sich auf ein grammatikalisches Phänomen. Die Schülerinnen und Schüler erweitern ihr Repertoire rund um das Thema «Fragen stellen», indem sie verschiedene Frageformen untersuchen und anwenden.

Die Ziele des zweiten Kompetenzbereichs lassen sich allgemein den drei Handlungsfeldern «Savoir», «Savoir-être» und «Savoir-faire» zuordnen. Das aufgeführte Ziel bezieht sich auf Kenntnisse über kulturelle Gegebenheiten (*savoir*). Die Begegnung mit kulturellen Eigenheiten schafft Bezüge zur Frankophonie, erweitert das Weltwissen der Lernenden, fördert die aktive Akzeptanz und Wertschätzung von Unvertrautem und leistet damit einen Beitrag zum interkulturellen Lernen.

Funktion der Navigationskarte
Auf der Navigationskarte ist der Inhalt jeder *activité* kurz beschrieben und festgehalten, welche *activités* vorher bearbeitet sein müssen. Die Angaben sind bewusst auf Deutsch verfasst, damit die Selbstständigkeit der Lernenden nicht durch sprachliche Hürden beeinträchtigt wird.

Idee des *parcours*
Thema dieses *parcours* sind erstaunliche Bilder, die in einem virtuellen Museum hängen und/oder im *magazine* abgedruckt sind. Die Lernenden begeben sich in die Welt der Kunst, indem sie Bilder betrachten, Texte dazu lesen, Einblicke ins Künstlerschaffen erhalten und selbst einen Audioguide erstellen.

Input
Die Inputtexte und die Bilder sind den beiden Büchern «Petites histoires de chefs d'œuvres» (Editions de la Martinière, Jeunesse, Paris) und «Le monde fou, fou, fou de Dalí» (Editions Palette, Paris) entnommen und liegen in einer leicht gekürzten Fassung vor. Die Bilder sind alle ein bisschen «bizarr» und bringen den Betrachter oder die Betrachterin zum Rätseln oder Staunen. Die Texte passen sowohl inhaltlich als auch formal zu den Bildern. Sie sind kunstvoll und poetisch gestaltet und werfen wie die Bilder viele Fragen auf.

Die Kunstwerke machen einen grossen Teil dieses *parcours* aus, doch es wird im Rahmen des Französischunterrichts keine Kunstgeschichte unterrichtet. Allerdings eröffnet sich die Möglichkeit, das Thema in einem andern Fach aufzunehmen und zu erweitern.

Tâche
Nachdem sich die Lernenden während des *parcours* mit vielen Texten zu Bildern beschäftigt haben, erstellen sie in der *tâche* selber einen Audioguide. Sie beschreiben ein Bild aus dem virtuellen Museum und nehmen ihren Text für die anderen auf einen Tonträger auf. So entsteht in der Klasse ein eigenes Kunstmuseum.

Activités

Die *activités* lassen sich grundsätzlich zwei Phasen zuordnen. In der ersten Phase erschliessen die Lernenden den Input, in der zweiten üben sie aus dem Input fokussierte Sprachmittel wie Wortschatz, grammatikalische Erscheinungsformen oder auch die Aussprache ein, um sie in der *tâche* anwenden zu können und für den weiteren Sprachlernprozess zur Verfügung zu haben. In beiden Phasen spielen Sprachlernstrategien eine zentrale Rolle. Zudem werden an passender Stelle Inhalte aus Kompetenzbereich II – Bewusstheit für Sprachen und Kulturen – thematisiert.

Die Lernenden tauchen bei ihrem Rundgang durch das virtuelle Museum in *activité* A in die Welt der Kunst ein. Dabei sehen sie ganz unterschiedliche Bilder, Fotos und Videos und tauschen sich darüber aus. In *activité* B erfahren sie mehr über ein Bild von Salvador Dalí. Zudem zeigt *activité* B exemplarisch auf, wie bei der Entschlüsselung der Inputtexte in *activité* C vorzugehen ist. In dieser nachfolgenden *activité* wählen die Lernenden eines von vier Bildern aus, über das sie mehr erfahren möchten. Beim Thema Kunst liegt es auf der Hand, sich näher mit Farben zu beschäftigen. Dies tun die Lernenden in *activité* D. Dabei eignen sie sich neuen Wortschatz an. In *activité* E beschäftigen sie sich mit den verschiedenen Möglichkeiten, eine Frage zu stellen. Sie entdecken drei Frageformen und formulieren selber Fragen zum Bild «Biblioteca». In *activité* F lernen die Schülerinnen und Schüler die Künstlerin Catherine Louis kennen und stellen viele Fragen zu ihren Fantasiegebilden. *Activité* G führt den Klassenwortschatz (sprachliche Strukturen und Ausdrücke) anhand eines Filmbeitrags über die beiden Künstler Plonk et Replonk ein. Die Lernenden memorieren den Wortschatz mit Lernsoftware und einem Würfelspiel.

Die meisten «bizarren» Bilder, denen die Lernenden in diesem *parcours* begegnen, sind surrealistisch. Dalí gilt als einer der berühmtesten Vertreter des Surrealismus. Künstler wie Max Ernst, René Magritte, Pablo Picasso und Joan Miró gehören ebenfalls der von André Breton ausgehenden surrealistischen Bewegung an.

Der Surrealismus entsteht am Anfang der 20er Jahre des letzten Jahrhunderts in Paris. Surrealistisch («sur» + «réaliste») bedeutet «über der Wirklichkeit stehend». Die Surrealisten zeigen die Hintergründigkeit der Dingwelt auf, indem sie die traditionelle Formensprache bruchstückhaft oder verzerrt übernehmen und in einen ungewohnten Zusammenhang bringen. Sie bilden Einzelheiten einerseits fotogetreu ab, andererseits formen sie diese um und fügen sie in einer überraschenden, der Wirklichkeit widersprechenden Weise, wieder zusammen.

Table solaire

Salvador Dalí (1936)

10

C'est un **mirage?**

Où se déroule cette scène? Sur la plage? Dans le désert? Dans un café? Chez Salvador Dalí?

3–5
7

Au premier plan, un petit garçon observe la scène. Il n'a pas d'ombre. On a l'impression qu'il est découpé dans une feuille de papier. Qui est ce garçon?

Ce décor ressemble à un rêve.
Les bateaux, par exemple, sont tout à fait normaux, mais ils apparaissent dans un désert.

Dalí a peint la plage proche de sa maison, la table du café de son village, le sol de sa cuisine. Mais tous ensemble, ces éléments forment un paysage étrange.

D'où vient ce chameau?

S'est-il échappé du paquet de cigarettes près de l'enfant?

Biblioteca

Maria Elena Vieira da Silva (1966)

Bibliothèque...
ou ville vue du dessus?

S'agit-il de simples rectangles?

8–11

Mais non! Si on regarde bien, on peut y voir beaucoup de choses.

Des livres rangés sur des étagères par exemple. A droite on voit des journaux, à gauche on peut s'imaginer que ce sont de gros dictionnaires. D'où le titre «Biblioteca»!

Ou est-ce peut-être un atelier plein de boîtes? Et, qu'est-ce qu'il y a dans ces boîtes?

C'est aussi comme une ville.
«Biblioteca» ressemble à New York City vue du dessus. New York avec ses rues à angle droit et ses longues avenues. En haut à gauche on voit une zone verte. Est-ce peut-être Central Parc?
Et en blanc à droite l'East River, le fleuve qui traverse la ville?

Ou s'agit-il de Lisbonne, la ville natale du peintre?

Est-ce une ville ou une bibliothèque? Difficile à dire!

L'Empire des lumières

René Magritte (1954)

14

Pourquoi cette maison est-elle si étrange?

C'est une maison comme il en existe des millions. Une maison, un lampadaire, un arbre, une mare. A l'arrière-plan on voit une forêt. 12–15

Cet endroit pourrait être en Belgique, en France, en Allemagne, en Angleterre, en Suède...

Mais pourquoi cette maison est-elle si étrange?

Deux fenêtres sont allumées. Le lampadaire aussi. Il illumine une partie de la façade.
Le bas est dans le noir.

C'est la nuit. **La nuit vraiment?** Mais non! Ce n'est pas la nuit!

Le ciel est bleu clair et il y a des nuages blancs!

Voilà le secret de ce tableau: le bas est dans la nuit, le haut est en plein jour.

L'ombre de la nuit et la lumière du jour se mélangent. Quel mystère!

Le Portugais

Georges Braque (1912)

16

Voyez-vous le guitariste?

Que des formes et des lignes?

16–19

Regardez mieux.
On peut voir un homme assis. Il joue de la guitare. On voit le trou rond et les cordes de l'instrument vers le bas du tableau, au milieu. Le guitariste regarde vers notre gauche.

Regardez le titre du tableau: «Le Portugais».

Est-ce que le guitariste est un Portugais?

En haut on voit les lettres D et BAL en gris. Il s'agit peut-être d'une affiche sur laquelle est annoncé un granD BAL.

Est-ce qu'on est dans un bar – le bar où le guitariste joue tous les jours?

Alors, le voyez-vous maintenant, le guitariste?

Bleu de ciel

Vassily Kandinsky (1940)

Que sont ces **formes étranges?**

D'abord, c'est un fond bleu. Est-ce peut-être le ciel?

20–23

Sur ce fond dansent des formes colorées. S'agit-il de clowns ou de fous du roi avec des bonnets à clochettes?

Plusieurs de ces formes ont quatre pattes. Des animaux peut-être?

Certaines formes font penser à des oiseaux, d'autres à des poissons ou à des papillons.

Mais ce pourrait être aussi des bactéries, des microbes mille fois agrandis et observés au microscope.

C'est un monde de rêves?

«Bleu de ciel est un monde inconnu», nous dit le peintre.

Die Lernenden machen einen Rundgang durch das virtuelle Museum. Dieser Einstieg in den *parcours* hat zum Ziel, Interesse zu wecken und zu motivieren, sich mit den Bildern zu beschäftigen. Im Museum befinden sich Bilder, die alle auf ihre eigene Art bizarr sind und Staunen auslösen. Bei ihrem Museumsrundgang tauschen sich die Lernenden über die Bilder aus, wobei ihnen zahlreiche Redemittel zur Verfügung stehen.

1 «Tu piges?» bedeutet so viel wie «Kapierst du?». Die Lernenden kennen diesen Ausdruck aus dem Klassenwortschatz von *magazine* 4.3. Den grau geschriebenen «Tu piges?»-Aufträgen begegnen die Lernenden seit *magazine* 6.1 immer wieder. Dabei wird das unter den *objectifs* aufgeführte Ziel «Ich kann in der Gruppe französisch sprechen» ins Zentrum gerückt. Die Lernenden üben sich im Verstehen von Anweisungen und erweitern ihre mündliche Sprachkompetenz, indem sie die Aufträge reformulieren und gemeinsam besprechen. Dazu stehen ihnen die Sprechblasentexte und die Grundformen der Verben im Kästchen zur Verfügung. Die Diskussion innerhalb der Gruppe und der Austausch über das Verstandene sind wichtige Momente im Lernprozess. Es ist empfehlenswert, den Auftrag «Tu piges?» zuerst gemeinsam zu klären, und die Lernenden auf die *revue* zu verweisen, in welcher sämtliche *consignes* aufgeführt sind.

2 Im virtuellen Museum treffen die Lernenden auf eine Sammlung von Bildern und Filmen, die auf fünf Räume verteilt sind. Die Titel der Bilder, die auf den Seiten 10 bis 18 im *magazine* abgedruckt sind, sind fett markiert:

Tu visites le musée virtuel où tu vois des tableaux étonnants.

1 Tu piges?
» Lisez les consignes de cette activité.
La revue peut vous aider à comprendre.

» Discutez ce qu'il faut faire.

Il faut… | Je pense qu'il faut… | D'abord, on doit… | Ensuite, il faut… | A la fin, on doit…

Il faut…/On doit…
visiter
se préparer
lire
écouter
retourner
échanger

Dans le musée virtuel, il y a 5 salles. On y trouve des tableaux et des films.

2 » Visitez le musée pour un premier aperçu.

visitez
besucht

20

Roter Raum
Bleu de ciel (Kandinsky)
Table solaire (Dalí)
Le Château des Pyrénées (Magritte)
Deux enfants sont menacés par un rossignol (Ernst)
Carnaval d'Arlequin (Miró)

Gelber Raum
Biblioteca (Vieira da Silva)
Terre labourée (Miró)
Paris ville lumière (Plonk et Replonk)
Planascape (Erró)

Blauer Raum
Valeurs personnelles (Magritte)
Vacances en toute simplicité (Plonk et Replonk)
Station L112 (Klee)
Cavalier avec une pipe (Picasso)
Film Catherine Louis

Schwarzer Raum
Le Portugais (Braque)
Jaune rouge bleu (Kandinsky)
L'Art de la Conversation (Magritte)
Sans titre (Keith Haring)

Activité **A**

1 » Préparez-vous à donner votre avis sur quelques tableaux.
Lisez et écoutez les bulles et les expressions.

2 » Retournez au musée. Echangez vos impressions sur les tableaux.

retournez
kehrt zurück

Comment tu trouves ce tableau?

J'aime bien ce tableau.

J'aime moins ce tableau.

Il est…

C'est mon tableau préféré.

fascinant	
extraordinaire	aussergewöhnlich
bizarre	seltsam, eigenartig
fou	verrückt
beau	schön
drôle	komisch, merkwürdig
magique	
étonnant	erstaunlich
étrange	seltsam, eigenartig
fantastique	fantastisch, unwirklich
passionnant	
futuriste	
pas mal	nicht schlecht
impressionnant	beeindruckend
…	

Moi aussi.

Moi pas.

3 As-tu envie de voir plus de tableaux?
» Visite le musée virtuel de google: www.googleartproject.com/fr

21

1 Die Lernenden bereiten sich darauf vor, sich mithilfe der Redemittel in den Sprechblasen über die Bilder zu unterhalten. Dazu steht ihnen ein Audio-Dialog zur Verfügung, der aus den Ausdrücken im Kästchen und den Sprechblasen besteht. Einigen Adjektiven im Kästchen werden die Lernenden im Klassenwortschatz in *activité* G wieder begegnen, andere kennen sie bereits aus *magazine* 7.1. Die Strukturen *J'aime bien…/J'aime moins…* und *C'est mon/ma… préféré/e* kennen die Lernenden aus der 3. resp. 6. Klasse; *Comment tu trouves…?* ist ihnen aus *magazine* 7.1 bekannt.

2 Die Lernenden unterhalten sich über die Bilder im Museum. Die Sprechblasen signalisieren, dass sie sich auf Französisch austauschen. Es empfiehlt sich, diese Momente durch ein Signal zu kennzeichnen (Symbol an der Wandtafel, eine Karte mit dem Text «Nous parlons français» als Absichtserklärung auf die Pulte legen lassen …). Als zusätzliche Hilfestellung könnte die Rubrik «Nous parlons français!» in der *revue* aufgeschlagen werden.

3 Viele Museen bieten heutzutage eine virtuelle Besichtigung an. Kunstinteressierte können sich im Internet mit dem «google art project» Bilder aus Museen aller Welt anschauen. Möglicherweise erleichtert der spielerische Zugang via Internet manchen Lernenden den Einstieg in die Welt der Museen. Die Schülerinnen und Schüler haben auch die Möglichkeit, sich im Internet ein eigenes Bild für die *tâche* auszusuchen.

Auf individuelle Bedürfnisse eingehen

Anforderungen erweitern

Mehr und komplexere sprachliche Mittel

» Auf anspruchsvollere und vielfältigere Redemittel zurückgreifen (vgl. E, *magazine* Seite 21, Sprechblasen)

Grüner Raum

L'Empire des lumières (Magritte)
Cygnes réfléchissant des éléphants (Dalí)
Sans titre (cheval) (Castellón)
Mai 68 (Miró)
Film Plonk et Replonk

Die Schülerinnen und Schüler können sich in den fünf Räumen frei bewegen.

Wenn nur wenige Computer zur Verfügung stehen, lässt sich das virtuelle Museum im Klassenzimmer nachstellen. Die Input-Bilder sind in den *magazines* abgedruckt und die *tâche*-Bilder liegen dem *fil rouge* als Kunstdrucke bei. Die Ausstellung kann also mit aufgeschlagenen *magazines* und aufgehängten Blättern im Klassenzimmer eingerichtet werden.

Die Lernenden machen einen Rundgang durch das virtuelle Museum. Dieser Einstieg in den *parcours* hat zum Ziel, Interesse zu wecken und sie zu motivieren, sich mit den Bildern zu beschäftigen. Im Museum befinden sich Bilder, die alle auf ihre eigene Art bizarr sind und Staunen auslösen. Bei ihrem Museumsrundgang tauschen sich die Lernenden über die Bilder aus, wobei ihnen zahlreiche Redemittel zur Verfügung stehen.

1 «Tu piges?» bedeutet so viel wie «Kapierst du?». Die Lernenden kennen diesen Ausdruck aus dem Klassenwortschatz von *magazine* 4.3. Den grau geschriebenen «Tu piges?»-Aufträgen begegnen die Lernenden seit *magazine* 6.1 immer wieder. Dabei wird das unter den *objectifs* aufgeführte Ziel «Ich kann in der Gruppe französisch sprechen» ins Zentrum gerückt. Die Lernenden üben sich im Verstehen von Anweisungen und erweitern ihre mündliche Sprachkompetenz, indem sie die Aufträge reformulieren und gemeinsam besprechen. Dazu stehen ihnen die Sprechblasentexte und die Grundformen der Verben im Kästchen zur Verfügung. Die Diskussion innerhalb der Gruppe und der Austausch über das Verstandene sind wichtige Momente im Lernprozess. Es ist empfehlenswert, den Auftrag «Tu piges?» zuerst gemeinsam zu klären, und die Lernenden auf die *revue* zu verweisen, in welcher sämtliche *consignes* aufgeführt sind.

2 Im virtuellen Museum treffen die Lernenden auf eine Sammlung von Bildern und Filmen, die auf fünf Räume verteilt sind. Die Titel der Bilder, die auf den Seiten 10 bis 18 im *magazine* abgedruckt sind, sind fett markiert:

Activité **A**

Visite **au musée**

Tu visites le musée virtuel où tu vois des tableaux étonnants.

1 Tu piges?
» Lisez les consignes de cette activité.
La revue peut vous aider à comprendre.

» Discutez ce qu'il faut faire.

Il faut… | Je pense qu'il faut… | D'abord, on doit… | Ensuite, il faut… | A la fin, on doit…

Il faut…/On doit…
visiter
se préparer
lire
écouter
retourner
échanger

Dans le musée virtuel, il y a 5 salles. On y trouve des tableaux et des films.

2 » Visitez le musée pour un premier aperçu.

visitez
besucht

20

Roter Raum
Bleu de ciel (Kandinsky)
Table solaire (Dalí)
Le Château des Pyrénées (Magritte)
Deux enfants sont menacés par un rossignol (Ernst)
Carnaval d'Arlequin (Miró)

Gelber Raum
Biblioteca (Vieira da Silva)
Terre labourée (Miró)
Paris ville lumière (Plonk et Replonk)
Planascape (Erró)

Blauer Raum
Valeurs personnelles (Magritte)
Vacances en toute simplicité (Plonk et Replonk)
Station L112 (Klee)
Cavalier avec une pipe (Picasso)
Film Catherine Louis

Schwarzer Raum
Le Portugais (Braque)
Jaune rouge bleu (Kandinsky)
L'Art de la Conversation (Magritte)
Sans titre (Keith Haring)

Activité **A**

1 » Préparez-vous à donner votre avis sur quelques tableaux.
Lisez et écoutez les bulles et les expressions.

2 » Retournez au musée. Echangez vos impressions sur les tableaux.

retournez
kehrt zurück

Comment tu trouves ce tableau?

J'aime bien ce tableau.

J'aime moins ce tableau.

Je trouve qu'il est…

Il est…

Il a l'air…

C'est mon tableau préféré.

fascinant	
moderne	
extraordinaire	aussergewöhnlich
bizarre	seltsam, eigenartig
fou	verrückt
beau	schön
drôle	komisch, merkwürdig
magique	
étonnant	erstaunlich
étrange	seltsam, eigenartig
incroyable	unglaublich
fantastique	fantastisch, unwirklich
surprenant	überraschend
amusant	
passionnant	
futuriste	
pas mal	nicht schlecht
impressionnant	beeindruckend
irréel	irreal, unwirklich
…	

Moi aussi.

Moi pas.

Je suis d'accord avec toi.

Je ne suis pas d'accord avec toi.

3 As-tu envie de voir plus de tableaux?
» Visite le musée virtuel de google: www.googleartproject.com/fr

21

1 Die Lernenden bereiten sich darauf vor, sich mithilfe der Redemittel in den Sprechblasen über die Bilder zu unterhalten. Dazu steht ihnen ein Audio-Dialog zur Verfügung, der aus den Ausdrücken im Kästchen und den Sprechblasen besteht. Einigen Adjektiven im Kästchen werden die Lernenden im Klassenwortschatz in *activité* G wieder begegnen, andere kennen sie bereits aus *magazine* 7.1. Die Strukturen *J'aime bien…/J'aime moins…* und *C'est mon/ma… préféré/e* kennen die Lernenden aus der 3. resp. 6. Klasse; *Comment tu trouves…?* ist ihnen aus *magazine* 7.1 bekannt.

2 Die Lernenden unterhalten sich über die Bilder im Museum. Die Sprechblasen signalisieren, dass sie sich auf Französisch austauschen. Es empfiehlt sich, diese Momente durch ein Signal zu kennzeichnen (Symbol an der Wandtafel, eine Karte mit dem Text «Nous parlons français» als Absichtserklärung auf die Pulte legen lassen …). Als zusätzliche Hilfestellung könnte die Rubrik «Nous parlons français!» in der *revue* aufgeschlagen werden.

3 Viele Museen bieten heutzutage eine virtuelle Besichtigung an. Kunstinteressierte können sich im Internet mit dem «google art project» Bilder aus Museen aller Welt anschauen. Möglicherweise erleichtert der spielerische Zugang via Internet manchen Lernenden den Einstieg in die Welt der Museen. Die Schülerinnen und Schüler haben auch die Möglichkeit, sich im Internet ein eigenes Bild für die *tâche* auszusuchen.

Auf individuelle Bedürfnisse eingehen

Anforderungen reduzieren
Reduzierte und weniger komplexe sprachliche Mittel
» Auf weniger anspruchsvolle und übersichtlichere Redemittel zurückgreifen (vgl. G, *magazine* Seite 21, Sprechblasen)

Grüner Raum
L'Empire des lumières (Magritte)
Cygnes réfléchissant des éléphants (Dalí)
Sans titre (cheval) (Castellón)
Mai 68 (Miró)
Film Plonk et Replonk

Die Schülerinnen und Schüler können sich in den fünf Räumen frei bewegen.

Wenn nur wenige Computer zur Verfügung stehen, lässt sich das virtuelle Museum im Klassenzimmer nachstellen. Die Input-Bilder sind in den *magazines* abgedruckt und die *tâche*-Bilder liegen dem *fil rouge* als Kunstdrucke bei. Die Ausstellung kann also mit aufgeschlagenen *magazines* und aufgehängten Blättern im Klassenzimmer eingerichtet werden.

Die Lernenden tauchen weiter in die Welt der Kunst ein, indem sie das Bild «Table solaire» von Salvador Dalí besser kennen lernen. Es ist nicht nur ein «Seh-», sondern auch ein «Hörbild»: Die begleitende Musik und der poetische Stil der Texte machen aus dem Hören ein Klangerlebnis und unterstützen die Lernenden beim Eintauchen in die Welt der Ästhetik.

Da es sich bei den Texten um eine für die Lernenden neue und anspruchsvolle Textsorte handelt, wird der Zugang durch zwei vorbereitende Schritte gesichert: Zuerst hören die Lernenden eine gekürzte Audioversion auf Französisch. Wahlweise können sie sich diese Version auch auf Englisch und/oder Deutsch anhören. Dann befassen sie sich mit den Fragen aus dem Text, welche die wichtigsten Inhaltspunkte aufgreifen. So kennen sie bereits eine gekürzte Version und die Schlüsselstellen des Textes, bevor sie die eigentliche Entschlüsselungsarbeit angehen.

Activité B hat Modellcharakter: Die Schülerinnen und Schüler bearbeiten *activité* C eigenständig nach demselben Muster. Damit werden sie schrittweise zur Selbstständigkeit geführt.

Activité **B**

C'est un **mirage?**

Tu regardes un tableau de Salvador Dalí. Tu écoutes l'audioguide.

D'où viennent le chameau et le bateau dans le tableau de Salvador Dalí?

1 » Regardez le tableau «Table solaire» à la page 10.

2 (3–5) » Ecoutez la version courte de l'audioguide en français (F).
Vous pouvez aussi l'écouter en anglais (E) et en allemand (D).

3 (6) » Lisez et écoutez le dialogue.

Où se déroule cette scène?

Elle se déroule peut-être...

...dans le désert
...dans la cuisine
...au bord de la mer
...dans un bistrot
...dans un café
...dans un rêve
...sur la plage
...

Qui est ce garçon?

C'est peut-être...

...un spectateur
...un fantôme
...un bédouin
...un voyageur
...

D'où vient ce chameau?

Il vient peut-être...

...du désert
...d'un zoo
...d'un rêve
...d'Arabie
...d'Asie
...

un mirage	eine Fata Morgana
se dérouler	sich abspielen
le désert	die Wüste
la cuisine	die Küche
un bistrot	eine Kneipe
la plage	der Strand
un spectateur	ein Betrachter, ein Zuschauer
un voyageur	ein Reisender
ce chameau	dieses Kamel

4 » Posez les questions et donnez des réponses.

22

1 Für das Gelingen der *tâche* ist es wichtig, dass die Lernenden ihr Bild eingehend betrachten und auf Einzelheiten achten. Dafür müssen sie ihr Auge schulen. In diesem Sinn ist die erste Anweisung zu verstehen. Die Lernenden sind aufgefordert, genau hinzuschauen, das Eigenartige und Merkwürdige wahrzunehmen und auf Fragen, die sich stellen, Antworten zu suchen.

2 In den Museen kann man die Sprache des Audioguides selber wählen. Dies ist auch im *musée virtuel* der Fall. Hier kann man auf Knopfdruck die Kurzversionen der Inputtexte auf Französisch, Englisch und Deutsch abrufen. Die Lernenden hören die Kurzversion des Audioguides zu «Table solaire» zuerst auf Französisch. Diese Zusammenfassung erleichtert ihnen den Zugang zum Volltext.

3 Alle Fragen dieses Dialogs stammen aus dem Input. Der Text gibt keine eindeutigen Antworten, man kann sich vieles ausdenken und vorstellen. Text und Bild haben gemeinsam, dass sie viele Fragen aufwerfen und doch alles in der Schwebe lassen.

4 Die Lernenden können die Antwortmöglichkeiten übernehmen oder versuchen, eigene Antworten zu finden.

Auf individuelle Bedürfnisse eingehen

Anforderungen erweitern
Zusätzliche Sprachproduktion
» Eigene Antworten auf die Fragen finden
» Eigene Fragen formulieren

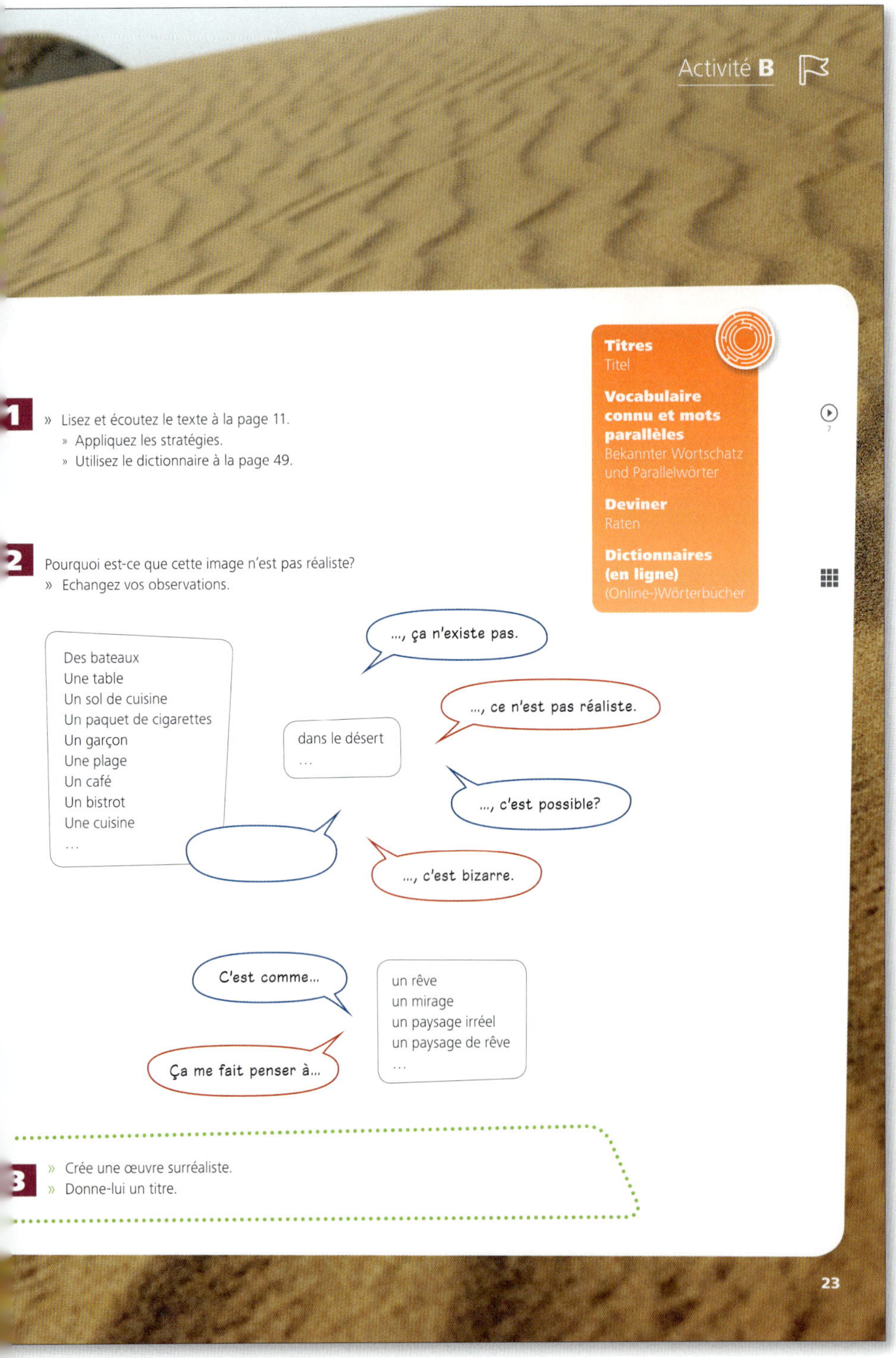

Activité **B**

Titres
Titel

Vocabulaire connu et mots parallèles
Bekannter Wortschatz und Parallelwörter

Deviner
Raten

Dictionnaires (en ligne)
(Online-)Wörterbücher

1 » Lisez et écoutez le texte à la page 11.
» Appliquez les stratégies.
» Utilisez le dictionnaire à la page 49.

2 Pourquoi est-ce que cette image n'est pas réaliste?
» Echangez vos observations.

Des bateaux
Une table
Un sol de cuisine
Un paquet de cigarettes
Un garçon
Une plage
Un café
Un bistrot
Une cuisine
…

dans le désert
…

…, ça n'existe pas.

…, ce n'est pas réaliste.

…, c'est possible?

…, c'est bizarre.

C'est comme…

Ça me fait penser à…

un rêve
un mirage
un paysage irréel
un paysage de rêve
…

3 » Crée une œuvre surréaliste.
» Donne-lui un titre.

23

1 Die Lernenden sollen bei der Bearbeitung des Textes vieles erfassen. Es ist aber explizit nicht die Meinung, dass sie den Text wortwörtlich übersetzen. Ziel der Lektüre ist es, den Inhalt im Grossen und Ganzen zu verstehen und dem Text zusätzlich ein paar Einzelheiten zu entnehmen. Ein lückenloses Verstehen ist nicht vorgesehen.

Im *magazine* steht den Lernenden auf Seite 49 ein *dictionnaire* zur Verfügung, in dem viele sinntragende Wörter aus den Inputtexten übersetzt sind. Er kann sie beim Entschlüsseln unterstützen. In der *revue* ist die Strategiensammlung abgebildet, aus der die Lernenden unter «comprendre un texte» diejenigen Strategien auswählen können, die für sie zielführend sind. Die Lehrperson kann sie auf diese Sammlung aufmerksam machen. Die Strategie «Dictionnaires (en ligne)» kommt als letzte zur Anwendung, erst dann, wenn Lernende ein paar wenige unverstandene Wörter als so wichtig erachten, dass sie diese nachschlagen wollen.

2 Die Sprechblasen unterstützen die Lernenden, sich auf Französisch auszudrücken. Einigen Strukturen werden sie auch im Klassenwortschatz in *activité* G wieder begegnen.

«Table solaire» ist aus diversen Gründen surrealistisch: Zum einen enthält es viele zusammenhanglose Elemente (Schiffe, ein Bistrotisch, ein Junge …) in einem merkwürdigen Kontext (Wüste). Zum andern werden konkrete und abstraktere Formen gemischt (ein Tisch, der wirklichkeitsgetreu abgebildet ist, neben einem Jungen, der einem Schattenbild gleicht). Vielleicht finden die Lernenden noch mehr Surrealistisches?

3 Es ist denkbar, Themen aus dem Französischunterricht in andern Fächern aufzugreifen. So könnte bspw. im Fach «Bildnerisches Gestalten» das Thema «Surrealismus» vertieft werden.

Auf individuelle Bedürfnisse eingehen

Anforderungen reduzieren
Zusätzlicher Support
» Die Entschlüsselungshilfen von Mitschülerinnen und Mitschülern nutzen

Anforderungen erweitern
Lernen durch Lehren
» Eine Partnergruppe beim Entschlüsseln des Textes anleiten
Erstellung von Unterrichtshilfen
» Entschlüsselungshilfen zur Verfügung stellen (evtl. auf einem Plakat)

Ziel dieser *activité* ist die vertiefte Beschäftigung mit einem Bild nach Wahl und das Erfassen der Bildbeschreibung mit Hilfe von Entschlüsselungsstrategien. Das Vorgehen ist dasselbe wie in *activité* B. Die Lernenden sollen dabei den Inhalt im Grossen und Ganzen nachvollziehen können. Ein lückenloses Verstehen oder eine wortwörtliche Übersetzung ist nicht vorgesehen.

Als Erstes begeben sich die Lernenden wiederum ins *musée virtuel*, wo sie die vier im *magazine* abgedruckten Bilder betrachten, während sie sich die Kurztexte des Audioguides anhören. Anschliessend entscheiden sie sich für ein Bild, mit dem sie sich während dieser *activité* intensiver befassen wollen.

Ausgangspunkt der Beschäftigung sind Fragen aus den Inputtexten, die sich an das Bild stellen lassen. Damit wird ein Element aus den Texten fokussiert, das zum Gegenstand der Grammatikarbeit wird und in der Sprachproduktion der *tâche* zum Tragen kommt.

Für die Entschlüsselung der Bildbeschreibung im *magazine* steht den Lernenden der Text auch vertont und mit stimmungsvoller Musik unterlegt zur Verfügung. So begegnen sie einem Gesamtkunstwerk aus Bild, poetischem Text und Musik.

Im Anschluss an die Entschlüsselungsarbeit stellen die Lernenden ihr Bild Mitschülerinnen und Mitschülern vor. Sie treten in Interaktion und verwenden die Zielsprache, um in einfachen Worten über neue Inhalte zu sprechen. Dabei tragen sie das Wissen in der Gruppe zusammen und konstruieren somit ein gemeinsames Wissen.

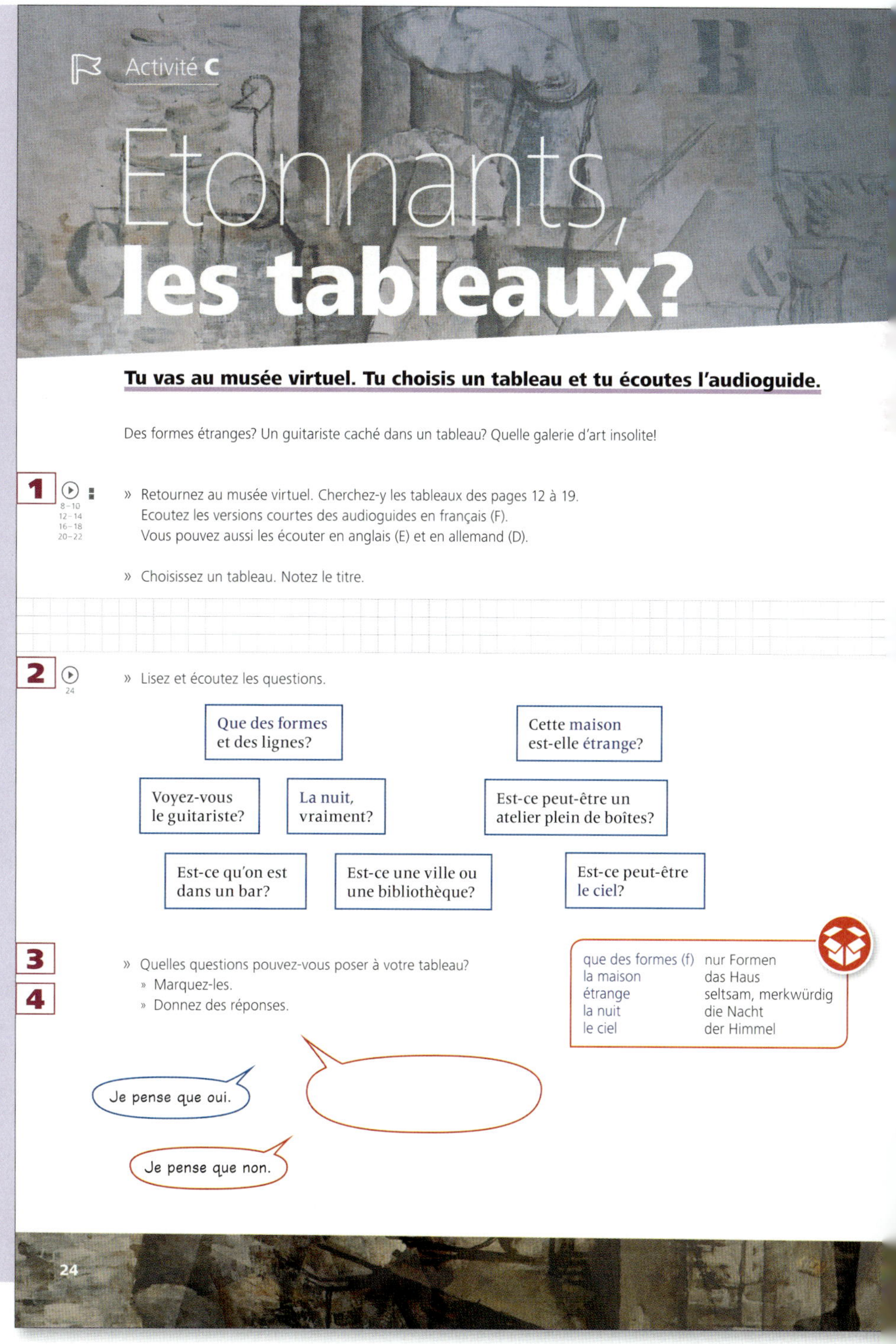
Activité C

Etonnants, les tableaux?

Tu vas au musée virtuel. Tu choisis un tableau et tu écoutes l'audioguide.

Des formes étranges? Un guitariste caché dans un tableau? Quelle galerie d'art insolite!

1 (8–10, 12–14, 16–18, 20–22)

» Retournez au musée virtuel. Cherchez-y les tableaux des pages 12 à 19.
Ecoutez les versions courtes des audioguides en français (F).
Vous pouvez aussi les écouter en anglais (E) et en allemand (D).

» Choisissez un tableau. Notez le titre.

2 (24)

» Lisez et écoutez les questions.

Que des formes et des lignes?
Cette maison est-elle étrange?
Voyez-vous le guitariste?
La nuit, vraiment?
Est-ce peut-être un atelier plein de boîtes?
Est-ce qu'on est dans un bar?
Est-ce une ville ou une bibliothèque?
Est-ce peut-être le ciel?

3
4

» Quelles questions pouvez-vous poser à votre tableau?
» Marquez-les.
» Donnez des réponses.

que des formes (f)	nur Formen
la maison	das Haus
étrange	seltsam, merkwürdig
la nuit	die Nacht
le ciel	der Himmel

1 Wenn nur wenige Computer zur Verfügung stehen, kann der Anfang der *activité* in der Klasse bearbeitet werden, indem man die Bilder im virtuellen Museum zusammen anschaut und die Audioguides im Klassenverband hört. Die Lernenden können sich die Bilder auch im *magazine* anschauen und sich die Audiodateien auf einem Tonträger anhören. Anschliessend entscheiden die Lernenden, über welches Bild sie mehr erfahren möchten.

2 Alle Fragen stammen aus dem Input. Zuordnung:

- Biblioteca: *Est-ce peut-être un atelier plein de boîtes? Est-ce une ville ou une bibliothèque?*
- L'Empire des lumières: *Cette maison est-elle étrange?/La nuit, vraiment?*
- Le Portugais: *Que des formes et des lignes?/Voyez-vous le guitariste? Est-ce qu'on est dans un bar?*
- Bleu de ciel: *Est-ce peut-être le ciel?*

3 Es ist möglich, dass eine Frage zu verschiedenen Bildern passt. Es gibt also bei der Zuordnung der Fragen zu den Bildern kein Richtig oder Falsch.

Activité **C**

Titres
Titel

Vocabulaire connu et mots parallèles
Bekannter Wortschatz und Parallelwörter

Deviner
Raten

Dictionnaires (en ligne)
(Online-)Wörterbücher

1 » Lisez et écoutez le texte du tableau choisi.
» Appliquez les stratégies.
» Utilisez le dictionnaire à la page 49.

11 15 19 23

2 » Préparez-vous à présenter le tableau.
» Lisez et écoutez les bulles.
» Notez quelques mots importants.

25

» Présentez le tableau à un autre groupe.

Il s'agit d'un/d'une...

On voit un/une/des...

Au premier plan, il y a...

A l'arrière-plan, on voit...

En haut, il y a...

En bas, on voit...

A gauche, on voit...

A droite, il y a...

au premier plan	im Vordergrund
à l'arrière-plan	im Hintergrund
en haut	oben
en bas	unten
à gauche	links
à droite	rechts

» Choisis un autre tableau. Lis et écoute le texte.

25

1 Die abgebildeten Kunstwerke und die Bildbeschreibungen wirken verspielt, was den Lernenden den Zugang zu dieser Welt, die für viele von ihnen wohl neu ist, vereinfacht. Bei der Bearbeitung des Textes sollen sie vieles erfassen. Es ist aber explizit nicht die Meinung, dass sie den Text wortwörtlich übersetzen. Ziel der Lektüre ist es, den Inhalt im Grossen und Ganzen zu verstehen und dem Text zusätzlich ein paar Einzelheiten zu entnehmen. Ein lückenloses Verstehen ist nicht vorgesehen.

Im *magazine* steht den Lernenden ein *dictionnaire* zur Verfügung, in dem viele sinntragende Wörter aus den Inputtexten übersetzt sind. Er kann sie beim Entschlüsseln unterstützen. In der *revue* ist die Strategiensammlung abgebildet, aus der die Lernenden unter «comprendre un texte» diejenigen Strategien auswählen können, die für sie zielführend sind. Die Lehrperson kann sie auf diese Sammlung aufmerksam machen. Die Strategie «Dictionnaire (en ligne)» kommt als letzte zur Anwendung, erst dann, wenn Lernende ein paar wenige unverstandene Wörter als so wichtig erachten, dass sie diese nachschlagen wollen.

2 Die farbig hinterlegten Sprechblasen zeigen an, dass diese Strukturen über kein grosses Transferpotenzial verfügen – sich also nicht ohne Weiteres auf andere Unterrichtssituationen übertragen lassen. Sie sind folglich auch nicht in der *revue* aufgeführt. Die Lernenden werden den Strukturen aber im Klassenwortschatz wieder begegnen. Ihnen steht ein Schreibfeld zur Verfügung, um sich einige wichtige Wörter zu notieren und sich so auf ihre Präsentation vorzubereiten.

4 Die Redemittel in den Sprechblasen bedürfen wohl keiner Einführung. Sie können mit Redemitteln aus der 6. Klasse angereichert werden:

» *A mon avis...*
» *J'ai marqué ça.*
» *C'est peut-être...*

Auf individuelle Bedürfnisse eingehen

Anforderungen erweitern
Erweiterte Textmenge
» Fragen mit Fragen aus dem Input anreichern (vgl. E, *magazine* Seite 24, Fragen)
» Fragen mit eigenen Fragen anreichern

Auf individuelle Bedürfnisse eingehen

Anforderungen reduzieren
Zusätzlicher Support
» Die Entschlüsselungshilfen von Mitschülerinnen und Mitschülern nutzen

Anforderungen erweitern
Lernen durch Lehren
» Eine Partnergruppe beim Entschlüsseln der Texte anleiten
Erweiterte Textmenge
» Sich über mehrere Bilder informieren

Ziel dieser *activité* ist die vertiefte Beschäftigung mit einem Bild nach Wahl und das Erfassen der Bildbeschreibung mit Hilfe von Entschlüsselungsstrategien. Das Vorgehen ist dasselbe wie in *activité* B. Die Lernenden sollen dabei den Inhalt im Grossen und Ganzen nachvollziehen können. Ein lückenloses Verstehen oder eine wortwörtliche Übersetzung ist nicht vorgesehen.

Als Erstes begeben sich die Lernenden wiederum ins *musée virtuel*, wo sie die vier im *magazine* abgedruckten Bilder betrachten, während sie sich die Kurztexte des Audioguides anhören. Anschliessend entscheiden sie sich für ein Bild, mit dem sie sich während dieser *activité* intensiver befassen wollen.

Ausgangspunkt der Beschäftigung sind Fragen aus den Inputtexten, die sich an das Bild stellen lassen. Damit wird ein Element aus den Texten fokussiert, das zum Gegenstand der Grammatikarbeit wird und in der Sprachproduktion der *tâche* zum Tragen kommt.

Für die Entschlüsselung der Bildbeschreibung im *magazine* steht den Lernenden der Text auch vertont und mit stimmungsvoller Musik unterlegt zur Verfügung. So begegnen sie einem Gesamtkunstwerk aus Bild, poetischem Text und Musik.

Im Anschluss an die Entschlüsselungsarbeit stellen die Lernenden ihr Bild Mitschülerinnen und Mitschülern vor. Sie treten in Interaktion und verwenden die Zielsprache, um in einfachen Worten über neue Inhalte zu sprechen. Dabei tragen sie das Wissen in der Gruppe zusammen und konstruieren somit ein gemeinsames Wissen.

Activité C

Etonnants, les tableaux?

Tu vas au musée virtuel. Tu choisis un tableau et tu écoutes l'audioguide.

Des formes étranges? Un guitariste caché dans un tableau? Quelle galerie d'art insolite!

1 8–10, 12–14, 16–18, 20–22

» Retournez au musée virtuel. Cherchez-y les tableaux des pages 12 à 19.
Ecoutez les versions courtes des audioguides en français (F).
Vous pouvez aussi les écouter en anglais (E) et en allemand (D).

» Choisissez un tableau. Notez le titre.

2 24

» Lisez et écoutez les questions.

Que des formes et des lignes? | S'agit-il de simples rectangles? | Cette maison est-elle étrange?

Des animaux peut-être? | Que sont ces formes étranges? | Est-ce peut-être un atelier plein de boîtes?

Voyez-vous le guitariste? | La nuit, vraiment? | C'est un monde de rêves? | Est-ce peut-être le ciel?

Est-ce qu'on est dans un bar? | Est-ce une ville ou une bibliothèque?

que des formes (f)	nur Formen
des rectangles (m)	Rechtecke
la maison	das Haus
étrange	seltsam, merkwürdig
la nuit	die Nacht
le ciel	der Himmel

3 » Quelles questions pouvez-vous poser à votre tableau?
» Marquez-les.

4 » Donnez des réponses.

Je pense que c'est un/une...

Je pense que oui.

Je pense que ce sont des...

Je pense que non.

24

1 Wenn nur wenige Computer zur Verfügung stehen, kann der Anfang der *activité* in der Klasse bearbeitet werden, indem man die Bilder im virtuellen Museum zusammen anschaut und die Audioguides im Klassenverband hört. Die Lernenden können sich die Bilder auch im *magazine* anschauen und sich die Audiodateien auf einem Tonträger anhören.
Anschliessend entscheiden die Lernenden, über welches Bild sie mehr erfahren möchten.

2 Alle Fragen stammen aus dem Input. Zuordnung:

» Biblioteca: *S'agit-il de simples rectangles?/Est-ce peut-être un atelier plein de boîtes?/Est-ce une ville ou une bibliothèque?*
» L'Empire des lumières: *Cette maison est-elle étrange?/La nuit, vraiment?*
» Le Portugais: *Que des formes et des lignes?/Voyez-vous le guitariste?/Est-ce qu'on est dans un bar?*
» Bleu de ciel: *Des animaux peut-être?/Que sont ces formes étranges?/C'est un monde de rêves?/Est-ce peut-être le ciel?*

3 Es ist möglich, dass eine Frage zu verschiedenen Bildern passt. Es gibt also bei der Zuordnung der Fragen zu den Bildern kein Richtig oder Falsch.

Activité C

Titres
Titel

Vocabulaire connu et mots parallèles
Bekannter Wortschatz und Parallelwörter

Deviner
Raten

Dictionnaires (en ligne)
(Online-)Wörterbücher

1 » Lisez et écoutez le texte du tableau choisi.
» Appliquez les stratégies.
» Utilisez le dictionnaire à la page 49.

11 15 19 23

2 » Préparez-vous à présenter le tableau.
» Lisez et écoutez les bulles.
» Notez quelques mots importants.

25

» Présentez le tableau à un autre groupe.

Le tableau montre un/une/des...

Il s'agit d'un/d'une...

On voit un/une/des...

Au premier plan, il y a...

A l'arrière-plan, on voit...

En haut, il y a...

En bas, on voit...

A gauche, on voit...

A droite, il y a...

le tableau montre	das Bild zeigt
au premier plan	im Vordergrund
à l'arrière-plan	im Hintergrund
en haut	oben
en bas	unten
à gauche	links
à droite	rechts

» Choisis un autre tableau. Lis et écoute le texte.

25

1 Die abgebildeten Kunstwerke und die Bildbeschreibungen wirken verspielt, was den Lernenden den Zugang zu dieser Welt, die für viele von ihnen wohl neu ist, vereinfacht. Bei der Bearbeitung des Textes sollen sie vieles erfassen. Es ist aber explizit nicht die Meinung, dass sie den Text wortwörtlich übersetzen. Ziel der Lektüre ist es, den Inhalt im Grossen und Ganzen zu verstehen und dem Text zusätzlich ein paar Einzelheiten zu entnehmen. Ein lückenloses Verstehen ist nicht vorgesehen.

Im *magazine* steht den Lernenden ein *dictionnaire* zur Verfügung, in dem viele sinntragende Wörter aus den Inputtexten übersetzt sind. Er kann sie beim Entschlüsseln unterstützen. In der *revue* ist die Strategiensammlung abgebildet, aus der die Lernenden unter «comprendre un texte» diejenigen Strategien auswählen können, die für sie zielführend sind. Die Lehrperson kann sie auf diese Sammlung aufmerksam machen. Die Strategie «Dictionnaire (en ligne)» kommt als letzte zur Anwendung, erst dann, wenn Lernende ein paar wenige unverstandene Wörter als so wichtig erachten, dass sie diese nachschlagen wollen.

2 Die farbig hinterlegten Sprechblasen zeigen an, dass diese Strukturen über kein grosses Transferpotenzial verfügen – sich also nicht ohne Weiteres auf andere Unterrichtssituationen übertragen lassen. Sie sind folglich auch nicht in der *revue* aufgeführt. Die Lernenden werden den Strukturen aber im Klassenwortschatz wieder begegnen. Ihnen steht ein Schreibfeld zur Verfügung, um sich einige wichtige Wörter zu notieren und sich so auf ihre Präsentation vorzubereiten.

4 Die Redemittel in den Sprechblasen bedürfen wohl keiner Einführung. Sie können mit Redemitteln aus der 6. Klasse angereichert werden:

» *A mon avis...*
» *J'ai marqué ça.*
» *C'est peut-être...*

Auf individuelle Bedürfnisse eingehen

Anforderungen reduzieren
Reduzierte Textmenge
» Fragenauswahl verringern (vgl. G, *magazine* Seite 24, Fragen)

Anforderungen erweitern
Erweiterte Textmenge
» Fragen mit eigenen Fragen anreichern

Auf individuelle Bedürfnisse eingehen

Anforderungen reduzieren
Zusätzlicher Support
» Die Entschlüsselungshilfen von Mitschülerinnen und Mitschülern nutzen

Anforderungen erweitern
Lernen durch Lehren
» Eine Partnergruppe beim Entschlüsseln der Texte anleiten
Erweiterte Textmenge
» Sich über mehrere Bilder informieren

In dieser farbenfrohen *activité* beschäftigen sich die Lernenden intensiv mit den Bezeichnungen für Farben in der französischen Sprache und erwerben damit Wortschatz, der in der *tâche* und in verschiedenen Alltagssituationen Verwendung finden kann. Zudem arbeiten sie an den beiden Kompetenzzielen «Ich kann über ein Bild sprechen» und «Ich kann in der Gruppe Französisch sprechen».

Im fakultativen Teil der *activité* vergleichen sie Bezeichnungen von Farbnuancen in der französischen, deutschen und möglicherweise in weiteren Sprachen, was zur Entwicklung der Sprachbewusstheit beiträgt.

1 Die Lernenden begegnen französischen Farbbezeichnungen nicht zum ersten Mal. Bereits in der Primarschule haben sie einzelne Farbnamen gelernt.

2 Die Lernenden können Farbnamen mit den Bezeichungen *clair* oder *foncé* ergänzen, Farbbezeichnungen von den Seiten 28 und 29 übernehmen oder mit Hilfe von Nomen eigene Farbbezeichungen kreieren.

Activité **D**

Bleu **ciel**

Tu parles des couleurs d'un tableau.

1 » Lisez et écoutez les noms des couleurs. (26)

2 » Ajoutez d'autres noms couleurs.

bleu – bleue
Adjektive passen sich in Geschlecht und Zahl dem Nomen an.
- un jean **bleu**
- une veste **bleue**

jaune citron

...

bleu clair

rouge foncé

brun foncé
Zusammengesetzte Adjektive sind unveränderlich.
- une veste **brun foncé**

26

Activité **D**

1 Vous avez vu le tabelau «Bleu de ciel» à la page 18.
Dans son livre «Kunst aufräumen», Ursus Wehrli a rangé les formes d'après les couleurs.
» Regardez le résultat.

2 Ursus Wehrli a fait la même chose avec un tableau de l'artiste Keith Haring.
Dans ce tableau, il y a 14 formes orange foncé et 10 formes bleues.
3 » Complète la grille sans compter.

	30
	28
	28
	25
	20
	18
orange foncé	14
	12
	11
bleu	10

4 » Echangez vos notes.

A mon avis, il y a moins de formes...

Je pense qu'il y a... formes...

A mon avis, il y a plus de formes...

» Regardez les solutions à la page 50.

27

1 Die Lernenden begegnen hier dem Bild «Bleu de ciel» aus dem Imput in veränderter Form. In seiner Publikation «Kunst aufräumen» hat der Künstler und Komiker Ursus Wehrli (Ursus und Nadeschkin) die Formen nach Farben geordnet und somit das Bild aufgeräumt.

Mittlerweile gibt es mehrere Bücher von Ursus Wehrli zum Thema «Kunst aufräumen». Möglicherweise können sie Anregung sein, sich im Fach «Bildnerisches Gestalten» mit weiteren Bildern zu beschäftigen. Angaben zu Büchern finden sich auf der Website www.kunstaufraeumen.ch, wo auch Videos zur Verfügung stehen, die Ursus Wehrli bei der Arbeit zeigen.

2 Das Bild von Keith Haring aus dem Jahre 1986 trägt keinen Titel. Es besticht durch die Vielfalt an Farben und Formen.

3 Die Lernenden überlegen sich, welche Farben wohl wie oft in Keith Harings Bild vorkommen. Dabei geht es nicht ums Zählen, sondern ums Schätzen. Folgende Farben werden in den Lösungen angegeben: *jaune, rose, violet, vert clair, rouge, blanc, orange foncé, orange clair, vert foncé, bleu.*

4 Das Vergleichen der Schätzungen bietet Anlass für ein Gespräch in der Zielsprache. Es empfiehlt sich, im Voraus sicherzustellen, dass die Lernenden die Redemittel in den Sprechblasen sowohl verstehen als auch aussprechen können, damit der Austausch ausschliesslich auf Französisch stattfinden kann.

Die Verwendung der Farbnamen hat zum Ziel, dass die Lernenden die Ausdrücke schon jetzt memorieren, am Ende des *parcours* zur Verfügung haben und möglichst frei verwenden können. Einige Farbbezeichnungen haben auch Einzug in den Klassenwortschatz in *activité* G gefunden.

1 Die Lernenden sind eingeladen, auf freiwilliger Basis Formen aus dem Bild abzuzeichnen und gegenseitig zu erraten, um welche Form es sich handelt. Dabei tauschen sie sich wiederum in der Zielsprache aus und wälzen die Farbnamen und die Ortsangaben ein weiteres Mal um.

2 Die Lernenden können die Farbbezeichnungen lesen und hören, zudem stehen ihnen Bilder und Übersetzungen zur Vefügung, die das Verstehen der bildhaften Ausdrücke absichern.

3 Die Schülerinnen und Schüler vergleichen deutsche und französische Namen für Farbnuancen. Der Sprachvergleich lässt sich auf weitere Sprachen ausweiten, indem die zweite Fremdsprache Englisch oder die Herkunftssprachen der Lernenden miteinbezogen werden. So entdecken die Schülerinnen und Schüler Gemeinsamkeiten und Unterschiede in den bildhaften Ausdrücken verschiedener Sprachen.

Folgende bildhaften Ausdrücke finden sich beispielsweise in der deutschen Sprache:

» tomatenrot, feuerrot, weinrot, purpurrot, rostrot, blutrot, kupferrot, himbeerrot …
» lachsrosa, schweinchenrosa …
» kastanienbraun, kaffeebraun, kakaobraun …
» mausgrau, aschgrau, elefantengrau …
» himmelblau, königsblau, eisblau, tintenblau, jeansblau …
» zitronengelb, senfgelb, sonnenblumengelb, goldgelb, strohgelb …
» grasgrün, giftgrün, olivgrün, moosgrün, lindgrün …
» …

Die Lernenden entdecken die grosse Bandbreite der Farbnuancen und erweitern so ihren Wortschatz – sowohl in der Ziel- als auch in der Schulsprache Deutsch. Ausserdem wird ihre Fantasie angeregt. Weitere deutsche Farbnuancen findet man auf der Internetseite color-check.com/farbnamen.

Eine Sammlung von französischen Farbnamen lassen sich auf der Internetseite srf.wikipedia.org/wiki/Liste_de_noms_de_couleur abrufen.

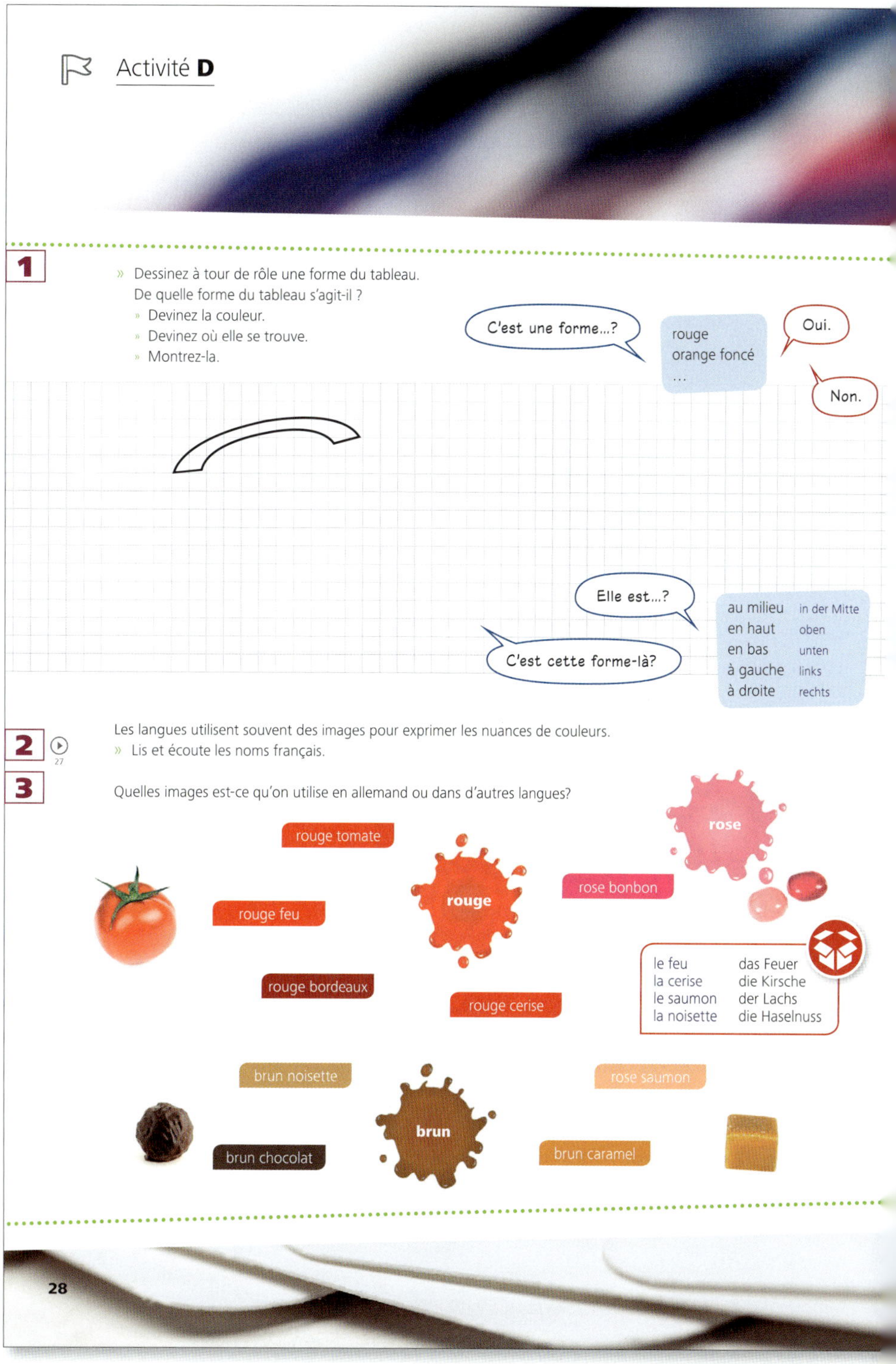

Activité **D**

1 » Dessinez à tour de rôle une forme du tableau.
De quelle forme du tableau s'agit-il ?
» Devinez la couleur.
» Devinez où elle se trouve.
» Montrez-la.

C'est une forme…?
rouge
orange foncé
…
Oui.
Non.
Elle est…?
C'est cette forme-là?

au milieu	in der Mitte
en haut	oben
en bas	unten
à gauche	links
à droite	rechts

2 Les langues utilisent souvent des images pour exprimer les nuances de couleurs.
» Lis et écoute les noms français.

3 Quelles images est-ce qu'on utilise en allemand ou dans d'autres langues?

rouge tomate
rouge feu
rouge
rouge bordeaux
rouge cerise
rose
rose bonbon

le feu	das Feuer
la cerise	die Kirsche
le saumon	der Lachs
la noisette	die Haselnuss

brun noisette
brun chocolat
brun
rose saumon
brun caramel

28

Unter en.wikipedia.org/wiki/List_of_colors findet sich eine Sammlung von englischen Farbnamen wie zum Beispiel:

» *tomato, cherry*
» *candy pink, salomon pink*
» *chocolate*
» *pearl grey*
» *Yankees blue, sky blue*
» *lemon yellow, banana yellow*
» *olive, avocado, mint green*
» …

Auf individuelle Bedürfnisse eingehen

Anforderungen erweitern
Selbstständiger Wortschatzerwerb
» Farbausdrücke in den persönlichen Wortschatz aufnehmen
Erstellung von Unterrichtshilfen
» Der Klasse französische Farbausdrücke auf einem Plakat zur Verfügung stellen
Weiterführende Aufgabe
» Farbausdrücke in anderen Sprachen recherchieren und damit ein Plakat gestalten

Activité **D**

gris souris

gris perle

gris

le canard	die Ente
le ciel	der Himmel

28

bleu canard

bleu

bleu marine

bleu ciel

jaune canari

jaune paille

jaune citron

jaune

jaune banane

jaune moutarde

vert bouteille

vert épinard

vert

vert olive

menthe

vert avocat

vert pomme

le canari	der Kanarienvogel
la paille	das Stroh
la moutarde	der Senf
la bouteille	die Flasche
l'épinard (m)	der Spinat
la pomme	der Apfel

In dieser *activité* werden Frageformen fokussiert. Grundlage der Sprachbetrachtung sind Fragen aus den Inputtexten. Die Lernenden vergleichen die drei Formen, bevor sie die Einsichten anwenden.

In der 6. Klasse haben die Lernenden verschiedene Fragewörter verwendet. Die Thematik der Fragen wird im Sinne eines zyklischen Lernprozesses wieder aufgegriffen und mit der Einsicht erweitert, dass es drei Frageformen gibt.

Der Aufbau der *activité* erfolgt nach dem Grundprinzip des kooperativen Lernens, welches die drei Phasen D – A – V (Denken, Austauschen und Vorstellen) vorsieht.

Activité **E**

Voyez-vous **le guitariste?**

Tu découvres différentes formes pour poser des questions.

1 29 » Lisez et écoutez les questions.

Vous voyez le guitariste?
Est-ce que vous voyez le guitariste?
Voyez-vous le guitariste?

On est dans un bar?
Est-ce qu' on est dans un bar?
Est-on dans un bar?

Il s'agit d'une affiche?
Est-ce qu' il s'agit d'une affiche?
S'agit-il d'une affiche?

2 » Notez vos observations.

3 » Echangez vos observations.

4 » Présentez vos résultats en classe.

Man braucht...
die 1. Form vor allem mündlich
Vous voyez...?
die 2. Form mündlich und schriftlich
Est-ce que vous voyez...?
die 3. Form vor allem schriftlich
Voyez-vous...?

30

1 Die Fragen sind dem Inputtext «Le Portugais» (Seite 17) entnommen.

2 Nach dem Prinzip des kooperativen Lernens sollten zunächst alle Lernenden die Möglichkeit haben, selber eine Einsicht zu gewinnen. Da die Entdeckungsarbeit ziemlich anspruchsvoll ist, findet sie in Partnerarbeit statt. So können sich die Lernenden gegenseitig beim Entdecken unterstützen.

Als Erstes untersuchen sie die vier Fragen, die je in den drei Frageformen (Intonationsfrage, *Est-ce que*-Frage und Inversionsfrage) vorliegen, und halten ihre Beobachtungen im Schreibfeld fest.

Mögliche Entdeckungen:
Es gibt drei verschiedene Arten, um eine Frage zu stellen:

1. Frage mit der Stimme/Satzmelodiefrage/Tonhöhefrage... Gleiche Satzstellung wie im deutschen Aussagesatz.
2. Frage mit *Est-ce que/Est-ce que*-Frage... Gleiche Satzstellung wie im deutschen Aussagesatz, aber mit «Est-ce que» davor.
3. Inversionsfrage/Umkehrungsfrage/Umstellungsfrage/Umdrehfrage/Vertauschfrage/Bindestrich-Frage... Gleiche Satzstellung wie im deutschen Fragesatz.

3 Nach dem Prinzip des kooperativen Lernens folgt auf die Phase des Denkens der Austausch. Die Lernenden besprechen ihre Einsichten und verifizieren, ergänzen oder korrigieren ihre Notizen.

4 In der dritten Phase, dem Vorstellen, werden die Ergebnisse in der Klasse zusammengetragen und besprochen. Die Lehrperson kann den Lernenden auch den Auftrag geben, Namen für die verschiedenen Frageformen zu suchen. Die Vorschläge können zusammengetragen werden, bevor ein Name vereinbart wird.

Beim Zusammentragen der Informationen sollte auch auf das grüne Info-Kästchen eingegangen werden: Die Information, dass das Benutzen der unterschiedlichen Frageformen situationsabhängig sein kann, ist für die Lernenden neu.

Activité **E**

1 » Choisissez quelques questions. Mettez-les dans une autre forme.

Il s'agit de Lisbonne?

On voit un parc?

On est dans un atelier?

Tu vois les boîtes?

Il s'agit de dictionnaires?

Vous voyez les livres?

Est-ce qu'il s'agit de Lisbonne?

Voyez-vous les livres?

» Regardez les solutions à la page 50.

31

Auf individuelle Bedürfnisse eingehen

Anforderungen reduzieren
Stoffreduktion
» Die Frageform mit Inversion nicht thematisieren

Anforderungen erweitern
Selbstständigeres Vorgehen durch Einzelarbeit
» Die Frageformen in Einzelarbeit untersuchen und die Entdeckung mit einer Partnerin / einem Partner austauschen (vgl. E, *magazine* Seite 30)

1 Diese Fragen lassen sich an das Bild «Biblioteca» auf Seite 12 stellen. Sie entsprechen der ersten Frageform (Intonationsfrage).

Die Lernenden sind eingeladen, in Partnerarbeit einige Fragen auszuwählen und in die zweite (*Est-ce que*) oder in die dritte Frageform (Inversion) zu setzen.

Vielleicht kann es den Schülerinnen und Schülern helfen, zwischendurch zum Inputtext auf Seite 13 zurückzublättern, um sich dort die beiden anderen Frageformen nochmals zu vergegenwärtigen.

Auf individuelle Bedürfnisse eingehen

Anforderungen reduzieren
Vorentlastung
» Einige Beispiele gemeinsam notieren

Anforderungen erweitern
Erweiterte Textmenge
» Mehr Fragen in andere Formen setzen (vgl. E, *magazine* Seite 31)
» Fragen aus dem Klassenwortschatz in andere Formen setzen (vgl. E, *magazine* Seite 31)

1 Alle Fragen sind den Inputtexten entnommen. Sie enthalten Fragewörter.

2 In den Satzbeispielen kommen folgende Fragewörter vor:
» *D'où?* = Woher?
» *Où?* = Wo?
» *Que?* = Was?
» *Qui?* = Wer?
» *Pourquoi?* = Warum?

Die Fragewörter sind für die Lernenden nicht neu. Sie haben im Klassenwortschatz von *magazine* 6.1 bereits *Quand?, Où?, Qui?, Pour quoi faire?, Pour qui?, Comment?* und von *magazine* 6.2 *Que?, Quel/Quelle/Quels/Quelles?, Où?* und *Pourquoi?* gelernt.

3 Zum Schluss halten die Lernenden ihre Einsichten in der *revue* fest. Sie beschreiben die Regeln mit eigenen Worten, erstellen Skizzen oder Schemata und notieren Beispiele. Den Eintrag besprechen sie mit ihren Mitschülerinnen und Mitschülern und können ihn auch ergänzen. Die Lernenden haben die Möglichkeit, ihren Eintrag immer wieder mit neuen Entdeckungen anzureichern.

Die *revue* ist sowohl eine Lernhilfe, weil man sich Regeln, die man selber dargestellt hat, besser merken kann, als auch eine Referenzgrammatik, da sie zum Nachschlagen verwendet werden kann.

Auf individuelle Bedürfnisse eingehen

Anforderungen reduzieren
Unterstützung durch Plenum
» Mit den Lernenden, die dies wünschen, die Fragewörter gemeinsam aufschreiben und besprechen
Vorentlastung
» Den Klassenwortschatz *magazine* 6.1, *parcours* 2 und *magazine* 6.2, *parcours* 1 repetieren

Anforderungen erweitern
Weiterführende Aufgabe
» Die dritte Frageform fokussieren (vgl. E, *magazine* Seite 32)

Activité **E**

1 30 » Lisez et écoutez les questions.

D'où vient ce chameau?
Où se déroule cette scène?
Que sont ces formes étranges?
Qui est ce garçon?
Pourquoi cette maison est-elle si étrange?

les mots interrogatifs
die Fragewörter

2 » Marquez les mots interrogatifs.

» Notez les mots interrogatifs.

Wer	
Was	
Woher	D'où
Warum	
Wo	

3 » Note tes découvertes sur les questions dans la revue.

32

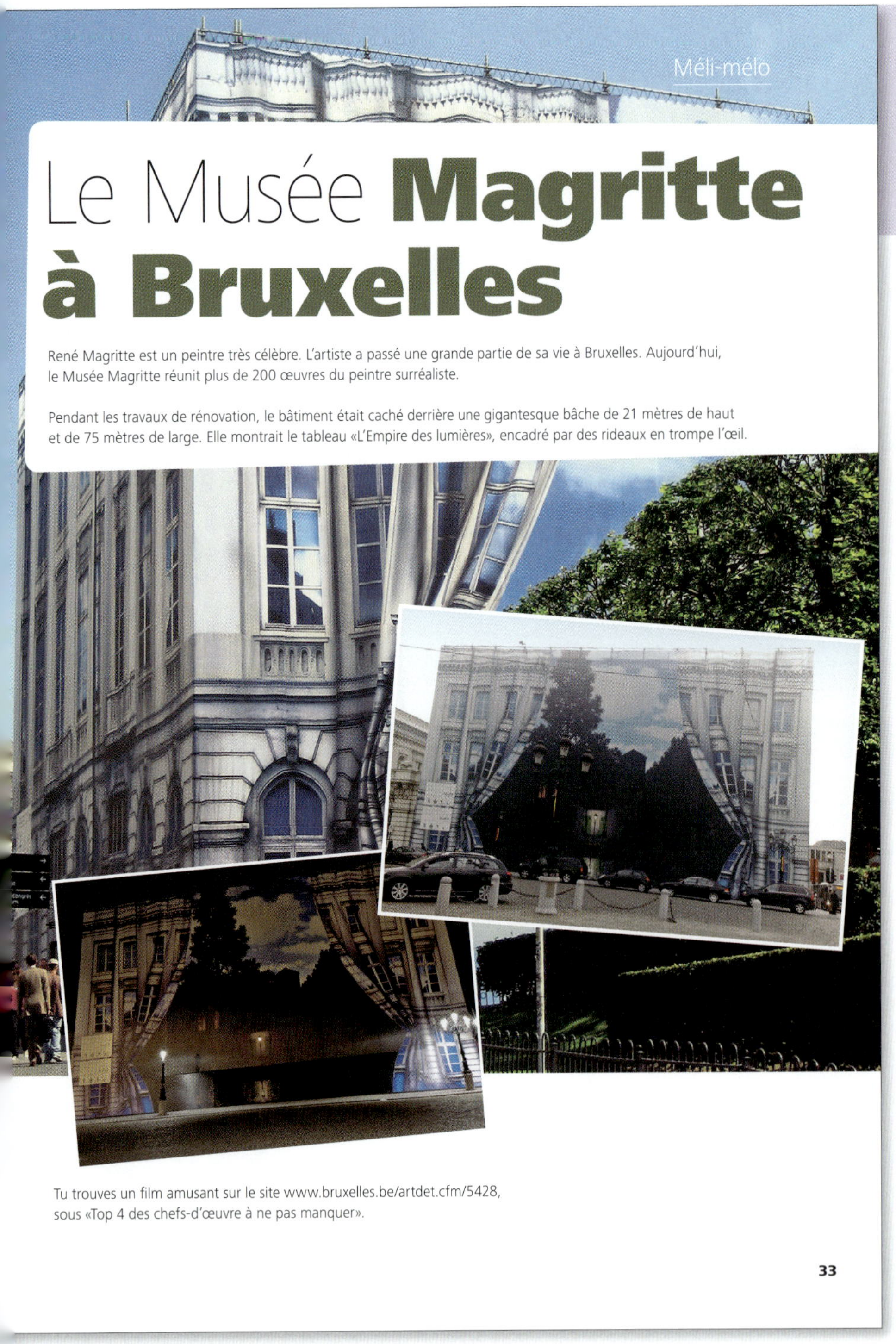

Méli-mélo

Le Musée **Magritte à Bruxelles**

René Magritte est un peintre très célèbre. L'artiste a passé une grande partie de sa vie à Bruxelles. Aujourd'hui, le Musée Magritte réunit plus de 200 œuvres du peintre surréaliste.

Pendant les travaux de rénovation, le bâtiment était caché derrière une gigantesque bâche de 21 mètres de haut et de 75 mètres de large. Elle montrait le tableau «L'Empire des lumières», encadré par des rideaux en trompe l'œil.

Tu trouves un film amusant sur le site www.bruxelles.be/artdet.cfm/5428, sous «Top 4 des chefs-d'œuvre à ne pas manquer».

33

Der Rubrik *méli-mélo* sind die Lernenden im *magazine* 7.1 zum ersten Mal begegnet. Hier wird ein Sammelsurium an Inhalten angeboten, das nicht didaktisiert ist und sich an motivierte oder bilinguale Lernende richtet.

René Magritte (1898–1967) gilt als einer der bekanntesten belgischen Maler des 20. Jahrhunderts.

Das Magritte Museum ist Teil der «Königlichen Museen der Schönen Künste», die die Gemälde- und Skulpturensammlungen des belgischen Staates in Brüssel beherbergen. Zustande kam das Magritte Museum dank der Initiative von Michel Draguet, Magritte-Experte und Generaldirektor der «Königlichen Museen der Schönen Künste». Vorbilder für das Magritte Museum waren die Museen für Vincent van Gogh in Amsterdam und für Paul Klee in Bern.

Das Museum beherbergt die grösste Sammlung von Werken des Künstlers weltweit. Mehr Informationen finden sich unter: www.musee-magritte-museum.be

Das Magritte Museum ist übrigens bereits das zweite Museum in der Region Brüssel, das dem Künstler René Magritte Anerkennung zollt. Seit 1999 gibt es das kleine und privat geführte «René Magritte Museum», das sich im selben Haus befindet, in welchem Magritte über 20 Jahre lang lebte und zahlreiche Werke schuf.

In dieser *activité* werden Frageformen fokussiert. Grundlage der Sprachbetrachtung sind Fragen aus den Inputtexten. Die Lernenden vergleichen die drei Formen, bevor sie die Einsichten anwenden.

In der 6. Klasse haben die Lernenden verschiedene Fragewörter verwendet. Die Thematik der Fragen wird im Sinne eines zyklischen Lernprozesses wieder aufgegriffen und mit der Einsicht erweitert, dass es drei Frageformen gibt.

Der Aufbau der *activité* erfolgt nach dem Grundprinzip des kooperativen Lernens, welches die drei Phasen D – A – V (Denken, Austauschen und Vorstellen) vorsieht.

Activité **E**

Voyez-vous **le guitariste?**

Tu découvres différentes formes pour poser des questions.

1 29 » Lis et écoute les questions.

Vous voyez le guitariste?
Est-ce que vous voyez le guitariste?
Voyez-vous le guitariste?

On est dans un bar?
Est-ce qu' on est dans un bar?
Est-on dans un bar?

Il s'agit d'une affiche?
Est-ce qu' il s'agit d'une affiche?
S'agit-il d'une affiche?

C' est un homme?
Est-ce que c' est un homme?
Est-ce un homme?

2 » Note tes observations.

On utilise...
la 1re forme surtout à l'oral
Vous voyez...?
la 2e forme à l'oral et à l'écrit
Est-ce que vous voyez...?
la 3e forme surtout à l'écrit
Voyez-vous...?

3 » Echangez vos observations.

4 » Présentez vos résultats en classe.

30

1 Die Fragen sind dem Inputtext «Le Portugais» (Seite 17) entnommen.

2 Nach dem Prinzip des kooperativen Lernens haben zunächst alle Lernenden die Möglichkeit, selber eine Einsicht zu gewinnen.

Als Erstes untersuchen sie die vier Fragen, die je in den drei Frageformen (Intonationsfrage, *Est-ce que*-Frage und Inversionsfrage) vorliegen und halten ihre Beobachtungen im Schreibfeld fest.

Mögliche Entdeckungen, welche die Lernenden festhalten könnten:
Es gibt drei verschiedene Arten, um eine Frage zu stellen:

1. Frage mit der Stimme/Satzmelodiefrage/Tonhöhefrage/Kontextfrage... Gleiche Satzstellung wie im deutschen Aussagesatz.
2. Frage mit *Est-ce que/Est-ce que*-Frage... Gleiche Satzstellung wie im deutschen Aussagesatz, aber mit «Est-ce que» davor.
3. Umkehrungsfrage/Umstellungsfrage/Umdrehfrage/Vertauschfrage/Bindestrich-Frage... Gleiche Satzstellung wie im deutschen Fragesatz.

3 Nach dem Prinzip des kooperativen Lernens folgt auf die Phase des Denkens der Austausch. Die Lernenden besprechen ihre Einsichten und verifizieren, ergänzen oder korrigieren ihre Notizen.

4 In der dritten Phase, dem Vorstellen, werden die Ergebnisse in der Klasse zusammengetragen und besprochen. Die Lehrperson kann den Lernenden auch den Auftrag geben, Namen für die verschiedenen Frageformen zu suchen. Die Vorschläge können zusammengetragen werden, bevor ein Name vereinbart wird.

Beim Zusammentragen der Informationen sollte auch auf das grüne Info-Kästchen eingegangen werden: Die Information, dass das Benutzen der unterschiedlichen Frageformen situationsabhängig sein kann, ist für die Lernenden neu.

Activité **E**

1 » Choisissez quelques questions. Mettez-les dans une autre forme.

Il s'agit de Lisbonne?

On voit un parc?

On est dans un atelier?

Tu vois les boîtes?

C' est une bibliothèque?

C' est une ville?

Vous voyez les livres?

Il s'agit de dictionnaires?

S'agit-il de dictionnaires?

Est-ce que c'est une ville?

» Regardez les solutions à la page 50.

2 » Mettez les questions à la page 37 dans d'autres formes.
» Regardez les solutions à la page 50.

31

1 Diese Fragen lassen sich an das Bild «Biblioteca» auf Seite 12 stellen. Sie entsprechen der ersten Frageform (Intonationsfrage).

Die Lernenden sind eingeladen, in Partnerarbeit einige Fragen auszuwählen und in die zweite (*Est-ce que*) oder in die dritte Frageform (Inversion) zu setzen.

Vielleicht kann es den Schülerinnen und Schülern helfen, zwischendurch zum Inputtext auf Seite 13 zurückzublättern, um sich dort die beiden anderen Frageformen nochmals zu vergegenwärtigen.

2 Die Lernenden können sich auf freiwilliger Basis mit den Fragen aus dem Klassenwortschatz Seite 37 beschäftigen und diese wahlweise in die beiden anderen Frageformen setzen.

Im Klassenwortschatz kommen folgende Fragen vor:

» *Ça se passe à/en...?*
» *Est-ce qu'on est à/en...?*
» *S'agit-il d'un/d'une...?*
» *Est-ce peut-être un/une...?*
» *Est-ce vraiment un/une... ?*
» *Voyez-vous le/la/les...?*
» *C'est possible?*

Die Lernenden beschäftigen sich an dieser Stelle nicht nur mit den Frageformen, sie üben bereits implizit Klassenwortschatz ein.

Auf individuelle Bedürfnisse eingehen

Anforderungen reduzieren
Vorentlastung
» Einige Beispiele gemeinsam notieren

Anforderungen erweitern
Erweiterte Textmenge
» Weitere Fragen aus den Imputtexten in andere Formen setzen

Auf individuelle Bedürfnisse eingehen

Anforderungen reduzieren
Reduzierte Textmenge
» Weniger Fragen untersuchen (vgl. G, *magazine* Seite 30)
Unterstützung durch Partnerarbeit
» Die Frageformen in Partnerarbeit untersuchen und die Entdeckung mit einer anderen Gruppe austauschen (vgl. G, *magazine* Seite 30)

1 Auch diese Fragen könnten an die Inputbilder gestellt werden (zum Beispiel an «Bleu de ciel», Seite 18, oder an «L'Empire des lumières», Seite 14).

Die Lernenden fokussieren hier gezielt die Inversionsfrage. Sie könnten folgende Hypothesen dazu bilden:

» Nach dem Verb wird zusätzlich *il* oder *elle* eingefügt und mit einem Bindestrich verbunden.
» Das Subjekt *(ciel, maison, guitariste)* wird mit *il*, *elle* (er, es) verdoppelt.

2 Die Lösung lautet: *Le guitariste est-il un Portugais?*

3 Alle Fragen sind den Inputtexten entnommen. Sie enthalten Fragewörter.

4 In den Satzbeispielen kommen folgende Fragewörter vor:

» *D'où?* = Woher?
» *Où?* = Wo?
» *Que?* = Was?
» *Qui?* = Wer?
» *Pourquoi?* = Warum?

Die Fragewörter sind für die Lernenden nicht neu. Sie haben im Klassenwortschatz von *magazine* 6.1 bereits *Quand?, Où?, Qui?, Pour quoi faire?, Pour qui?, Comment?* und von *magazine* 6.2 *Que?, Quel/Quelle/Quels/Quelles?, Où?* und *Pourquoi?* gelernt.

5 Zum Schluss halten die Lernenden ihre Einsichten in der *revue* fest. Sie beschreiben die Regeln mit eigenen Worten, erstellen Skizzen oder Schemata und notieren Beispiele. Den Eintrag besprechen sie mit ihren Mitschülerinnen und Mitschülern und können ihn auch ergänzen. Die Lernenden haben die Möglichkeit, ihren Eintrag immer wieder mit neuen Entdeckungen anzureichern.

Die *revue* ist sowohl eine Lernhilfe, weil man sich Regeln, die man selber dargestellt hat, besser merken kann, als auch eine Referenzgrammatik, da sie zum Nachschlagen verwendet werden kann.

Activité E

1 (30) » Lis et écoute les questions. Analyse la 3e forme.

Le ciel est bleu clair?
Est-ce que le ciel est bleu clair?
Le ciel est-il bleu clair?

Cette maison est étrange?
Est-ce que cette maison est étrange?
Cette maison est-elle étrange?

2 » Note la 3e forme.

Le guitariste est un Portugais?
Est-ce que le guitariste est un Portugais?
____

» Explique la 3e forme à un/une partenaire.

3 (31) » Lisez et écoutez les questions.

D'où vient ce chameau?
Où se déroule cette scène?
Que sont ces formes étranges?
Qui est ce garçon?
Pourquoi cette maison est-elle si étrange?

les mots interrogatifs
die Fragewörter

4 » Marquez les mots interrogatifs.

» Notez les mots interrogatifs en français et en allemand.

D'où Woher

Connaissez-vous d'autres mots interrogatifs?
» Notez-les.

5 » Note tes découvertes sur les questions dans la revue.

32

Auf individuelle Bedürfnisse eingehen

Anforderungen reduzieren
Vorentlastung
» Den Klassenwortschatz *magazine* 6.1, *parcours* 2 und *magazine* 6.2, *parcours* 1, repetieren

Anforderungen erweitern
Erstellung von Unterrichtshilfen
» Die Frageformen auf einem Plakat für die Klasse zur Verfügung stellen

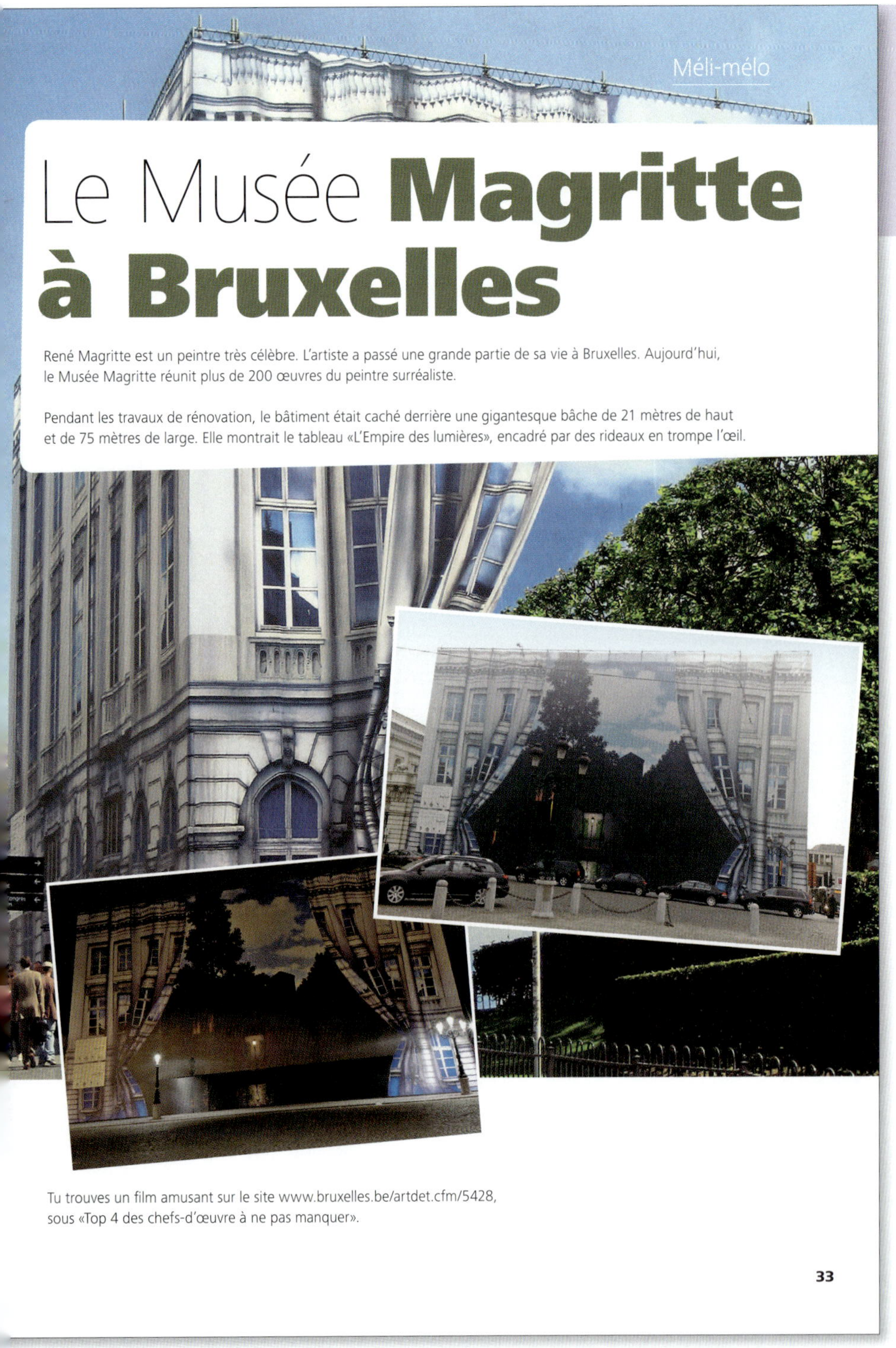

Méli-mélo

Le Musée **Magritte à Bruxelles**

René Magritte est un peintre très célèbre. L'artiste a passé une grande partie de sa vie à Bruxelles. Aujourd'hui, le Musée Magritte réunit plus de 200 œuvres du peintre surréaliste.

Pendant les travaux de rénovation, le bâtiment était caché derrière une gigantesque bâche de 21 mètres de haut et de 75 mètres de large. Elle montrait le tableau «L'Empire des lumières», encadré par des rideaux en trompe l'œil.

Tu trouves un film amusant sur le site www.bruxelles.be/artdet.cfm/5428, sous «Top 4 des chefs-d'œuvre à ne pas manquer».

33

Der Rubrik *méli-mélo* sind die Lernenden im *magazine* 7.1 zum ersten Mal begegnet. Hier wird ein Sammelsurium an Inhalten angeboten, das nicht didaktisiert ist und sich an motivierte oder bilinguale Lernende richtet.

René Magritte (1898–1967) gilt als einer der bekanntesten belgischen Maler des 20. Jahrhunderts.

Das Magritte Museum ist Teil der «Königlichen Museen der Schönen Künste», die die Gemälde- und Skulpturensammlungen des belgischen Staates in Brüssel beherbergen. Zustande kam das Magritte Museum dank der Initiative von Michel Draguet, Magritte-Experte und Generaldirektor der «Königlichen Museen der Schönen Künste». Vorbilder für das Magritte Museum waren die Museen für Vincent van Gogh in Amsterdam und für Paul Klee in Bern.

Das Museum beherbergt die grösste Sammlung von Werken des Künstlers weltweit. Mehr Informationen finden sich unter: www.musee-magritte-museum.be

Das Magritte Museum ist übrigens bereits das zweite Museum in der Region Brüssel, das dem Künstler René Magritte Anerkennung zollt. Seit 1999 gibt es das kleine und privat geführte «René Magritte Museum», das sich im selben Haus befindet, in welchem Magritte über 20 Jahre lang lebte und zahlreiche Werke schuf.

Die Lernenden schauen den Ausschnitt eines Filmes über Catherine Louis. Dabei beobachten sie die Künstlerin aus La Chaux-de-Fonds bei der Arbeit in ihrem Atelier. Dadurch kommen die Schülerinnen und Schüler nicht nur mit dem fertigen Kunstwerk in Berührung, sondern sehen auch, wie es entsteht. Gleichzeitig wird damit ein Teil des Lernziels aus Kompetenzbereich II bearbeitet: «Ich kenne eine Künstlerin und ein Künstlerkollektiv aus der Suisse romande und weiss etwas über ihr künstlerisches Schaffen».

Auf sprachlicher Ebene beschäftigen sich die Schülerinnen und Schüler wie schon in *activité* E mit Fragen. Anlass dazu bilden die Farbkleckse von Catherine Louis. Mit ihrer «*taches*-Technik» entwirft sie immer wieder neue Figuren.

Activité **F**

A vous d'imaginer…

Tu vois l'artiste peintre Catherine Louis de La Chaux-de-Fonds au travail. Comme elle, tu découvres des silhouettes dans des taches de peinture.

1 » Regardez l'extrait du film.

» Regardez les taches.
Vous pouvez tourner la feuille comme Catherine Louis.
Qu'est-ce que vous voyez?

des taches
Kleckse, Flecken

2 31 » Lisez et écoutez le dialogue.

Qu'est-ce que c'est?
C'est peut-être un escargot?
Ou c'est un oiseau?
C'est vraiment un animal?
Tu ne crois pas?
C'est plutôt une personne.
Un monsieur peut-être?
Oui. Il a un chapeau.
Est-ce que c'est le nez?
C'est possible.
Et ça, qu'est-ce que c'est?
Il s'agit peut-être d'un / d'une…
…?

3 » Continuez le dialogue.

4 » Retournez au musée virtuel et regardez le film complet sur Catherine Louis.

5 » Essaie la technique des taches.

34

1 Der kurze Filmausschnitt (1'40'') gibt einen Einblick in das Schaffen von Catherine Louis. Die Lernenden sehen, wie die *taches* entstehen und wie viel sich darin entdecken lässt. Am Ende der *activité* haben sie die Gelegenheit, sich den ganzen Film über die Künstlerin anzuschauen.

2 Die Lernenden hören im Beispiel, dass man auf eine Frage mit einer weiterführenden Frage antworten kann.

3 Die Lehrperson kann die Lernenden nochmals darauf hinweisen, in ihren Dialog möglichst viele Fragen einzubauen. Welche Frageformen von den Lernenden verwendet werden, spielt keine Rolle.
Im Weiteren kann bereits bekannter Wortschatz zur Verfügung gestellt werden.
Möglicher Wortschatz aus *magazine* 7.1:
C'est une sorte de…
… ressemble à un/une…
… est comme un/une…
… a la forme d'un/d'une…

Möglicher Wortschatz aus der Primarschule:
Je vois un/une/des…
C'est un/une…
Il s'agit d'un/d'une…

4 Der ganze Film über die Künstlerin dauert 5'40''.

5 Es ist möglich, den fakultativen Teil der *activité* zu nutzen, um eine Verbindung zum Fach «Bildnerisches Gestalten» herzustellen. Die Lernenden können aus Farbklecksen Figuren malen. Diese eigenen Kreationen könnten die Ausstellung im *musée d'art* des Klassenzimmers bereichern.

35

Catherine Louis

Catherine Louis ist eine renommierte Illustratorin. Weitere Informationen über die Künstlerin findet man auf ihrer Webseite www.catherinelouis.ch

In der Deutschschweiz ist sie vor allem für ihre Zusammenarbeit mit der Clownin Gardi Hutter bekannt. Zudem arbeitet sie mit dem französischen Autor Bernard Friot zusammen. Ihr Atelier in La Chaux-de-Fonds ist eine Fundgrube für ansprechende Bilderbücher und Postkarten. Zusätzlich zu ihrer künstlerischen Tätigkeit unterrichtet sie an der Pädagogischen Hochschule BEJUNE und leitet auf Anfrage in Schulen Ateliers zu Bildnerischem Gestalten.

Auf individuelle Bedürfnisse eingehen

Anforderungen reduzieren

Deklarierter Mindestanspruch

» Eine reduzierte Textmenge vorgeben, z. B. je 2 Fragen oder Aussagen

Vorentlastung

» Den Dialog in Partnerarbeit zuerst schriftlich festhalten und ablesen

Anforderungen erweitern

Erhöhte Komplexität der Aufgabe

» Die Lernenden dazu anregen, mindestens 2 oder gar 3 verschiedene Frageformen zu verwenden

Selbstständige Recherche

» Informationen über die Künstlerin Catherine Louis im Internet suchen und einigen Lernenden die Resultate dieser Recherche präsentieren

Die Lernenden schauen den Ausschnitt eines Films über Catherine Louis. Dabei beobachten sie die Künstlerin aus La Chaux-de-Fonds bei der Arbeit in ihrem Atelier. Dadurch kommen die Schülerinnen und Schüler nicht nur mit dem fertigen Kunstwerk in Berührung, sondern sehen auch, wie es entsteht. Gleichzeitig wird damit ein Teil des Lernziels aus dem Kompetenzbereich II bearbeitet: «Ich kenne eine Künstlerin und ein Künstlerkollektiv aus der Suisse romande und weiss etwas über ihr künstlerisches Schaffen».

Auf sprachlicher Ebene beschäftigen sich die Schülerinnen und Schüler wie schon in *activité* E mit Fragen. Anlass dazu bilden die Farbkleckse von Catherine Louis. Mit ihrer «*taches*-Technik» entwirft sie immer wieder neue Figuren.

1 Der kurze Filmausschnitt (1'40'') gibt einen Einblick in das Schaffen von Catherine Louis. Die Lernenden sehen, wie die *taches* entstehen und wie viel sich darin entdecken lässt. Am Ende der *activité* haben sie die Gelegenheit, sich den ganzen Film über die Künstlerin anzuschauen.

2 Die Lernenden hören im Beispiel, dass man auf eine Frage mit einer weiterführenden Frage antworten kann.

3 Die Lehrperson kann die Lernenden nochmals darauf hinweisen, in ihren Dialog möglichst viele Fragen einzubauen. Welche Frageformen von den Lernenden verwendet werden, spielt keine Rolle.
Im Weiteren kann bereits bekannter Wortschatz zur Verfügung gestellt werden.
Möglicher Wortschatz aus *magazine* 7.1:
C'est une sorte de...
... ressemble à un/une...
... est comme un/une...
... a la forme d'un/d'une...

Möglicher Wortschatz aus der Primarschule:
Je vois un/une/des...
C'est un/une...
Il s'agit d'un/d'une...

4 Der ganze Film über die Künstlerin dauert 5'40''.

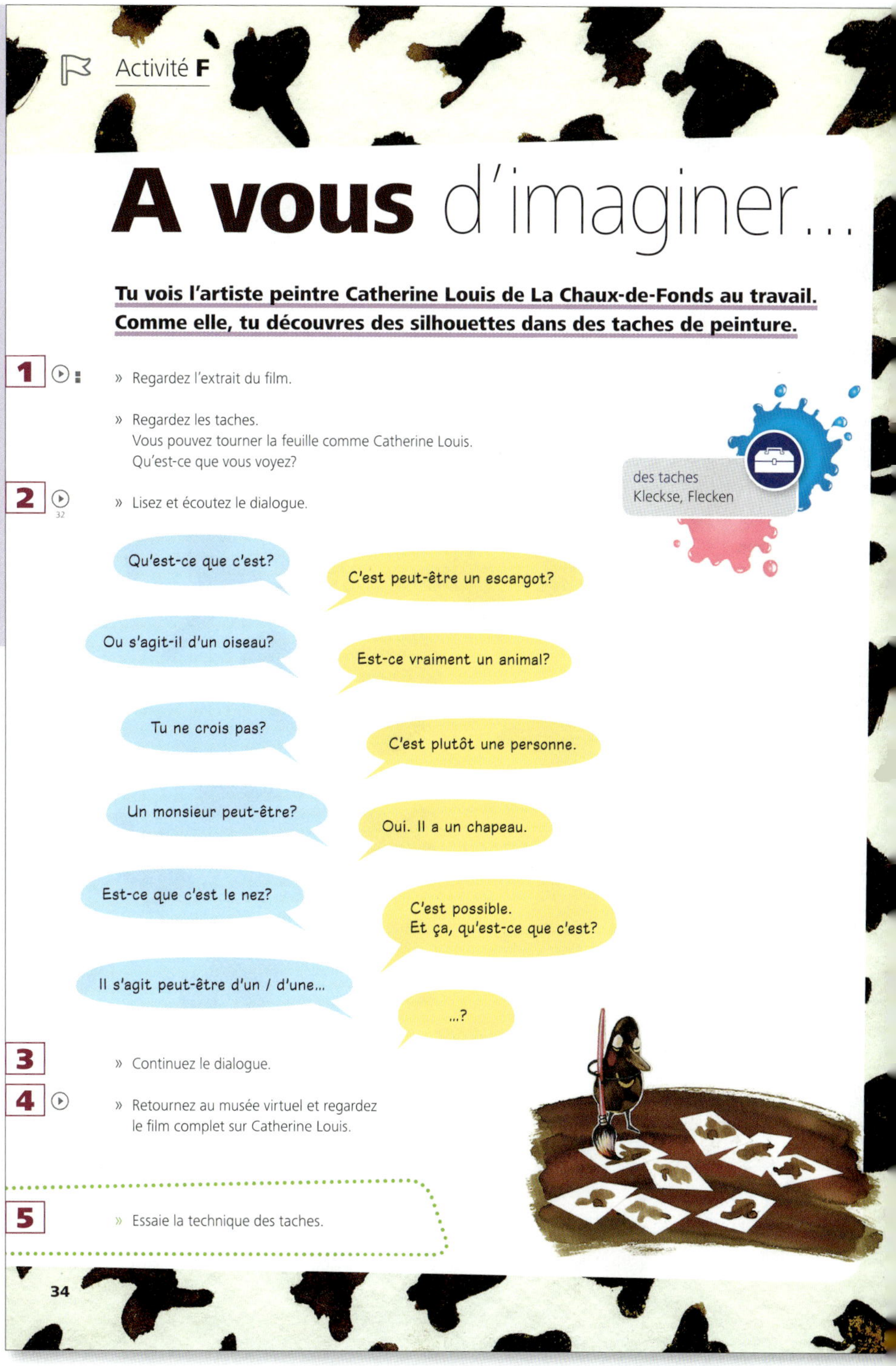

Activité **F**

A vous d'imaginer...

Tu vois l'artiste peintre Catherine Louis de La Chaux-de-Fonds au travail. Comme elle, tu découvres des silhouettes dans des taches de peinture.

1 » Regardez l'extrait du film.

» Regardez les taches.
Vous pouvez tourner la feuille comme Catherine Louis.
Qu'est-ce que vous voyez?

des taches
Kleckse, Flecken

2 32 » Lisez et écoutez le dialogue.

Qu'est-ce que c'est?
C'est peut-être un escargot?
Ou s'agit-il d'un oiseau?
Est-ce vraiment un animal?
Tu ne crois pas?
C'est plutôt une personne.
Un monsieur peut-être?
Oui. Il a un chapeau.
Est-ce que c'est le nez?
C'est possible.
Et ça, qu'est-ce que c'est?
Il s'agit peut-être d'un / d'une...
...?

3 » Continuez le dialogue.

4 » Retournez au musée virtuel et regardez le film complet sur Catherine Louis.

5 » Essaie la technique des taches.

34

5 Es ist möglich, den fakultativen Teil der *activité* zu nutzen, um eine Verbindung zum Fach «Bildnerisches Gestalten» herzustellen. Die Lernenden können aus Farbklecksen Figuren malen. Diese eigenen Kreationen könnten die Ausstellung im *musée d'art* des Klassenzimmers bereichern.

35

Catherine Louis

Catherine Louis ist eine renommierte Illustratorin. Weitere Informationen über die Künstlerin findet man auf ihrer Webseite www.catherinelouis.ch

In der Deutschschweiz ist sie vor allem für ihre Zusammenarbeit mit der Clownin Gardi Hutter bekannt. Zudem arbeitet sie mit dem französischen Autor Bernard Friot zusammen. Ihr Atelier in La Chaux-de-Fonds ist eine Fundgrube für ansprechende Bilderbücher und Postkarten. Zusätzlich zu ihrer künstlerischen Tätigkeit unterrichtet sie an der Pädagogischen Hochschule BEJUNE und leitet auf Anfrage in Schulen Ateliers zu Bildnerischem Gestalten.

Auf individuelle Bedürfnisse eingehen

Anforderungen reduzieren

Deklarierter Mindestanspruch

» Eine reduzierte Textmenge vorgeben, z. B. je 2 Fragen oder Aussagen

Vorentlastung

» Den Dialog in Partnerarbeit zuerst schriftlich festhalten und ablesen

Anforderungen erweitern

Erhöhte Komplexität der Aufgabe

» Die Lernenden dazu anregen, mindestens 2 oder gar 3 verschiedene Frageformen zu verwenden

Selbstständige Recherche

» Informationen über die Künstlerin Catherine Louis im Internet suchen und einigen Lernenden die Resultate dieser Recherche präsentieren

Im Mittelpunkt dieser *activité* steht der Klassenwortschatz, also diejenigen sprachlichen Strukturen und Ausdrücke, die in der Regel aus den Inputtexten übernommen werden und bei der Bearbeitung der *tâche* Anwendung finden, sich aber auch auf andere Inhalte und Situationen übertragen lassen. Der Klassenwortschatz wird anhand einer Postkarte von Plonk et Replonk präsentiert, nachdem die Lernenden in einem kurzen Filmausschnitt erfahren haben, wie die beiden Künstler mit Fotomontagen dieses verblüffende Werk geschaffen haben. In *activité* G werden sie Gelegenheit haben, noch mehr über Plonk et Replonk zu erfahren.

Weitere erstaunliche Bilder der beiden Künstler aus La Chaux-de-Fonds sind Ausgangspunkt für zwei Computerlernprogramme und ein Würfelspiel, mit welchen die Lernenden den Klassenwortschatz in passendem Kontext einüben. In allen Spielformen wälzen sie gleichzeitig bekannten Wortschatz aus früheren Schuljahren um, der damit immanent repetiert wird.

Die Textkarten für das Würfelspiel werden von den Lernenden selber geschrieben. Es ist möglich, diese schriftliche Produktion oder das Würfelspiel selbst zum Anlass zu nehmen, um eine kurze, in das Unterrichtsgeschehen integrierte summative Evaluation durchzuführen. Die entsprechenden Kriterienraster stehen im *magazine* auf Seite 48 zur Verfügung.

Activité **G**

Plonk
et Replonk

Tu regardes un film sur les artistes Plonk et Replonk de La Chaux-de-Fonds.
Tu décris leurs photomontages.

1 » Regardez l'extrait du film.

2 32 » Lisez et écoutez les commentaires sur la carte postale «La face cachée du lac Léman».

36

1 Der etwa eine Minute dauernde Filmausschnitt gibt einen Einblick in das Schaffen von Plonk et Replonk. Die Lernenden sehen, wie die Postkarte «La face cachée du lac Léman» entstanden ist und wie viele kleine Details sich darin entdecken lassen. Am Ende von *activité* G schauen sie den ganzen Film an und erfahren dabei noch mehr über die beiden Künstler.

2 Mit diesen Sätzen werden Strukturen des Klassenwortschatzes anhand einer Postkarte von Plonk et Replonk präsentiert.

Es handelt sich um Strukturen, die nicht allgemein für die Arbeit in der Gruppe verwendet werden können. Solche Sprechblasen sind farbig hinterlegt.

G

Activité **G**

» Lis et écoute les expressions.

33–34

Ça se passe à / en…?	Spielt sich das in … ab?
Qu'est-ce que c'est? Est-ce peut-être un / une…?	Was ist das? Ist es vielleicht…?
On voit un / une / des… Ça fait penser à un / une / des… Voyez-vous le / la / les…?	Man sieht… Das erinnert an… Seht ihr…?
C'est possible? C'est difficile à dire.	Ist das möglich? Das ist schwer zu sagen.
Au premier plan, il y a un / une / des… A l'arrière-plan, on voit un / une / des… En haut,… En bas,… A gauche,… A droite,…	Im Vordergrund hat es… Im Hintergrund sieht man… Oben… Unten… Links… Rechts…
C'est… étrange bizarre	Das ist… seltsam, eigenartig seltsam, eigenartig
…est… bleu / bleue rouge jaune vert / verte brun / brune blanc / blanche noir / noire	…ist… blau rot gelb grün braun weiss schwarz
Le titre de ce tableau est «…».	Der Titel dieses Bildes ist «…».

difficile
difficult

possible
possible

étrange
strange

bleu
blue

le titre
the title

» Choisis d'autres expressions pour ton vocabulaire personnel. Note-les dans la revue.

Pour mémoriser et appliquer les expressions:
» Entraîne-toi à l'ordinateur.
» Joue au jeu de cartes.
Tu trouves les consignes à la page 38.

37

1 Die Lernenden eignen sich Strukturen an, die sowohl in der *tâche* als auch in anderen schulischen und ausserschulischen Situationen, in welchen sie zum Sprachhandeln herausgefordert sind, Verwendung finden. In der *tâche* müssen sie:

» Fragen stellen *(Qu'est-ce que c'est?/ Voyez-vous le/la/les… ?)*
» Hypothesen bilden *(Ça fait penser à un/ une/des…)*
» Ortsangaben machen *(Au premier plan… / A l'arrière plan… / En haut… / En bas… / A gauche… / A droite…)*
» Bildelemente beschreiben *(C'est étrange / C'est bizarre / … est bleu/bleue…)*

Der Klassenwortschatz bietet Strukturen zu all diesen Bereichen an.

Rund um den Klassenwortschatz sind englisch-französische Parallelwörter notiert. Es werden diejenigen Wörter abgebildet, die ähnlich geschrieben oder ausgesprochen werden und im gleichen Kontext verwendet werden können.

Das Angebot an Parallelwortschatz gibt den Lernenden die Möglichkeit, das eine oder andere Wort gleich in beiden Sprachen zu memorieren.

2 Es ist wichtig, dass die Lernenden zusätzlich zum Klassenwortschatz einen persönlichen Wortschatz aufbauen, der ihren eigenen Bedürfnissen entspricht. Hier spielt die natürliche Differenzierung. Der Umfang des individuell ausgewählten Wortschatzes wird je nach Motivation, Interesse und Engagement der Lernenden unterschiedlich ausfallen.

3 Das gemeinsame Spielen in der Gruppe findet in der Zielsprache statt. Damit werden wichtige Lehrplanziele aus dem Handlungsfeld «Die Fremdsprache in der Gruppe anwenden» bearbeitet. Es kann hilfreich sein, wenn jede Gruppe eine Sprachenkarte mit der Aufschrift «On parle français!» in die Mitte legt, damit die Absichtserklärung jederzeit sichtbar ist.

Auf individuelle Bedürfnisse eingehen

Anforderungen reduzieren
Stoffreduktion
» Die Anzahl der zu lernenden Ausdrücke des Klassenwortschatzes reduzieren

Anforderungen erweitern
Mehr und komplexere sprachliche Mittel
» Den Klassenwortschatz in Absprache mit den Lernenden erweitern (vgl. E, *magazine* Seite 37)
Selbstständiger Wortschatzerwerb
» Einen umfangreichen persönlichen Wortschatz anlegen

1 In der Lernsoftware «Plonk» begegnen die Lernenden dem Klassenwortschatz und memorieren ihn intensiv.

Sie wählen eine Postkarte des Künstlerduos Plonk et Replonk aus und entscheiden sich für eine Satzerweiterung zu einer vorgegebenen Struktur aus dem Klassenwortschatz. Passt ihre gewählte Satzerweiterung zum Bild, erhalten sie einen Punkt. Insgesamt können die Lernenden pro Postkarte drei Satzerweiterungen auswählen, die ihnen vorgelesen werden.

Nach vier Postkarten ist eine Spielrunde zu Ende und es kann eine neue gestartet werden.

2 Die Lernsoftware «… et Replonk» ist ein Partnerspiel. Abwechslungsweise ordnen die Lernenden den Postkarten eine passende Aussage zu und entscheiden gemeinsam über Richtig oder Falsch. Hat eine Spielerin oder ein Spieler sechs richtige Aussagen zu einer Postkarte gesammelt, ist eine Spielrunde zu Ende.

Die Aussagen enthalten viele Strukturen des Klassenwortschatzes. Bei Bedarf können die Lernenden auf eine *boîte de traduction* zurückgreifen.

3 Die Lernenden entwerfen Texte, die sie später auf Karten schreiben, um miteinander in einem Spiel den Klassenwortschatz einzuüben.

Der Schreibanlass hat damit Relevanz und birgt ein grosses Lernpotenzial. Den Lernenden steht Wortschatz zur Verfügung, der sie beim Verfassen der Karten unterstützt. Bereits vor dem eigentlichen Spielen beschäftigen sich die Lernenden mit ihren sprachlichen Ausdrucksmöglichkeiten und experimentieren damit, um ein möglichst spannendes Spiel herzustellen.

Die drei Vorgaben müssen eingehalten werden, damit das Spiel funktioniert.

Activité G

1 **A l'ordinateur**
» Entraîne-toi à utiliser les expressions.

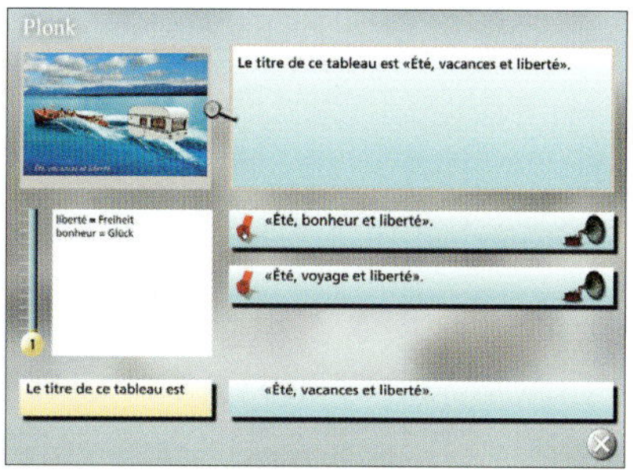

2 » Jouez au jeu. Lisez les phrases et discutez.

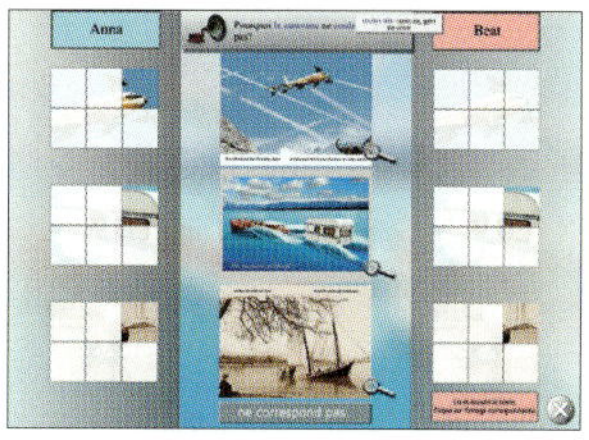

«…» ça va avec la carte «une».
Non, c'est faux.
Si, regarde ici!
Ah oui, c'est juste.
D'accord!
Ça ne correspond pas.

3 **Jeu de cartes**
» Ecrivez des cartes et jouez au jeu.

» Décris les cartes postales aux pages 40 et 41.
Utilise les expressions de la page 37.
Les boîtes peuvent d'aider
Tu écris…
» des phrases qui vont avec plusieurs cartes postales.
» des phrases qui vont seulement avec une carte postale.
» au moins 8 phrases.
Regarde les critères à la page 48.
Fais un brouillon.

Les personnes

une dame	eine Dame
un monsieur	ein Herr
un facteur	ein Briefträger
un astronaute	ein Astronaut
un vétérinaire	ein Tierarzt
un opticien	ein Optiker
une fille	ein Mädchen
une famille	eine Familie
…	

Les activités

faire…	
du ski nautique	Wasserski fahren
du vélo	Velo fahren
du patin à glace	Schlittschuh laufen
de la voltige	voltigieren
ramer	rudern
…	

38

Auf individuelle Bedürfnisse eingehen

Anforderungen reduzieren
Vorentlastung
» Vor dem Verfassen der Spielkarten die Lernsoftware «Plonk» spielen, um das Prinzip des «Jeu de cartes» zu verstehen

Activité G

Les animaux	
un dauphin	ein Delfin
une vache	eine Kuh
un cheval	ein Pferd
…	

Les objets	
un jet d'eau	eine Wasserfontäne
une barque	ein Ruderboot
un bateau	ein Schiff
un drapeau	eine Fahne
une capsule spatiale	eine Raumkapsel
des lunettes	eine Brille
une caravane	ein Wohnwagen
…	

Le paysage	
un lac	ein See
une colline	ein Hügel
une montagne	ein Berg
la surface	die Oberfläche
la Lune	der Mond
une forêt	ein Wald
un pâturage	eine Weide
le ciel	der Himmel
un nuage	eine Wolke
…	

à
à Genève

à la
à la campagne — auf dem Land

au
au bord du lac
au printemps

en
en Suisse
en été
en hiver

devant	vor
derrière	hinter
sur	auf
sous	unter
dans	in
à côté de	neben

Relecture
Gegenlesen

1 » Echangez vos brouillons. Donnez un feedback.

2 » Copie chaque phrase sur une carte de jeu. Ecris ton prénom en bas à droite.

» Mettez toutes les cartes du groupe sur une pile.

3 » Lisez les règles du jeu à la page 42.

1 Beim Überprüfen der Sätze eines Mitschülers oder einer Mitschülerin setzen sich die Lernenden noch einmal intensiv mit dem Klassenwortschatz auseinander. Zudem übernehmen sie in ihrer Expertenrolle Verantwortung.

2 Die Aufgabe kann Anlass für eine summative Evaluation sein. In diesem Fall werden die Lernenden über die Evaluationsabsicht informiert und der Kriterienraster (Seite 48) wird in der Klasse besprochen. Nach dem Verfassen der Karten werden die Lernenden aufgefordert, ihre besten Karten der Lehrperson abzugeben. Die Lernenden achten beim Abschreiben der Sätze auf die Korrektheit von Syntax und Orthografie.

3 Das Spiel wird auf den Seiten 40 und 41 gespielt. Die Spielregeln sind auf Seite 42 nachzulesen.

1 In den Sprechblasen wird bekannter Spielwortschatz angeboten, der die Lernenden dabei unterstützt, sich während des Spiels ausschliesslich in der Zielsprache auszutauschen. In der *revue* ist der Spielwortschatz in der Rubrik «Jouer aux jeux» aufgeführt.

Activité **G**

Continue.

Je n'ai plus de cartes.

J'ai gagné.

1 Die Lernenden üben sich im Verstehen von Anweisungen und Spielabläufen und übernehmen gemeinsam die Verantwortung für das Gelingen des Spiels. Damit bearbeiten sie folgendes Lehrplanziel aus dem Handlungsfeld «Die Fremdsprache in der Gruppe anwenden»: «Die Arbeitsanweisungen für ein kleines Lernprojekt verstehen und sich mit anderen Gruppenmitgliedern darüber verständigen.»

Die Lehrperson kann den Lernenden die Strukturen in Erinnerung rufen und erneut zur Verfügung stellen, die sie in *activité* A im Rahmen von «Tu piges?» benutzt haben, um den Arbeitsablauf einer *activité* zu klären:

» *Il faut...*
» *Je pense qu'il faut...*
» *D'abord, on doit...*
» *Ensuite, il faut...*
» *A la fin, on doit...*

Es empfiehlt sich, die Anleitung in einer ersten Spielrunde mit offenen Karten gleich umzusetzen.

2 Wenn die Lehrperson es wünscht, kann sie das Spiel als Anlass zu einer weiteren summativen Evaluation nehmen, die direkt in das Unterrichtsgeschehen integriert ist. Sie evaluiert dabei, wie erfolgreich die Lernenden in der Gruppe Französisch sprechen. Dafür setzt sie sich während einiger Minuten zu jeder spielenden Gruppe und beobachtet und beurteilt dabei die Lernenden. Die Schülerinnen und Schüler kennen die Absicht der Lehrperson und die Beurteilungskriterien (Kriterienraster Seite 48 im *magazine*).

3 Das gemeinsame Spielen in der Gruppe findet in der Zielsprache statt. Den Lernenden stehen dafür bereits viele Sprechblasen auf der Doppelseite des Spiels zur Verfügung. Die Lehrperson kann die Lernenden darauf hinweisen, dass sie ihre Aussagen mit zusätzlichen Redemitteln aus der *revue* («Nous parlons français!») ergänzen können.

Beim Spielen arbeiten die Lernenden an mehreren Zielen des *parcours* aus dem Kompetenzbereich I: «Ich kann über ein Bild sprechen.» und «Ich kann in der Gruppe französisch sprechen.» Spielen in der Fremdsprache macht Spass und birgt gleichzeitig ein immenses Übungspotenzial. Die Lernenden üben sowohl produktiv, wenn sie Sätze zu einem Bild vorlesen oder sich zum Spielgeschehen äussern, als auch rezeptiv, indem sie die Sätze ihrer Mitspielerinnen und Mitspieler hören und verstehen.

4 Die Lernenden nehmen mit Hilfe des Kriterienrasters auf Seite 48 eine Selbstevaluation vor. Es ist auch möglich, die Selbst- mit einer Partnerevaluation zu ergänzen.

5 Falls die Lehrperson das Spiel als summative Evaluation genutzt hat, kann die Selbsteinschätzung mit der Einschätzung der Lehrperson verglichen werden.

Activité G

1 » Clarifiez les règles du jeu dans le groupe.

Règles du jeu

Matériel
- une pile de cartes
- 3 cartes par joueur
- un magazine ouvert aux pages 40 à 41
- un dé

Règles

» **A** Jette le dé. Le chiffre désigne la carte postale.
A Contrôle si une de tes cartes va avec la carte postale.
Non: **A** Pioche une carte.
Oui: **A** Lis la phrase.
B/C Contrôlez.

Juste: **A** Pose la carte
Faux: **A** Reprends ta carte.

» **B** Jette le dé...

Gagné
Le premier / La première qui n'a plus de cartes.

2 » Regardez les critères à la page 48.

3 » Jouez au jeu de cartes.

4 » Fais une auto-évaluation à l'aide de la grille à la page 48.

une auto-évaluation
eine Selbsteinschätzung

5 » Echangez et discutez vos résultats de l'auto-évaluation.

6 » Retournez au musée virtuel et regardez le film complet sur Plonk et Replonk.

7 » Essaie la technique des photomontages.

42

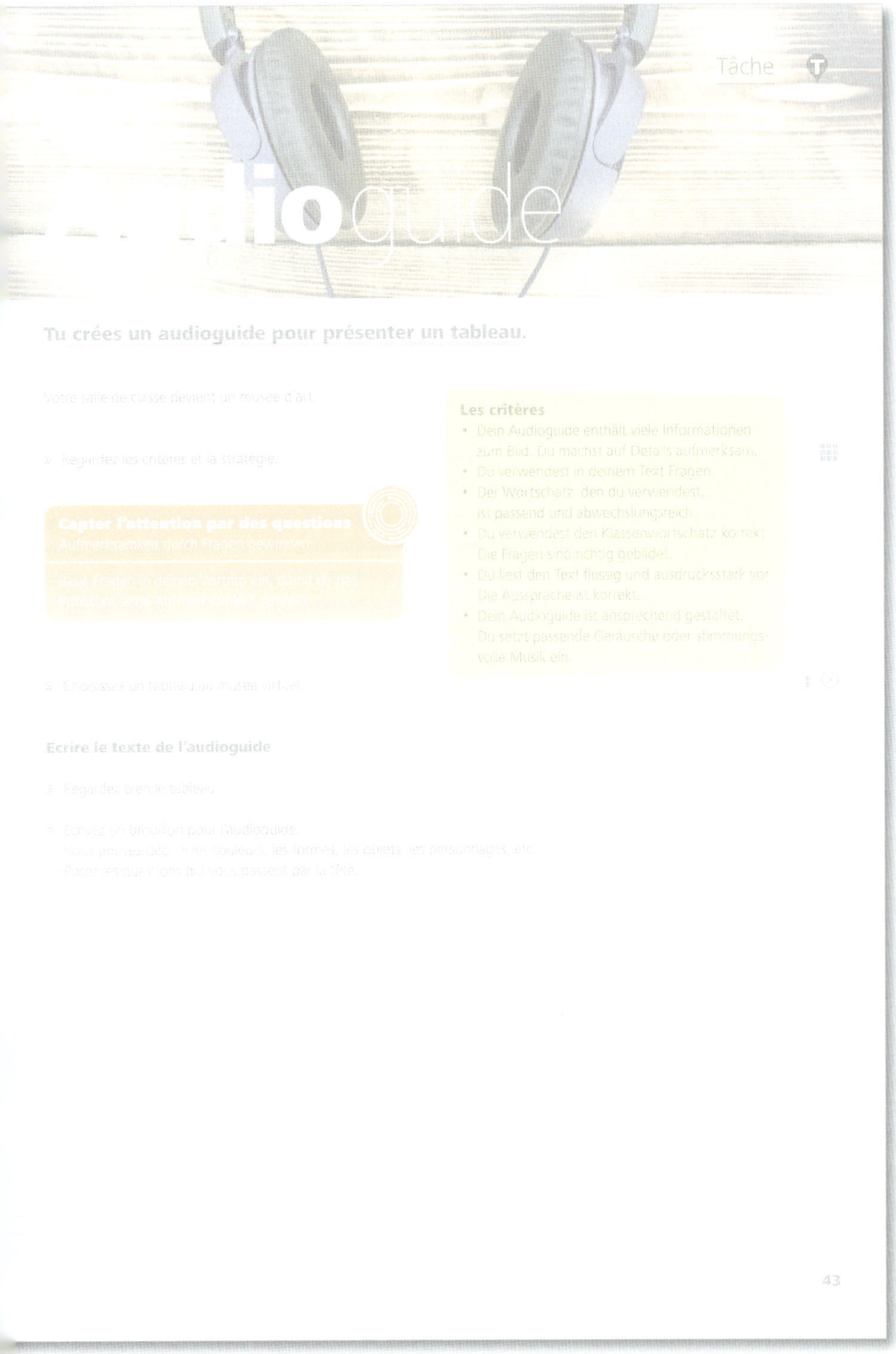

Tâche

Tu crées un audioguide pour présenter un tableau.

Votre salle de classe devient un musée d'art.

» Regardez les critères et la stratégie.

Capter l'attention par des questions
Aufmerksamkeit durch Fragen gewinnen

Les critères
- Dein Audioguide enthält viele Informationen zum Bild. Du machst auf Details aufmerksam.
- Du verwendest in deinem Text Fragen.
- Der Wortschatz, den du verwendest, ist passend und abwechslungsreich.
- Du verwendest den Klassenwortschatz korrekt. Die Fragen sind richtig gebildet.
- Du liest den Text flüssig und ausdrucksstark vor. Die Aussprache ist korrekt.
- Dein Audioguide ist ansprechend gestaltet. Du setzt passende Geräusche oder stimmungsvolle Musik ein.

» Choisissez un tableau au musée virtuel.

Ecrire le texte de l'audioguide

» Regardez bien le tableau.

» Ecrivez un brouillon pour l'audioguide.
Vous pouvez déc… les couleurs, les formes, les objets, les personnages, etc.
Posez les questions qui vous passent par la tête.

43

6 Bei der Visionierung des ganzen Films über Plonk et Replonk (Dauer: rund 5 Minuten) arbeiten die Lernenden am Ziel aus dem Kompetenzbereich II: «Ich kenne eine Künstlerin und ein Künstlerkollektiv aus der Suisse romande und weiss etwas über ihr künstlerisches Schaffen.»

Plonk et Replonk resp. Hubert und Jacques sind zwei Brüder, die sich auf die Technik der Fotomontage spezialisiert haben. Weitere Informationen über die beiden Künstler findet man unter www.plonkreplonk.ch

Sie sind mittlerweile über Europa hinaus bekannt und stellen ihre Postkarten, Plakate, Gartenzwerge und «autres objets» in Vietnam, China, Paris und an vielen anderen Orten aus. Sie arbeiten mit einem Team zusammen, das sie bei der Arbeit am Computer und bei der Organisation ihrer Termine unterstützt.

Im Beitrag «Deux frères suisses voyagent au cœur de l'absurde» (z. B. auf youtube.com oder auf dailymotion.com) erfährt der Zuschauer, dass die beiden Brüder vergessen haben, wie sie zu ihren Künstlernamen kamen …

7 Es ist möglich, den fakultativen Teil der *activité* für eine Verbindung mit dem Fach «Informatik» zu nutzen. Versierte Lernende können selber am Computer eine Fotomontage erstellen und ihr Werk könnte die Bilderausstellung im Klassenzimmer bereichern.

Im Mittelpunkt dieser *activité* steht der Klassenwortschatz, also diejenigen sprachlichen Strukturen und Ausdrücke, die in der Regel aus den Inputtexten übernommen werden und bei der Bearbeitung der *tâche* Anwendung finden, sich aber auch auf andere Inhalte und Situationen übertragen lassen. Der Klassenwortschatz wird anhand einer Postkarte von Plonk et Replonk präsentiert, nachdem die Lernenden in einem kurzen Filmausschnitt erfahren haben, wie die beiden Künstler mit Fotomontagen dieses verblüffende Werk geschaffen haben. In *activité* G werden sie Gelegenheit haben, noch mehr über Plonk et Replonk zu erfahren.

Weitere erstaunliche Bilder der beiden Künstler aus La Chaux-de-Fonds sind Ausgangspunkt für zwei Computerlernprogramme und ein Würfelspiel, mit welchen die Lernenden den Klassenwortschatz in passendem Kontext einüben. In allen Spielformen wälzen sie gleichzeitig bekannten Wortschatz aus früheren Schuljahren um, der damit immanent repetiert wird.

Die Textkarten für das Würfelspiel werden von den Lernenden selber geschrieben. Es ist möglich, diese schriftliche Produktion oder das Würfelspiel selbst zum Anlass zu nehmen, um eine kurze, in das Unterrichtsgeschehen integrierte summative Evaluation durchzuführen. Die entsprechenden Kriterienraster stehen im *magazine* auf Seite 48 zur Verfügung.

Activité **G**

Plonk et Replonk

Tu regardes un film sur les artistes Plonk et Replonk de La Chaux-de-Fonds. Tu décris leurs photomontages.

1 » Regardez l'extrait du film.

2 33 » Lisez et écoutez les commentaires sur la carte postale «La face cachée du lac Léman».

36

1 Der etwa eine Minute dauernde Filmausschnitt gibt einen Einblick in das Schaffen von Plonk et Replonk. Die Lernenden sehen, wie die Postkarte «La face cachée du lac Léman» entstanden ist und wie viele kleine Details sich darin entdecken lassen. Am Ende von *activité* G schauen sie den ganzen Film an und erfahren dabei noch mehr über die beiden Künstler.

2 Mit diesen Sätzen werden Strukturen des Klassenwortschatzes anhand einer Postkarte von Plonk et Replonk präsentiert.

Es handelt sich um Strukturen, die nicht allgemein für die Arbeit in der Gruppe verwendet werden können. Solche Sprechblasen sind farbig hinterlegt.

Activité **G**

1 » Lis et écoute les expressions.

34–35

Ça se passe à / en...?	Spielt sich das in ... ab?
Est-ce qu'on est à / en...?	Ist man in ...?
Qu'est-ce que c'est?	Was ist das?
S'agit-il d'un / d'une...?	Handelt es sich um ...?
Est-ce...	Ist es ...
peut-être un / une...?	vielleicht ...?
vraiment un / une...?	wirklich ...?
Voyez-vous le / la / les...?	Seht ihr ...?
On voit un / une / des...	Man sieht ...
Ça fait penser à un / une / des...	Das erinnert an ...
C'est possible?	Ist das möglich?
C'est difficile à dire.	Das ist schwer zu sagen.
Au premier plan, il y a un / une / des...	Im Vordergrund hat es ...
A l'arrière-plan, on voit un / une / des...	Im Hintergrund sieht man ...
Au milieu,...	In der Mitte ...
En haut,...	Oben ...
En bas,...	Unten ...
A gauche,...	Links ...
A droite,...	Rechts ...
C'est...	Das ist ...
étrange	seltsam, eigenartig
bizarre	seltsam, eigenartig
incroyable	unglaublich
...est...	... ist ...
bleu / bleue	blau
bleu clair	hellblau
bleu foncé	dunkelblau
rouge	rot
jaune	gelb
vert / verte	grün
brun / brune	braun
blanc / blanche	weiss
noir / noire	schwarz
Le tableau montre...	Das Bild zeigt ...
La photo montre...	Das Foto zeigt ...
Le titre de ce tableau est «...».	Der Titel dieses Bildes ist «...».

difficile / difficult

possible / possible

bleu / blue

étrange / strange

incroyable / incredible

le titre / the title

la photo / the photo

2 » Choisis d'autres expressions pour ton vocabulaire personnel. Note-les dans la revue.

3 Pour mémoriser et appliquer les expressions:
» Entraîne-toi à l'ordinateur.
» Joue au jeu de cartes.
Tu trouves les consignes à la page 38.

37

Auf individuelle Bedürfnisse eingehen

Anforderungen reduzieren
Stoffreduktion
» Die Anzahl der zu lernenden Ausdrücke des Klassenwortschatzes reduzieren (vgl. G, *magazine* Seite 37)

Anforderungen erweitern
Mehr und komplexere sprachliche Mittel
» Den Klassenwortschatz in Absprache mit den Lernenden erweitern
Selbstständiger Wortschatzerwerb
» Einen umfangreichen persönlichen Wortschatz anlegen

1 Die Lernenden eignen sich Strukturen an, die sowohl in der *tâche* als auch in anderen schulischen und ausserschulischen Situationen, in welchen sie zum Sprachhandeln herausgefordert sind, Verwendung finden. In der *tâche* müssen sie:
» Fragen stellen *(Qu'est-ce que c'est?/ Voyez-vous le/la/les... ?)*
» Hypothesen bilden *(Ça fait penser à un/ une/des...)*
» Ortsangaben machen *(Au premier plan.../A l'arrière plan.../Au milieu.../ En haut.../En bas.../A gauche.../ A droite...)*
» Bildelemente beschreiben *(C'est étrange/C'est bizarre/... est bleu/bleue...)*

Der Klassenwortschatz bietet Strukturen zu all diesen Bereichen an.

Rund um den Klassenwortschatz sind englisch-französische Parallelwörter notiert. Es werden diejenigen Wörter abgebildet, die ähnlich geschrieben oder ausgesprochen werden und im gleichen Kontext verwendet werden können.

Das Angebot an Parallelwortschatz gibt den Lernenden die Möglichkeit, das eine oder andere Wort gleich in beiden Sprachen zu memorieren.

2 Es ist wichtig, dass die Lernenden zusätzlich zum Klassenwortschatz einen persönlichen Wortschatz aufbauen, der ihren eigenen Bedürfnissen entspricht. Hier spielt die natürliche Differenzierung. Der Umfang des individuell ausgewählten Wortschatzes wird je nach Motivation, Interesse und Engagement der Lernenden unterschiedlich ausfallen.

3 Das gemeinsame Spielen in der Gruppe findet in der Zielsprache statt. Damit werden wichtige Lehrplanziele aus dem Handlungsfeld «Die Fremdsprache in der Gruppe anwenden» bearbeitet. Es kann hilfreich sein, wenn jede Gruppe eine Sprachenkarte mit der Aufschrift «On parle français!» in die Mitte legt, damit die Absichtserklärung jederzeit sichtbar ist.

1 In der Lernsoftware «Plonk» begegnen die Lernenden dem Klassenwortschatz und memorieren ihn intensiv.

Sie wählen eine Postkarte des Künstlerduos Plonk et Replonk aus und entscheiden sich für eine Satzerweiterung zu einer vorgegebenen Struktur aus dem Klassenwortschatz. Passt ihre gewählte Satzerweiterung zum Bild, erhalten sie einen Punkt. Insgesamt können die Lernenden pro Postkarte drei Satzerweiterungen auswählen, die ihnen vorgelesen werden.

Nach vier Postkarten ist eine Spielrunde zu Ende und es kann eine neue gestartet werden.

2 Die Lernsoftware «… et Replonk» ist ein Partnerspiel. Abwechslungsweise ordnen die Lernenden den Postkarten eine passende Aussage zu und entscheiden gemeinsam über Richtig oder Falsch. Hat eine Spielerin oder ein Spieler sechs richtige Aussagen zu einer Postkarte gesammelt, ist eine Spielrunde zu Ende.

Die Aussagen enthalten viele Strukturen des Klassenwortschatzes. Bei Bedarf können die Lernenden auf eine *boîte de traduction* zurückgreifen.

3 Die Lernenden entwerfen Texte, die sie später auf Karten schreiben, um miteinander in einem Spiel den Klassenwortschatz einzuüben.

Der Schreibanlass hat damit Relevanz und birgt ein grosses Lernpotenzial. Den Lernenden stehen einige Präpositionen und deren Übersetzungen zur Verfügung, die sie beim Verfassen der Karten unterstützen können. Bereits vor dem eigentlichen Spielen beschäftigen sich die Lernenden mit ihren sprachlichen Ausdrucksmöglichkeiten und experimentieren damit, um ein möglichst spannendes Spiel herzustellen.

Die drei Vorgaben müssen eingehalten werden, damit das Spiel funktioniert.

Activité G

1 **A l'ordinateur**
» Entraîne-toi à utiliser les expressions.

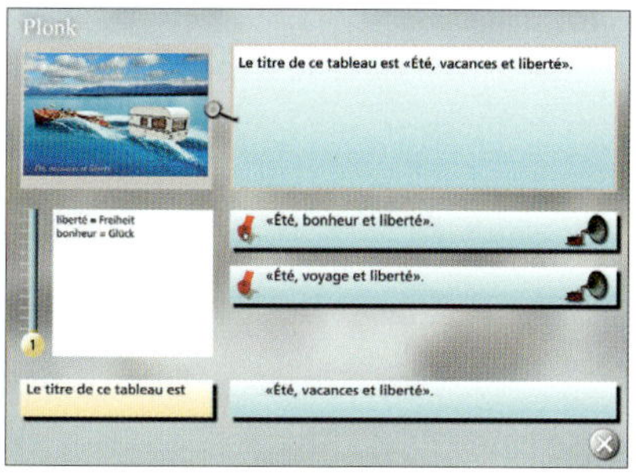

2 » Jouez au jeu. Lisez les phrases et discutez.

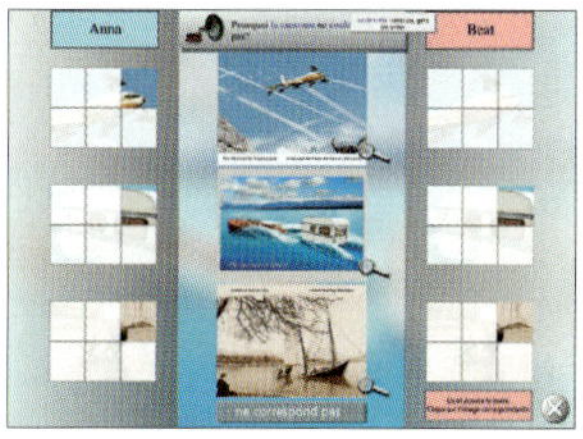

3 **Jeu de cartes**
» Ecrivez des cartes et jouez au jeu.

» Décris les cartes postales aux pages 40 et 41.
Utilise les expressions de la page 37.
Tu écris…
» des phrases qui vont avec plusieurs cartes postales.
» des phrases qui vont seulement avec une carte postale.
» au moins 12 phrases.
Regarde les critères à la page 48.
Fais un brouillon.

38

Auf individuelle Bedürfnisse eingehen

Anforderungen reduzieren
Vorentlastung
» Vor dem Verfassen der Spielkarten die Lernsoftware «Plonk» spielen, um das Prinzip des «Jeu de cartes» zu verstehen

Activité G

à
à Genève

à la
à la campagne — auf dem Land

au
au bord du lac
au printemps

en
en Suisse
en été
en hiver

devant	vor
derrière	hinter
sur	auf
sous	unter
dans	in
à côté de	neben

Relecture
Gegenlesen

1 » Echangez vos brouillons. Donnez un feedback.

2 » Copie chaque phrase sur une carte de jeu.
Ecris ton prénom en bas à droite.

» Mettez toutes les cartes du groupe sur une pile.

3 » Lisez les règles du jeu à la page 42.

39

1 Beim Überprüfen der Sätze eines Mitschülers oder einer Mitschülerin setzen sich die Lernenden noch einmal intensiv mit dem Klassenwortschatz auseinander. Zudem übernehmen sie in ihrer Expertenrolle Verantwortung.

2 Die Aufgabe kann Anlass für eine summative Evaluation sein. In diesem Fall werden die Lernenden über die Evaluationsabsicht informiert und der Kriterienraster (Seite 48) wird in der Klasse besprochen. Nach dem Verfassen der Karten werden die Lernenden aufgefordert, ihre besten Karten der Lehrperson abzugeben. Die Lernenden achten beim Abschreiben der Sätze auf die Korrektheit von Syntax und Orthografie.

3 Das Spiel wird auf den Seiten 40 und 41 gespielt. Die Spielregeln sind auf Seite 42 nachzulesen.

1 In den Sprechblasen wird bekannter Spielwortschatz angeboten, der die Lernenden dabei unterstützt, sich während des Spiels ausschliesslich in der Zielsprache auszutauschen. In der *revue* ist der Spielwortschatz in der Rubrik «Jouer aux jeux» aufgeführt.

Activité **G**

Continue.

Je n'ai plus de cartes.

J'ai gagné.

1 Die Lernenden üben sich im Verstehen von Anweisungen und Spielabläufen und übernehmen gemeinsam die Verantwortung für das Gelingen des Spiels. Damit bearbeiten sie folgendes Lehrplanziel aus dem Handlungsfeld «Die Fremdsprache in der Gruppe anwenden»: «Die Arbeitsanweisungen für ein kleines Lernprojekt verstehen und sich mit anderen Gruppenmitgliedern darüber verständigen.»

Die Lehrperson kann den Lernenden die Strukturen in Erinnerung rufen und erneut zur Verfügung stellen, die sie in *activité* A im Rahmen von «Tu piges?» benutzt haben, um den Arbeitsablauf einer *activité* zu klären:

» *Il faut...*
» *Je pense qu'il faut...*
» *D'abord, on doit...*
» *Ensuite, il faut...*
» *A la fin, on doit...*

Es empfiehlt sich, die Anleitung in einer ersten Spielrunde mit offenen Karten gleich umzusetzen.

2 Wenn die Lehrperson es wünscht, kann sie das Spiel als Anlass zu einer weiteren summativen Evaluation nehmen, die direkt in das Unterrichtsgeschehen integriert ist. Sie evaluiert dabei, wie erfolgreich die Lernenden in der Gruppe Französisch sprechen. Dafür setzt sie sich während einiger Minuten zu jeder spielenden Gruppe und beobachtet und beurteilt dabei die Lernenden. Die Schülerinnen und Schüler kennen die Absicht der Lehrperson und die Beurteilungskriterien (Kriterienraster Seite 48 im *magazine*).

3 Das gemeinsame Spielen in der Gruppe findet in der Zielsprache statt. Den Lernenden stehen dafür bereits viele Sprechblasen auf der Doppelseite des Spiels zur Verfügung. Die Lehrperson kann die Lernenden darauf hinweisen, dass sie ihre Aussagen mit zusätzlichen Redemitteln aus der *revue* («Nous parlons français!») ergänzen können.

Beim Spielen arbeiten die Lernenden an mehreren Zielen des *parcours* aus dem Kompetenzbereich I: «Ich kann über ein Bild sprechen.» und «Ich kann in der Gruppe französisch sprechen.» Spielen in der Fremdsprache macht Spass und birgt gleichzeitig ein immenses Übungspotenzial. Die Lernenden üben sowohl produktiv, wenn sie Sätze zu einem Bild vorlesen oder sich zum Spielgeschehen äussern, als auch rezeptiv, indem sie die Sätze ihrer Mitspielerinnen und Mitspieler hören und verstehen.

4 Die Lernenden nehmen mit Hilfe des Kriterienrasters auf Seite 48 eine Selbstevaluation vor. Es ist auch möglich, die Selbst- mit einer Partnerevaluation zu ergänzen.

5 Falls die Lehrperson das Spiel als summative Evaluation genutzt hat, kann die Selbsteinschätzung mit der Einschätzung der Lehrperson verglichen werden.

Activité G

1 » Clarifiez les règles du jeu dans le groupe.

Règles du jeu

Matériel
- une pile de cartes
- 3 cartes par joueur
- un magazine ouvert aux pages 40 à 41
- un dé

Règles
» **A** Jette le dé. Le chiffre désigne la carte postale.
A Contrôle si une de tes cartes va avec la carte postale.
Non: **A** Pioche une carte.
Oui: **A** Lis la phrase.
B/C Contrôlez.

Juste: **A** Pose la carte
Faux: **A** Reprends ta carte.

» **B** Jette le dé...

Gagné
Le premier / La première qui n'a plus de cartes.

2 » Regardez les critères à la page 48.

3 » Jouez au jeu de cartes.

4 » Fais une auto-évaluation à l'aide de la grille à la page 48.

5 » Echangez et discutez vos résultats de l'auto-évaluation.

une auto-évaluation
eine Selbsteinschätzung

6 » Retournez au musée virtuel et regardez le film complet sur Plonk et Replonk.

7 » Essaie la technique des photomontages.

42

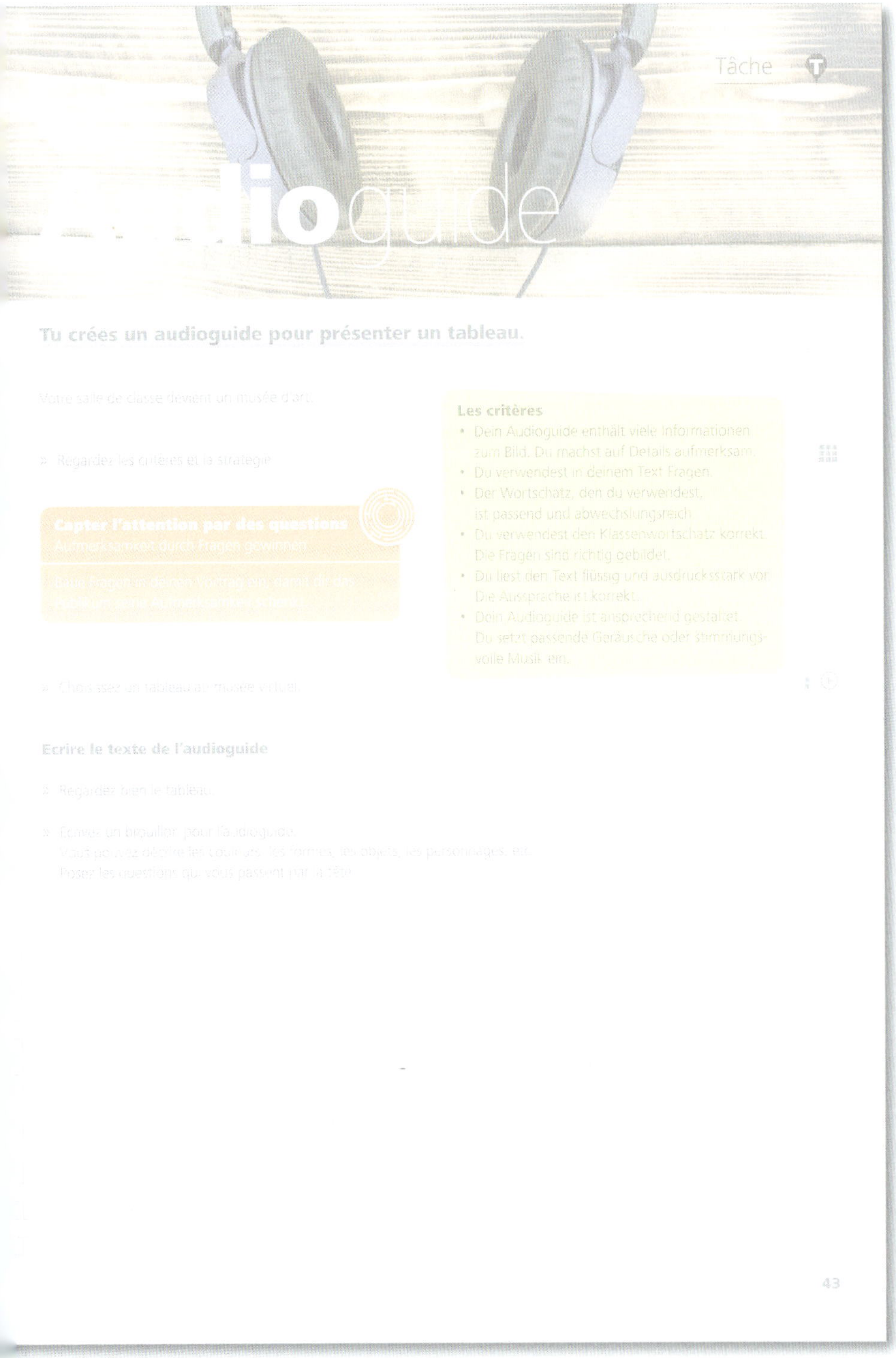
Tâche

Tu crées un audioguide pour présenter un tableau.

Votre salle de classe devient un musée d'art.

» Regardez les critères et la stratégie.

Les critères
- Dein Audioguide enthält viele Informationen zum Bild. Du machst auf Details aufmerksam.
- Du verwendest in deinem Text Fragen.
- Der Wortschatz, den du verwendest, ist passend und abwechslungsreich.
- Du verwendest den Klassenwortschatz korrekt. Die Fragen sind richtig gebildet.
- Du liest den Text flüssig und ausdrucksstark vor. Die Aussprache ist korrekt.
- Dein Audioguide ist ansprechend gestaltet. Du setzt passende Geräusche oder stimmungsvolle Musik ein.

Capter l'attention par des questions
Aufmerksamkeit durch Fragen gewinnen

» Choisissez un tableau au musée virtuel.

Ecrire le texte de l'audioguide

» Regardez bien le tableau.

43

6 Bei der Visionierung des ganzen Films über Plonk et Replonk (Dauer: rund 5 Minuten) arbeiten die Lernenden am Ziel aus dem Kompetenzbereich II: «Ich kenne eine Künstlerin und ein Künstlerkollektiv aus der Suisse romande und weiss etwas über ihr künstlerisches Schaffen.»

Plonk et Replonk resp. Hubert und Jacques sind zwei Brüder, die sich auf die Technik der Fotomontage spezialisiert haben. Weitere Informationen über die beiden Künstler findet man unter www.plonkreplonk.ch

Sie sind mittlerweile über Europa hinaus bekannt und stellen ihre Postkarten, Plakate, Gartenzwerge und «autres objets» in Vietnam, China, Paris und an vielen anderen Orten aus. Sie arbeiten mit einem Team zusammen, das sie bei der Arbeit am Computer und bei der Organisation ihrer Termine unterstützt.

Im Beitrag «Deux frères suisses voyagent au cœur de l'absurde» (z. B. auf youtube.com oder auf dailymotion.com) erfährt der Zuschauer, dass die beiden Brüder vergessen haben, wie sie zu ihren Künstlernamen kamen …

7 Es ist möglich, den fakultativen Teil der *activité* für eine Verbindung mit dem Fach «Informatik» zu nutzen. Versierte Lernende können selber am Computer eine Fotomontage erstellen und ihr Werk könnte die Bilderausstellung im Klassenzimmer bereichern.

Activité G

» Clarifiez les règles du jeu dans le groupe.

Règles du jeu

Matériel
- une pile de cartes
- 3 cartes par joueur
- un magazine ouvert aux pages 40 à 41
- un dé

Règles

» A Jette le dé. Le chiffre désigne la carte postale.
A Contrôle si une de tes cartes va avec la carte postale.
Non: A Pioche une carte.
Oui: A Lis la phrase.
B / C Contrôlez.

Juste: A Pose la carte.
Faux: A Reprends ta carte.

» B Jette le dé...

Gagné
Le premier / La première qui n'a plus de cartes.

» Regardez les critères à la page 48.

» Jouez au jeu de cartes.

» Fais une auto-évaluation à l'aide de la grille à la page 48.

» Échangez et discutez vos résultats de l'auto-évaluation.

une auto-évaluation
eine Selbsteinschätzung

» Retournez au musée virtuel et regardez le film complet sur Plonk et Replonk.

Essaie la technique des photomontages.

Tu crées un audioguide pour présenter un tableau.

Votre salle de classe devient un musée d'art.

» Regardez les critères et la stratégie.

Capter l'attention par des questions
Aufmerksamkeit durch Fragen gewinnen

Baue Fragen in deinen Vortrag ein, damit dir das Publikum seine Aufmerksamkeit schenkt.

Les critères
- Dein Audioguide enthält viele Informationen zum Bild. Du machst auf Details aufmerksam.
- Du verwendest in deinem Text Fragen.
- Der Wortschatz, den du verwendest, ist passend und abwechslungsreich.
- Du verwendest den Klassenwortschatz korrekt. Die Fragen sind richtig gebildet.
- Du liest den Text flüssig und ausdrucksstark vor. Die Aussprache ist korrekt.
- Dein Audioguide ist ansprechend gestaltet. Du setzt passende Geräusche oder stimmungsvolle Musik ein.

» Choisissez un tableau au musée virtuel.

Ecrire le texte de l'audioguide

» Regardez bien le tableau.

» Ecrivez un brouillon pour l'audioguide.
Vous pouvez décrire les couleurs, les formes, les objets, les personnages, etc.
Posez les questions qui vous passent par la tête.

43

Die Lernenden wählen ein Bild aus und erstellen dazu zu zweit einen Audioguide. Die Lernprozesse sind breit angelegt: Ideen sammeln und zu einem Text verarbeiten, eine künstlerisch-ästhetische Sprachproduktion realisieren, beim Vorlesen der eigenen Texte Stilmittel einsetzen und sich Hilfestellungen für die anderen ausdenken. Zum Schluss wird die Klasse angeleitet, in ihrem Schulzimmer ein *musée d'art* einzurichten.

1 Zu Beginn sind die Kriterien mit den Lernenden zusammen zu klären, damit sie diese beim Erstellen des Audioguides beachten können. Zudem soll transparent sein, dass das Ergebnis ihrer Arbeit aufgrund der aufgeführten Kriterien einer Beurteilung und Bewertung unterzogen wird. Der entsprechende Kompetenzraster befindet sich auf Seite 48. Er ist auf der Plattform www.clin-doeil.ch als Word- oder PDF-Dokument verfügbar.

Des Weiteren wird den Lernenden eine neue Strategie angeboten: Sie gewinnen die Aufmerksamkeit des Publikums leichter, indem sie Fragen in ihren Vortrag einbauen. Der Klassenwortschatz und die Grammatikarbeit dieses *parcours* haben die Schülerinnen und Schüler darauf vorbereitet, Fragen zu stellen.

Die Lernenden können darauf aufmerksam gemacht werden, dass sich diese Strategie auf andere Fächer und Situationen übertragen lässt, sei es als Vortragstechnik oder als Möglichkeit, sich die Aufmerksamkeit in einer Gesprächsrunde zu sichern.

2 Die Lernenden wählen ihr *tâche*-Bild entweder im *musée virtuel* oder aus den aufgehängten Kunstdrucken aus.

Es ist auch denkbar, dass die Schülerinnen und Schüler ein eigenes Bild mitbringen, das sie beschreiben möchten. Dabei gilt es zu beachten, dass sich besonders Bilder eignen, die viele Fragen aufwerfen.

3 Als Erstes gilt es, das gewählte Bild sehr genau zu betrachten, Details wahrzunehmen, auszusprechen, was irritierend wirkt, seltsam oder bizarr ist, Fragen aufwirft. Die Lernenden kennen dieses Verfahren aus den *activités* B und C und können es hier erneut anwenden.

Auf individuelle Bedürfnisse eingehen

Anforderungen erweitern
Selbstständigeres Vorgehen durch Einzelarbeit
» *Tâche* in Einzelarbeit bearbeiten
Weiterführende Aufgabe
» 4 Versionen erstellen (eine lange Version auf Französisch und je eine kurze auf Französisch, Deutsch und Englisch)

1 Die Strategie «Schreibkonferenz» haben die Lernenden bereits im Französischunterricht der Primarschule angewendet. Zudem ist sie ihnen vermutlich auch aus dem Deutschunterricht seit Längerem bekannt. In der 5. Klasse (*magazine* 5.2, *parcours* 2) lautet eines der Lernziele aus Kompetenzbereich III: «Ich kann in einer Schreibkonferenz mit andern zusammen meinen Text überarbeiten und andern Rückmeldungen zu ihren Texten geben.» In der Schreibkonferenz lesen die Lernenden ihren Entwurf zwei Mitschülerinnen oder Mitschülern vor. Diese reformulieren auf Deutsch, was sie verstanden haben, und äussern, was ihnen am Text besonders gut gefällt. Im Weiteren geben sie der Verfasserin oder dem Verfasser Ratschläge, wie der Text optimiert werden könnte.

In der Schreibkonferenz lernen die Schülerinnen und Schüler die Schreibprodukte anderer kennen und beurteilen sie nach verschiedenen Gesichtspunkten. Dies ermöglicht ihnen wiederum, die eigenen Texte kritischer zu betrachten. Zudem übernehmen alle an einer Schreibkonferenz Beteiligten eine gewisse Verantwortung für das Gelingen der besprochenen Arbeiten.

Tâche

1 » Echangez vos brouillons avec un autre groupe et proposez des corrections.

Conférence de rédaction
Schreibkonferenz

44

Tâche

» Retravaillez votre texte. Ecrivez la version définitive.

» Créez une boîte de traduction pour les visiteurs du musée. Ecrivez les expressions sur une feuille.

Faciliter la compréhension du texte
Entschlüsselungshilfen zur Verfügung stellen

45

1 Diese Strategie haben die Lernenden in der 6. Klasse kennen gelernt und an Inputtexten eingeübt. Sie überlegen sich, welche Ausdrücke einer Erklärung bedürfen, und stellen diese bereit. Es gibt verschiedene Möglichkeiten, die Entschlüsselungshilfen darzustellen. Eine *boîte de traduction* kann zum Beispiel Übersetzungen, französische Entsprechungen oder Skizzen enthalten. Dieses Extrablatt sollte bei der Ausstellung im Klassenzimmer neben den Audioguides bereitliegen.

Den Lernenden wird bewusst, dass ihre eigenen Texte für ihre Mitschülerinnen und Mitschüler anspruchsvoll sein können. Dies wertet ihre Produktion auf und führt dazu, dass sie sich beim Verfassen der Texte bewusst sind, dass sich diese an Adressaten aus der eigenen Klasse richten.

1 In der Primarschule haben die Schülerinnen und Schüler bei verschiedenen mündlichen *tâches* bewusst Stilmittel eingesetzt, um beispielsweise Gedichte oder Theaterrollen ausdrucksstark zu gestalten. Die Lehrperson kann sie daran erinnern und ihnen beim Vorbereiten Tipps zum Vorlesen geben:

» Strategie «Sprechpausen einbauen»: Ein Text wird verständlicher, wenn zum richtigen Zeitpunkt Sprechpausen eingebaut werden.
» Text aufteilen: Es ist unterhaltsam, wenn einzelne Sätze abwechselnd von den Lernenden vorgelesen werden (z. B. Frage – Antwort).
» Auf die Intonation achten: Die Lernenden können mit ihrer Stimme spielen. Beispielsweise steigt die Satzmelodie bei einer Frage und senkt sich bei der Antwort.
» Lautstärke variieren: Gewisse Textstellen können lauter oder passend zum geheimnisvollen Inhalt eher leiser vorgelesen werden.
» Tempo variieren: Passend zum Inhalt können Textpassagen schneller oder langsamer vorgelesen werden.
» Richtige Aussprache: Wörter, welche die Lernenden für ihren Audioguide nachgeschlagen haben, können sie in einem Online-Wörterbuch anhören, um die richtige Aussprache abzusichern.

2 Die Inputtexte sind als Klangerlebnis gestaltet. Die Lernenden können versuchen, diese Modelle bei ihren Eigenkreationen nachzuahmen. Geräusche und Musik können sie selber produzieren oder Musikprogrammen entnehmen (z. B. GarageBand für Mac oder Windows Mediaplayer für PC).

Die Audioguides können auf unterschiedliche Weise aufgezeichnet werden: Elektronische Geräte wie MP3-Player, iPod, Handy oder Computer bieten eine Audiofunktion zum Aufnehmen und zum Abspielen an.

Auf der Plattform www.clin-doeil.ch befindet sich eine Anleitung, die zeigt, wie ein Bild und eine selbst aufgezeichnete Audiodatei in eine PowerPoint-Präsentation integriert werden können. Die Bilder stehen in digitaler Form im Ordner «Bilder» auf der Multimedia-CD zur Verfügung.

Tâche

Lire l'audioguide

» Préparez la lecture.
1 » Répartissez le texte.
» Lisez vos parties plusieurs fois à haute voix et de façon vivante. Corrigez-vous.

Enregistrer l'audioguide

» Préparez l'enregistrement.
Vous pouvez ajouter des bruitages ou de la musique à l'audioguide.

2 » Enregistrez l'audioguide.

enregistrez
nehmt auf

Visiter le musée d'art

» Visitez votre «musée d'art», regardez les tableaux et écoutez les audioguides des autres.

46

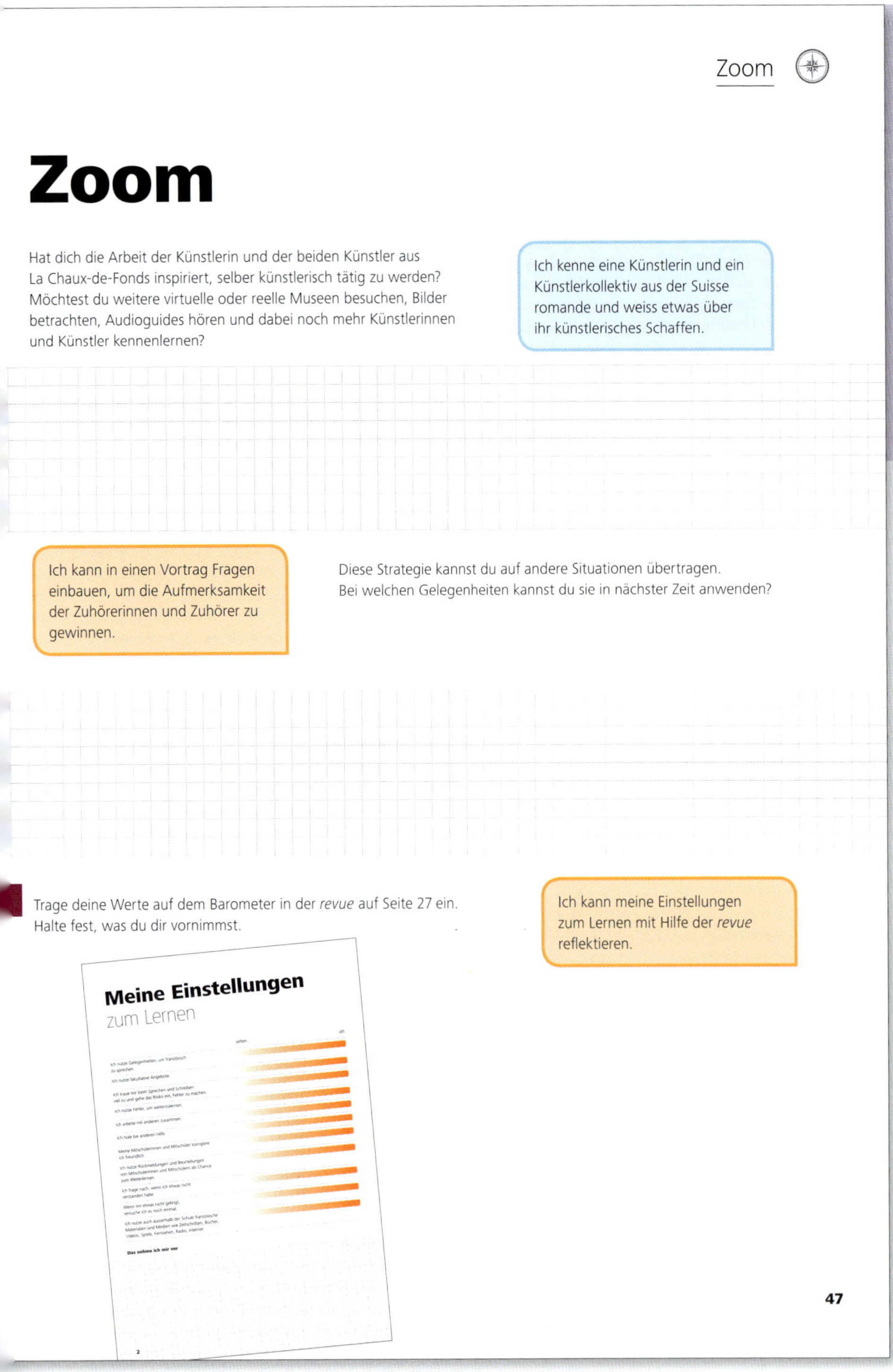

Zoom

Zoom

Hat dich die Arbeit der Künstlerin und der beiden Künstler aus La Chaux-de-Fonds inspiriert, selber künstlerisch tätig zu werden? Möchtest du weitere virtuelle oder reelle Museen besuchen, Bilder betrachten, Audioguides hören und dabei noch mehr Künstlerinnen und Künstler kennenlernen?

Ich kenne eine Künstlerin und ein Künstlerkollektiv aus der Suisse romande und weiss etwas über ihr künstlerisches Schaffen.

Ich kann in einen Vortrag Fragen einbauen, um die Aufmerksamkeit der Zuhörerinnen und Zuhörer zu gewinnen.

Diese Strategie kannst du auf andere Situationen übertragen. Bei welchen Gelegenheiten kannst du sie in nächster Zeit anwenden?

Trage deine Werte auf dem Barometer in der *revue* auf Seite 27 ein. Halte fest, was du dir vornimmst.

Ich kann meine Einstellungen zum Lernen mit Hilfe der *revue* reflektieren.

47

Am Ende des *parcours* schauen die Lernenden mit Hilfe der Fragestellungen im *zoom* auf einzelne Lernprozesse und -ergebnisse zurück. So arbeiten sie an lernstrategischen Zielen aus dem Handlungsfeld «Sprachlernreflexion» des Lehrplans «Passepartout». Die Lernenden erkennen, inwieweit sie sich von den zusätzlichen Angeboten haben inspirieren lassen, überlegen konkrete Transfermöglichkeiten für die Strategie «Capter l'attention par des questions» und reflektieren ihre Einstellungen zum Lernen anhand eines Formulars in der *revue*.

1 Die Lernenden werden hier zum ersten Mal angeleitet, das Formular «Meine Einstellungen zum Lernen» in der *revue* zu benutzen und ihre Werte in den Barometer einzutragen. Dieses Formular und das Formular «Über das Lernen nachdenken» auf Seite 28 der *revue* werden die Lernenden über weite Teile des 7. Schuljahres begleiten.

So nehmen sie in *magazine* 7.3 Rückschau auf den Aspekt «Ich nutze Gelegenheiten, um französisch zu sprechen», und denken in *magazine* 7.4 anhand der beiden Formulare erneut über ihre Einstellungen und über ihr Lernen nach.

Formative und summative Evaluationsmomente

Die Evaluation von Lernprozessen und Lernergebnissen spielt für den Lernprozess eine wichtige Rolle.

Es lassen sich folgende formativen Evaluationsmomente ausmachen:

» Vor und während der Bearbeitung des *parcours* werden Lernziele thematisiert.
» Die Lernenden setzen sich eigene Lernziele oder stellen fest, was sie zusätzlich gelernt haben.
» Sie bestimmen mit Hilfe der Navigationskarte ihren eigenen Lernweg.
» Sie korrigieren ihre Aufgaben mit Hilfe der *solutions* selbstständig.
» Sie beurteilen eigene Lernergebnisse mit Hilfe von Kriterien.
» Sie beurteilen in Co-Evaluation wertschätzend die Leistungen anderer.
» Sie reflektieren im *zoom* konkrete Lernerfahrungen.
» Sie dokumentieren im Sprachenportfolio Lernerfahrungen und Lernergebnisse.
» Sie schauen in der *revue* auf das Gelernte zurück.

Summative Evaluationen finden in der Regel am Ende einer Lernphase statt, hie und da auch zwischendurch, wenn eine einzelne Fertigkeit überprüft wird. In *Clin d'œil* werden folgende Lernergebnisse zur summativen Evaluation vorgeschlagen:

» Ergebnisse einzelner *activités*, die mit dem Symbol ⊕ gekennzeichnet sind
» Produkte, die in der *tâche* erstellt worden sind
» Ergebnisse summativer Evaluationsaufgaben

Grilles d'évaluation

Activité G page 39

Bilder beschreiben	++	+	+/–	–
Du gibst unterschiedliche Informationen zu den Bildern. Du machst auf Details aufmerksam.				
Du verwendest den Klassenwortschatz korrekt.				

Activité G page 42

Beim Spielen französisch sprechen	++	+	+/–	–
Du sprichst mit deinen Mitschülerinnen und Mitschülern während des Spiels fast ausschliesslich französisch.				
Du nutzt viele Gelegenheiten. Du hilfst, das Gespräch in Gang zu halten. Du fragst nach, wenn du etwas nicht verstehst. Du hilfst den anderen.				
Deine Beiträge sind passend und richtig.				

Tâche pages 43 à 46

Punkte	**4**	**3**	**2**	**1**	**0**
Inhalt Informationen	Dein Audioguide enthält sehr viele Informationen zum Bild. Du machst auf zahlreiche Details aufmerksam. ❐	Dein Audioguide enthält viele Informationen zum Bild. Du machst auf mehrere Details aufmerksam. ❐	Dein Audioguide enthält mehrere Informationen zum Bild. Du machst auf einige Details aufmerksam. ❐	Dein Audioguide enthält wenige Informationen zum Bild. Du machst kaum auf Details aufmerksam. ❐	❐
Fragen		Du verwendest in deinem Text viele Fragen. ❐	Du verwendest in deinem Text mehrere Fragen. ❐	Du verwendest in deinem Text eine Frage. ❐	❐
Sprache Wortschatz		Der Wortschatz, den du verwendest, ist meist passend und abwechslungsreich. ❐	Der Wortschatz, den du verwendest, ist nur teilweise passend und wenig abwechslungsreich. ❐	Der Wortschatz, den du verwendest, ist oft unpassend und wiederholt sich häufig. ❐	❐
Klassenwortschatz und Fragen			Du verwendest den Klassenwortschatz mehrheitlich korrekt. Die meisten Fragen sind richtig gebildet. ❐	Du verwendest nur wenige Satzstrukturen und Ausdrücke des Klassenwortschatzes korrekt. Die Fragen sind selten richtig gebildet. ❐	❐
Aussprache und Flüssigkeit		Du liest den Text flüssig und ausdrucksstark vor. Die Aussprache ist korrekt. ❐	Du liest den Text ziemlich flüssig und stellenweise ausdrucksstark vor. Die Aussprache ist teilweise korrekt. ❐	Du liest den Text stockend und monoton vor. Die Aussprache ist oft nicht korrekt. ❐	❐
Gestaltung			Dein Audioguide ist ansprechend gestaltet. Du setzt passende Geräusche oder stimmungsvolle Musik ein. ❐		❐

48

Kompetenzorientierte Beurteilung und Fehlerkultur

Zur Beurteilung werden in *Clin d'œil* Kriterien- oder Kompetenzraster zur Verfügung gestellt, die eine lernziel- und kompetenzorientierte Beurteilung und Bewertung unterstützen. Diese unterscheidet sich von einer defizitorientierten Beurteilung, indem sie erfasst, was der/die Lernende kann, und den Leistungsstand nicht aufgrund der Anzahl Fehler bewertet.

«Tout apprentissage est source potentielle d'erreur. Il n'y a pas d'apprentissage sans erreur, parce que cela voudrait dire que celui qui apprend sait déjà.» Diese Haltung vertreten Jean-Pierre Cuq und Isabelle Gruca 2005 in ihrem «Cours de didactique du français langue étrangère et seconde» (Presses universitaires de Grenoble, Seite 389).

Während Fehler früher fast ausschliesslich defizitorientiert beurteilt wurden, weiss man heute, dass für den Lernprozess eine differenziertere Beurteilung wesentlich ist. So heisst es im Lehrplan «Passepartout»: «Ein ermutigendes Lernklima begünstigt einen angstfreien Umgang mit Fremdsprachen und stärkt das Vertrauen der Lernenden in die eigenen Fähigkeiten. Dazu gehört ein differenzierter, unterstützender Umgang mit Fehlern. Fehler haben verschiedene Ursachen und sind oft Zeichen des Lernprozesses. Das Korrekturverhalten der Lehrperson hebt

Der *dictionnaire* unterstützt die Lernenden beim Entschlüsseln der Inputtexte. Sie finden hier eine Sammlung an sinntragenden Wörtern aus den Texten.

Für die Entschlüsselungsarbeit können sie auch weitere Wörterbücher beiziehen. Zu beachten ist allerdings, dass die Strategie «Dictionnaires (en ligne)» immer als letzte angewendet werden soll und zwar nur für einzelne Ausdrücke, welche die Lernenden für ihr Verstehen als wesentlich erachten.

Dictionnaire

A

agrandir	vergrössern
allumé/-e	erhellt, angezündet
l' angle m	der Winkel
un angle droit	*ein rechter Winkel*
apparaître	auftreten/erscheinen
ils apparaissent	*sie erscheinen*
à l'arrière plan	im Hintergrund
au milieu	in der Mitte
au premier-plan	im Vordergrund

B

le bas	der untere Teil
en bas	unten
le bateau	das Schiff
la boîte	die Schachtel
le bonnet	die Mütze
le bonnet à clochettes	*die Glöckchenmütze*

C

la corde	die Saite
le ciel	der Himmel

E

s' échapper	entsteigen, entfliehen
l' endroit m	der Ort
l' étagère f	das Regal
étrange	seltsam, merkwürdig, eigenartig

F

le fleuve	der Fluss
le fond	der Hintergrund
le fôret	der Wald
le fou du roi	der Hofnarr

G

à gauche	links

H

en haut	oben
l' homme m	der Mann

I

illuminer	beleuchten
inconnu/-e	unbekannt

J

le jour	der Tag
le journal (pl: journaux)	die Zeitung

M

la mare	der Teich, der Tümpel
le mirage	die Fata Morgana
le mystère	das Geheimnis, das Rätsel

N

natal/-e	Heimat…, Geburts…
la ville natale	*die Geburtsstadt*
noir/-e	schwarz
le nuage	die Wolke
la nuit	die Nacht

O

l' ombre f	der Schatten

P

le papillon	der Schmetterling
la patte	die Pfote
le paysage	die Landschaft
le peinture	der Maler
proche	nahe

R

le rectangle	das Rechteck

S

le secret	das Geheimnis
le sol	der Fussboden

T

le trou	hier: die Öffnung (das Loch)

49

bereits Gelerntes hervor, konzentriert sich auf systematische Fehler und passt sich dem Lernziel an» (Seite 12). Im Weiteren heisst es: «Ein bewusstes Korrekturverhalten ist wichtig, weil den Sprachmitteln eine explizit andere Bedeutung zukommt als im traditionellen Fremdsprachenunterricht» (Seite 6).

Fehler erlauben der Lehrperson unter anderem auch, Rückschlüsse auf das aktuelle Erwerbsstadium der Lernenden zu ziehen. Viele so genannte «Fehler» erweisen sich als «intelligente Fehler», zum Beispiel dann, wenn Lernende eine Regelmässigkeit erkannt haben und diese übergeneralisieren. Übergeneralisierungen sind ein natürliches Phänomen beim Spracherwerb. Sie können auch beim Erstspracherwerb beobachtet werden und zeigen an, dass die Lernenden schon sehr viel von der Grammatik einer Sprache verstanden haben.

Bei der Beurteilung und Bewertung mag vielleicht auch der Titel eines Aufsatzes von P. Bausch in «Der fremdsprachliche Unterricht Französisch» (2005) leitend sein: «Corrigez et commentez avec un sourire.»

Für die Evaluation von Lernergebnissen stehen auf der Plattform www.clin-doeil.ch folgende Dokumente zur Verfügung:

- Kompetenzraster zur Beurteilung der *tâche*
- Kriterienraster zur Beurteilung zweier summativer Evaluationsmomente in *activité* G: «Bilder beschreiben» und «Beim Spielen französisch sprechen»
- Musteraufgaben zur summativen Evaluation
- Kriterienliste für das Erstellen eigener summativer Evaluationsaufgaben
- Qualitative Beurteilungsraster für die transparente Beurteilung der Kompetenzen «Sprechen» und «Schreiben» von «Lingualevel»

Bis auf das Raster von «Lingualevel» werden sämtliche Dokumente zur Evaluation des Lernerfolgs in den Formaten PDF und Word angeboten, damit sie bei Bedarf verändert und den Gegebenheiten der eigenen Klasse angepasst werden können. Tondokumente sind als mp3-Dateien verfügbar.

Formative und summative Evaluationsmomente

Die Evaluation von Lernprozessen und Lernergebnissen spielt für den Lernprozess eine wichtige Rolle.

Es lassen sich folgende formativen Evaluationsmomente ausmachen:

» Vor und während der Bearbeitung des *parcours* werden Lernziele thematisiert.
» Die Lernenden setzen sich eigene Lernziele oder stellen fest, was sie zusätzlich gelernt haben.
» Sie bestimmen mit Hilfe der Navigationskarte ihren eigenen Lernweg.
» Sie korrigieren ihre Aufgaben mit Hilfe der *solutions* selbstständig.
» Sie beurteilen eigene Lernergebnisse mit Hilfe von Kriterien.
» Sie beurteilen in Co-Evaluation wertschätzend die Leistungen anderer.
» Sie reflektieren im *zoom* konkrete Lernerfahrungen.
» Sie dokumentieren im Sprachenportfolio Lernerfahrungen und Lernergebnisse.
» Sie schauen in der *revue* auf das Gelernte zurück.

Summative Evaluationen finden in der Regel am Ende einer Lernphase statt, hie und da auch zwischendurch, wenn eine einzelne Fertigkeit überprüft wird. In *Clin d'œil* werden folgende Lernergebnisse zur summativen Evaluation vorgeschlagen:

» Ergebnisse einzelner *activités*, die mit dem Symbol gekennzeichnet sind
» Produkte, die in der *tâche* erstellt worden sind
» Ergebnisse summativer Evaluationsaufgaben

Grilles d'évaluation

Activité G page 39

Bilder beschreiben	++	+	+/–	–
Du gibst unterschiedliche Informationen zu den Bildern. Du machst auf Details aufmerksam.				
Du verwendest den Klassenwortschatz korrekt.				

Activité G page 42

Beim Spielen französisch sprechen	++	+	+/–	–
Du sprichst mit deinen Mitschülerinnen und Mitschülern während des Spiels fast ausschliesslich französisch.				
Du nutzt viele Gelegenheiten. Du hilfst, das Gespräch in Gang zu halten. Du fragst nach, wenn du etwas nicht verstehst. Du hilfst den anderen.				
Deine Beiträge sind passend und richtig.				

Tâche pages 43 à 46

Punkte	**4**	**3**	**2**	**1**	**0**
Inhalt Informationen	Dein Audioguide enthält sehr viele Informationen zum Bild. Du machst auf zahlreiche Details aufmerksam. ❐	Dein Audioguide enthält viele Informationen zum Bild. Du machst auf mehrere Details aufmerksam. ❐	Dein Audioguide enthält mehrere Informationen zum Bild. Du machst auf einige Details aufmerksam. ❐	Dein Audioguide enthält wenige Informationen zum Bild. Du machst kaum auf Details aufmerksam. ❐	❐
Fragen		Du verwendest in deinem Text viele Fragen. ❐	Du verwendest in deinem Text mehrere Fragen. ❐	Du verwendest in deinem Text eine Frage. ❐	❐
Sprache Wortschatz	Der Wortschatz, den du verwendest, ist passend und sehr abwechslungsreich. ❐	Der Wortschatz, den du verwendest, ist meist passend und abwechslungsreich. ❐	Der Wortschatz, den du verwendest, ist nur teilweise passend und wenig abwechslungsreich. ❐	Der Wortschatz, den du verwendest, ist oft unpassend und wiederholt sich häufig. ❐	❐
Klassenwortschatz und Fragen		Du verwendest den Klassenwortschatz korrekt. Die Fragen sind richtig gebildet. ❐	Du verwendest den Klassenwortschatz mehrheitlich korrekt. Die meisten Fragen sind richtig gebildet. ❐	Du verwendest nur wenige Satzstrukturen und Ausdrücke des Klassenwortschatzes korrekt. Die Fragen sind selten richtig gebildet. ❐	❐
Aussprache und Flüssigkeit		Du liest den Text flüssig und ausdrucksstark vor. Die Aussprache ist korrekt. ❐	Du liest den Text ziemlich flüssig und stellenweise ausdrucksstark vor. Die Aussprache ist teilweise korrekt. ❐	Du liest den Text stockend und monoton vor. Die Aussprache ist oft nicht korrekt. ❐	❐
Gestaltung			Dein Audioguide ist ansprechend gestaltet. Du setzt passende Geräusche oder stimmungsvolle Musik ein. ❐		❐

48

Kompetenzorientierte Beurteilung und Fehlerkultur

Zur Beurteilung werden in *Clin d'œil* Kriterien- oder Kompetenzraster zur Verfügung gestellt, die eine lernziel- und kompetenzorientierte Beurteilung und Bewertung unterstützen. Diese unterscheidet sich von einer defizitorientierten Beurteilung, indem sie erfasst, was der/die Lernende kann, und den Leistungsstand nicht aufgrund der Anzahl Fehler bewertet.

«Tout apprentissage est source potentielle d'erreur. Il n'y a pas d'apprentissage sans erreur, parce que cela voudrait dire que celui qui apprend sait déjà.» Diese Haltung vertreten Jean-Pierre Cuq und Isabelle Gruca 2005 in ihrem «Cours de didactique du français langue étrangère et seconde» (Presses universitaires de Grenoble, Seite 389).

Während Fehler früher fast ausschliesslich defizitorientiert beurteilt wurden, weiss man heute, dass für den Lernprozess eine differenziertere Beurteilung wesentlich ist. So heisst es im Lehrplan «Passepartout»: «Ein ermutigendes Lernklima begünstigt einen angstfreien Umgang mit Fremdsprachen und stärkt das Vertrauen der Lernenden in die eigenen Fähigkeiten. Dazu gehört ein differenzierter, unterstützender Umgang mit Fehlern. Fehler haben verschiedene Ursachen und sind oft Zeichen des Lernprozesses. Das Korrekturverhalten der Lehrperson hebt

Dictionnaire

A

agrandir	vergrössern
allumé/-e	erhellt, angezündet
l' angle m	der Winkel
un angle droit	*ein rechter Winkel*
apparaître	auftreten / erscheinen
ils apparaissent	*sie erscheinen*
à l'arrière plan	im Hintergrund
au milieu	in der Mitte
au premier-plan	im Vordergrund

B

le bas	der untere Teil
en bas	unten
le bateau	das Schiff
la boîte	die Schachtel
le bonnet	die Mütze
le bonnet à clochettes	*die Glöckchenmütze*

C

la corde	die Saite
le ciel	der Himmel

E

s' échapper	entsteigen, entfliehen
l' endroit m	der Ort
l' étagère f	das Regal
étrange	seltsam, merkwürdig, eigenartig

F

le fleuve	der Fluss
le fond	der Hintergrund
le forêt	der Wald
le fou du roi	der Hofnarr

G

à gauche	links

H

en haut	oben
l' homme m	der Mann

I

illuminer	beleuchten
inconnu/-e	unbekannt

J

le jour	der Tag
le journal (pl: journaux)	die Zeitung

M

la mare	der Teich, der Tümpel
le mirage	die Fata Morgana
le mystère	das Geheimnis, das Rätsel

N

natal/-e	Heimat…, Geburts…
la ville natale	*die Geburtsstadt*
noir/-e	schwarz
le nuage	die Wolke
la nuit	die Nacht

O

l' ombre f	der Schatten

P

le papillon	der Schmetterling
la patte	die Pfote
le paysage	die Landschaft
le peinture	der Maler
proche	nahe

R

le rectangle	das Rechteck

S

le secret	das Geheimnis
le sol	der Fussboden

T

le trou	hier: die Öffnung (das Loch)

49

Der *dictionnaire* unterstützt die Lernenden beim Entschlüsseln der Inputtexte. Sie finden hier eine Sammlung an sinntragenden Wörtern aus den Texten.

Für die Entschlüsselungsarbeit können sie auch weitere Wörterbücher beiziehen. Zu beachten ist allerdings, dass die Strategie «Dictionnaires (en ligne)» immer als letzte angewendet werden soll und zwar nur für einzelne Ausdrücke, welche die Lernenden für ihr Verstehen als wesentlich erachten.

bereits Gelerntes hervor, konzentriert sich auf systematische Fehler und passt sich dem Lernziel an» (Seite 12). Im Weiteren heisst es: «Ein bewusstes Korrekturverhalten ist wichtig, weil den Sprachmitteln eine explizit andere Bedeutung zukommt als im traditionellen Fremdsprachenunterricht» (Seite 6).

Fehler erlauben der Lehrperson unter anderem auch, Rückschlüsse auf das aktuelle Erwerbsstadium der Lernenden zu ziehen. Viele so genannte «Fehler» erweisen sich als «intelligente Fehler», zum Beispiel dann, wenn Lernende eine Regelmässigkeit erkannt haben und diese übergeneralisieren. Übergeneralisierungen sind ein natürliches Phänomen beim Spracherwerb. Sie können auch beim Erstspracherwerb beobachtet werden und zeigen an, dass die Lernenden schon sehr viel von der Grammatik einer Sprache verstanden haben.

Bei der Beurteilung und Bewertung mag vielleicht auch der Titel eines Aufsatzes von P. Bausch in «Der fremdsprachliche Unterricht Französisch» (2005) leitend sein: «Corrigez et commentez avec un sourire.»

Für die Evaluation von Lernergebnissen stehen auf der Plattform www.clin-doeil.ch folgende Dokumente zur Verfügung:

- Kompetenzraster zur Beurteilung der *tâche*
- Kriterienraster zur Beurteilung zweier summativer Evaluationsmomente in *activité* G: «Bilder beschreiben» und «Beim Spielen französisch sprechen»
- Musteraufgaben zur summativen Evaluation
- Kriterienliste für das Erstellen eigener summativer Evaluationsaufgaben
- Qualitative Beurteilungsraster für die transparente Beurteilung der Kompetenzen «Sprechen» und «Schreiben» von «Lingualevel»

Bis auf das Raster von «Lingualevel» werden sämtliche Dokumente zur Evaluation des Lernerfolgs in den Formaten PDF und Word angeboten, damit sie bei Bedarf verändert und den Gegebenheiten der eigenen Klasse angepasst werden können. Tondokumente sind als mp3-Dateien verfügbar.

Solutions

Activité D page 27

jaune	30
rose	28
violet	28
vert clair	25
rouge	20
blanc	18
orange foncé	14
orange clair	12
vert foncé	11
bleu	10

Activité E page 31

Est-ce qu'il s'agit de Lisbonne?
Est-ce qu'on voit un parc?
Est-ce que tu vois les boîtes?
Est-ce qu'on est dans un atelier?
Est-ce que vous voyez les livres?

S'agit-il de Lisbonne?
Voit-on un parc?
Vois-tu les boîtes?
Est-on dans un atelier?
Voyez-vous les livres?

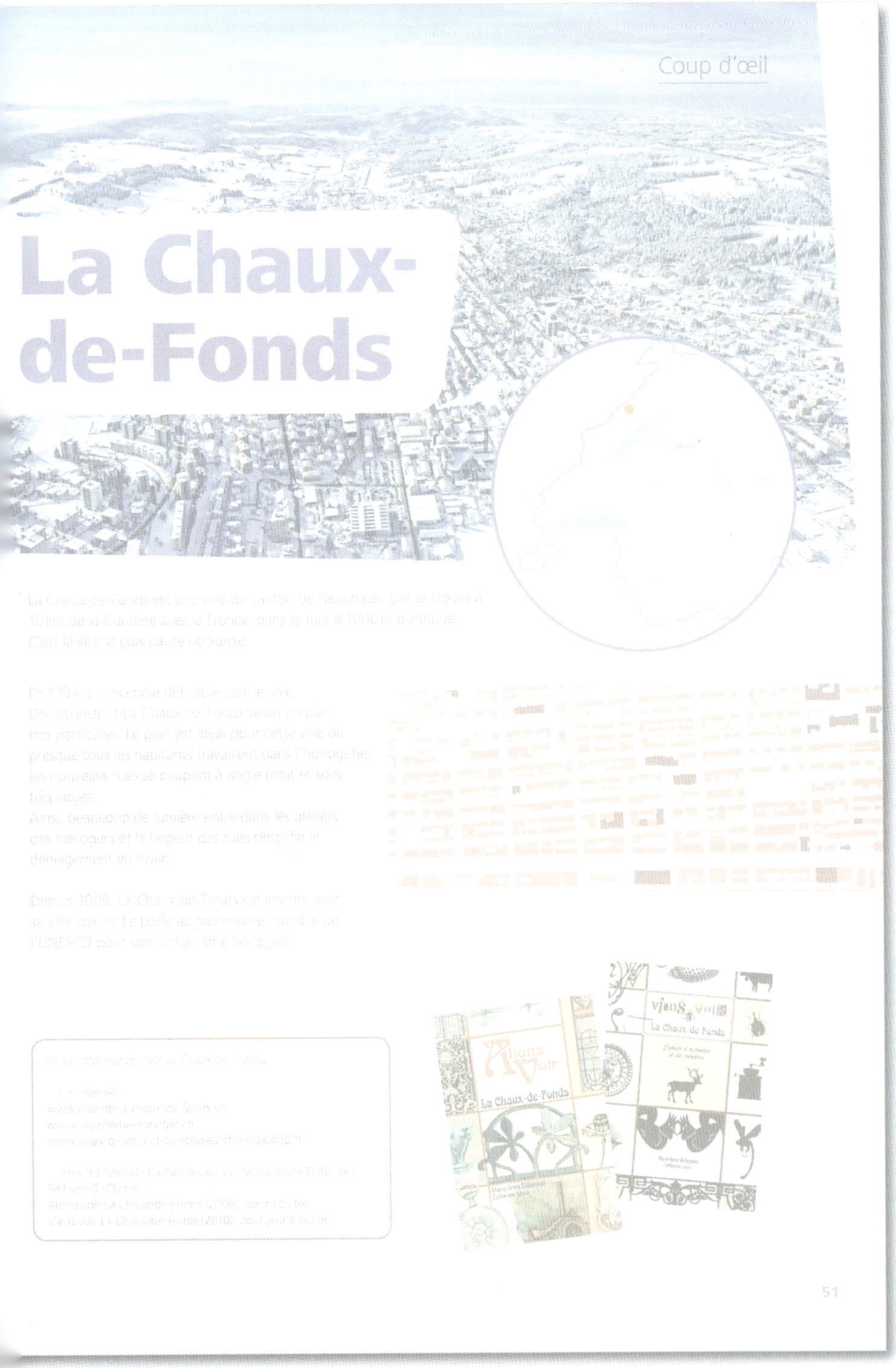

Coup d'œil

La Chaux-de-Fonds

La Chaux-de-Fonds est une ville du canton de Neuchâtel. Elle se trouve à 10 km de la frontière avec la France, dans le Jura à 1000 m d'altitude. C'est la ville la plus haute de Suisse.

En 1794, un incendie détruit le centre-ville. On reconstruit La Chaux-de-Fonds selon un plan très particulier. Le plan est idéal pour cette ville où presque tous les habitants travaillent dans l'horlogerie: les nouvelles rues se coupent à angle droit et sont très larges. Ainsi, beaucoup de lumière entre dans les ateliers des horlogers et la largeur des rues simplifie le déneigement en hiver.

Depuis 2009, La Chaux-de-Fonds est inscrite avec sa ville voisine Le Locle au patrimoine mondial de l'UNESCO pour son urbanisme horloger.

51

Solutions

Activité D page 27

jaune	30
rose	28
violet	28
vert clair	25
rouge	20
blanc	18
orange foncé	14
orange clair	12
vert foncé	11
bleu	10

Activité E page 31

Est-ce qu'il s'agit de Lisbonne?
Est-ce qu'on voit un parc?
Est-ce que tu vois les boîtes?
Est-ce qu'on est dans un atelier?
Est-ce que c'est une bibliothèque?
Est-ce que c'est une ville?
Est-ce que vous voyez les livres?

S'agit-il de Lisbonne?
Voit-on un parc?
Vois-tu les boîtes?
Est-on dans un atelier?
Est-ce une bibliothèque?
Est-ce une ville?
Voyez-vous les livres?

Ça se passe à/en...?	Est-ce que ça se passe à/en...?	Ça se passe-t-il à/en...?
On est à/en...?	Est-ce qu'on est à/en...?	Est-on à/en...?
Il s'agit d'un/d'une...?	Est-ce qu'il s'agit d'un/d'une...?	S'agit-il d'un/d'une...?
C'est peut-être un/une...?	Est-ce que c'est peut-être un/une...?	Est-ce peut-être un/une...?
C'est vraiment un/une...?	Est-ce que c'est vraiment un/une...?	Est-ce vraiment un/une...?
Vous voyez le/la...?	Est-ce que vous voyez le/la/les...?	Voyez-vous le/la...?
C'est possible...?	Est-ce que c'est possible?	Est-ce possible...?

Coup d'œil

La Chaux-de-Fonds

La Chaux-de-Fonds est une ville du canton de Neuchâtel. Elle se trouve à 10 km de la frontière avec la France, dans le Jura à 1000 m d'altitude. C'est la ville la plus haute de Suisse.

En 1794, un incendie détruit le centre-ville. On reconstruit La Chaux-de-Fonds selon un plan très particulier. Le plan est idéal pour cette ville où presque tous les habitants travaillent dans l'horlogerie : les nouvelles rues se coupent à angle droit et sont très larges. Ainsi, beaucoup de lumière entre dans les ateliers des horlogers et la largeur des rues simplifie le déneigement en hiver.

Depuis 2009, La Chaux-de-Fonds est inscrite avec sa ville voisine Le Locle au patrimoine mondial de l'UNESCO pour son urbanisme horloger.

51

Solutions

Activité D page 27

jaune	30
rose	28
violet	28
vert clair	25
rouge	20
blanc	18
orange foncé	14
orange clair	12
vert foncé	11
bleu	10

Activité E page 31

Est-ce qu'il s'agit de Lisbonne?
Est-ce qu'on voit un parc?
Est-ce que tu vois les boîtes?
Est-ce qu'on est dans un atelier?
Est-ce que c'est une bibliothèque?
Est-ce que c'est une ville?
Est-ce que vous voyez les livres?

S'agit-il de Lisbonne?
Voit-on un parc?
Vois-tu les boîtes?
Est-on dans un atelier?
Est-ce une bibliothèque?
Est-ce une ville?
Voyez-vous les livres?

[illegible]	Est-ce que ça se passe à/en...?	Ça se passe-t-il à/en...?
On est à/en...?	[illegible]	Est-on à/en...?
Il s'agit d'un/d'une...?	Est-ce qu'il s'agit d'un/d'une...?	[illegible]
C'est peut-être un/une...?	Est-ce que c'est peut-être un/une...?	[illegible]
C'est vraiment un/une...?	Est-ce que c'est vraiment un/une...?	[illegible]
Vous voyez le/la...?	Est-ce que vous voyez le/la/les...?	[illegible]
[illegible]	Est-ce que c'est possible?	Est-ce possible...?

50

Coup d'œil

La Chaux-de-Fonds

La Chaux-de-Fonds est une ville du canton de Neuchâtel. Elle se trouve à 10 km de la frontière avec la France, dans le Jura à 1000 m d'altitude. C'est la ville la plus haute de Suisse.

En 1794, un incendie détruit le centre-ville. On reconstruit La Chaux-de-Fonds selon un plan très particulier. Le plan est idéal pour cette ville où presque tous les habitants travaillent dans l'horlogerie: les nouvelles rues se coupent à angle droit et sont très larges.
Ainsi, beaucoup de lumière entre dans les ateliers des horlogers et la largeur des rues simplifie le déneigement en hiver.

Depuis 2009, La Chaux-de-Fonds est inscrite avec sa ville voisine Le Locle au patrimoine mondial de l'UNESCO pour son «urbanisme horloger».

Plus d'informations sur La Chaux-de-Fonds:

…sur Internet:
www.ville-de-la-chaux-de-fonds.ch
www.urbanisme-horloger.ch
www.unesco-destination-schweiz.ch/index.php/fr

…dans les livres de Catherine Louis et Marie-Anne Diderjean, Editions G d'Encre:
Allons voir La Chaux-de-Fonds (2009), pour adultes
Viens voir La Chaux-de-Fonds (2010), pour jeune public

51

Die Lernenden begegnen der Stadt La Chaux-de-Fonds, die mit ihren knapp 40 000 Einwohnern als grösste Stadt des Kantons Neuenburg gilt, ein erstes Mal auf der Navigationskarte. Sie kommt im *parcours* an mehreren Stellen wieder vor, so zum Beispiel im Film über die Künstlerin Catherine Louis (*activité* F) oder in *activité* G (Plonk et Replonk).

In dieser Rubrik erhalten die Lernenden zusätzliche, allerdings nicht didaktisierte Informationen über La Chaux-de-Fonds.

Es sind verschiedene Möglichkeiten denkbar, mit diesem *magazine*-Teil umzugehen:

- Das Vorwissen der Lernenden in Bezug auf den Ort wird in der Klasse zusammengetragen und die Inhalte werden anschliessend gemeinsam besprochen.
- Im Sinne eines fächerübergreifenden Unterrichts werden einzelne Inhalte vertieft und als bilinguale Sequenzen in den Sachfachunterricht integriert. Themen könnten sein: Städteplanung von La Chaux-de-Fonds, wirtschaftliche Entwicklung der Stadt und der Region, lokale Kunstszene usw.
- Im Wechsel bereitet je eine Gruppe von Lernenden eine kurze Präsentation der in *Clin d'œil* vorgestellten Orte vor, indem sie im Internet recherchiert und die Kurzinformation in den *magazines* anreichert.
- Die Inhalte werden im Sinne einer Differenzierung für besonders interessierte Lernende verwendet.

Bild- und Quellennachweis *fil rouge*

Titelseite
» unten links: Plonk Replonk, www.plonkreplonk.ch

Le gardien de musée
» Seite 9: Chanson: © Alexandre Lenoir

Carte de navigation
» Seite 12, 13 (Hintergrund): Jura Tourisme, (Ballonfahrer): Plonk Replonk, www.plonkreplonk.ch

Table solaire
» Seite 14: Salvador Dalí, Table solaire, 2938 (MK), Museum Boijmans Van Beuningen, Rotterdam, Photographer: Studio Tromp, Rotterdam, © Salvador Dalí, Fundació Gala-Salvador Dalí / 2015, ProLitteris, Zurich
» Seite 15: Le monde fou, fou, fou de Dalí, © 2004 Éditions Palette

Biblioteca
» Seite 16: Maria Elena Vieira da Silva, Biblioteca, 1966, Huile sur toile, 129 x 96,5 cm, © RMN-Grand Palais/Gérard Blot, © 2015, ProLitteris, Zurich
» Seite 17: Petites histoires de Chefs-d'œuvre, Alain Korkos, © Éditions de La Martinière Jeunesse, 2011

L'Empire des lumières
» Seite 18: René Magritte, L'empire des lumières, 1954, Öl auf Leinwand, 146 x 114 cm, Mr. And Mrs. Ahmet Ertegun Collection, © 2015, ProLitteris, Zurich

Le Portugais
» Seite 20: Georges Braque, Le Portugais (L'émigrant), 1911 – 1912, Öl auf Leinwand, 116,7 x 81,5 cm, Kunstmuseum Basel, Schenkung Dr. h.c. Raoul La Roche 1952, Fotonachweis: Kunstmuseum Basel, Martin P. Bühler, © 2015, ProLitteris, Zurich
» Seite 21: Petites histoires de Chefs-d'œuvre, Alain Korkos, © Éditions de La Martinière Jeunesse, 2011

Bleu de ciel
» Seite 22: Vassily Kandinsky, Bleu de ciel, 1940, Huile sur toile, 100 x 73 cm, © Centre Pompidou, MNAM-CCI, Dist. RMN-Grand Palais/Philippe Migeat, © 2015, ProLitteris, Zurich
» Seite 23: Petites histoires de Chefs-d'œuvre, Alain Korkos, © Éditions de La Martinière Jeunesse, 2011

Bleu ciel
» Seite 35 oben links: Vassily Kandinsky, Bleu de ciel, 1940, Huile sur toile, 100 x 73 cm, © Centre Pompidou, MNAM-CCI, Dist. RMN-Grand Palais/Philippe Migeat, © 2015, ProLitteris, Zurich, oben rechts: Ursus Wehrli, Kunst aufräumen, erschienen in: Ursus Wehrli, Kunst aufräumen, © 2004 by Kein & Aber AG Zürich – Berlin, unten links: Keith Haring, Untitled, 1986, © The Keith Haring Foundation, Used by permission

Voyez-vous le guitariste?
» Seite 38, 42 Mitte rechts: Georges Braque, Le Portugais (L'émigrant), 1911–1912, Öl auf Leinwand, 116,7 x 81,5 cm, Kunstmuseum Basel, Schenkung Dr. h.c. Raoul La Roche 1952, Fotonachweis: Kunstmuseum Basel, Martin P. Bühler, © 2015, ProLitteris, Zurich
» Seite 39, 43 Mitte: Maria Elena Vieira da Silva, Biblioteca, 1966, Huile sur toile, 129 x 96,5 cm, © RMN-Grand Palais/ Gérard Blot, © 2015, ProLitteris, Zurich
» Seite 40, 44 Mitte rechts: Salvador Dalí, Table solaire, 2938 (MK), Museum Boijmans Van Beuningen, Rotterdam, Photographer: Studio Tromp, Rotterdam, © Salvador Dalí, Fundació Gala-Salvador Dalí / 2015, ProLitteris, Zurich; René Magritte, L'empire des lumières, 1954, Öl auf Leinwand, 146 x 114 cm, Mr. And Mrs. Ahmet Ertegun Collection, © 2015, ProLitteris, Zurich; Vassily Kandinsky, Bleu de ciel, 1940, Huile sur toile, 100 x 73 cm, © Centre Pompidou, MNAM-CCI, Dist. RMN-Grand Palais/Philippe Migeat, © 2015, ProLitteris, Zurich

Le Musée Magritte à Bruxelles
» Seite 41, 45: www.flickr.com

A vous d'imaginer…
» Seite 46, 47, 48, 49: Illustrationen: © Catherine Louis, La Chaux-de-Fonds

Plonk et Replonk
» Seite 50, 54, 55, 58, 62 und 63: Plonk Replonk, www.plonkreplonk.ch

Solutions
» Seite 76, 78, 80 oben rechts: Ursus Wehrli, Kunst aufräumen, erschienen in: Ursus Wehrli, Kunst aufräumen, © 2004 by Kein & Aber AG Zürich - Berlin

La Chaux-de-Fonds
» Seite 77, 79, 81 von oben nach unten rechts: Jura Tourisme; Plan établi sur la base du plan de ville officiel 2010, et des données de la mensuration officielle complétées par le Service géomatique de la Ville de La Chaux-de-Fonds; © Catherine Louis, La Chaux-de-Fonds

Nicht in allen Fällen war es dem Verlag möglich, den Rechteinhaber ausfindig zu machen. Berechtigte Ansprüche werden im Rahmen der üblichen Vereinbarungen abgegolten.

Audiotracks

Track	Texte
1.	Le gardien de musée (Chanson)
2.	Bulles et expressions: Visite au musée
3.	«Table solaire», français court
4.	«Table solaire», anglais court
5.	«Table solaire», allemand court
6.	Dialogue sur le tableau «Table solaire»
7.	«Table solaire», français long
8.	«Biblioteca», français court
9.	«Biblioteca», anglais court
10.	«Biblioteca», allemand court
11.	«Biblioteca», français long
12.	«L'Empire des lumières», français court
13.	«L'Empire des lumières», anglais court
14.	«L'Empire des lumières», allemand court
15.	«L'Empire des lumières», français long
16.	«Le Portugais», français court
17.	«Le Portugais», anglais court
18.	«Le Portugais», allemand court

Track	Texte
19.	«Le Portugais», français long
20.	«Bleu de ciel», français court
21.	«Bleu de ciel», anglais court
22.	«Bleu de ciel», allemand court
23.	«Bleu de ciel», français long
24.	Questions: Etonnants, les tableaux!
25.	Bulles et expressions: Etonnants, les tableaux!
26.	Couleurs en français: 1re partie
27.	Couleurs en français: 2e partie
28.	Couleurs en français: 3e partie
29.	Voyez-vous le guitariste? 1re partie
30.	Voyez-vous le guitariste? 2e partie
31.	Voyez-vous le guitariste? 3e partie
32.	Dialogue sur les taches
33.	Commentaires sur «La face cachée du lac Léman»
34.	Fichier
35.	Expressions français-anglais

54

Inhalt

7.3

7.3 G

7.3 E

Auf der Plattform des Schulverlags www.clin-doeil.ch befinden sich Angaben zum Zeitbedarf, Hinweise zur Planung des Unterrichts und weitere im *fil rouge* aufgeführte Dokumente.

Didaktische Aspekte

Fastoche!

Die Lernenden beschäftigen sich in diesem *magazine* mit BD-Geschichten (BD: *bande dessinée*) aus den Reihen «Les Profs», «Titeuf» und «L'élève Ducobu». Diesen Alben ist gemeinsam, dass ihre Hauptfiguren Boulard, Titeuf und Ducobu zur Schule gehen. Dort erleben sie Frust und Freude, sie konzentrieren sich auf den Unterricht oder haben etwas ganz anderes im Kopf, sie mögen und necken sich, sie streiten und lassen sich eine Menge lustiger Ideen einfallen. Die eine oder andere Situation kommt den Schülerinnen und Schülern bestimmt bekannt vor.

Sprachhandeln

Der Input besteht aus neun verschiedenen BD. Die Bilder und die vertonten Texte lassen die Szenen lebendig werden, was den Lernenden den Zugang zu den Inhalten der BD erleichtert.

Redemittel aus den Inputtexten sollen Teil der Alltags- und Klassenzimmersprache der Lernenden werden. Deshalb werden sie direkt im Unterrichtsgeschehen laufend in der Gruppe eingeübt und angewendet. Dem Handlungsfeld «Die Fremdsprache in der Gruppe anwenden» aus dem Lehrplan «Passepartout» wird dabei bei zahlreichen Gelegenheiten Rechnung getragen. In der Schule ergeben sich für die Lernenden innerhalb und teilweise auch ausserhalb des Französischunterrichts häufig Momente für einen Austausch in der Zielsprache. Beispielsweise, wenn sie über ein Thema diskutieren, ihre Meinung zu etwas äussern, eine Aufgabenstellung zusammen klären, sich gegenseitig korrigieren, ihre Lösungen vergleichen, ein Spiel spielen, etwas präsentieren, eine Mitschülerin oder einen Mitschüler beim Entschlüsseln eines Textes unterstützen, sich vorstellen, sich begrüssen, sich verabschieden …

Die Lernenden werden angeleitet, den Austausch mit Mitschülerinnen und Mitschülern in solchen Schul- und Unterrichtssituationen in der Zielsprache zu führen. Seit der 3. Klasse bauen sie dafür eine *langage de classe* (Klassenzimmersprache) auf, die immer umfassender wird. Die Redemittel für die jeweilige Kommunikationssituation finden sie in den Sprechblasen im *magazine* oder zusammengefasst in der Rubrik «Nous parlons français!» in der *revue*. Die angelegten Sprechanlässe in *Clin d'œil* spielen eine wesentliche Rolle beim Aufbau der Fertigkeit «Sprechen», denn die Lernenden verwenden bei diesen Gelegenheiten die Zielsprache aus einem echten Kommunikationsbedürfnis heraus.

> «Learning takes place in the here and now. Teaching – like talk – should centre on the local and relevant concerns of the people in the room not on the remote world of coursebook characters.» (Thornbury, Scott (2000): «A dogma for EFL». In: IATEFL Issues 153.)

Laut Thornbury entsteht authentische Interaktion also, wenn sich die Schülerinnen und Schüler zu Inhalten austauschen, die im Hier und Jetzt für sie relevant sind. Genau zu diesem Zweck wird die Klassenzimmersprache laufend auf- und ausgebaut.

Für die Bearbeitung der *tâche* wählen die Lernenden eine Unterrichtssituation, die ihnen besonders gut gefällt, und erfinden dazu eine Szene. Die Inszenierung erlaubt ihnen einen Perspektivenwechsel, wobei sie ihre eigene Rolle verlassen und die einer anderen Person übernehmen. Bei der Interaktion fliessen viele Redemittel aus der Klassenzimmersprache ein und die Schülerinnen und Schüler können mit Humor und Übertreibungen, wie dies auch in den BD der Fall ist, eine Situation vorspielen.

Sprechanlässe «Nous parlons français!»

Fokussieren und Einüben von Wortschatz

BD ist eine Textsorte, die die Lernenden kennen und die sie in der Regel anspricht. Bei der Entschlüsselung sind grammatische und lexikalische Besonderheiten Nebensache. Für

die Schülerinnen und Schüler ist es zunächst wesentlich, dass sie der Geschichte folgen und zum Schluss über die Pointe lachen können. Beim Texterschliessungsprozess geht es primär um den Inhalt und erst später um die Sprache:

> «Texte sollten als lustvolles Medium zum Sprachenlernen angeboten werden. Kinder sind neugierig, sie sind gewissermassen kleine Wissenschafter. Sie wollen zuerst über den Witz oder die Pointe eines Textes lachen und nicht alle Wörter mit ihren Artikeln und grammatikalischen Ausnahmen etc. kennenlernen, die sie sowieso relativ schnell wieder vergessen. Vielmehr kann die ungezwungene Erschliessung der Lexik, die aus einem echten Informationsinteresse erwächst, relativ natürlich in eine freie Verfügbarkeit münden.»
> (L. Küster, U. Krämer (Hg.) 2013: Mythos Grammatik? Kompetenzorientierte Spracharbeit im Französischunterricht.)

Damit die Erschliessung der Lexik tatsächlich in eine zunehmend freiere Verfügbarkeit mündet, müssen die Redemittel in den *activités* und im Unterricht eingeübt werden. Im Bereich des Wortschatzerwerbs beschäftigen sich die Lernenden mit sprachlichen

Lernprogramm «Nous parlons français!»

Sprechblasen zur Unterstützung des Austauschs in der Zielsprache

Input «L'Esprit du jeu»

Strukturen aus den BD, die sie mithilfe eines Lernprogramms am Computer und in der immer wiederkehrenden Anwendung bei der Bearbeitung des *parcours* intensiv einüben. Dies soll sie dazu befähigen, die *tâche* zu lösen und sich im Französischunterricht mehrheitlich in der Zielsprache auszutauschen.

Ungefähr einmal pro Woche denken die Lernenden im *zoom* darüber nach, wie oft sie die Gelegenheiten zum Französischsprechen genutzt haben, welche Ausdrücke sie noch lernen müssen, um sich besser in der Zielsprache zu verständigen, und welche Vorsätze sie sich für die nächsten Französischlektionen nehmen. Es ist wichtig, dass die Schülerinnen und Schüler das Potenzial dieser Sprechanlässe erkennen, denn bei solchen Interaktionen basiert das Verwenden der Zielsprache für sie auf einem echten Bedürfnis.

> «Und authentische Interaktion ist der eigentliche Schlüssel zum Sprachenlernen.»
> (B. Grossenbacher, E. Sauer, D. Wolff (2012): Neue fremdsprachendidaktische Konzepte.)

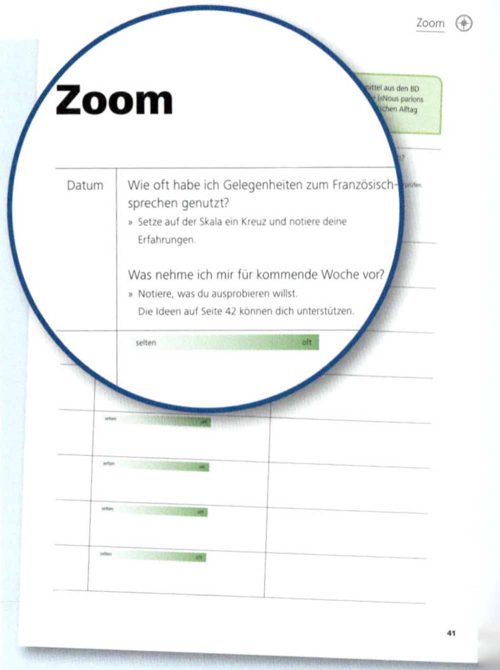

Zoom

Possessivbegleiter
Adjectif possessif

m sg		f sg		pl	
mon poème	mein Gedicht	**ma** classe	meine Klasse	**mes** copains	meine Freunde
ton poème	dein …	**ta** classe	deine …	**tes** copains	deine …
son poème	sein / ihr …	**sa** classe	seine / ihre …	**ses** copains	seine / ihre …
notre poème	unser …	**notre** classe	unsere …	**nos** copains	unsere …
votre poème	euer …	**votre** classe	eure …	**vos** copains	eure …
leur poème	ihr …	**leur** classe	ihre …	**leurs** copains	ihre …

Der Possessivbegleiter steht vor dem Nomen und gibt an, zu wem etwas gehört. Er richtet sich in Geschlecht und Zahl nach dem Nomen, das er begleitet.

Ma wird zu ***mon***, wenn das darauffolgende Nomen mit einem Vokal oder in manchen Fällen mit einem ***h***- beginnt.

C'est **mon** école (f sg) — Das ist **meine** Schule.
Ton histoire me plaît (f sg) — **Deine** Geschichte gefällt mir.

Anders als im Deutschen spielt das Geschlecht der Person, zu der etwas gehört, in der 3. Person Singular keine Rolle.

seine/ihre Karriere — **sa** carrière
sein/ihr Gedicht — **son** poème
seine/ihre Bücher — **ses** livres

mini-grammaire:
Kapitel «Possessivbegleiter»

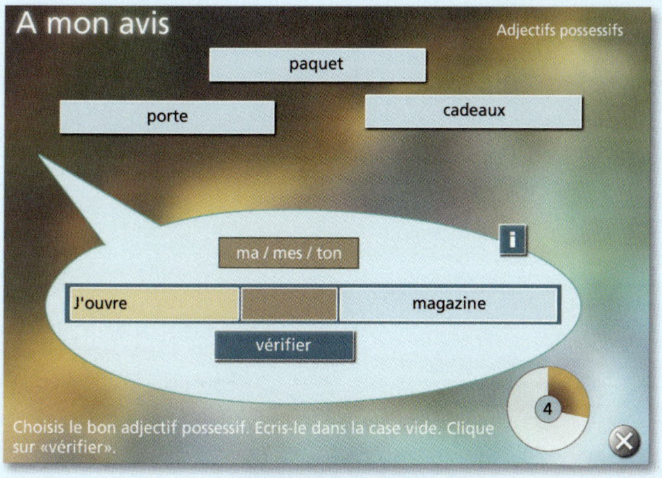

Lernprogramm
«A mon avis».

Titeuf-Zeichner Zep

Fokussieren von grammatikalischen Erscheinungsformen

Die Lernenden reichern in diesem *parcours* auch ihr grammatisches Wissen und Können an. Sie beschäftigen sich mit Possessivbegleitern. Fokussiert wird diese grammatikalische Erscheinungsform, weil sie für die Sprachhandlung in der *tâche* relevant ist. In der mündlichen Interaktion finden die Possessivbegleiter häufig Verwendung.

In diesem *magazine* werden die Schülerinnen und Schüler erstmals angeleitet, Informationen zum Sprachsystem in einem grammatischen Referenzwerk nachzuschlagen. Damit wird ein wichtiger Beitrag zu einem auf Individualisierung und Selbstständigkeit zielenden Französischunterricht geleistet. In einer Referenzgrammatik finden die Lernenden grammatikalische Phänomene, die nach einer bestimmten Ordnung präsentiert werden. Ihren Fähigkeiten und Interessen entsprechend können sie sich mehr oder weniger in das Grammatikthema der Possessivbegleiter vertiefen.

Die Ordnung und die Präsentation eines grammatikalischen Phänomens können auf so viele Weisen erfolgen, wie es Lernertypen gibt. Deshalb wird in «Fastoche!» nicht nur eine Referenzgrammatik angeboten, sondern mehrere. Es soll vermieden werden, dass der Eindruck entsteht, es gebe in der Grammatik nur eine richtige Darstellungsform. Zudem hilft manchmal der Vergleich verschiedener Abbildungen, ein Grammatikphänomen zu erfassen.

Nach dem Festhalten der Regeln im Klassenverband üben die Schülerinnen und Schüler den Gebrauch der Possessivbegleiter in einem Lernprogramm ein. Die Einzelarbeit am Computer hat den Vorteil, dass jede/jeder so lange üben kann, wie sie/er es braucht.

Bewusstheit für Sprachen und Kulturen

Der Kompetenzbereich II gliedert sich in die drei Handlungsfelder «Savoir/Wissen», «Savoir-être/Haltungen» und «Savoir-Faire/Fertigkeiten». In diesem *parcours* wird vor allem das erste Handlungsfeld «Savoir» bearbeitet: Die Lernenden erweitern ihr Wissen in Bezug auf Sprachen und Kulturen. Der Zugang zu der französischen Kultur wird durch die Begegnung mit Menschen oder mit Kulturgut aus dem Zielsprachgebiet geschaffen.

Die Lernenden begegnen seit der Primarschule verschiedensten BD-Figuren aus Frankreich, Belgien und der Schweiz. Damit stärken sie ihre Bewusstheit für die Kultur des Zielsprachgebiets, denn BD sind in der frankophonen Welt traditionelles Kulturgut. Der Zeichner und Erfinder von Titeuf ist der Genfer Philippe Chappuis alias Zep. Die Schülerinnen und Schüler lernen ihn in einem Dokumentarfilm besser kennen und erhalten Einblick in seine Kindheit und in sein Schaffen.

Lernstrategische Kompetenzen

Einige Strategien sind sprachen- und fächerübergreifend, andere sind in ihrer Anwendung sprachenspezifisch. In diesem *magazine* wirken die neu eingeführten Strategien auf den ersten Blick eng an den Französischunterricht gebunden. Sie können jedoch auch in anderen Fächern Verwendung finden.

Beispielsweise sind die Füllwörter durch ihre Vielfalt und ihren häufigen Gebrauch ein französischspezifisches Phänomen. Dennoch könnte man beim Einführen dieser Strategie thematisieren, wie man bei einem Vortrag in anderen Fächern wie im Deutsch- oder Sachunterricht Sprechpausen überbrücken kann, ohne den Faden zu verlieren, und wie man es schafft, beim Sprechen natürlich zu wirken. Genauso bietet sich auch die Strategie «Ausdruck der Stimme» für eine fächerübergreifende Diskussion zur Vortragskompetenz an: Monotones Sprechen ist ein häufiges Problem, mit dem Schülerinnen und Schüler beim Präsentieren eines Beitrags zu kämpfen haben.

Das erfolgreiche Beiziehen von Prozessmaterialien wie der *revue* oder einer Referenzgrammatik kann ebenfalls in einen grösseren Rahmen gestellt werden: Hilfsmittel in den Händen der Lernenden fördern ihre Selbstständigkeit und das nachhaltige Lernen.

In diesem *magazine* wird an verschiedenen Stellen auf die *revue* als Nachschlagewerk verwiesen. Die Lernenden finden darin eine Sammlung von sämtlichen Strategien, die sie im Laufe ihres Französischunterrichts angewendet haben. Zudem ist der Klassenwortschatz der letzten Schuljahre aufgeführt. Die Rubrik «Consignes» enthält alle Arbeitsanweisungen in den Imperativformen und im Infinitiv mit der deutschen Übersetzung und unterstützt die Lernenden bei der selbstständigen Bearbeitung der *activités*. So können sie die Arbeitsaufträge in Kleingruppen in der Zielsprache klären. In «Fastoche!» werden die Schülerinnen und Schüler am häufigsten auf die Rubrik «Nous parlons français!» verwiesen. Darin finden sich die Redemittel zur *langage de classe* nach verschiedenen Situationen wie «Donner des consignes», «Jouer aux jeux» oder «Présenter quelque chose» geordnet.

Die *revue* begleitet die Lernenden jeweils über ein ganzes Schuljahr. Es ist empfehlenswert, dass die Schülerinnen und Schüler auch bei der Bearbeitung der nächsten *parcours* immer mindestens ein Exemplar zu zweit offen vor sich liegen haben, um rasch eine Übersetzung oder eine sprachliche Struktur darin nachschlagen zu können.

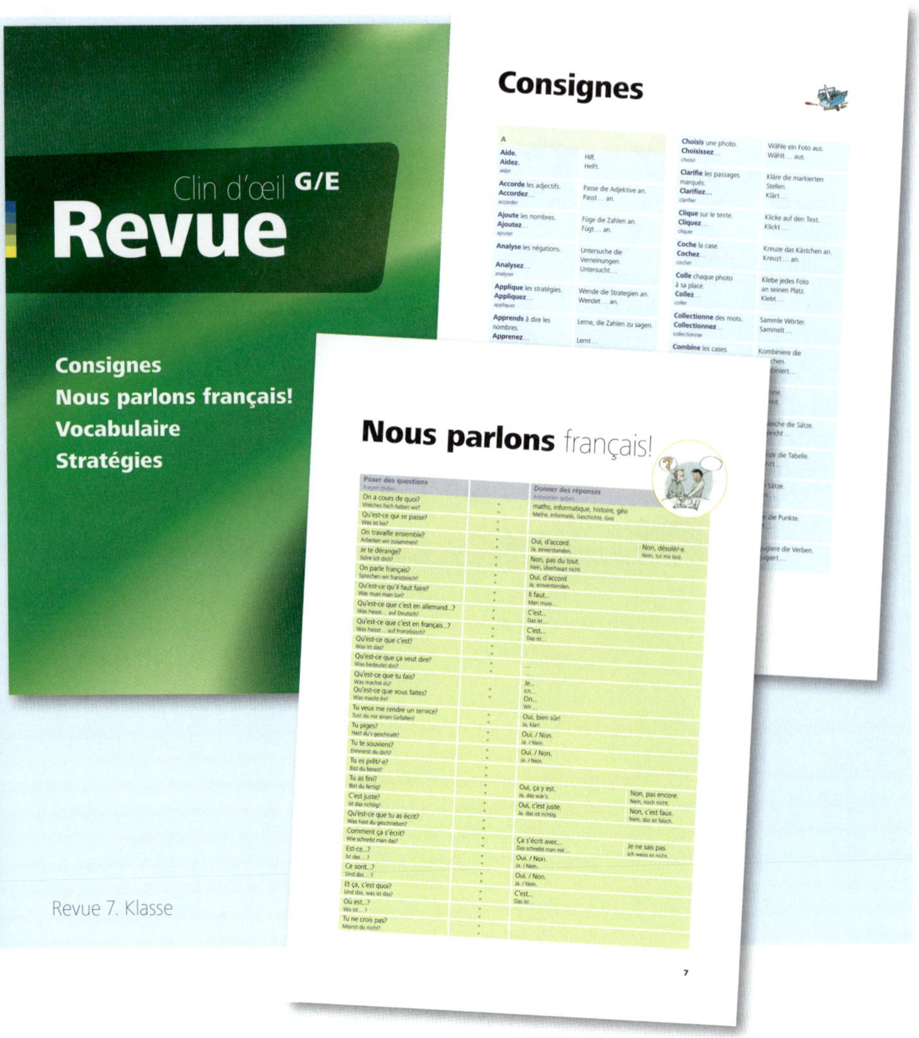

In der Einleitung werden die drei BD-Protagonisten vorgestellt: Titeuf, Boulard und Ducobu. Alle BD aus dem Input spielen im Klassenzimmer oder haben die Schule zum Inhalt. Da erleben die BD-Figuren Situationen, die den Lernenden bekannt vorkommen dürften. Die Schülerinnen und Schüler werden in diesem *magazine* explizit und wiederholt aufgefordert, sich zu bestimmten Schulsituationen auf Französisch auszutauschen.

Der Titel dieses *magazine* stammt aus der BD «L'élève Ducobu 1». «Fastoche» setzt sich aus «facile» und «-oche» zusammen, was umgangssprachlich so viel wie «total einfach» bedeutet. Das Suffix «-oche» ist in der Alltagssprache ziemlich gebräuchlich. Beispielsweise ist so in der Jugendsprache «cinoche» für «cinéma» entstanden.

Den Lernenden soll nicht der Eindruck vermittelt werden, dass die Bearbeitung des *magazine* und der mündliche Austausch in der Zielsprache kinderleicht seien. Aber Übung macht den Meister und je mehr sie versuchen, sich auf Französisch auszudrücken, desto leichter fällt es ihnen.

Fastoche!

Boulard, Titeuf et Ducobu vont à l'école comme vous. Ils y vivent des drôles d'histoires. Parfois, la vie à l'école est facile, ou «fastoche!», comme dit Ducobu. Parfois, elle est un peu plus difficile, ou «pô* juste», pour citer Titeuf.

Il se passe plein de choses dans leurs classes – comme dans la vôtre. A vous de profiter de ces situations pour parler français ensemble et de vous exprimer comme les personnages des BD.

*pas

Die vier BD-Figuren erleben in der Schule so einiges. Kommt dir die eine oder andere Situation bekannt vor?

Was spielt sich in eurer Klasse den lieben langen Tag ab? Was gibt es zu besprechen, zu fragen, zu tuscheln, zu plaudern, klarzustellen, auszutauschen, zu schimpfen…? Nutze die Gelegenheiten, dich auf Französisch auszudrücken. Je mehr Übung du hast, desto leichter fällt es dir. «Fastoche!»

4

Bruxelles **plurielle**

Akro feat Julie Rens

REFRAIN
Bruxelles ma belle quand tu m'appelles
Je laisse Paris dans un hôtel et je me ramène
Bruxelles ma belle reste telle
Tu n'as pas besoin de périph ni de tour Eiffel
Bruxelles ma belle reste zen
Reste loin de leur querelle d'une langue officielle
Bruxelles plurielle

Bruxelles ma ville
Ravive tous ceux qui y pénètrent
Et si les grêlons s'invitent
En avril à nos fenêtres
On reste positifs

Avoue que Bruxelles est belle
Avec ou sans soleil c'est pareil
Quand Paris s'éveille
Ma ville s'émerveille

Ma petite capitale
En lettres capitales
Reste belle reste zen*
Face à leurs débats

Reste telle vaille que vaille vaille que vaille
Quand elle se dévoile
le cœur dans les étoiles

* rester zen = total cool bleiben

Akro est un rappeur belge, membre du groupe Starflam et auteur de quelques albums solo. Dès l'âge de 15 ans, il se passionne pour le rap. Il écrit alors ses premières rimes et enregistre les premiers titres.

Julie Rens commence à jouer du piano à l'âge de 5 ans et fait partie d'un chœur pendant dix ans. Elle étudie le jazz et le chant au Conservatoire de Bruxelles. Elle fait partie de différents groupes et dirige ses propres projets.

5

Der belgische Rapper Akro ist «accro au rap», d.h. total verrückt auf Rap. In «Bruxelles plurielle» von 2011 übernimmt die Sängerin Julie Rens den melodiösen Part. Das Chanson ist eine Liebeserklärung der beiden Künstler an ihre Heimatstadt Bruxelles.

Wiederholt begegnen die Lernenden in diesem *magazine* der belgischen Hauptstadt: Eine Luftaufnahme von Bruxelles dient als Navigationskarte, im Input befindet sich die belgische BD Ducobu, im *méli-mélo* wird über die BD-Graffiti aus der Innenstadt berichtet und im *coup d'œil* steht Wissenswertes über die BD-Hauptstadt.

«Bruxelles plurielle» sagt aus, dass Bruxelles eine mannigfaltige Stadt ist. In Bruxelles spricht man mehrere Sprachen (vgl. Kommentar, Seite 77) und es leben dort Menschen aus aller Welt, reiche und arme, junge und alte, gestresste und ruhige …

Als Auftakt zum Refrain heisst es «Quand Paris s'éveille, ma ville s'émerveille». Dies ist eine Anspielung auf den Hit von Jacques Dutronc aus dem Jahre 1968 «Il est 5 heures, Paris s'éveille». Nach Akro wird Bruxelles in Staunen versetzt, wenn der grosse Bruder Paris erwacht. Im Refrain wird Bruxelles weiter an Paris gemessen. Laut Chansontext benötigt Bruxelles jedoch im Vergleich zur französischen Hauptstadt weder eine Stadtautobahn noch einen Eiffelturm, um schön zu sein.

Der Refrain ist im *magazine* als Partitur und Text abgedruckt und kann mitgesungen werden. Schülerinnen und Schülern, die sich im Rappen üben möchten, steht auf der Plattform www.clin-doeil.ch der vollständige Chansontext zur Verfügung.

Auf dieser Doppelseite sind verschiedene Kategorien der Rubrik «Nous parlons français!» aus der 6-seitigen Sammlung der *revue* abgebildet und mit Bildern illustriert.

Die Doppelseite zeigt, zu wie vielen Bereichen sich die Lernenden mithilfe der *langage de classe* bereits in der Zielsprache äussern können. Die Klassenzimmersprache wird seit der 3. Klasse auf- und ausgebaut.

Zwischen den einzelnen Kategorien gibt es in der Sprachanwendung keine klare Trennlinie. Um eine Kommunikationssituation in der Zielsprache bewältigen zu können, müssen sich die Lernenden in den meisten Fällen mit Redemitteln aus verschiedenen Kategorien behelfen. Dies erfahren sie anhand der Hörbeispiele in *activité* A.

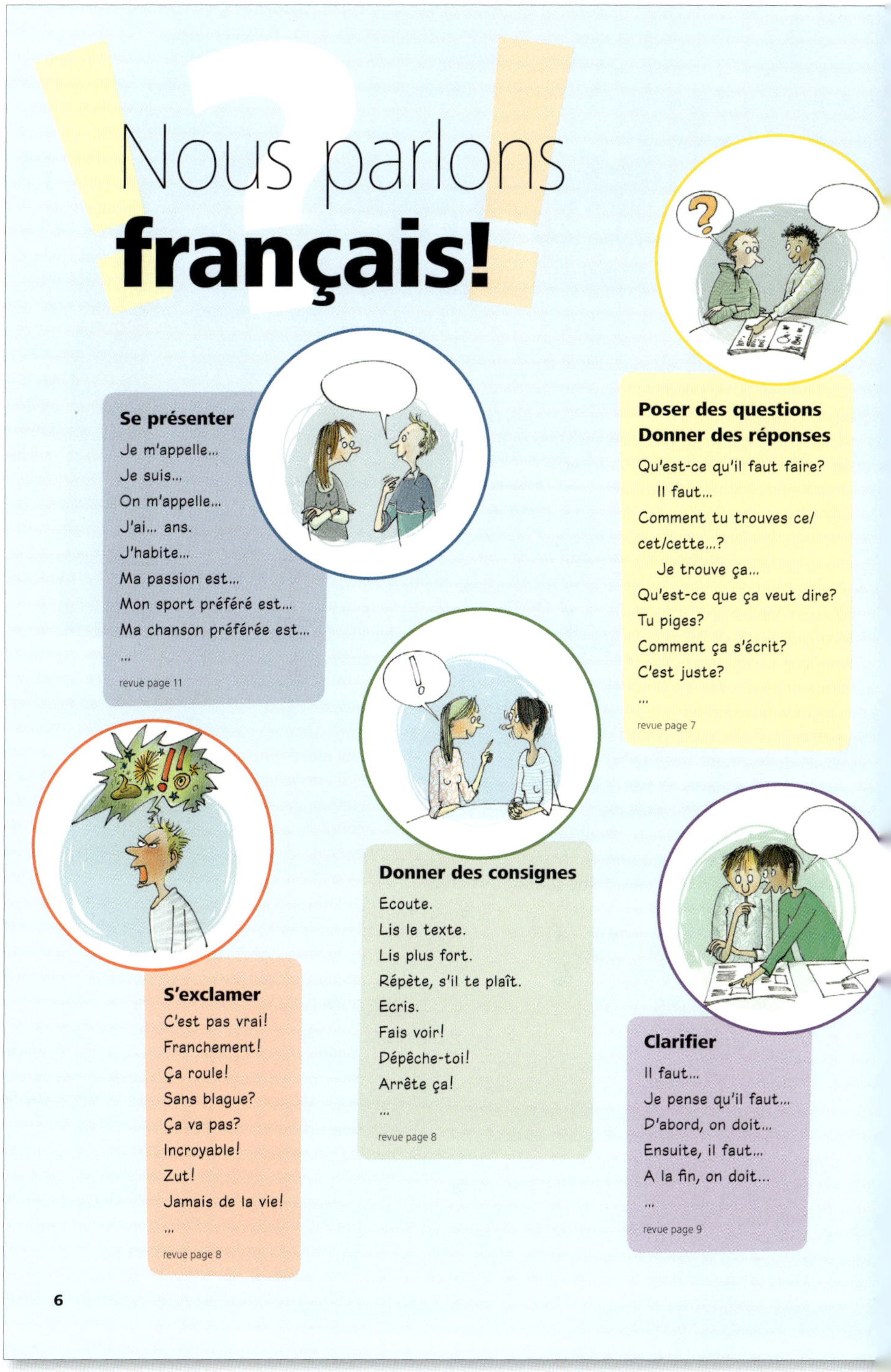

Nous parlons **français!**

Se présenter
Je m'appelle...
Je suis...
On m'appelle...
J'ai... ans.
J'habite...
Ma passion est...
Mon sport préféré est...
Ma chanson préférée est...
...
revue page 11

Poser des questions
Donner des réponses
Qu'est-ce qu'il faut faire?
Il faut...
Comment tu trouves ce/cet/cette...?
Je trouve ça...
Qu'est-ce que ça veut dire?
Tu piges?
Comment ça s'écrit?
C'est juste?
...
revue page 7

S'exclamer
C'est pas vrai!
Franchement!
Ça roule!
Sans blague?
Ça va pas?
Incroyable!
Zut!
Jamais de la vie!
...
revue page 8

Donner des consignes
Ecoute.
Lis le texte.
Lis plus fort.
Répète, s'il te plaît.
Ecris.
Fais voir!
Dépêche-toi!
Arrête ça!
...
revue page 8

Clarifier
Il faut...
Je pense qu'il faut...
D'abord, on doit...
Ensuite, il faut...
A la fin, on doit...
...
revue page 9

6

Jouer aux jeux

Commence.
C'est ton tour.
Mélange les cartes.
Distribue les cartes.
Prends une carte.
Jette le dé.
Avance de 3 cases.
Recule de 2 cases.
Compte les points.
Gagné!
...

revue page 12

Donner son avis

Ça a l'air...
C'est vachement bien.
Ça me plaît!
C'est le pied!
Pas mal!
Ça ne me plaît pas.
C'est nul.
C'est faux.
Non, ça ne va pas.
J'aime bien cette... parce qu'elle est...
Je suis d'accord avec toi.
J'aime moins ce/cet... parce qu'il est...
Je ne suis pas d'accord avec toi.
...

revue pages 10 et 11

Faire des hypothèses

Je pense que c'est un/une...
C'est peut-être un/une...
En français c'est peut-être...
...me fait penser à...
Je pense que oui.
Je pense que non.
...

revue page 8

Présenter quelque chose

Notre présentation parle de...
Nous vous présentons...
On vous présente...
Il s'agit d'un/d'une...
...

revue page 13

Comparer des résultats

J'ai noté...
J'ai la même chose.
J'ai autre chose.
Le numéro... correspond à...
Je ne comprends pas.
La réponse est...
A mon avis, la réponse est...
...

revue page 13

Der Blick auf die *tâche* zeigt den Lernenden, welche Aufgabe sie am Ende des *parcours* erwartet. In diesem *magazine* denken sich die Lernenden eine Szene aus dem Schulalltag aus und spielen sie den anderen vor. In «Fastoche!» findet die grosse Aufgabe aber eigentlich bereits im *parcours* selbst statt. Die Schülerinnen und Schüler werden angeleitet, echte Interaktionsmomente in der Schule zu nutzen, um sich auf Französisch auszutauschen. Die *tâche* ist insofern ein Sich-Erinnern an Momente, die die Lernenden in einer authentischen Kommunikationssituation bereits in der Zielsprache realisiert haben.

Aperçu de la tâche

Aperçu de la tâche

Ben quoi?

Les personnages des BD de ce magazine vivent des drôles d'histoires à l'école. Toi aussi, tu fais plein de rencontres et tu as des discussions à l'école tous les jours. Dans ce parcours, tu parles français avec les autres aussi souvent que possible. Pour la tâche, tu imagines une situation en groupe et tu la mets en scène.

8

Lernende Informationen zum Sprachsystem und können sich somit einen Überblick über ein bestimmtes Phänomen verschaffen. Die *revue* kann u.a. als Nachschlagewerk für eigene Grammatikeinträge oder für Redemittel der *langage de classe* genutzt werden.

Die zwei letzten Ziele zum strategischen Handeln stehen im Zeichen der Lernerorientierung. Das Verwenden von Prozessmaterialien unterstützt Schülerinnen und Schüler in ihrem Lernprozess. «Unbekanntes nachschlagen» und «Referenzgrammatiken benutzen» werden im Lehrplan «Passepartout» im Handlungsfeld «Sprachlernen» explizit aufgeführt (Lehrplan «Passepartout», Seite 63). In einer Referenzgrammatik finden

Objectifs

Objectifs

Französisch hören, lesen, sprechen, schreiben
Ich kann BD (*bandes dessinées*) verstehen, die in der Schule spielen.
Ich kann eine BD ausdrucksvoll vorlesen.
Ich kann Redemittel aus den BD und aus der *revue* («Nous parlons français!») im schulischen Alltag verwenden.
Ich kann einem kurzen Filmbericht einzelne Informationen entnehmen.
Ich kann mit anderen zusammen eine Szene erfinden und vorspielen.
Ich weiss, dass sich die Possessivbegleiter *mon, ton, son…* in Zahl und Geschlecht dem Nomen anpassen.

Bewusstheit für Sprachen und Kulturen
Ich kenne den Erfinder und Zeichner der BD-Figur Titeuf.

Lernstrategien
Ich kann meine Stimme variieren, um den Inhalt von Aussagen zu verdeutlichen.
Ich kann Füllwörter verwenden, um Sprechpausen zu überbrücken und um beim Sprechen natürlich zu wirken.
Ich kann die *revue* als Nachschlagewerk nutzen.
Ich weiss, dass ich Grammatikthemen in einer Referenzgrammatik nachschlagen kann.

Das habe ich auch noch gelernt

9

Die Ziele müssen zu Beginn des Lernprozesses mit den Lernenden besprochen werden. Erst das Wissen um die Ziele ermöglicht ein zunehmend selbstständiges und eigenverantwortliches Lernen.

Die Lernziele sind nach den drei Kompetenzbereichen des Lehrplans «Passepartout» geordnet.

» Kompetenzbereich I:
Sprachhandeln (Französisch hören, lesen, sprechen, schreiben)
» Kompetenzbereich II:
Bewusstheit für Sprachen und Kulturen
» Kompetenzbereich III:
Lernstrategische Kompetenzen (Lernstrategien)

In Kompetenzbereich I beschreiben die ersten Ziele den rezeptiven und produktiven Umgang mit den Inputtexten. Dies bedeutet, BD verstehen und vorlesen können. Die grosse Transferleistung, die die Lernenden in diesem *parcours* erbringen müssen, ist die Erweiterung ihrer Klassenzimmersprache durch Redemittel aus den BD. Sich im Unterricht in der Zielsprache zu verständigen, ist eine grundlegende sprachliche Handlungskompetenz, die im Lehrplan «Passepartout» mit einem eigenen Handlungsfeld beschrieben wird: «Die Fremdsprache in der Gruppe anwenden». Diese Kompetenz steht im Zentrum und wird während des *parcours* und in der *tâche* in echten und gespielten Situationen intensiv gefördert.

Das Kompetenzziel zum Filmbeitrag weist aus, dass die Lernenden auch in mündlichen Texten viel zu verstehen vermögen.

Das Ressourcenziel ist den Kompetenzzielen untergeordnet. Das Grammatikthema der Possessivbegleiter wird bearbeitet, damit die Lernenden im Austausch mit Mitschülerinnen und Mitschülern und in ihren Szenen bei Bedarf Besitzverhältnisse angeben können.

Im Input begegnen die Lernenden einer Textsorte, die für die frankophone Welt charakteristisch ist: *la bande dessinée,* BD. Beim Eintauchen in die Welt der BD erweitern sie auch ihr Wissen in Kompetenzbereich II. In *activité* E lernen sie den Genfer Philippe Chappuis alias Zep etwas besser kennen. Die Lernenden stellen fest, dass der weltbekannte Erfinder und Zeichner von Titeuf ein Westschweizer ist.

In Kompetenzbereich III beschäftigen sich die Lernenden zunächst mit dem Instrument der Stimme. Indem sie Stimmlage, die Lautstärke, die Betonung, das Sprechtempo und die Sprachmelodie an das Gesagte anpassen, verdeutlichen sie den Inhalt ihrer Aussagen.

Das zweite strategische Ziel «Füllwörter verwenden» hilft den Lernenden einerseits, ihre Vortragstechnik zu verbessern. Andererseits orientiert es sich an der Prosodie frankophoner Sprecherinnen und Sprecher und weist die Lernenden auf ein typisches Phänomen der französischen Sprache hin. Es werden im Französischen nämlich deutlich mehr und unterschiedlichere Füllwörter verwendet als im Deutschen.

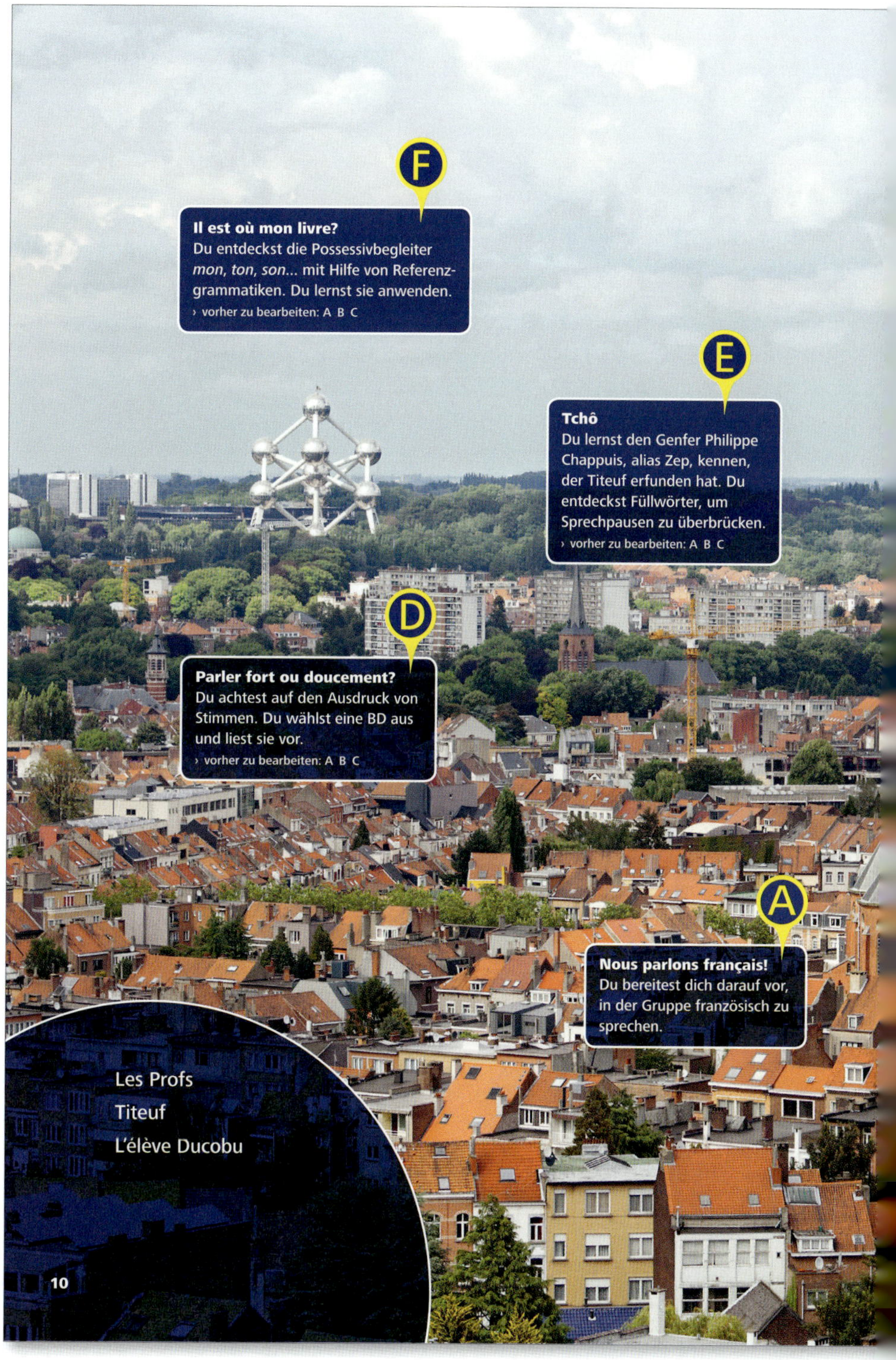

Idee des *parcours*

Thema dieses *parcours* ist der Schulalltag. Einerseits begegnen die Lernenden lustigen Schulsituationen in den BD und denken sich selber solche aus. Andererseits übertragen sie Sprachmittel aus den BD in ihre reale Unterrichtssituation, indem sie diese in Partner- und Gruppenarbeiten oder beim Spielen verwenden. Das übergeordnete Ziel dieses *parcours* besteht darin, dass aus den Schauspielerinnen und Schauspielern der Szenen reale Akteure im Französischunterricht werden.

Input

Die Inputtexte stammen aus verschiedenen BD aus der Schweiz («Titeuf»), aus Frankreich («Les Profs») und aus Belgien («L'élève Ducobu»).

Die Protagonisten sind vor allem Schülerinnen und Schüler, Lehrpersonen kommen nur selten vor. Somit können sich die Lernenden mit den Figuren identifizieren und bestimmte Situationen auf ihren Schulalltag übertragen. Alle BD liegen vertont vor, damit die Gespräche zwischen den Figuren besser zur Geltung kommen und von den Lernenden gehört und nachgespielt werden können.

Tâche

Nachdem sich die Schülerinnen und Schüler während des *parcours* mit verschiedensten Kommunikationssituationen in der Schule beschäftigt und diese teilweise bereits in der Zielsprache realisiert haben, denken sie sich in der *tâche* eine Szene aus dem Schulalltag aus, die sie einer anderen Gruppe vorspielen. Der fiktive Charakter der Szene ermöglicht den Lernenden, verschiedene Identitäten zu übernehmen und andere Verhaltensweisen auszuprobieren.

Activités

Die Lernenden treffen in *activité* A auf Schul- und Unterrichtssituationen, zu denen sie sich in der Zielsprache äussern können. Sie werden angeleitet, im *zoom* in regelmässigen Abständen über das Verwenden der *langage de classe* bei der Bearbeitung des *parcours* zu reflektieren.

In *activité* B entdecken die Lernenden einige BD-Figuren wieder, denen sie bereits in der 4. Klasse begegnet sind. So knüpfen sie an ihre Vorkenntnisse an und tauchen in die Welt der BD ein. Dann wählen sie verschiedene BD-Geschichten, die sie hören und lesen.

Activité C dient dem Aufbau der *langage de classe*. Der dort angebotene Klassenwortschatz besteht ausschliesslich aus Redemitteln, die die Lernenden verwenden können, um miteinander französisch zu sprechen. Die Schülerinnen und Schüler üben die Klassenzimmersprache mit einem Lernprogramm am Computer intensiv ein.

Activité D bereitet die Lernenden auf die *tâche* vor, indem sie die Ausdrucksweise der Protagonisten in verschiedenen BD-Ausschnitten untersuchen, mit den Audioaufnahmen abgleichen und mit ihrer eigenen Stimme experimentieren.

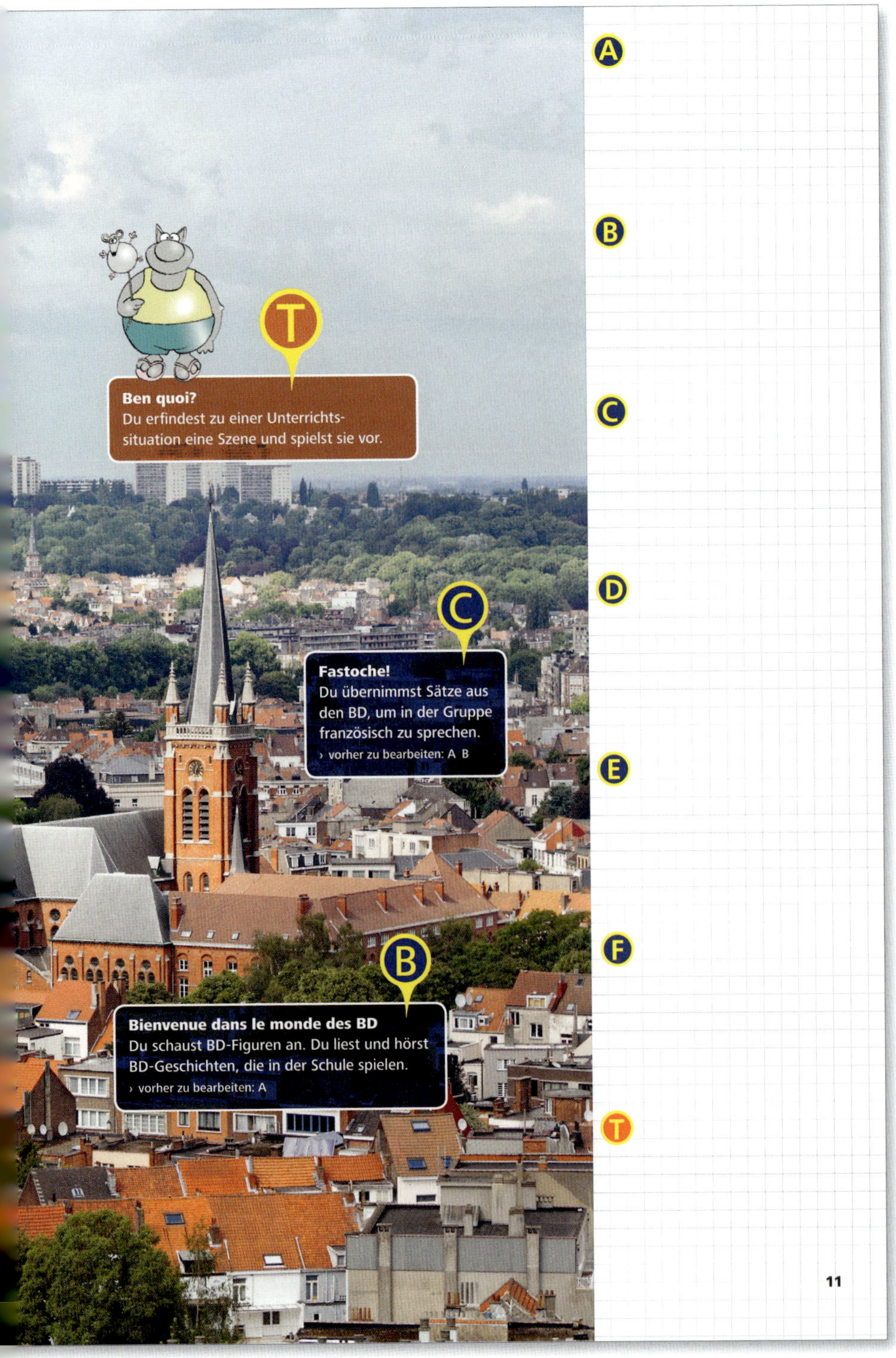

Activité E behandelt Inhalte aus den Kompetenzbereichen II und III: Die Schülerinnen und Schüler lernen den Erfinder und Zeichner von Titeuf kennen und erfahren, woher Zep seine Ideen für Titeufs Erlebnisse nimmt. Zudem achten sie im Filmbeitrag auf Füllwörter und üben sich in deren Verwendung.

In *activité* F beschäftigen sich die Lernenden mit den Possessivbegleitern und untersuchen diese mithilfe verschiedener Referenzgrammatiken. Für das Einüben der Formen steht den Lernenden eine Lernsoftware zur Verfügung.

Idee des *parcours*

Thema dieses *parcours* ist der Schulalltag. Einerseits begegnen die Lernenden lustigen Schulsituationen in den BD und denken sich selber solche aus. Andererseits übertragen sie Sprachmittel aus den BD in ihre reale Unterrichtssituation, indem sie diese in Partner- und Gruppenarbeiten oder beim Spielen verwenden. Das übergeordnete Ziel dieses *parcours* besteht darin, dass aus den Schauspielerinnen und Schauspielern der Szenen reale Akteure im Französischunterricht werden.

Input

Die Inputtexte stammen aus verschiedenen BD aus der Schweiz («Titeuf»), aus Frankreich («Les Profs») und aus Belgien («L'élève Ducobu»).

Die Protagonisten sind vor allem Schülerinnen und Schüler, Lehrpersonen kommen nur selten vor. Somit können sich die Lernenden mit den Figuren identifizieren und bestimmte Situationen auf ihren Schulalltag übertragen. Alle BD liegen vertont vor, damit die Gespräche zwischen den Figuren besser zur Geltung kommen und von den Lernenden gehört und nachgespielt werden können.

Tâche

Nachdem sich die Schülerinnen und Schüler während des *parcours* mit verschiedensten Kommunikationssituationen in der Schule beschäftigt und diese teilweise bereits in der Zielsprache realisiert haben, denken sie sich in der *tâche* Szenen aus dem Schulalltag aus, die sie einer anderen Gruppe vorspielen. Der fiktive Charakter der Szenen ermöglicht den Lernenden, verschiedene Identitäten zu übernehmen und andere Verhaltensweisen auszuprobieren.

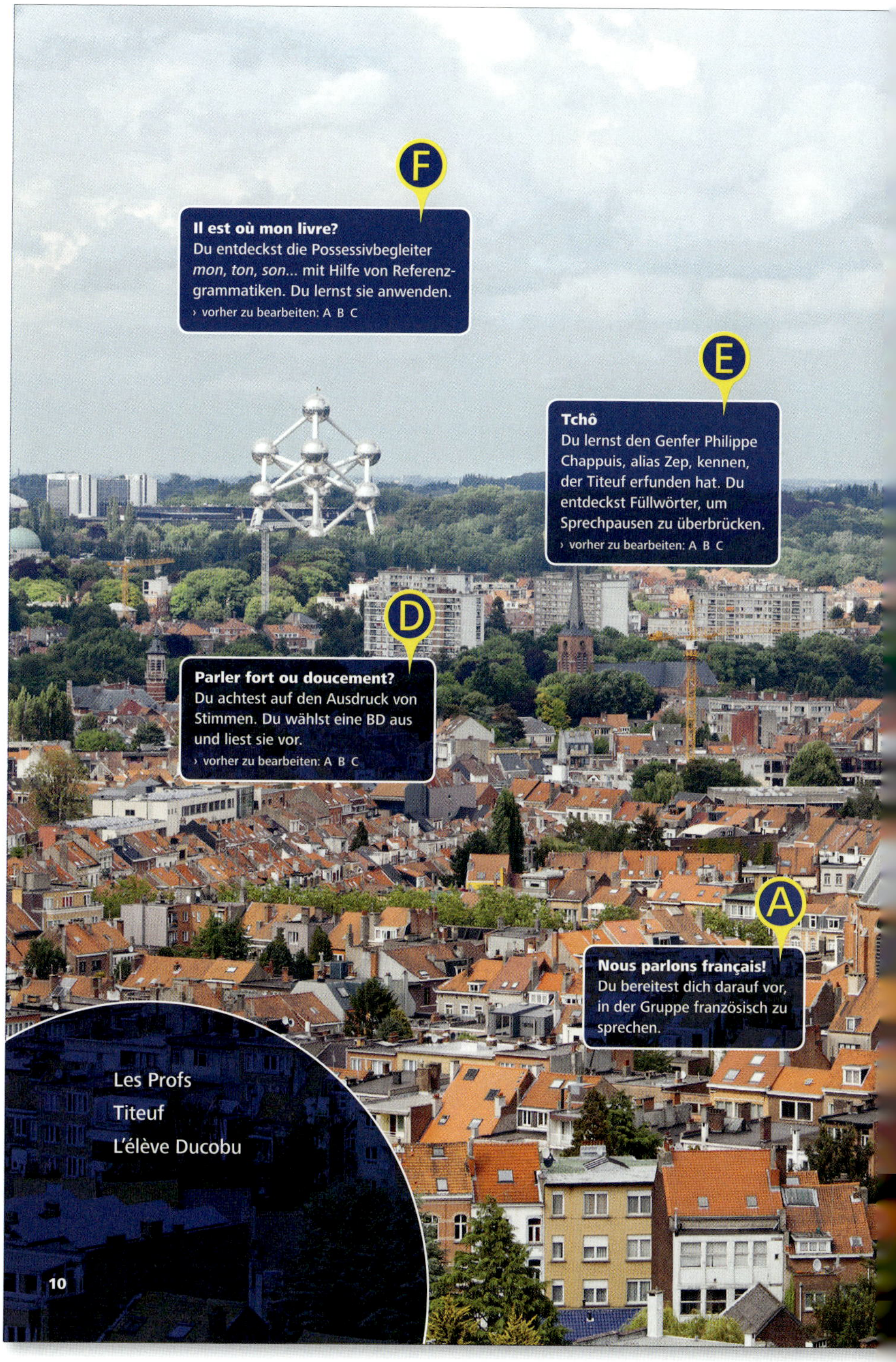

Activités

Die Lernenden treffen in *activité* A auf Schul- und Unterrichtssituationen, zu denen sie sich in der Zielsprache äussern können. Sie werden angeleitet, im *zoom* in regelmässigen Abständen über das Verwenden der *langage de classe* bei der Bearbeitung des *parcours* zu reflektieren.

In *activité* B entdecken die Lernenden einige BD-Figuren wieder, denen sie bereits in der 4. Klasse begegnet sind. So knüpfen sie an ihre Vorkenntnisse an und tauchen in die Welt der BD ein. Dann wählen sie verschiedene BD-Geschichten, die sie hören und lesen.

Activité C dient dem Aufbau der *langage de classe*. Der dort angebotene Klassenwortschatz besteht ausschliesslich aus Redemitteln, die die Lernenden verwenden können, um miteinander französisch zu sprechen. Die Schülerinnen und Schüler üben die Klassenzimmersprache mit einem Lernprogramm am Computer intensiv ein.

Activité D bereitet die Lernenden auf die *tâche* vor, indem sie die Ausdrucksweise der Protagonisten in verschiedenen BD-Ausschnitten untersuchen, mit den Audioaufnahmen abgleichen und mit ihrer eigenen Stimme experimentieren.

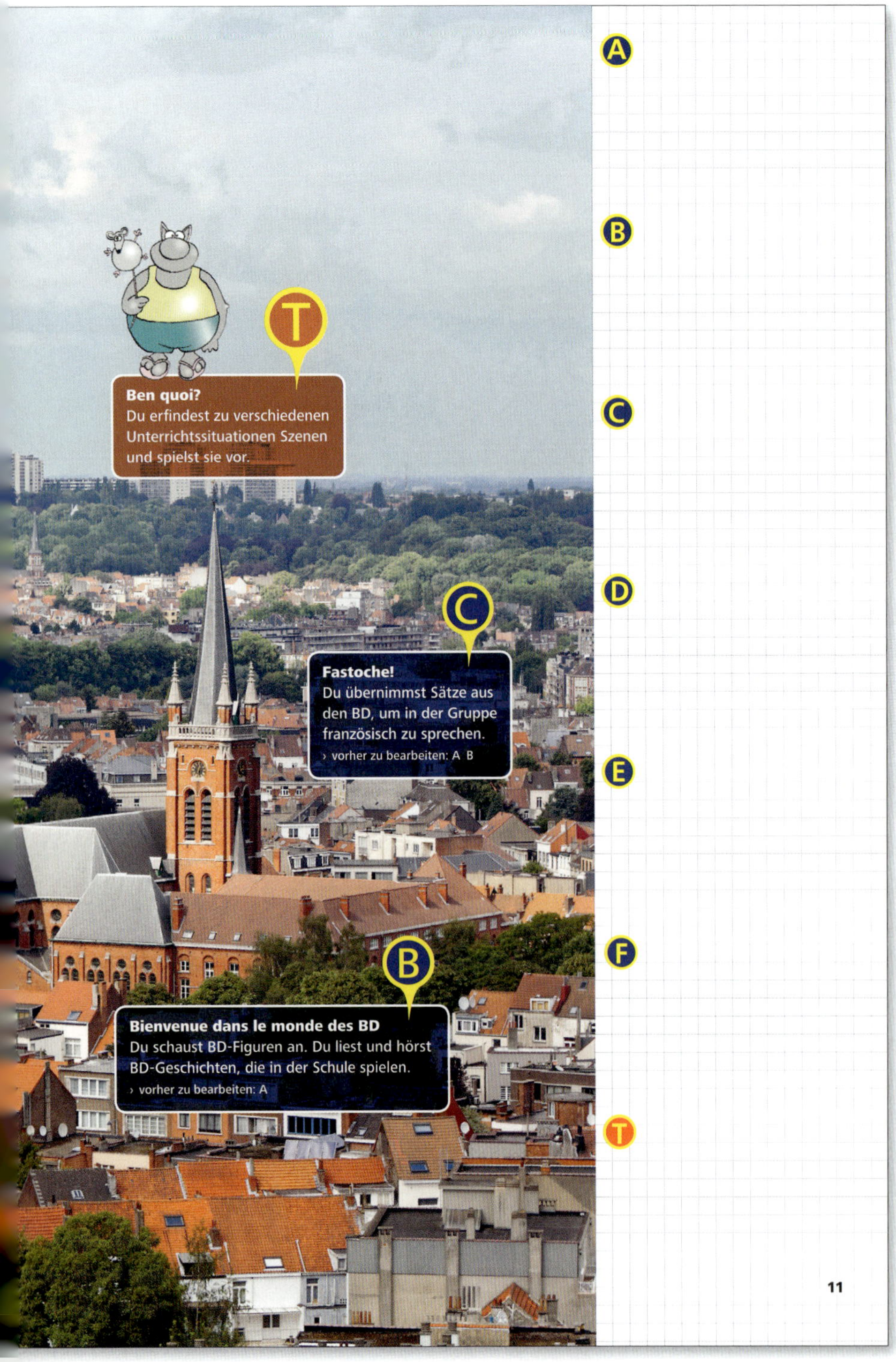

Activité E behandelt Inhalte aus den Kompetenzbereichen II und III: Die Schülerinnen und Schüler lernen den Erfinder und Zeichner von Titeuf kennen und erfahren, woher Zep seine Ideen für Titeufs Erlebnisse nimmt. Zudem achten sie im Filmbeitrag auf Füllwörter und üben sich in deren Verwendung.

In *activité* F beschäftigen sich die Lernenden mit den Possessivbegleitern und untersuchen diese mithilfe verschiedener Referenzgrammatiken. Für das Einüben der Formen steht den Lernenden eine Lernsoftware zur Verfügung.

Die Inputtexte stammen aus verschiedenen BD aus der Schweiz («Titeuf»), aus Frankreich («Les Profs») und aus Belgien («L'élève Ducobu»).

Insbesondere Bände von Titeuf oder Ducobu eignen sich für die Schulhaus- oder Klassenbibliothek.

«Les Profs 1» und «Les Profs 2» stammen aus den Bänden 2 «Loto et colles» (2001) und 7 «Mise en examen» (2005) von der BD-Reihe «Les Profs» (Erroc/Pica&Mauricet, Bamboo édition, Charnay-lès-Mâcon).

Die vier «Titeuf»-BD sind den Bänden 2 «L'Amour, c'est pô propre» (1993), 6 «Tchô, monde cruel» (1997), 11 «Mes meilleurs copains» (2006) und 12 «Le sens de la vie» (2008) entnommen (Zep, Editions Glénat, Grenoble).

Die BD von «L'élève Ducobu» sind Auszüge aus den Bänden 3 «Les Réponses ou la vie?» (2003), 4 «La Lutte des classes» (1999) und 14 «Premier de la classe» (2008) (Godi/Zidrou, Editions du Lombard, Bruxelles).

8

Titeuf 1

le cours d'anglais
L'ANGLAIS, C'EST GÉNIAL, PARCE QUE JE SUIS AVEC NADIA...
EN GROUPES DE DEUX, VOUS ALLEZ TRAVAILLER CE PETIT DIALOGUE ...
ET COMME C'EST UNE AUTRE LANGUE...
BON.
HELLO... MY NAME IS SUSY... WHAT'S YOUR NAME ?
ON PEUT EN PROFITER POUR DIRE DES TRUCS...
MY NAME IS TITEUF ... AND... I LOVE YOU.
?
MAIS NON ?!
C'EST PAS ÇA QUI EST ÉCRIT !! C'EST FAUX !
QU'EST-CE QUI SE PASSE ?
HEUU...
C'EST TITEUF ! IL INVENTE DES TRUCS, IL LIT PAS LA FEUILLE !
ÇA NE FAIT RIEN.
... IL DIT "I LOVE YOU" !
C'EST COMME UN JEU, ON PEUT IMPROVISER ...
DO YOU LOVE ME ? YOU ARE TOO YOUNG !
HEU... NON... JE ...
EN ANGLAIS !
HEU... I LOVE YOU... AND... HEU... I LOVE CHOCOLATE... GLP
GOOD!
C'ÉTAIT MA PREMIÈRE DÉCLARATION... MANQUE DE BOL, JE L'AI FAITE À LA MAÎTRESSE !
Z.

9

L'élève Ducobu 1

10

Titeuf 2

11

15

12

L'élève Ducobu 2

Les Profs 2

13

Titeuf 3

14

L'ESPRIT DU JEU
BON... ALORS, QUESTION BRUNE : QUI A ÉCRIT LE CORBEAU ET LE RENARD ?
HEU...
MOI JE SAIS ! C'EST LA FONTAINE !!
ÇA Y EST ! JE LE SAVAIS !
UN POINT DE PLUS.
ÇA COMPTE PÔ ! C'ÉTAIT PAS À TOI DE RÉPONDRE !
ET PIS D'ABORD C'ÉTAIT DE LA FONTAINE !
PFFF
COOL... C'EST QU'UN JEU.
À TOI... QUESTION BLEUE... "LE NIL" ?
HEU ?
POF
MAIS C'EST PAS VRAI !? T'ES UN DÉBILE TOTAL !! TU AS LU LA RÉPONSE !!
AH TIENS ? OUAIS... ALORS... QUEL FLEUVE COULE EN ÉGYPTE ?
...
TU VIENS DE LE DIRE !!! C'EST LE NIL !!!
ÇA VA... LÂCHE-MOI LE SLIP... C'EST QU'UN JEU...
'TOUTES FAÇONS T'AS PAS DE POINT, MANU AVAIT DONNÉ LA RÉPONSE...
À MOI... SIX !
ÇA COMPTE PÔ ! LE DÉ EST SORTI DU JEU !!
ÇA VA PAS ?
CALME-TOI...
J'SUIS TRÈS CALME, MAIS VOUS FAITES QUE TRICHER DEPUIS LE DÉBUT !!
MOI ? JE TRICHE ?
MOI, JE TRICHE ?
J'AI FAIT SIX, C'EST TOUT.
TIENS ! AVANCE DE SIX !!!
ZBAM
ARRÊTE !
ON A PAS NOTÉ NOS PLACES !!
ALORS ? QUI A GAGNÉ ?
BÔH... TU SAIS, C'EST QU'UN JEU...
Z.

L'élève Ducobu 3

20

wendeten Redemittel in Sprechblasen als PDF zur Verfügung)

» eine Karte mit dem Text «Nous parlons français!» als Absichtserklärung auf die Pulte legen lassen
» …
» dafür sorgen, dass die Lernenden die Rubrik «Nous parlons français!» aus der *revue* offen vor sich liegen haben
» Zeit zur Verfügung stellen, damit sich die Lernenden vorgängig auf den Sprechanlass vorbereiten können
» die Redemittel an der Wandtafel/auf Plakaten gross zur Verfügung stellen (auf der Plattform stehen die am häufigsten verjeweils zusätzliche Hilfestellungen anbieten, um die Fertigkeit «Sprechen» zu fördern:
» die Redemittel zuerst vorsprechen oder abspielen (auf www.clin-doeil.ch stehen alle Redemittel aus der *revue* als mp3-Dateien zur Verfügung)
» die Redemittel gemeinsam mit der Klasse mithilfe der *revue* ergänzen

Activité **A**

Nous parlons **français!**

Tu te prépares à parler français en groupe.

1 » Regardez les extraits de la revue aux pages 6 et 7.

2 » Lisez les situations.
» Ecoutez les dialogues 1 à 6.

3 » Notez les numéros correspondants.

Travailler ensemble
Deux élèves décident de travailler ensemble.

1 **Ecrire un SMS**
Un copain écrit un SMS en cours de maths. Drôle d'idée!

Comparer les réponses
A la fin du cours, les élèves comparent les réponses d'un quiz.

Expliquer
Une fille explique à son voisin ce qu'il faut faire.

2–7

Regarder une photo
Deux élèves regardent une photo.

Jouer au jeu
Deux élèves jouent au jeu «Plonk et Replonk».

4 » Comparez les résultats.

21

Als Einstieg in den *parcours* wird dem Schwerpunkt dieses *magazine* Rechnung getragen: Die Lernenden befassen sich mit der Klassenzimmersprache bzw. der *langage de classe,* die sie seit der Primarschule im Französischunterricht aufbauen. Die Lernenden sind eingeladen, sich näher mit den Übersichtsseiten 6 und 7 und der *revue* zu beschäftigen, wo ihnen eine breite Palette an gängigen Redemitteln für den Austausch in der Zielsprache zur Verfügung gestellt wird. Beim Hören kleiner Dialoge wenden die Lernenden die neue Strategie «Die *revue* als Nachschlagewerk» an.

Das Einüben der *langage de classe* dient einerseits der Realisierung der Szenen in der *tâche*, andererseits sollen die Lernenden die Strategie «Untereinander französisch sprechen» während des *parcours* möglichst oft anwenden.

Die Lernenden werden angeleitet, ungefähr einmal pro Woche im *zoom* darüber zu reflektieren, wie gut es ihnen gelingt, mit ihren Mitschülerinnen und Mitschülern französisch zu sprechen. Sie übernehmen somit gleich zu Beginn des *parcours* eine Mitverantwortung für ihr Lernen.

1 Die Illustrationen zu den verschiedenen Kommunikatio nssituationen verdeutlichen den Lernenden, dass die Redemittel der *langage de classe* im Französischunterricht immer wieder Verwendung finden können.

2 Die Situationen sind so gewählt, dass sie im Französischunterricht der Schülerinnen und Schüler vorkommen könnten.

3 In der *revue* und auf den Seiten 6 und 7 sind die Redemittel der Übersicht halber nach verschiedenen Kategorien geordnet. In einem konkreten Unterrichtsgespräch vermischen sich allerdings die Kommunikationssituationen und die Schülerinnen und Schüler müssen aus dem Vollen schöpfen können, um die Kommunikation aufrechtzuerhalten. Die Hörbeispiele bestehen jeweils aus Redemitteln aus drei verschiedenen Kategorien. Es empfiehlt sich, die Dialoge mindestens zwei Mal abzuspielen. Für die Lehrperson steht eine Transkription auf www.clin-doeil.ch zu Verfügung, für die Lernenden ist eine reine Hörübung vorgesehen.

4 Beim Vergleichen der Lösungen werden die Lernenden selber in eine Kommunikationssituation gebracht. In den Sprechblasen befinden sich Redemittel aus der Kategorie «Comparer les résultats», zu der auf Seite 7 oder in der *revue* noch mehr sprachliche Strukturen, die den Lernenden bekannt sind, angeboten werden.

In allen *magazines* von *Clin d'œil* signalisieren die Sprechblasen, dass ein kurzer Sprechanlass auf Französisch vorgesehen ist. Für die Lernenden ist es verbindlich, sich an dieser Stelle ausschliesslich in der Zielsprache auszutauschen. Die Lehrperson kann bei Bedarf

1 Die Lernenden werden mittels einer neuen Strategie eingeladen, die *revue* als Nachschlagewerk zu verwenden. Im hinteren Teil der *revue* finden sie die Rubriken «Consignes» (französische Arbeitsanweisungen mit deutschen Übersetzungen), «Nous parlons français!» (Redemittel zur *langage de classe*), «Stratégies» (Sammlung von Strategien) und «Vocabulaire» (Klassenwortschatz der letzten Schuljahre).

Mit diesem Nachschlagewerk können die Lernenden selbstständig Arbeitsaufträge in den *activités* und *tâches* verstehen, Französisch bei Partner- oder Gruppenarbeiten als Arbeitssprache verwenden, auf die für sie zielführenden Strategien zurückgreifen und sich einen Überblick über bereits bekannten Klassenwortschatz verschaffen. Damit ist die *revue* den Lernenden eine wichtige Stütze auf ihrem Weg hin zur Lernerautonomie.

Beim Erfinden der kurzen Dialoge tauchen die Schülerinnen und Schüler in die Redemittelsammlung ein und werden sich bewusst, zu wie vielen Aspekten sie sich bereits auf Französisch äussern können. Dies soll sie ermutigen, die Zielsprache im Klassenzimmer und auch ausserhalb des Französischunterrichts so oft wie möglich einzusetzen.

Auf individuelle Bedürfnisse eingehen

Anforderungen reduzieren
Unterstützung durch Plenum
» Mit Lernenden, die dies wünschen, gemeinsam Beispiele zu einer vorgegebenen Unterrichtssituation machen

Anforderungen erweitern
Erweiterte Textmenge
» Sich an weitere Unterrichtssituationen erinnern und dazu Dialoge erfinden

Activité **A**

1 Voici d'autres situations de communication.
Qu'est-ce qu'on pourrait dire à ces moments-là?
» Inventez des petits dialogues.
Les pages 6 et 7 et la revue («Nous parlons français!») peuvent vous aider.

La revue comme ouvrage de référence
Die *revue* als Nachschlagewerk
Nutze die *revue* als Nachschlagewerk.

Salut! Ça va?
...

Ça va bien. Et toi?
...

Se saluer
Le matin, tu entres dans la salle de classe et tu t'assieds à côté de ton voisin/ta voisine.

Déranger
Ton voisin/Ta voisine te dérange.

Jouer au jeu
Tu joues avec ton/ta partenaire à un jeu de cartes.

S'énerver
Tu t'énerves parce que tu as oublié ton portable à la maison.

Tu veux me rendre un service? Lis le texte, s'il te plaît. C'est correct?
...

Présenter quelque chose
Tu as préparé un texte pour le présenter aux autres. Tu commences ta présentation.

Relire
Tu as écrit un brouillon. Tu le fais relire à ton/ta partenaire.

Oui, bien sûr. Qu'est-ce que ça veut dire? Ça me plaît.
...

Donner son avis
Tu donnes ton avis sur un groupe de musique.

Se présenter
Tu te présentes à quelqu'un qui est nouveau/nouvelle dans ta classe.

Lire
Vous lisez un texte.

Qu'est-ce que c'est en allemand «...»?
...

Je pense que c'est «...».
...

...

22

Activité **A**

1 » Applique la stratégie «Parler français ensemble» aussi souvent que possible.
Les idées à la page 42 peuvent t'aider.

2 Est-ce que tu arrives à parler français en cours?
» Fais un bilan chaque fin de semaine.
Utilise le formulaire à la page 41.

Parler français ensemble
Untereinander französisch sprechen

Nutze beim Arbeiten und Spielen möglichst viele Gelegenheiten, um französisch zu sprechen.

chaque fin de semaine
jeweils am Ende der Woche

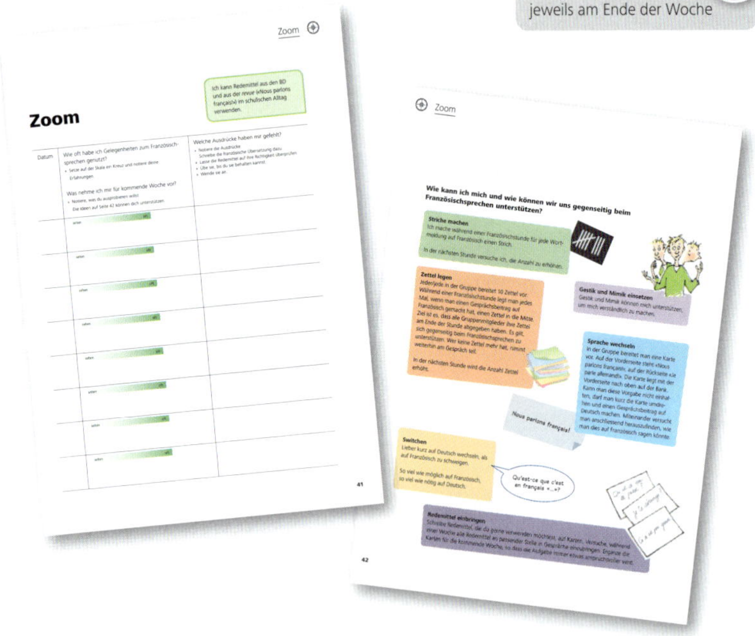

3 » Echangez vos observations de temps en temps.

23

1 Den Lernenden wird die Strategie «Parler français ensemble» in Erinnerung gerufen. Die Strategie stammt aus *magazine* 4.1. Seit den Anfängen ihres Französischunterrichts werden die Schülerinnen und Schüler immer wieder eingeladen, beim Arbeiten und Spielen möglichst viel französisch zu sprechen. Weitere Tipps zur Umsetzung erhalten sie in diesem *magazine* auf Seite 42 (vgl. Kommentar von Seite 75).

2 In diesem *magazine* erfolgt die Reflexion im *zoom* nicht nach der Bearbeitung der *tâche*, sondern in regelmässigen Abständen bereits während der Arbeit am *parcours*. Dabei reflektieren die Lernenden darüber, wie gut es ihnen gelingt, die Zielsprache in der Gruppe anzuwenden. Bei diesen Gelegenheiten halten sie den Ist-Zustand fest, setzen sich persönliche Lernziele für die nachfolgende Woche und notieren dazu Ausdrücke, die ihnen für eine erfolgreiche Kommunikation in der Zielsprache hilfreich erscheinen.

3 Die Reflexion ist Teil der formativen Evaluierung und erfolgt zunächst in Einzelarbeit. Die Lehrperson kann auf der Basis des Formulars auf Seite 41 ein Gespräch initiieren und ihre Aussensicht einbringen. Es ist ebenfalls denkbar, dass sich die Lernenden gegenseitig Feedbacks zum Gebrauch der Zielsprache geben, ihre notierten Redemittel austauschen oder auf Seite 42 gemeinsam eine Idee auswählen, die sie ausprobieren möchten.

Die Lernenden steigen in die Welt der BD ein, indem sie die Silhouetten verschiedener Comic-Figuren den entsprechenden BD zuordnen. Damit soll ihr Interesse an den BD-Geschichten geweckt und ihr Vorwissen in Bezug auf die Merkmale der Protagonisten aktiviert werden.

Nachdem sich die Lernenden einen Überblick über die Inputtexte verschafft haben, lesen sie mindestens zwei davon. Als Einführung wird ihnen gezeigt, welche Merkmale dieser Textsorte sie beim Verstehen der BD unterstützen. Formale Hinweise wie zum Beispiel die Bilder und Zeichen, die Formen und Farben der Sprechblasen, die Schriftart und -grösse der Sprechblasentexte und die Onomatopöie sind wichtige Informationsträger. Zum Entschlüsseln wenden die Lernenden bereits bekannte Strategien an und benützen bei Bedarf die *boîtes de traduction*. Das Vorwissen über Schule und Unterricht hilft ihnen beim Nachvollziehen der BD-Geschichten.

Als Momente für einen Austausch in der Zielsprache sind das Rätseln um die Figuren und die Verstehenssicherung der BD-Geschichten vorgesehen.

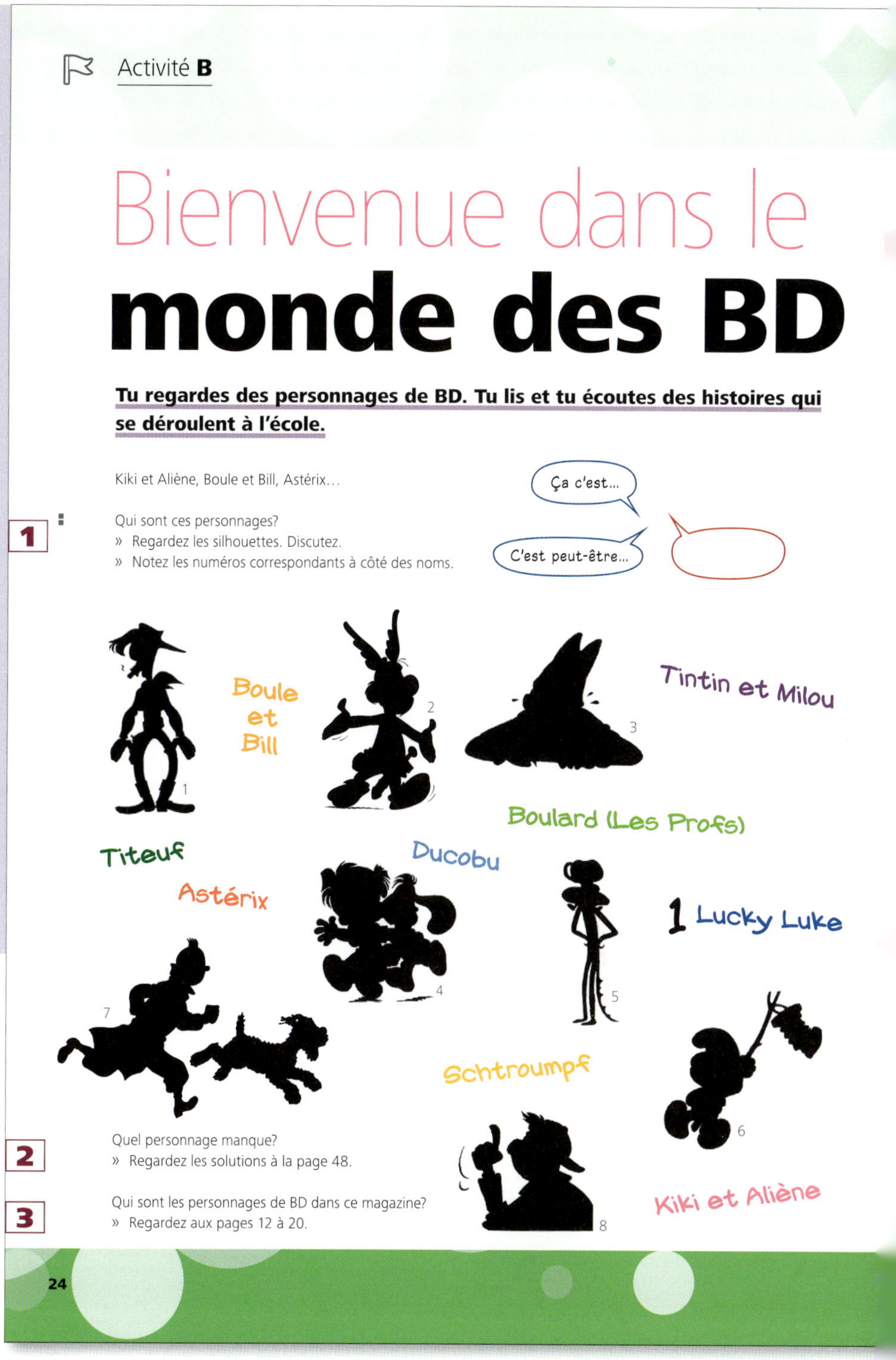
Activité **B**

Bienvenue dans le **monde des BD**

Tu regardes des personnages de BD. Tu lis et tu écoutes des histoires qui se déroulent à l'école.

Kiki et Aliène, Boule et Bill, Astérix…

1 Qui sont ces personnages?
» Regardez les silhouettes. Discutez.
» Notez les numéros correspondants à côté des noms.

2 Quel personnage manque?
» Regardez les solutions à la page 48.

3 Qui sont les personnages de BD dans ce magazine?
» Regardez aux pages 12 à 20.

24

1 Auf dieser Seite sind acht BD-Figuren aus dem frankophonen Raum abgebildet. Damit wird ein kleiner Teil dieses grossen kulturellen Reichtums gezeigt. Einige Figuren kennen die Lernenden schon, andere sind ihnen wahrscheinlich neu. Im Französischunterricht der 4. Klasse haben sie sich intensiv mit «Boule et Bill» und «Kiki et Aliène» beschäftigt. Den Protagonisten Tintin, Schtroumpf, Astérix, Lucky Luke und Titeuf sind sie ebenfalls kurz begegnet. Ducobu und Boulard (aus «Les Profs») sind ihnen wahrscheinlich noch unbekannt.

Die Sprechblasen signalisieren, dass der Austausch über die Silhouetten in der Zielsprache stattfindet. Die Lernenden können mithilfe der *revue* oder der Seiten 6 und 7 die Redemittel in den Sprechblasen mit weiteren Ausdrücken ergänzen. Zum Beispiel eignen sich auch *Est-ce…?/Cette silhouette me fait penser à…/Le numéro… correspond à…* und *Oui, c'est juste./Non, c'est faux./Oui, bien sûr!/Je ne sais pas.*

2 Die Lernenden verifizieren ihre Hypothesen selbst. Für die Weiterarbeit am *parcours* ist es nicht von Belang, dass sie alle Silhouetten der richtigen BD zuordnen. Die fehlende BD-Figur ist Titeuf. Titeuf ist eine der Hauptfiguren in diesem *magazine*.

3 Die Lernenden blättern im Input und verschaffen sich so einen Überblick über das Angebot an BD. Die BD-Figuren, die in diesem *magazine* vorkommen, sind relativ leicht zu finden. Es sind dies Boulard, Titeuf und Ducobu.

Activité **B**

1 Lire des BD, c'est fastoche!
La taille des lettres, la forme des bulles, les couleurs, les sons et les signes, la mimique et les gestes des personnages donnent beaucoup d'informations.

Images Bilder
Voix Stimme
Noms et nombres Namen und Zahlen
Vocabulaire connu et mots parallèles Bekannter Wortschatz und Parallelwörter
Deviner Raten
Dictionnaires (en ligne) (Online-)Wörterbücher

2 » Choisissez une BD aux pages 12 à 20.

3 » Lisez et écoutez-la. Appliquez les stratégies.
Vous pouvez aussi consulter les boîtes de traduction aux pages 44 et 45.

8-16

4 » Clarifiez vos questions.

Tu piges?
Oui.
Non. Pas tout à fait. Nicht ganz.
Qu'est-ce que ça veut dire «...»?
En allemand, c'est...

5 » Continuez avec au moins une autre BD.

As-tu noté tes observations et tes résolutions pour parler français ensemble dans le zoom à la page 41?

25

1 Die Textsorte BD lebt von ausdrucksstarken Zeichnungen, emotionsgeladenen Bildern und lautstarken Ausrufen. Diese formalen Merkmale können die Schülerinnen und Schüler beim Verstehen unterstützen. Zudem liegen die Input-Texte vertont vor. Der Ausdruck der Stimmen ermöglicht den Schülerinnen und Schülern ebenfalls, Informationen zum Inhalt zu erschliessen.

2 Die Lernenden wählen die BD nach ihrem Interesse aus. Die Inputtexte sind nicht nach Schwierigkeitsgrad geordnet.

3 Die Lernenden sind darin geübt, Texte mit Hilfe von Strategien zu entschlüsseln. Die Lehrperson kann bei der Gelegenheit erneut auf die in *activité* A eingeführte Strategie eingehen («Die *revue* als Nachschlagewerk») und die Schülerinnen und Schüler daran erinnern, dass sie auch selbstständig die für sie zielführenden Strategien aus der Strategiensammlung in der *revue* auswählen können.

In den *boîtes de traduction* sind sinntragende Wörter übersetzt. Die Strategie «(Online-) Wörterbücher» ist jeweils die letzte, die die Lernenden anwenden.

4 Der Austausch über den Inhalt der BD findet in der Zielsprache statt. Allerdings ist es sinnvoll, bei Bedarf auf Deutsch zu wechseln, da es primär um die Verstehenssicherung geht. Die zwei Kästchen «Sprache wechseln» und «Switchen» von Seite 42 könnten vorgängig mit den Schülerinnen und Schülern besprochen werden.

5 Im Sinne einer inneren Differenzierung ist nur ein Minimum an Lektüre vorgegeben. Interessierte oder bilinguale Lernende haben die Möglichkeit, mehr BD zu lesen.

Auf individuelle Bedürfnisse eingehen

Anforderungen reduzieren
Reduzierte Textmenge
» Nur eine BD lesen und hören

Anforderungen erweitern
Erweiterte Textmenge
» Mehr BD lesen und hören
Lernen durch Lehren
» Entschlüsselungshilfen zu einer BD für Mitschülerinnen und Mitschüler erstellen

Die Lernenden steigen in die Welt der BD ein, indem sie die Silhouetten verschiedener Comic-Figuren den entsprechenden BD zuordnen. Damit soll ihr Interesse an den BD-Geschichten geweckt und ihr Vorwissen in Bezug auf die Merkmale der Protagonisten aktiviert werden.

Nachdem sich die Lernenden einen Überblick über die Inputtexte verschafft haben, lesen sie mindestens drei davon. Als Einführung wird ihnen gezeigt, welche Merkmale dieser Textsorte sie beim Verstehen der BD unterstützen. Formale Hinweise wie zum Beispiel die Bilder und Zeichen, die Formen und Farben der Sprechblasen, die Schriftart und -grösse der Sprechblasentexte und die Onomatopöie sind wichtige Informationsträger. Zum Entschlüsseln wenden die Lernenden bereits bekannte Strategien an und benützen bei Bedarf die *boîtes de traduction*. Das Vorwissen über Schule und Unterricht hilft ihnen beim Nachvollziehen der BD-Geschichten.

Als Momente für einen Austausch in der Zielsprache sind das Rätseln um die Figuren und die Verstehenssicherung der BD-Geschichten vorgesehen.

Activité **B**

Bienvenue dans le
monde des BD

Tu regardes des personnages de BD. Tu lis et tu écoutes des histoires qui se déroulent à l'école.

Kiki et Aliène, Boule et Bill, Astérix…

1 Qui sont ces personnages?
» Regardez les silhouettes. Discutez.
» Notez les numéros correspondants à côté des noms.

2 Quel personnage manque?
» Regardez les solutions à la page 48.

3 Qui sont les personnages de BD dans ce magazine?
» Regardez aux pages 12 à 20.

24

1 Auf dieser Seite sind acht BD-Figuren aus dem frankophonen Raum abgebildet. Damit wird ein kleiner Teil dieses grossen kulturellen Reichtums gezeigt. Einige Figuren kennen die Lernenden schon, andere sind ihnen wahrscheinlich neu. Im Französischunterricht der 4. Klasse haben sie sich intensiv mit «Boule et Bill» und «Kiki et Aliène» beschäftigt. Den Protagonisten Tintin, Schtroumpf, Astérix, Lucky Luke und Titeuf sind sie ebenfalls kurz begegnet. Ducobu und Boulard (aus «Les Profs») sind ihnen wahrscheinlich noch unbekannt.

Die Sprechblasen signalisieren, dass der Austausch über die Silhouetten in der Zielsprache stattfindet. Die Lernenden können mithilfe der *revue* oder der Seiten 6 und 7 die Redemittel in den Sprechblasen mit weiteren Ausdrücken ergänzen. Zum Beispiel eignen sich auch *Est-ce…?/Cette silhouette me fait penser à…/Le numéro… correspond à…* und *Oui, c'est juste./Non, c'est faux./Oui, bien sûr!/Je ne sais pas.*

2 Die Lernenden verifizieren ihre Hypothesen selbst. Für die Weiterarbeit am *parcours* ist es nicht von Belang, dass sie alle Silhouetten der richtigen BD zuordnen. Die fehlende BD-Figur ist Titeuf. Titeuf ist eine der Hauptfiguren in diesem *magazine*.

3 Die Lernenden blättern im Input und verschaffen sich so einen Überblick über das Angebot an BD. Die BD-Figuren, die in diesem *magazine* vorkommen, sind relativ leicht zu finden. Es sind dies Boulard, Titeuf und Ducobu.

Activité **B**

1 Lire des BD, c'est fastoche!
La taille des lettres, la forme des bulles, les couleurs, les sons et les signes, la mimique et les gestes des personnages donnent beaucoup d'informations.

Images
Bilder
Voix
Stimme
Noms et nombres
Namen und Zahlen
Vocabulaire connu et mots parallèles
Bekannter Wortschatz und Parallelwörter
Deviner
Raten
Dictionnaires (en ligne)
(Online-)Wörterbücher

2 » Choisissez une BD aux pages 12 à 20.

3 » Lisez et écoutez-la. Appliquez les stratégies.
Vous pouvez aussi consulter les boîtes de traduction aux pages 44 et 45.

8–16

4 » Clarifiez vos questions.

Tu piges?
Oui.
Non.
Pas tout à fait.
Nicht ganz.
Qu'est-ce que ça veut dire «…»?
En allemand, c'est…

5 » Continuez avec au moins 2 autres BD.

As-tu noté tes observations et tes résolutions pour parler français ensemble dans le zoom à la page 41?

25

1 Die Textsorte BD lebt von ausdrucksstarken Zeichnungen, emotionsgeladenen Bildern und lautstarken Ausrufen. Diese formalen Merkmale können die Schülerinnen und Schüler beim Verstehen unterstützen. Zudem liegen die Input-Texte vertont vor. Der Ausdruck der Stimmen ermöglicht den Schülerinnen und Schülern ebenfalls, Informationen zum Inhalt zu erschliessen.

2 Die Lernenden wählen die BD nach ihrem Interesse aus. Die Inputtexte sind nicht nach Schwierigkeitsgrad geordnet.

3 Die Lernenden sind darin geübt, Texte mit Hilfe von Strategien zu entschlüsseln. Die Lehrperson kann bei der Gelegenheit erneut auf die in *activité* A eingeführte Strategie eingehen («Die *revue* als Nachschlagewerk») und die Schülerinnen und Schüler daran erinnern, dass sie auch selbstständig die für sie zielführenden Strategien aus der Strategiensammlung in der *revue* auswählen können.

In den *boîtes de traduction* sind sinntragende Wörter übersetzt. Die Strategie «(Online-)Wörterbücher» ist jeweils die letzte, die die Lernenden anwenden.

4 Der Austausch über den Inhalt der BD findet in der Zielsprache statt. Allerdings ist es sinnvoll, bei Bedarf auf Deutsch zu wechseln, da es primär um die Verstehenssicherung geht. Die zwei Kästchen «Sprache wechseln» und «Switchen» von Seite 42 könnten vorgängig mit den Schülerinnen und Schülern besprochen werden.

5 Im Sinne einer inneren Differenzierung ist nur ein Minimum an Lektüre vorgegeben. Interessierte oder bilinguale Lernende haben die Möglichkeit, mehr oder alle BD zu lesen.

Auf individuelle Bedürfnisse eingehen

Anforderungen reduzieren
Reduzierte Textmenge
» Nur eine oder zwei BD lesen und hören

Anforderungen erweitern
Erweiterte Textmenge
» Mehr oder alle BD lesen und hören
Lernen durch Lehren
» Entschlüsselungshilfen zu einer BD für Mitschülerinnen und Mitschüler erstellen

In *activité* C wird der Klassenwortschatz mit BD-Auszügen präsentiert. So wird veranschaulicht, dass sich die Textsorte BD besonders gut als Modell für Alltagssprache eignet. Der Klassenwortschatz beinhaltet eine Auswahl an Redemitteln, die die Lernenden für die Bearbeitung der *tâche* brauchen und auch in authentischen Unterrichtsgesprächen verwenden können.

Der Klassenwortschatz und ausgewählte Redemittel aus der *revue* («Nous parlons français!») werden in einem Lernprogramm intensiv eingeübt. Am Computer erstellen die Lernenden eine Reihe von Dialogen zu Themen aus der Schule und der Freizeit. Hier wird das hohe Transferpotenzial der *langage de classe* zur Alltagssprache sichtbar.

Als Moment für einen Austausch in der Zielsprache ist die Partnerarbeit am Computer vorgesehen.

Activité **C**

Fastoche!

Tu reprends des phrases de BD pour parler français en groupe.

Tu connais déjà beaucoup d'expressions pour parler français en groupe.
Tu les trouves dans la revue. En voici d'autres.

BD comme modèle pour le langage parlé
BD als Modell für Alltagssprache

Übernimm Ausrufe, kurze Sätze und Redewendungen aus den BD und verwende sie in Alltagsgesprächen.

1 17–23

» Lisez et écoutez les expressions.
Vous pouvez écouter toutes les expressions de la revue si vous voulez.

Se présenter
(revue page 11)

Je me présente: Je suis…
Ich stelle mich vor: Ich bin…

Enchanté/Enchantée! Moi, c'est…
Freut mich! Ich bin…

Clarifier
(revue page 9)

C'est écrit «…».
Es steht «…».

Je t'explique.
Ich erkläre es dir.

Jouer aux jeux
(revue page 12)

Qui a gagné?
Wer hat gewonnen?

Ça ne compte pas.
Das gilt nicht.

Remonter le moral
(revue page 12)

Laisse tomber!
Vergiss es!

Courage!
Kopf hoch!

Ce n'est pas grave.
Das ist nicht schlimm.

26

1 Der Klassenwortschatz besteht aus einer Auswahl von sprachlichen Strukturen aus den BD. Um aufzuzeigen, dass die Redemittel aus dem Input herausgelöst sind und so für den eigenen Gebrauch zur Verfügung stehen, sind Ausschnitte einiger BD abgebildet und die entsprechenden Wendungen in den Sprechblasen gelb markiert.

Es ist denkbar, dass die Lernenden mit einem Marker genauso verfahren, wenn sie im Input nach zusätzlichen Ausdrücken für ihren persönlichen Wortschatz suchen.

Der Klassenwortschatz lässt sich auch durch sprachliche Strukturen aus der *revue* ergänzen. Auf der Plattform www.clin-doeil.ch stehen alle Redemittel aus der *revue* als mp3-Dateien zur Verfügung.

Da der Klassenwortschatz dieses *magazine* beinahe ausschliesslich aus ganzen Sätzen besteht, sind nicht wie bis anhin parallele englische Entsprechungen zu den französischen Ausdrücken aufgeführt. Es wäre aber im Sinne der Mehrsprachigkeitsdidaktik empfehlenswert, im Englischunterricht englische Wendungen zu notieren, die zwar nicht parallel, aber genauso umgangssprachlich sind und häufig verwendet werden *(Enchanté/-e. – Nice to meet you., Ne t'en fais pas! – Don't worry!, Je t'entends mal. – I can't hear you., Tu es prêt/-e? – Are you ready?…).* Motivierte Lernende könnten so einige Ausdrücke gleich in beiden Sprachen memorieren.

Activité **C**

Téléphoner
(revue page 9)

Allô?
Hallo?

Un instant!
Augenblick!

Je t'entends mal.
Ich höre dich schlecht.

Je te rappelle.
Ich rufe dich zurück.

À la semaine prochaine!
Bis nächste Woche!

24–30

S'exclamer
(revue page 8)

Fastoche!
Einfach!

J'en ai marre!
Ich habe es satt!

Donner son avis
(revue pages 10 et 11)

C'est trop fort.
Das ist wirklich toll.

J'adore…
Ich mag … sehr gern.

Poser des questions/Donner des réponses
(revue page 7)

On a cours de quoi? Welches Fach haben wir?	maths, informatique, histoire, géo Mathe, Informatik, Geschichte, Geo
Qu'est-ce qui se passe? Was ist los?	
Je te dérange? Störe ich dich?	Non, pas du tout. Nein, überhaupt nicht.

27

Auf individuelle Bedürfnisse eingehen

Anforderungen reduzieren

Stoffreduktion

» Die Anzahl zu lernender Ausdrücke des Klassenwortschatzes reduzieren

Anforderungen erweitern

Weiterführende Aufgabe

» In Absprache mit der Klasse den Klassenwortschatz erweitern

Mehr und komplexere sprachliche Mittel

» Den Klassenwortschatz E lernen (vgl. E, *magazine* Seiten 26 und 27)

Selbstständiger Wortschatzerwerb

» Einen umfangreichen persönlichen Wortschatz anlegen

1 In der *revue* sind verschiedene Strategien zum Memorieren des Wortschatzes aufgeführt. Die Lehrperson kann die Lernenden mithilfe der Strategie «Die *revue* als Nachschlagewerk» auf diese Sammlung verweisen und ebenfalls den *fichier* als Übungsinstrument beliebt machen. Zudem steht den Lernenden das Lernprogramm zur Verfügung, um die sprachlichen Strukturen zu festigen.

Das Einüben von Wortschatz ist kein Selbstzweck, sondern geschieht im Hinblick auf das Ausführen von bedeutungsvollen mündlichen oder schriftlichen Sprachhandlungen: In diesem *parcours* brauchen die Lernenden die Redemittel für ihre Szene in der *tâche*. Gleichzeitig lässt sich der Klassenwortschatz aber auch auf Kommunikationssituationen transferieren, die im realen Leben der Schülerinnen und Schüler stattfinden. Die Lernenden werden bereits in *activité* A und durch das regelmässige Reflektieren im *zoom* dazu aufgefordert, im Unterricht mehr und mehr die Zielsprache als Arbeitssprache zu verwenden.

2 Wie üblich können die Lernenden Redemittel ihrer Wahl in den persönlichen Wortschatz aufnehmen. Dies sind beispielsweise Wendungen, die ihnen in den BD besonders gut gefallen haben, oder solche, die sie im *zoom* notiert haben.

3 Das Lernprogramm verfügt über einen Korpus von 127 Frage- und Antwortsätzen. Die meisten Ausdrücke stammen aus dem Klassenwortschatz dieses *magazine* oder greifen sprachliche Strukturen aus früheren *magazines* auf. Ebenfalls gut vertreten sind Wendungen aus der Rubrik «Nous parlons français!» aus der *revue*. Die Strategie «*revue* als Nachschlagewerk» hilft den Lernenden, falls sie gewisse Repliken nicht verstehen.

Activité **C**

1 » Mémorise les expressions des pages 26 et 27.

2 » Choisis d'autres expressions pour ton vocabulaire personnel. Note-les dans la revue.

3 » Créez des dialogues à l'ordinateur pour vous entraîner à utiliser les expressions.
» Choisissez des bulles à tour de rôle.

4 **5** **6** » Ecoutez le dialogue.
» Lisez-le à haute voix.

7 » Continuez avec d'autres dialogues.

La revue comme ouvrage de référence
Die *revue* als Nachschlagewerk

Nutze die *revue* als Nachschlagewerk.

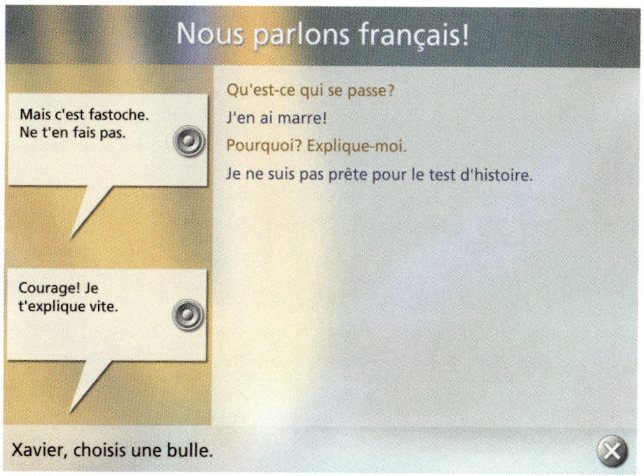

8 » Utilisez les expressions «Nous parlons français!» aussi souvent que possible.

Parler français ensemble
Untereinander französisch sprechen

Nutze beim Arbeiten und Spielen möglichst viele Gelegenheiten, um französisch zu sprechen.

As-tu noté tes observations et tes résolutions pour parler français ensemble dans le zoom à la page 41?

28

4 Die Lernenden arbeiten beim Kreieren von Dialogen zu zweit am Computer. Ein Dialog beginnt entweder mit der Frage «Qu'est-ce qui se passe?» oder mit der Begrüssung «Salut!». Nachdem Spieler A einen der beiden Anfänge gewählt hat, bestimmt Spieler B den weiteren Verlauf:

» Auf «Qu'est-ce qui se passe?» kann mit «J'en ai marre!» oder «Regarde, là, ici. Quelle horreur!» reagiert werden.

» Nach «Salut!» geht der Dialog entweder als Telefongespräch mit «Allô? Qu'est-ce que tu fais?» oder als Diskussion vor dem Unterricht mit «Tchô! On a cours de quoi?» weiter.

Spieler A wählt dann wiederum zwischen zwei Antworten aus und spielt B den Ball zurück, so dass nach und nach verschiedene Gesprächssituationen entstehen. Nach der Auswahl der sechsten Sprechblase ist der Dialog zu Ende.

5 Der Dialog kann noch einmal als Ganzes gehört und ausgedruckt werden.

6 Die Lernenden üben sich in der korrekten Aussprache, indem sie den gehörten Dialog imitieren.

7 Die Schülerinnen und Schüler sind eingeladen, das Lernprogramm möglichst intensiv zu nutzen und verschiedene

Méli-mélo

Parcours BD

En 1993, la Ville de Bruxelles a commencé de peindre des murs en hommage aux héros de bandes dessinées. Un parcours BD permet de passer d'une fresque murale à l'autre. Une occasion de découvrir ces dessinateurs de BD et leurs personnages.

Tu trouves des photos de toutes les fresques sur le site www.bruxelles.be/artdet.cfm/5316

29

Wie gewohnt sind die Inhalte von *méli-mélo* nicht didaktisiert und richten sich als fakultatives Zusatzangebot an interessierte Lernende.

Im ersten *méli-mélo* dieses *magazine* sind drei Fotos von BD-Fresken abgedruckt, die Mauern von Brüssel zieren. Seit 1993 werden in der Hauptstadt Belgiens Fassaden mit BD-Figuren bemalt. Mittlerweile sind an die 50 BD-Fresken entstanden.

Alle verewigten Figuren wurden von Belgiern erfunden. Einzig für den Schweizer Zeichner Zep ist 2006 eine Ausnahme gemacht worden und nun ziert auch Titeuf eine Hauswand in Brüssel.

Noch spannender wird es, wenn man den ganzen BD-*Parcours* auf dem Internet mitverfolgt und die grosse Menge an Fresken bestaunt (www.bruxelles.be/artdet.cfm/5316).

Dialoge zu produzieren. Diese Vorlagen sind hilfreich für die Bearbeitung der *tâche*.

8 Die Arbeit am Computer eignet sich auch, um die Fertigkeit «Sprechen» in einer authentischen Kommunikationssituation zu trainieren. Die Lernenden müssen sich rund um das Lernprogramm zu vielen Aspekten des Spielens austauschen. Dazu können Redemittel aus der Kategorie «Spielen» *(C'est mon tour. / C'est ton tour. / A toi de jouer…)*, «Anweisungen geben» *(Aide-moi, s'il te plaît. / Cherche… dans le dictionnaire, s'il te plaît. / Commence. / Continue…)* oder auch aus «Die eigene Meinung äussern» *(Excellent! / C'est nul. / Bonne idée!…)* verwendet werden. Es kann sinnvoll sein, wenn die Lernenden sich vor der Arbeit am Computer auf den Sprechanlass vorbereiten und sich einige Wendungen als Spicknotiz aufschreiben.

In *activité* C wird der Klassenwortschatz mit BD-Auszügen präsentiert. So wird veranschaulicht, dass sich die Textsorte BD besonders gut als Modell für Alltagssprache eignet. Der Klassenwortschatz beinhaltet eine Auswahl an Redemitteln, die die Lernenden für die Bearbeitung der *tâche* brauchen und auch in authentischen Unterrichtsgesprächen verwenden können.

Der Klassenwortschatz und ausgewählte Redemittel aus der *revue* («Nous parlons français!») werden in einem Lernprogramm intensiv eingeübt. Am Computer erstellen die Lernenden eine Reihe von Dialogen zu Themen aus der Schule und der Freizeit. Hier wird das hohe Transferpotenzial der *langage de classe* zur Alltagssprache sichtbar.

Als Moment für einen Austausch in der Zielsprache ist die Partnerarbeit am Computer vorgesehen.

Activité **C**

Fastoche!

Tu reprends des phrases de BD pour parler français en groupe.

Tu connais déjà beaucoup d'expressions pour parler français en groupe. Tu les trouves dans la revue. En voici d'autres.

BD comme modèle pour le langage parlé
BD als Modell für Alltagssprache

Übernimm Ausrufe, kurze Sätze und Redewendungen aus den BD und verwende sie in Alltagsgesprächen.

1 17–23

» Lisez et écoutez les expressions.
Vous pouvez écouter toutes les expressions de la revue si vous voulez.

Se présenter
(revue page 11)

Je me présente: Je suis…
Ich stelle mich vor: Ich bin …

Enchanté/Enchantée! Moi, c'est…
Freut mich! Ich bin …

Clarifier
(revue page 9)

C'est écrit «…».
Es steht «…».

Je t'explique.
Ich erkläre es dir.

Jouer aux jeux
(revue page 12)

Qui a gagné?
Wer hat gewonnen?

Ce n'est qu'un jeu.
Es ist nur ein Spiel.

Ça ne compte pas.
Das gilt nicht.

On ne triche pas.
Es wird nicht geschummelt.

Remonter le moral
(revue page 12)

Laisse tomber!
Vergiss es!

Courage!
Kopf hoch!

Ne t'en fais pas.
Mach dir nichts draus.

Calme-toi!
Beruhige dich!

Ce n'est pas grave.
Das ist nicht schlimm.

26

1 Der Klassenwortschatz besteht aus einer Auswahl von sprachlichen Strukturen aus den BD. Um aufzuzeigen, dass die Redemittel aus dem Input herausgelöst sind und so für den eigenen Gebrauch zur Verfügung stehen, sind Ausschnitte einiger BD abgebildet und die entsprechenden Wendungen in den Sprechblasen gelb markiert.

Es ist denkbar, dass die Lernenden mit einem Marker genauso verfahren, wenn sie im Input nach zusätzlichen Ausdrücken für ihren persönlichen Wortschatz suchen.

Der Klassenwortschatz lässt sich auch durch sprachliche Strukturen aus der *revue* ergänzen. Auf der Plattform www.clin-doeil.ch stehen alle Redemittel aus der *revue* als mp3-Dateien zur Verfügung.

Da der Klassenwortschatz dieses *magazine* beinahe ausschliesslich aus ganzen Sätzen besteht, sind nicht wie bis anhin parallele englische Entsprechungen zu den französischen Ausdrücken aufgeführt. Es wäre aber im Sinne der Mehrsprachigkeitsdidaktik empfehlenswert, im Englischunterricht englische Wendungen zu notieren, die zwar nicht parallel, aber genauso umgangssprachlich sind und häufig verwendet werden *(Enchanté/-e. – Nice to meet you. / Ne t'en fais pas! – Don't worry! / Je t'entends mal. – I can't hear you. / Tu es prêt/-e? – Are you ready?…)*. Motivierte Lernende könnten so einige Ausdrücke gleich in beiden Sprachen memorieren.

Activité **C**

Téléphoner
(revue page 9)

Allô?
Hallo?

Un instant!
Augenblick!

Je t'entends mal.
Ich höre dich schlecht.

Je te rappelle.
Ich rufe dich zurück.

Je te laisse mon numéro de portable.
Ich gebe dir meine Handynummer.

À la semaine prochaine!
Bis nächste Woche!

24–30

S'exclamer
(revue page 8)

Fastoche!
Einfach!

J'en ai marre!
Ich habe es satt!

Donner son avis
(revue pages 10 et 11)

C'est trop fort.
Das ist wirklich toll.

J'adore…
Ich mag … sehr gern.

Cela ne veut rien dire.
Das hat nichts zu bedeuten.

Poser des questions/Donner des réponses
(revue page 7)

On a cours de quoi? Welches Fach haben wir?	maths, informatique, histoire, géo Mathe, Informatik, Geschichte, Geo
Qu'est-ce que vous faites? Was macht ihr?	
Tu es prêt?/Tu es prête? Bist du bereit?	
Qu'est-ce qui se passe? Was ist los?	
Je te dérange? Störe ich dich?	Non, pas du tout. Nein, überhaupt nicht.

27

Auf individuelle Bedürfnisse eingehen

Anforderungen reduzieren

Stoffreduktion

» Die Anzahl zu lernender Ausdrücke des Klassenwortschatzes reduzieren (vgl. G, *magazine* Seiten 26 und 27)

Anforderungen erweitern

Weiterführende Aufgabe

» In Absprache mit der Klasse den Klassenwortschatz erweitern

Selbstständiger Wortschatzerwerb

» Einen umfangreichen persönlichen Wortschatz anlegen

1 In der *revue* sind verschiedene Strategien zum Memorieren des Wortschatzes aufgeführt. Die Lehrperson kann die Lernenden mithilfe der Strategie «Die *revue* als Nachschlagewerk» auf diese Sammlung verweisen und ebenfalls den *fichier* als Übungsinstrument beliebt machen. Zudem steht den Lernenden das Lernprogramm zur Verfügung, um die sprachlichen Strukturen zu festigen.

Das Einüben von Wortschatz ist kein Selbstzweck, sondern geschieht im Hinblick auf das Ausführen von bedeutungsvollen mündlichen oder schriftlichen Sprachhandlungen: In diesem *parcours* brauchen die Lernenden die Redemittel für ihre Szenen in der *tâche*. Gleichzeitig lässt sich der Klassenwortschatz aber auch auf Kommunikationssituationen transferieren, die im realen Leben der Schülerinnen und Schüler stattfinden. Die Lernenden werden bereits in *activité* A und durch das regelmässige Reflektieren im *zoom* dazu aufgefordert, im Unterricht mehr und mehr die Zielsprache als Arbeitssprache zu verwenden.

2 Wie üblich können die Lernenden Redemittel ihrer Wahl in den persönlichen Wortschatz aufnehmen. Dies sind beispielsweise Wendungen, die ihnen in den BD besonders gut gefallen haben, oder solche, die sie im *zoom* notiert haben.

3 Das Lernprogramm verfügt über einen Korpus von 127 Frage- und Antwortsätzen. Die meisten Ausdrücke stammen aus dem Klassenwortschatz dieses *magazine* oder greifen sprachliche Strukturen aus früheren *magazines* auf. Ebenfalls gut vertreten sind Wendungen aus der Rubrik «Nous parlons français!» aus der *revue*. Die Strategie «*revue* als Nachschlagewerk» hilft den Lernenden, falls sie gewisse Repliken nicht verstehen.

Activité C

1 » Mémorise les expressions des pages 26 et 27.

2 » Choisis d'autres expressions pour ton vocabulaire personnel. Note-les dans la revue.

3 » Créez des dialogues à l'ordinateur pour vous entraîner à utiliser les expressions.

4 **5** **6**
» Choisissez des bulles à tour de rôle.
» Ecoutez le dialogue.
» Lisez-le à haute voix.

7 » Continuez avec d'autres dialogues.

La revue comme ouvrage de référence
Die *revue* als Nachschlagewerk
Nutze die *revue* als Nachschlagewerk.

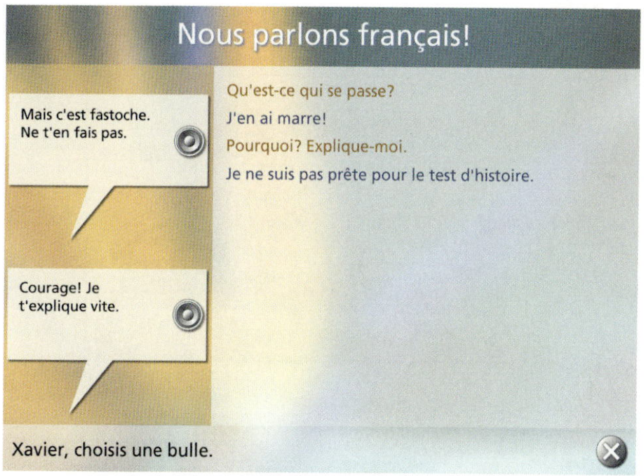

8 » Utilisez les expressions «Nous parlons français!» aussi souvent que possible.

Parler français ensemble
Untereinander französisch sprechen
Nutze beim Arbeiten und Spielen möglichst viele Gelegenheiten, um französisch zu sprechen.

As-tu noté tes observations et tes résolutions pour parler français ensemble dans le zoom à la page 41?

28

4 Die Lernenden arbeiten beim Kreieren von Dialogen zu zweit am Computer. Ein Dialog beginnt entweder mit der Frage «Qu'est-ce qui se passe?» oder mit der Begrüssung «Salut!». Nachdem Spieler A einen der beiden Anfänge gewählt hat, bestimmt Spieler B den weiteren Verlauf:

- Auf «Qu'est-ce qui se passe?» kann mit «J'en ai marre!» oder «Regarde, là, ici. Quelle horreur!» reagiert werden.
- Nach «Salut!» geht der Dialog entweder als Telefongespräch mit «Allô? Qu'est-ce que tu fais?» oder als Diskussion vor dem Unterricht mit «Tchô! On a cours de quoi?» weiter.

Spieler A wählt dann wiederum zwischen zwei Antworten aus und spielt B den Ball zurück, so dass nach und nach verschiedene Gesprächssituationen entstehen. Nach der Auswahl der sechsten Sprechblase ist der Dialog zu Ende.

5 Der Dialog kann noch einmal als Ganzes gehört und ausgedruckt werden.

6 Die Lernenden üben sich in der korrekten Aussprache, indem sie den gehörten Dialog imitieren.

7 Die Schülerinnen und Schüler sind eingeladen, das Lernprogramm möglichst intensiv zu nutzen und verschiedene Dialoge

Méli-mélo

Parcours BD

En 1993, la Ville de Bruxelles a commencé de peindre des murs en hommage aux héros de bandes dessinées. Un parcours BD permet de passer d'une fresque murale à l'autre. Une occasion de découvrir ces dessinateurs de BD et leurs personnages.

Tu trouves des photos de toutes les fresques sur le site www.bruxelles.be/artdet.cfm/5316

29

Wie gewohnt sind die Inhalte von *méli-mélo* nicht didaktisiert und richten sich als fakultatives Zusatzangebot an interessierte Lernende.

Im ersten *méli-mélo* dieses *magazine* sind drei Fotos von BD-Fresken abgedruckt, die Mauern von Brüssel zieren. Seit 1993 werden in der Hauptstadt Belgiens Fassaden mit BD-Figuren bemalt. Mittlerweile sind an die 50 BD-Fresken entstanden.

Alle verewigten Figuren wurden von Belgiern erfunden. Einzig für den Schweizer Zeichner Zep ist 2006 eine Ausnahme gemacht worden und nun ziert auch Titeuf eine Hauswand in Brüssel.

Noch spannender wird es, wenn man den ganzen BD-*Parcours* auf dem Internet mitverfolgt und die grosse Menge an Fresken bestaunt (www.bruxelles.be/artdet.cfm/5316).

zu produzieren. Diese Vorlagen sind hilfreich für die Bearbeitung der *tâche*.

8 Die Arbeit am Computer eignet sich auch, um die Fertigkeit «Sprechen» in einer authentischen Kommunikationssituation zu trainieren. Die Lernenden müssen sich rund um das Lernprogramm zu vielen Aspekten des Spielens austauschen. Dazu können Redemittel aus der Kategorie «Spielen» *(C'est mon tour. / C'est ton tour. / A toi de jouer…)*, «Anweisungen geben» *(Aide-moi, s'il te plaît. / Cherche… dans le dictionnaire, s'il te plaît. / Commence. / Continue…)* oder auch aus «Die eigene Meinung äussern» *(Excellent! / C'est nul. / Bonne idée!…)* verwendet werden. Es kann sinnvoll sein, wenn die Lernenden sich vor der Arbeit am Computer auf den Sprechanlass vorbereiten und sich einige Wendungen als Spicknotiz aufschreiben.

Während in *activité* C die Vorbereitung auf die *tâche* im Bereich des Inhalts und des Wortschatzes stattfindet (worum es in der Szene gehen kann und wie es ausgedrückt wird), bereitet *activité* D die Lernenden auf ihre Performanz beim Vorspielen der Szene vor. Sie üben sich aktiv in der paraverbalen Kommunikation, d. h. sie variieren Stimmlage, Lautstärke, Betonung, Sprechtempo und Sprachmelodie.

Zunächst stellen sie den Bezug zwischen Inhalt und Form her und überlegen sich, wie man in welcher Situation spricht. Dann achten sie auf die Variation der Stimmen der Schauspielerin und des Schauspielers. Mit der Strategie «Stimme» sind sie im rezeptiven Bereich bereits vertraut, um Hypothesen zu einem Inhalt zu bilden. In einem zweiten Schritt wenden sie die Strategie produktiv an und variieren selber ihre Stimme, um den Inhalt einer BD zu verdeutlichen. Es ist möglich, das ausdrucksvolle Vorlesen zum Anlass zu nehmen, eine kurze, in das Unterrichtsgeschehen integrierte summative Evaluation durchzuführen.

Als Moment für einen Austausch in der Zielsprache sind der Teil «Tu piges?» und das Hypothesenbilden über die BD-Auszüge vorgesehen.

Activité **D**

Parler fort ou doucement?

Tu découvres différentes expressions de voix.
Tu choisis une BD que tu lis aux autres.

1

Tu piges ?
» Lisez toutes les consignes de cette activité. La revue peut vous aider à comprendre.

» Discutez ce qu'il faut faire.

Il faut… | Je pense qu'il faut… | D'abord, on doit… | Ensuite, il faut… | A la fin, on doit…

Il faut…/On doit…
lire
écouter
échanger
reprendre
préparer
distribuer
répéter
varier
chercher
utiliser
changer

C'est le ton qui fait la musique!

31

Comment parlent les personnages dans les extraits de BD?
» Lisez et écoutez les expressions dans la case.

2

» Echangez vos hypothèses.

Je pense qu'il/qu'elle…
A mon avis, il/elle…
Peut-être qu'il/qu'elle…

parle fort	spricht laut
parle sur un ton agressif	spricht in aggressivem Ton
crie	brüllt
s'énerve	regt sich auf
bavarde	plaudert
parle doucement	spricht leise
chuchote	flüstert
bafouille	stammelt
pose une question	stellt eine Frage
…	

30

1 Seit dem Ende der Primarschule erfüllt der Teil «Tu piges?» eine doppelte Funktion im Lernprozess der Schülerinnen und Schüler. Einerseits leistet er einen Beitrag an die Lernerautonomie, weil die Lernenden eigenständig Aufgabenstellungen klären und sich den Ablauf einer *activité* gegenseitig erklären können. Andererseits ist «Tu piges?» ein Moment mündlicher Interaktion, die in der Zielsprache stattfindet. Als Hilfsmittel steht den Schülerinnen und Schülern dafür die Rubrik «Consignes» in der *revue* zur Verfügung.

«Tu piges?» ist nicht systematisch bei jeder *activité* angelegt, sollte aber ein fester Bestandteil des Unterrichtsgeschehens sein. Als Erinnerung daran erscheint es ein- bis zweimal pro *magazine*. Bevor sich Schülerinnen und Schüler an die Bearbeitung einer *activité* machen, klären sie gemeinsam und wenn möglich in der Zielsprache, was zu tun ist.

Die Lehrperson könnte diesen Teil zum Anlass nehmen, um erneut auf die Strategie «Die *revue* als Nachschlagewerk» hinzuweisen und die Rubrik «Consignes» gemeinsam mit den Schülerinnen und Schülern anzuschauen.

2 Nachdem die Schülerinnen und Schüler verschiedene Ausdrücke gehört haben, mit denen beschrieben werden kann, auf welche Art und Weise jemand spricht, übertragen sie diese auf einige ausdrucksstarke BD-Auszüge.

Sie lassen sich von den illustratorischen Mitteln und grafischen Elementen leiten, die Hinweise auf die Verfassung und Redeabsicht des Protagonisten und damit auf den Ausdruck der Stimme geben. Wenn man sich aufregt, spricht man womöglich laut und in einem aggressiven Ton. Ist man schüchtern

Activité **D**

1 » Ecoutez les extraits pour vérifier vos hypothèses.

2 » Reprenez une BD qui vous plaît.
» Lisez et écoutez-la une 2e fois.

3 » Préparez la lecture à haute voix.
» Distribuez les rôles.
» Ecoutez et répétez chaque bulle à haute voix.
» Variez la voix.
Cherchez l'expression qui va bien avec votre rôle.

» Lisez l'histoire à un autre groupe.

4 » Utilisez la grille à la page 43 pour vous évaluer.

» Changez de groupe.

32

8–16

reprenez
nehmt noch einmal
variez
variiert

Expression de la voix
Ausdruck der Stimme

Variiere deine Stimme, um den Inhalt von Aussagen zu verdeutlichen.

As-tu noté tes observations et tes résolutions pour parler français ensemble dans le zoom à la page 41?

31

und schämt sich, stottert man wahrscheinlich mit kaum hörbarer Stimme etwas vor sich hin. Wenn sich die Lernenden dieses Zusammenspiels von Form und Inhalt bewusst werden, wird es ihnen auch bei der Umsetzung der *tâche* dienlich sein.

1 Mit der Tonspur überprüfen die Lernenden einerseits ihre Hypothesen, andererseits erhalten sie damit ein Modell für ihre eigene Interpretation einer BD im Anschluss.

2 Um eine BD ausdrucksstark vorzulesen, müssen die Schülerinnen und Schüler zunächst den Inhalt genau erfassen. Nur dann können sie ihre Stimme richtig einsetzen.

3 Dieser Auftrag verbindet die Inputentschlüsselung mit der Vorbereitung der *tâche*. Die Lernenden beschäftigen sich nochmals intensiv mit einer BD. Gleichzeitig üben sie sich im mündlichen Ausdruck und experimentieren mit ihrer Stimme. Die Stimme wird somit zu einem wichtigen Stilmittel, das sie in der *tâche* bewusst einsetzen.

4 Das Vorlesen der BD ist ein möglicher Moment für eine summative Evaluation. Der entsprechende Kriterienraster steht im *magazine* auf Seite 43 zur Verfügung. Vor dem Vorlesen informiert die Lehrperson über die Evaluationsabsicht und bespricht die Kriterien mit den Lernenden. Es ist auch denkbar, dass sich die Lernenden zuerst ein Peer-Feedback geben und erst nach nochmaligem Üben von der Lehrperson evaluiert werden.

Auf individuelle Bedürfnisse eingehen

Anforderungen reduzieren

Vorentlastung
» Als Einstieg einen französischen Satz mit den Lernenden auf verschiedene Weisen aussprechen (z. B. *C'est fastoche.* liebenswürdig, aggressiv, zitternd, unangenehm laut, sehr leise, als Frage, als Ausruf usw.)

Reduzierte Textmenge
» Für das Variieren der Stimme nur mit den abgedruckten BD-Auszügen arbeiten und evtl. erst in einem zweiten Schritt zurück in den Input gehen

Anforderungen erweitern

Beurteilung und Rückmeldung
» Einer Mitschülerin oder einem Mitschüler ein Feedback zum Vorlesen geben

Fakultatives Zusatzangebot
» Die fakultative Aufgabe bearbeiten und die BD einer anderen Gruppe vorlesen

Zusätzliche Sprachproduktion
» Mit dem Lernprogramm einen Dialog erstellen, diesen vorlesen und dabei die Stimme variieren

In einem kurzen Dokumentarfilm erfahren die Lernenden mehr über die Entstehung von Titeuf und über seinen Erfinder Zep. Damit bearbeiten sie das Lernziel aus dem Kompetenzbereich II: «Ich kenne den Erfinder und Zeichner der BD-Figur Titeuf.» Der Einblick ins Leben eines BD-Zeichners aus der Suisse romande verstärkt die Bewusstheit der Nähe zur Frankophonie.

Mit dem Visionieren des Films sind verschiedene Höraufträge verbunden. Diese haben einerseits zum Ziel, das Verständnis der wichtigsten Informationen zu sichern. Andererseits werden die Lernenden auf Füllwörter aufmerksam gemacht, die Zep und Nadia in den Interviews verwenden. Die Strategie «Füllwörter verwenden» kann von den Lernenden in der *tâche* angewendet werden.

Als Moment für einen Austausch in der Zielsprache ist das Vergleichen der Ergebnisse vorgesehen.

Activité **E**

Tchô

Tu fais la connaissance du Genevois Philippe Chappuis, alias Zep, qui a inventé Titeuf. Tu découvres des petits mots qu'on utilise pour combler un blanc.

Zep a publié beaucoup d'albums «Titeuf», traduits dans plus de 25 langues. Comment fait-il pour trouver des idées? S'agit-il de ses souvenirs d'enfance? Les personnages sont-ils réels?

1 » Regardez le film.

2 » Lisez et écoutez les extraits du film.

①–⑥ Solutions

Commentatrice:
«En observant bien Titeuf, on retrouve le petit Philippe Chappuis.» ③

Zep:
«...à écouter cette rumeur de cour d'école. Et c'est là où m'est revenue ma propre enfance.» ②
cette rumeur – dieser Lärm
ma propre enfance – meine eigene Kindheit

Commentatrice:
«Comme beaucoup de personnages de la BD, elle* a connu Zep enfant dans la cité d'Onex.» ⑤
*Nadia
Onex – ville à 4 km de Genève

Zep:
«Je fais d'autres albums mais j'ai toujours besoin de revenir à Titeuf.» ④

Nadia:
«...avec son étoile dorée de Lucky Luke. C'était une de ses bandes dessinées favorites.» ⑥

Commentatrice:
«Titeuf est le livre en français le plus vendu au monde.» ①

Voici le numéro...

J'ai la même chose.

J'ai autre chose.

3
» Regardez le film une 2e fois. Entendez-vous les extraits?
» Numérotez les cases dans l'ordre chronologique.
» Comparez vos solutions.

32

1 In einem ersten Schritt sind die Lernenden eingeladen, den Film über Zep anzuschauen (Dauer 4 ½ min.). Die Bilder des Filmes sind aussagekräftig. Die Lernenden können folgende Szenen beobachten und erste Schlüsse ziehen:

- Zep gewinnt einen Preis: Er wird in der Schweiz ausgezeichnet, er ist berühmt und angesehen.
- Zep steht in einem Zimmer und blickt auf einen Pausenhof. Flashback: Zep (noch jünger) zeichnet Titeuf mit Kreide auf den Boden. Titeuf gibt es schon lange.
- Zep gibt ein Interview: Er steht vor einem Plakat von Plonk et Replonk (den Lernenden aus *magazine* 7.2 bekannt).
- Zep sitzt am Schreibtisch und zeichnet Titeuf: Auf einer Titeuf-Zeichnung erkennt man im Hintergrund Poster von Mickey Mouse und Lucky Luke.
- Titeuf ist in Nadia verliebt: Die wahre Nadia (mit Nachnamen Senft) gibt es. Sie zeigt alte Klassenfotos. Zep trägt einen gelben Pulli mit Lucky Luke Stern, Nadia sitzt weiter rechts, neben ihr ist Dumbo. Eventuell können die Lernenden den Zusammenhang zum Klassenfoto von Titeuf erraten.

2 Damit die Lernenden die kurzen Texte im Film wiedererkennen können, empfiehlt es sich, nach dem Hören das Verständnis der Ausschnitte im Plenum abzusichern und einzelne Wörter gegebenenfalls zu klären. Die Textausschnitte sind Transkriptionen der Originalaussagen.

Der ganze transkribierte Filmtext befindet sich auf der Plattform (www.clin-doeil.ch). Es ist allerdings nicht vorgesehen, ihn den Lernenden zur Verfügung zu stellen, da in dieser *activité* die Hörkompetenz geschult wird.

3 «Comparer les solutions» ist eine häufig wiederkehrende Gelegenheit für einen mündlichen Austausch in der Zielsprache.

Activité **E**

1 Zep et Nadia utilisent beaucoup de petits mots pour combler un blanc.
» Lisez les petits mots en rouge dans les bulles et les traductions dans la boîte.

Bon, j'avais une image…

…j'avais mon atelier ici et **donc** je me prenais des moments comme ça à ma fenêtre **euh**…

…et **hein bof voilà** tout ça…

Et **puis, eh, ben** je suis juste là avec mes jolies couettes et **puis** voilà Dumbo et **euh**…

2 Entendez-vous ces petits mots pour combler un blanc?
» Regardez l'extrait et faites un trait à chaque fois que vous en entendez un.

//

Combler un blanc
Füllwörter verwenden

Verwende Füllwörter, um Sprechpausen zu überbrücken und um beim Sprechen natürlich zu wirken.

3 Voici d'autres petits mots pour combler un blanc.
» Lisez et écoutez-les.

pour faire court… – um es kurz zu machen
du coup… – darum, daher
en fait… – eigentlich
alors… – also, nun
disons… – sagen wir
enfin… – schliesslich
bref… – kurzum
mais… – aber

donc	also, doch
euh	äh, hm
bon	gut, schön
hein	nicht wahr, hä
bof	na ja, pff
voilà	natürlich, also
puis	dann, so
ben	nun, also

4 » Créez un petit dialogue non-sens uniquement avec ces mots. Variez la voix.

As-tu noté tes observations et tes résolutions pour parler français ensemble dans le zoom à la page 41?

33

1 In Alltagsgesprächen werden Sprechpausen häufig mit Füllwörtern wie «ähm», «also» überbrückt. Frankophone Sprecherinnen und Sprecher verfügen über ein grosses Repertoire an solchen «petits mots». Dies lässt sich auch im Film beobachten: Sowohl Zep als auch Nadia verwenden viele Füllwörter.

Die Lernenden können bei ihren Sprachproduktionen ebenfalls solche Füllwörter einsetzen, um authentischer und natürlicher zu wirken. Dafür wird hier die Strategie «Füllwörter verwenden» eingeführt.

Übrigens hat der ehemalige Präsident Frankreichs François Mitterand seine Neujahrsansprache einmal mit «Je vous souhaite – ben – une bonne année» beendet.

2 Die Lernenden werden aufgefordert, sich den zweiten Teil des Films noch einmal anzuschauen und dabei besonders auf die Füllwörter zu achten. Der zweite Teil eignet sich dafür, weil Zep und Nadia frei sprechen. Dies unterscheidet sich vom vorbereiteten Filmkommentar des ersten Teils, worin kaum Füllwörter auszumachen sind.

Die Lernenden könnten bis an die 20 Striche machen, wenn sie alle «hein», «euh», «donc», «bon», «bof», «voilà», «puis», «eh», «ben» heraushören (vgl. transkribierter Filmtext mit gekennzeichneten Füllwörtern auf der Plattform www.clin-doeil.ch).

3 All diese Füllwörter finden sich in der *revue* in der Rubrik «Nous parlons français!» unter «Combler und blanc».

4 Die Spielerei mit den Füllwörtern bietet Anlass für einen kreativen Umgang mit der Sprache. Die Dialoge der Schülerinnen und Schüler klingen unter Umständen sehr französisch, obschon sie aus puren Nonsens-Sätzen bestehen. Die Lehrperson könnte den Auftrag ausbauen und die Schülerinnen und Schüler auf ihr Zeichen hin in verschiedenen Sprachen mit reinen Fantasiewörtern sprechen lassen. Im Anschluss könnte die Erfahrung reflektiert werden: Wie klingt Deutsch, Schweizerdeutsch, Englisch, Italienisch …?

Auf individuelle Bedürfnisse eingehen

Anforderungen reduzieren
Vorentlastung
» Mit den Lernenden die Redemittel unter «Combler un blanc» in der Rubrik «Nous parlons français!» der *revue* anschauen

Anforderungen erweitern
Weiterführende Aufgabe
» In weiteren französischen TV- oder Radiobeiträgen aus dem Internet auf die Verwendung von Füllwörtern achten
» Den vollständigen Dokumentarfilm auf der rts-Webseite anschauen (www.rts.ch/emissions/temps-present/economie/1268534-dr-titeuf-et-mr-zep.html)
Zusätzliche Sprachproduktion
» Mit dem Lernprogramm einen Dialog erstellen, Füllwörter einbauen und diesen vorlesen

Das zweite *méli-mélo* dieses *magazine* ist «Le Chat» gewidmet.

«Le Chat» hat mit 19 Alben und unzähligen Strips (drei aufeinanderfolgende BD-Bilder) Belgien, Frankreich und die Schweiz erobert. Geboren ist Philippe Gelucks Katze am 22. März 1983. Damals publizierte Geluck zum ersten Mal in der belgischen Zeitung «Le Soir» eine BD mit «Le Chat». Innert kürzester Zeit mutierte die BD-Figur zum Maskottchen der Zeitung. Im Oktober 1986 erschien das erste Album von «Le Chat».

Philippe Geluck, der neben seiner Haupttätigkeit als BD-Zeichner auch Theaterschauspieler, Satireschriftsteller, Radiomoderator und Fernsehkomödiant ist, wurde 2003 vom französischen Kulturminister Jean-Jacques Aillagon zum *Chevalier des Arts et des Lettres* ernannt. Mit seinem schwarzen Humor schreckt er vor keinem Tabu zurück und nimmt auch bei heiklen Themen kein Blatt vor den Mund. Auf seiner Website sind spannende Informationen, Fotos von seinen verschiedenen Tätigkeiten und jeden Tag ein neuer «Le Chat»-Strip zu finden: www.geluck.com

Méli-mélo

Le Chat

Philippe Geluck, né à Bruxelles, a inventé «Le Chat».
Il dit de son héros: «En fait, c'est un autre moi-même.»

34

Auf individuelle Bedürfnisse eingehen

Anforderungen reduzieren
Verminderte Komplexität der Aufgabe
» Zuerst den Anfangsbuchstaben des Possessivbegleiters eintragen und als Mnemotechnik verwenden (**m**on/**m**a/**m**es – **m**ein (**m**oi); **t**on/**t**a/**t**es – **d**ein (**t**oi); **s**on/**s**a/**s**es – **s**ein/ihr (**s**oi); **n**otre/**n**os – unser (**n**ous); **v**otre/**v**os – euer (**v**ous)

Anforderungen erweitern
Weiterführende Aufgabe
» In den BD nach Possessivbegleitern suchen (z. B. in Titeuf: «Les Jeux Olympiques du neurone», Seite 15, oder in Titeuf: «La leçon de poésie», Seite 20)

Activité **F**

Il est où **mon livre?**

Tu découvres les adjectifs possessifs à l'aide de grammaires de référence.
Tu apprends à les utiliser.

1 » Ecoutez les adjectifs possessifs.

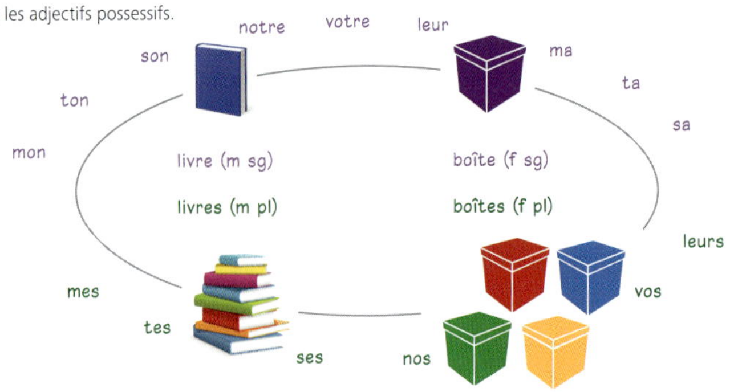

2 » Choisissez une des grammaires de référence aux pages 46 et 47.
Complétez les cases.

Grammaire de référence
Referenzgrammatik

Schlage Grammatikthemen in einer Referenzgrammatik nach.

ton livre (dein Buch)	notre livre (unser Buch)	……… (meine Schachtel)
votre boîte (eure Schachtel)	……… (sein Buch/ihr Buch)	……… (mein Buch)
……… (deine Schachtel)	leur livre (ihr Buch)	sa boîte (seine Schachtel/ihre Schachtel)
……… (meine Bücher)	……… (deine Schachteln)	vos livres (eure Bücher)
……… (unsere Schachteln)	ses livres (seine Bücher/ihre Bücher)	leurs boîtes (ihre Schachteln)

35

In der mündlichen Interaktion werden häufig Besitzverhältnisse geklärt. Dafür werden Possessivbegleiter eingesetzt. Die Schülerinnen und Schüler fokussieren diese grammatikalische Erscheinungsform zum ersten Mal im Französischunterricht.

Für die Spracharbeit ziehen sie verschiedene Referenzgrammatiken bei. Sie schlagen nach, was sie noch nicht wissen oder nochmals überprüfen wollen. Danach beschreiben sie in der *revue* die Regeln zum Gebrauch der Possessivbegleiter in eigenen Worten. Dies führt zu einer tieferen Verarbeitung. Gleichzeitig üben sich die Schülerinnen und Schüler auch im Umgang mit Prozessmaterialien. Das Nachschlagen einer Regel in einer Referenzgrammatik ist ein Beitrag zum selbstständigen Lernen.

Das Einüben des Phänomens erfolgt nach der Entdeckung in einem Lernprogramm am Computer.

1 In den Inputtexten und in Chunks sind die Lernenden immer wieder einzelnen Possessivbegleitern begegnet, ohne dass dieses grammatikalische Phänomen fokussiert worden ist. Als Einstieg hören die Lernenden die im Schema dargestellten Wortpaare wie *mon livre, ton livre, ses livres…, ma boîte, sa boîte, nos boîtes…* und erkennen eine erste Ordnung.

2 Auf der Doppelseite stehen den Lernenden Auszüge aus zwei Referenzwerken zur Grammatik zur Verfügung (vgl. Kommentar Seiten 72 und 73). Mit dem Ausfüllen der Kästchen wird überprüft, ob die Lernenden die Informationen aus den Referenzgrammatiken verstehen.

Seit der 3. Klasse schreiben die Lernenden ihre Grammatikentdeckungen in die *revue*. Damit wird ihnen vermittelt, dass verschiedene Darstellungsformen möglich sind. Ein Richtig oder Falsch gibt es nicht, sondern lediglich Darstellungen, die einem mehr oder weniger entsprechen. Deshalb sind auch hier zwei verschiedene Quellen angegeben, die das Phänomen der Possessivbegleiter auf unterschiedliche Weise repräsentieren. Im Internet finden sich weitere Referenzgrammatiken, die anderen Systematiken folgen und zusätzliche Erklärungen liefern.

Activité **F**

1 » Regardez les solutions à la page 48.

2 » Expliquez les règles.

Pour en savoir plus, tu peux…
- lire le chapitre complet «Possessivbegleiter» dans la «mini-grammaire».
- chercher «lingolia possessivbegleiter» sur Internet.

3 » Entraîne-toi à employer les adjectifs possessifs à l'ordinateur.

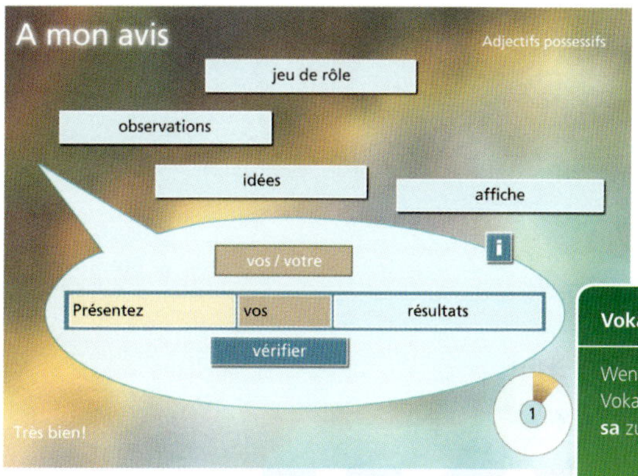

Vokal am Wortanfang

Wenn das Nomen mit einem Vokal beginnt, werden **ma, ta, sa** zu **mon, ton, son.**

une école — mon école
une image — ton image
une affiche — son affiche

4 » Note tes découverts dans la revue.

As-tu noté tes observations et tes résolutions pour parler français ensemble dans le zoom à la page 41?

36

1 Mit den Lösungen überprüfen die Lernenden, ob ihnen der Transfer von der Referenzgrammatik auf die Aufgabe im *magazine* gelungen ist. Dies bereitet sie darauf vor, die Regeln in eigenen Worten wiederzugeben.

2 Einsichten der Lernenden könnten sein:

- Die Begleiter für die Personen sind unterschiedlich: z. B. ma, ton, ses, notre, vos, leur.
- Die Possessivbegleiter ändern sich je nach Wort (Nomen), das nach ihnen steht.
  - vor m-Wörtern/männlichen Nomen kann *mon, ton, son, notre, votre* oder *leur* stehen.
  - vor f-Wörtern/weiblichen Nomen kann *ma, ta, sa, notre, votre* oder *leur* stehen.
  - vor pl-Wörtern/allen Nomen im Plural kann *mes, tes, ses, nos, vos* oder *leurs* stehen.
- Die Endungen sind im Singular für alle Personen gleich: *mon, ton, son* (m sg)/*ma, ta, sa* (f sg)/*mes, tes, ses* (pl). Vielleicht fällt den Lernenden auf, dass das Geschlecht des Nomens im Plural keine Rolle spielt. Die Possessivbegleiter enden im Plural alle auf -*s* wie auch die meisten Nomen im Plural.
- Im Gegensatz zum Deutschen (und zum Englischen) wird in der 3. Person Singular nicht unterschieden, ob die Bezugsperson maskulin oder feminin ist: «sein/ihr» entspricht *son*, «seine/ihre» entspricht *sa* bzw. *ses*. Der Begleiter passt sich lediglich an den Besitz, also an das nachfolgende Nomen an. Diese Entdeckung ist nur am Rande angelegt.

3 Nach dem Entdecken der Regel und deren Offizialisierung wenden die Lernenden sie in einem Spiel am Computer an. Sie bilden Sätze mit Possessivbegleitern und achten dabei auf die Anpassung an das Nomen.

4 Nach der Anwendung werden die Regeln in Bezug auf die Possessivbegleiter in der *revue* mit eigenen Worten, Skizzen, Schemata oder Beispielen dargestellt. Lernende stellen eine grammatikalische Erscheinungsform nach ihrer persönlichen Systematik dar, die sich von einer offiziellen Grammatik stark unterscheiden kann. Eine eigene Darstellung ist wertvoll, weil sie dem derzeitigen Einsichtsvermögen der Lernenden entspricht und eine vertiefte Auseinandersetzung mit dem Lerngegenstand voraussetzt.

Nach dem *revue*-Eintrag können die Lernenden ihre Darstellung mit den verschiedenen Schemata, die sie in den Referenzgrammatiken studiert haben, noch einmal abgleichen. So gelangen sie zur Erkenntnis, dass es verschiedene Darstellungen und Ordnungsmöglichkeiten für eine Regelmässigkeit gibt. Referenzgrammatiken in Büchern oder im Internet gehorchen den unterschiedlichsten Prinzipien. Einige gehen vom Beispiel aus und schliessen dann auf die Regel, andere geben die Regel vor und bringen dazu Beispielsätze. Manche gehen von einer semantischen Ordnung aus, andere von einer grammatischen. Viele strukturieren die Tabelle nach dem Geschlecht, wieder andere nach der Zahl usw.

Méli-mélo

Perles de réponses

Voici quelques réponses d'élèves données dans des interros.

Le 0 est très utile, surtout si on le met derrière les autres nombres.

L'eau de mer sert, en particulier, à remplir les océans.

Le zéro est le seul chiffre qui permet de compter jusqu'à un.

Victor Hugo est né à l'âge de 2 ans.

Une tonne pèse au moins 100 kg si elle est lourde.

L'exemple du Titanic sert à démontrer l'agressivité des icebergs.

Tu trouves d'autres perles de réponses sous www.mortderire.info/perles

37

Im dritten méli-mélo sind «Perles du bac» und «Perles d'examens» abgedruckt.

Sie werden jeweils im Sommer nach der Korrektur der Abiturprüfung in Frankreich heiss erwartet. Jedes Jahr notieren und veröffentlichen die französischen Lehrkräfte die so genannten «Perlen» ihrer Schülerinnen und Schüler (www.perlesdubac.fr). Mit «perles» sind total verdrehte und originelle Antworten gemeint, die von Kandidatinnen und Kandidaten stammen, die wohl nicht so gut vorbereitet zur Prüfung erschienen sind und sich nur ansatzweise an die Unterrichtsinhalte erinnern können; so versuchen sie mehr schlecht als recht, Teile der Antwort zu erraten.

Es handelt sich um echte Aussagen von Schülerinnen und Schülern, die einen zum Schmunzeln bringen. So können sich die Lernenden fragen, ob man wirklich mit bereits zwei Jahren zur Welt kommen kann und ob eine Tonne mehr oder weniger schwer zu sein vermag.

Auf individuelle Bedürfnisse eingehen

Anforderungen reduzieren

Kleinschrittigeres Vorgehen

» Die Regeln vor der Anwendung im Klassenverbund offizialisieren

Unterstützung durch Plenum

» Mit den Lernenden, die das wünschen, mögliche Darstellungsformen besprechen, bevor sie ihren *revue*-Eintrag machen

Anforderungen erweitern

Fakultatives Zusatzangebot

» Sich in Online-Grammatiken einen tieferen Einblick ins Sprachsystem verschaffen

Selbstständige Recherche

» Die Seite «Viele Sprachen – viele Möglichkeiten» zum Thema «Possessiv» in der *mini-grammaire* studieren

Das zweite *méli-mélo* dieses *magazine* ist «Le Chat» gewidmet.

«Le Chat» hat mit 19 Alben und unzähligen Strips (drei aufeinanderfolgende BD-Bilder) Belgien, Frankreich und die Schweiz erobert. Geboren ist Philippe Gelucks Katze am 22. März 1983. Damals publizierte Geluck zum ersten Mal in der belgischen Zeitung «Le Soir» eine BD mit «Le Chat». Innert kürzester Zeit mutierte die BD-Figur zum Maskottchen der Zeitung. Im Oktober 1986 erschien das erste Album von «Le Chat».

Philippe Geluck, der neben seiner Haupttätigkeit als BD-Zeichner auch Theaterschauspieler, Satireschriftsteller, Radiomoderator und Fernsehkomödiant ist, wurde 2003 vom französischen Kulturminister Jean-Jacques Aillagon zum *Chevalier des Arts et des Lettres* ernannt. Mit seinem schwarzen Humor schreckt er vor keinem Tabu zurück und nimmt auch bei heiklen Themen kein Blatt vor den Mund. Auf seiner Website sind spannende Informationen, Fotos von seinen verschiedenen Tätigkeiten und jeden Tag ein neuer «Le Chat»-Strip zu finden: www.geluck.com

Méli-mélo

Le Chat

Philippe Geluck, né à Bruxelles, a inventé «Le Chat».
Il dit de son héros: «En fait, c'est un autre moi-même.»

34

Auf individuelle Bedürfnisse eingehen

Anforderungen reduzieren

Verminderte Komplexität der Aufgabe

» Zuerst den Anfangsbuchstaben des Possessivbegleiters eintragen und als Mnemotechnik verwenden (**m**on/**m**a/**m**es – **m**ein (**m**oi); **t**on/**t**a/**t**es – **d**ein (**t**oi); **s**on/**s**a/**s**es – **s**ein/ihr (**s**oi); **n**otre/**n**os – unser (**n**ous); **v**otre/**v**os – euer (**v**ous)

Anforderungen erweitern

Selbstständigeres Vorgehen durch Einzelarbeit

» Die Kästchen in Einzelarbeit ausfüllen und sich anschliessend mit einer Partnerin/einem Partner austauschen

Weiterführende Aufgabe

» In den BD nach Possessivbegleitern suchen (z. B. in Titeuf: «Les Jeux Olympiques du neurone», Seite 15 oder in Titeuf: «La leçon de poésie», Seite 20)

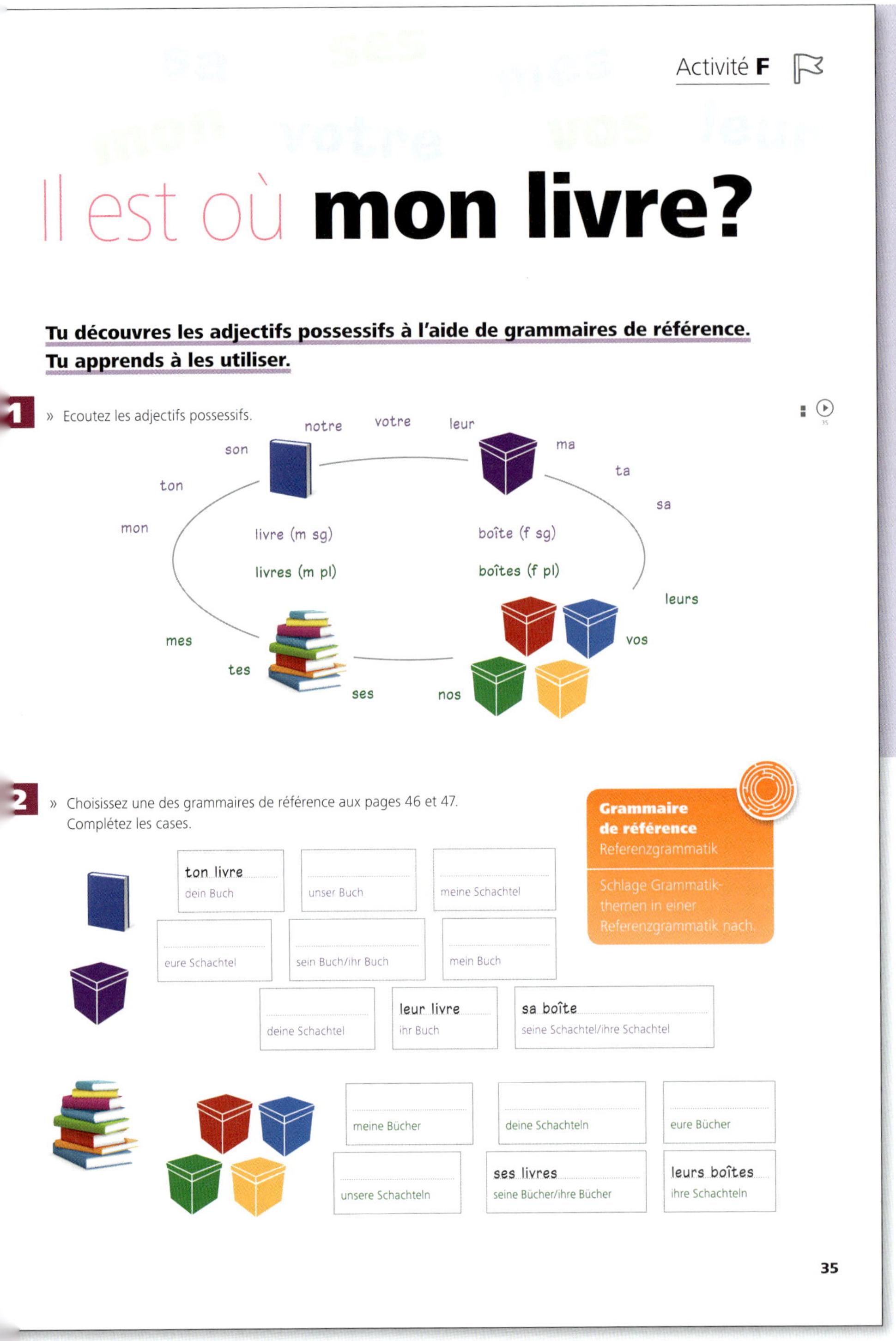

Activité **F**

Il est où **mon livre?**

Tu découvres les adjectifs possessifs à l'aide de grammaires de référence.
Tu apprends à les utiliser.

1 » Ecoutez les adjectifs possessifs.

2 » Choisissez une des grammaires de référence aux pages 46 et 47. Complétez les cases.

Grammaire de référence
Referenzgrammatik
Schlage Grammatikthemen in einer Referenzgrammatik nach.

35

In der mündlichen Interaktion werden häufig Besitzverhältnisse geklärt. Dafür werden Possessivbegleiter eingesetzt. Die Schülerinnen und Schüler fokussieren diese grammatikalische Erscheinungsform zum ersten Mal im Französischunterricht.

Für die Spracharbeit ziehen sie verschiedene Referenzgrammatiken bei. Sie schlagen nach, was sie noch nicht wissen oder nochmals überprüfen wollen. Danach beschreiben sie in der *revue* die Regeln zum Gebrauch der Possessivbegleiter in eigenen Worten. Dies führt zu einer tieferen Verarbeitung. Gleichzeitig üben sich die Schülerinnen und Schüler auch im Umgang mit Prozessmaterialien. Das Nachschlagen einer Regel in einer Referenzgrammatik ist ein Beitrag zum selbstständigen Lernen.

Das Einüben des Phänomens erfolgt nach der Entdeckung in einem Lernprogramm am Computer und in einer schriftlichen Übung.

1 In den Inputtexten und in Chunks sind die Lernenden immer wieder einzelnen Possessivbegleitern begegnet, ohne dass dieses grammatikalische Phänomen fokussiert worden ist. Als Einstieg hören die Lernenden die im Schema dargestellten Wortpaare wie *mon livre, ton livre, ses livres…, ma boîte, sa boîte, nos boîtes…* und erkennen eine erste Ordnung.

2 Auf der Doppelseite stehen den Lernenden Auszüge aus verschiedenen Referenzwerken zur Grammatik zur Verfügung (vgl. Kommentar Seiten 74 und 75). Mit dem Ausfüllen der Kästchen wird überprüft, ob die Lernenden die Informationen aus den Referenzgrammatiken verstehen.

Seit der 3. Klasse schreiben die Lernenden ihre Grammatikentdeckungen in die *revue*. Damit wird ihnen vermittelt, dass verschiedene Darstellungsformen möglich sind. Ein Richtig oder Falsch gibt es nicht, sondern lediglich Darstellungen, die einem mehr oder weniger entsprechen. Deshalb sind auch hier mehrere Quellen angegeben, die das Phänomen der Possessivbegleiter auf unterschiedliche Weise repräsentieren. Im Internet finden sich weitere Referenzgrammatiken, die anderen Systematiken folgen und zusätzliche Erklärungen liefern.

Activité **F**

ma nos ta notre ton tes ses leurs

1 » Regardez les solutions à la page 48.

2 » Expliquez les règles.

Pour en savoir plus, tu peux…
- lire le chapitre complet «Possessivbegleiter» dans la «mini-grammaire».
- chercher «sprachenlernen24 französisch possessivpronomen» sur Internet.
- chercher «lingolia possessivbegleiter» sur Internet.

3 » Entraîne-toi à employer les adjectifs possessifs à l'ordinateur.

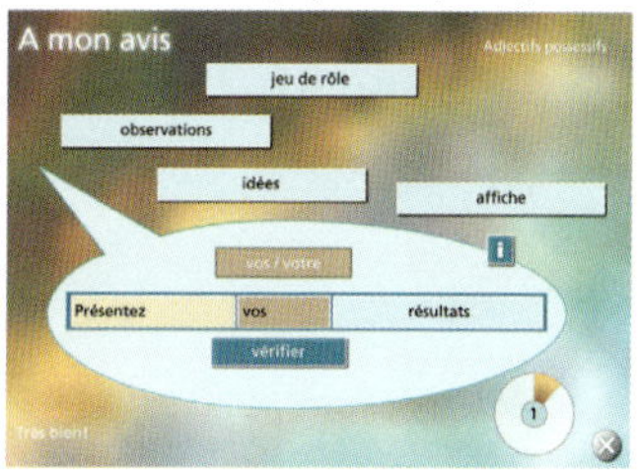

Vokal am Wortanfang

Wenn das Nomen mit einem Vokal beginnt, werden **ma, ta, sa** zu **mon, ton, son.**

une école — mon école
une image — ton image
une affiche — son affiche

4 » Ecris des phrases avec différents adjectifs possessifs.
La rubrique «consignes» dans la revue peut t'aider à comprendre les verbes.

La revue comme ouvrage de référence
Die *revue* als Nachschlagewerk

Nutze die *revue* als Nachschlagewerk.

Avance…	J'imite…
Nous chantons…	Lisez…
Je cherche…	Montre-moi…
Tu colles…	Elles prennent…
Je contrôle…	Présente…
Ils corrigent…	Il rajoute…
Nous décrivons…	Je récite…
Je distribue…	Répétez…
Echangez…	Elle résume…
Nous esquissons…	Retravaille…
Ils dessinent…	Vérifie…

…prononciation (f)	…texte (m)
…symbole (m)	…rôles (pl)
…pion (m)	…compréhension (f)
…invention (f)	…cartes (pl)
…affiche (f)	…idées (pl)
…portrait (m)	…chanson préférée (f)
…dictionnaire (m)	…magazine (m)
…expressions (pl)	…photos (pl)
…voix (f)	…machines (pl)
…poésie (f)	…textes (pl)

36

1 Mit den Lösungen überprüfen die Lernenden, ob ihnen der Transfer von der Referenzgrammatik auf die Aufgabe im *magazine* gelungen ist. Dies bereitet sie darauf vor, die Regeln in eigenen Worten wiederzugeben.

2 Einsichten der Lernenden könnten sein:

- Die Begleiter für die Personen sind unterschiedlich: z. B. *ma, ton, ses, notre, vos, leur.*
- Die Possessivbegleiter ändern sich je nach Wort (Nomen), das nach ihnen steht.
  - vor m-Wörtern/männlichen Nomen kann *mon, ton, son, notre, votre* oder *leur* stehen.
  - vor f-Wörtern/weiblichen Nomen kann *ma, ta, sa, notre, votre* oder *leur* stehen.
  - vor pl-Wörtern/allen Nomen im Plural kann *mes, tes, ses, nos, vos* oder *leurs* stehen.
- Die Endungen sind im Singular für alle Personen gleich: *mon, ton, son* (m sg)/*ma, ta, sa* (f sg)/*mes, tes, ses* (pl). Vielleicht fällt den Lernenden auf, dass das Geschlecht des Nomens im Plural keine Rolle spielt. Die Possessivbegleiter enden im Plural alle auf *-s* wie auch die meisten Nomen im Plural.
- Im Gegensatz zum Deutschen (und zum Englischen) wird in der 3. Person Singular nicht unterschieden, ob die Bezugsperson maskulin oder feminin ist: «sein/ihr» entspricht *son*, «seine/ihre» entspricht *sa* bzw. *ses*. Der Begleiter passt sich lediglich an den Besitz, also an das nachfolgende Nomen an. Diese Entdeckung ist nur am Rande angelegt.

3 Nach dem Entdecken der Regel und deren Offizialisierung wenden die Lernenden sie in einem Spiel am Computer an. Sie bilden Sätze mit Possessivbegleitern und achten dabei auf die Anpassung an das Nomen.

4 Als weitere schriftliche Übung erfinden die Lernenden Anweisungen mit Possessivbegleitern. Dieser Schreibanlass erlaubt gleichzeitig das Wiederholen von Anweisungswortschatz.

In der Rubrik «Consignes» in der *revue* stehen den Lernenden französische Anweisungen aus den *magazines* alphabetisch geordnet und übersetzt zur Verfügung. Diese Liste können sie zur Bearbeitung dieser Übung beiziehen. Somit üben sie in dieser schriftlichen Übung nicht nur die Bedeutung und die Anpassung der Possessivadjektive ein, sondern sie leisten auch Wortschatzarbeit, indem sie bekannte Anweisungen auf Französisch wiederholen. Zudem wenden sie die Strategie «Die *revue* als Nachschlagewerk» an.

Activité **F**

sa ses mes mon leur votre vos

Nous chantons notre chanson préférée.

Echangez vos textes.

» Fais corriger tes phrases.

1 » Note tes découvertes dans la revue.

As-tu noté tes observations et tes résolutions pour parler français ensemble dans le zoom à la page 41?

37

1 Nach der Anwendung werden die Regeln in Bezug auf die Possessivbegleiter in der revue mit eigenen Worten, Skizzen, Schemata oder Beispielen dargestellt. Lernende stellen eine grammatikalische Erscheinungsform nach ihrer persönlichen Systematik dar, die sich von einer offiziellen Grammatik stark unterscheiden kann. Eine eigene Darstellung ist wertvoll, weil sie dem derzeitigen Einsichtsvermögen der Lernenden entspricht und eine vertiefte Auseinandersetzung mit dem Lerngegenstand voraussetzt.

Nach dem *revue*-Eintrag können die Lernenden ihre Darstellung mit den verschiedenen Schemata, die sie in den Referenzgrammatiken studiert haben, noch einmal abgleichen. So gelangen sie zur Erkenntnis, dass es verschiedene Darstellungen und Ordnungsmöglichkeiten für eine Regelmässigkeit gibt. Referenzgrammatiken in Büchern oder im Internet gehorchen den unterschiedlichsten Prinzipien. Einige gehen vom Beispiel aus und schliessen dann auf die Regel, andere geben die Regel vor und bringen dazu Beispielsätze. Manche gehen von einer semantischen Ordnung aus, andere von einer grammatischen. Viele strukturieren die Tabelle nach dem Geschlecht, wieder andere nach der Zahl usw.

Auf individuelle Bedürfnisse eingehen

Anforderungen reduzieren

Kleinschrittigeres Vorgehen

» Die Regeln vor der Anwendung im Klassenverbund offizialisieren

Anforderungen erweitern

Fakultatives Zusatzangebot

» Sich in Online-Grammatiken einen tieferen Einblick ins Sprachsystem verschaffen

Selbstständige Recherche

» Weitere Seiten zu den Possesiv in der *mini-grammaire* studieren («Viele Sprachen – viele Möglichkeiten», «Possessivpronomen», «D/F: son, sa. le sien, la sienne»)

In der *tâche* erfinden die Lernenden eine Szene, die in der Schule spielt. Als Ressource dient ihnen die *langage de classe,* die sie im Laufe des *parcours* immer wieder üben und anreichern. Die Lernenden transferieren die Redemittel, die sie auch in authentischen Gesprächssituationen im Französischunterricht verwenden, auf eine fiktive Situation im Klassenzimmer. Dies erlaubt ihnen einen Perspektivenwechsel, indem sie in eine Rolle schlüpfen, die nicht ihre eigene ist. Zudem lässt das Format Spielereien zu, die im wirklichen Unterrichtsgeschehen so nicht entstehen könnten.

1 Die Situationen sind entweder den BD aus dem Input entnommen oder frei erfunden. Allen ist gemeinsam, dass sie sich im Schulalltag der Schülerinnen und Schüler abspielen könnten. Der Fantasie der Lernenden ist keine Grenze gesetzt: Sie können die Situationen so anpassen, wie es ihnen beliebt, oder sich selber weitere Situationen ausdenken. Es ist ihnen freigestellt, eine weitere Situation zu wählen und auch zu dieser eine Szene zu erfinden.

Die Lernenden erinnern sich womöglich an *activité* A, in der sie Redemittel zu ähnlichen Situationen gesucht haben. Als Hilfsmittel haben sie dafür die Doppelseite «Nous parlons français!» (*magazine* Seiten 6 und 7) und die *revue* verwendet. Für den ersten Schritt in der *tâche* ist das Vorgehen analog: Die Lernenden erinnern sich an Strukturen aus der *langage de classe* und schlagen bei Bedarf in der *revue* nach.

Tâche

Ben **quoi?**

Tu crées une scène pour une situation en classe. Tu la présentes.

1 » Imaginez une scène. Ces situations peuvent vous aider à trouver une idée.

Déranger
Stören
Ton voisin/Ta voisine te dérange pendant le cours.

Nouveau/Nouvelle
Tu es nouveau/nouvelle dans la classe.

Corriger
Tu corriges un texte de ton voisin/ta voisine.

Jeu
Vous jouez à un jeu.

Copier
Abschreiben
Ton voisin/Ta voisine copie sur toi.

Portable
Ton portable sonne en classe.

Amoureux/Amoureuse
Verliebt
Tu es amoureux/amoureuse de ton copain/de ta copine.

Remonter le moral
Mut machen
Ton ami/Ton amie a une mauvaise journée.

En retard
Zu spät
Tu arrives en retard.

SMS
Ton voisin/Ta voisine veut écrire un SMS sur ton portable pendant le cours.

Stressé
Vous faites une présentation. Vous êtes stressés/stressées.

Pas de prof
Keine Lehrperson
Le/La prof n'est pas là.

Interroger
Abfragen
Tu interroges ton voisin/ta voisine.

Araignée
Spinne
Il y a une grosse araignée sur votre table.

Tâche

Les critères
- Die Szene ist nachvollziehbar und ausgestaltet.
- Der Wortschatz, den du verwendest, ist passend.
- Du verwendest Füllwörter.
- Deine Aussprache ist korrekt.
- Du gestaltest deine Rolle überzeugend. Du sprichst ausdrucksvoll. Du setzt Mimik und Gestik ein.

1 » Regardez les critères.

2 » Créez un dialogue pour jouer la scène.

3 » Prenez des notes.
La revue et les activités A et C peuvent vous aider.

4 » Continuez avec une 2e scène.

39

1 Da die *tâche* summativ evaluiert wird, ist es wichtig, dass die Lernenden im Voraus die Kriterien kennen. Die Lehrperson muss absichern, dass die Kriterien richtig verstanden werden, damit die Schülerinnen und Schüler beim Einstudieren der Szene darauf achten. Der entsprechende Kompetenzraster befindet sich im *magazine* auf Seite 43.

2 Die Szene entsteht in folgenden Etappen:

1. Situation wählen
2. Geschichte mit eigenen Ideen ausschmücken
3. Bestimmte Repliken festlegen

3 Die Situationen auf Seite 38 sind sehr knapp beschrieben. Die Lernenden erfinden eine Geschichte dazu und reichern sie mit Details an. Ihre Notizen geben den roten Faden der Geschichte wieder und enthalten bestimmte Ausdrücke, die im Dialog verwendet werden. Anmerkungen zu Gestik und Mimik können bestimmte Redemittel ersetzen oder unterstützen (Hände verwerfen, Kopf schütteln, auf etwas zeigen, lachen, weinen …).

Die Lernenden können die *revue* («Nous parlons français!»), die Redemittelsammlung (Seiten 6 und 7) und den Klassenwortschatz (Seiten 26 und 27) zur Unterstützung beiziehen. Es ist auch möglich, mit dem Lernprogramm am Computer einen Dialog zu erstellen und diesen als Basis für die Szene zu nutzen.

Es empfiehlt sich, für die Ausarbeitung der Szenen im Voraus gewisse Regeln zu klären:

» Es dürfen bei den Szenen keine Namen von Mitschülerinnen und Mitschülern verwendet werden.

» Die Hauptfiguren sind die Schülerinnen und Schüler, nicht die Lehrpersonen.

» …

4 Für diesen freiwilligen Teil können neue 2er-Gruppen gebildet werden. Zusätzliche Szenen dürfen auch ganz kurz sein.

Auf individuelle Bedürfnisse eingehen

Anforderungen reduzieren
Unterstützung durch Plenum
» Mit Lernenden, die dies wünschen, gemeinsam eine Szene erfinden

Anforderungen erweitern
Zusätzliche Sprachproduktion
» 2 oder mehr Szenen erfinden (vgl. E, *magazine* Seite 39)

1 Die Strategie «Spick-Notizen» ist den Lernenden seit Längerem bekannt. Sie kann in dieser *tâche* wieder angewendet werden. Die Lernenden notieren Wörter oder Sätze, die sie verwenden können. Beim Sprechen werfen sie wenn nötig einen Blick auf die vorbereitete Spick-Notiz.

2 Da die Szenen in der Schule spielen, müssen die Lernenden kein aufwändiges Bühnenbild erstellen. Als Accessoires können Unterrichtsmaterialien wie Hefte, Stifte, Tafel … verwendet werden.

3 Die Lehrperson kann den Lernenden Strategien zum Auswendiglernen in Erinnerung rufen und sie auf die Strategiensammlung in der *revue* verweisen. Zielführende Mnemotechniken könnten sein: «Spick-Notizen», «Stichwörter», «In Bewegung auswendig lernen», «Sich Textstellen merken – Texte rhythmisieren», «Sprechpausen machen» usw.

4 Die neue Strategie «Ausdruck der Stimme» wird in der *tâche* gewinnbringend eingesetzt. Der Inhalt soll durch das Variieren der Stimme für das Publikum einfacher nachvollziehbar sein.

5 Die neue Strategie «Füllwörter verwenden» hat zwei Aspekte, die den Lernenden bei der Umsetzung der *tâche* dienlich sein können: natürlich wirken und Sprechpausen überbrücken. Bei der Vorbereitung können die Lernenden zu ihrem Dialog absichtlich Füllwörter hinzufügen, um ihren Text authentisch zu gestalten. Sie können sich aber auch für das Vorspielen der Szene zwei bis drei Füllwörter aussuchen, die sie sich merken, um während der Darbietung ein Blackout zu überbrücken.

6 Bevor die Lernenden ihre Szene vor einer grösseren Gruppe spielen, machen sie vor einem kleinen Publikum eine Hauptprobe. Dabei üben sie ihre Szene ein weiteres Mal. Eine weitere Möglichkeit für eine Hauptprobe wäre, die Szene zu filmen und dann zu zweit kritisch auszuwerten.

7 Die Lernenden können ihre Szene auch aufzeichnen (Audio oder Video) und sie in dieser Form der Klasse präsentieren.

Tâche

1 » Préparez la présentation de votre scène.
2 » Préparez des pense-bêtes.
3 » Préparez les accessoires.
4 » Répétez le dialogue.
5 » Parlez d'une voix expressive.
» Utilisez des petits mots pour combler un blanc.

6 » Faites une répétition générale.

Pense-bêtes
Spick-Notizen
Notiere Sätze, die du verwenden kannst. Wirf beim Sprechen wenn nötig einen Blick auf die vorbereiteten Sätze und wende sie an.

une répétition générale
eine Hauptprobe

Expression de la voix
Ausdruck der Stimme
Variiere deine Stimme, um den Inhalt von Aussagen zu verdeutlichen.

Combler un blanc
Füllwörter verwenden
Verwende Füllwörter, um Sprechpausen zu überbrücken und um beim Sprechen natürlich zu wirken.

7 » Présentez votre scène à un autre groupe.

40

Auf individuelle Bedürfnisse eingehen

Anforderungen reduzieren

Deklarierte Minimalanforderungen
» Eine bestimmte Anzahl von Fragen und Antworten vorgeben (z.B. 6 Repliken wie im Lernprogramm)

Verminderte Komplexität der Aufgabe
» Mit dem Lernprogramm einen Dialog erstellen und für das Vorspielen genauso übernehmen

Zusätzlicher Support
» Sich beim Proben filmen, kritisch betrachten und verbessern

Anforderungen erweitern

Beurteilung und Rückmeldung
» Einer Mitschülerin oder einem Mitschüler ein Feedback zum Vorspielen geben

Weiterführende Aufgabe
» Bei vorliegendem Videomaterial aus allen Darbietungen einen Zusammenschnitt machen und einen Film produzieren

Zoom

Zoom

Ich kann Redemittel aus den BD und aus der *revue* («Nous parlons français!») im schulischen Alltag verwenden.

Datum

Wie oft habe ich Gelegenheiten zum Französischsprechen genutzt?

Was nehme ich mir für kommende Woche vor?

Welche Ausdrücke haben mir gefehlt?

oft

oft

oft

oft

oft

oft

oft

41

In der *tâche* erfinden die Lernenden Szenen, die in der Schule spielen. Als Ressource dient ihnen die *langage de classe*, die sie im Laufe des *parcours* immer wieder üben und anreichern. Die Lernenden transferieren die Redemittel, die sie auch in authentischen Gesprächssituationen im Französischunterricht verwenden, auf eine fiktive Situation im Klassenzimmer. Dies erlaubt ihnen einen Perspektivenwechsel, indem sie in eine Rolle schlüpfen, die nicht ihre eigene ist. Zudem lässt das Format Spielereien zu, die im wirklichen Unterrichtsgeschehen so nicht entstehen könnten.

1 Die Situationen sind entweder den BD aus dem Input entnommen oder frei erfunden. Allen ist gemeinsam, dass sie sich im Schulalltag der Schülerinnen und Schüler abspielen könnten. Der Fantasie der Lernenden ist keine Grenze gesetzt: Sie können die Situationen so anpassen, wie es ihnen beliebt, oder sich selber weitere Situationen ausdenken.

Die Lernenden erinnern sich womöglich an *activité* A, in der sie Redemittel zu ähnlichen Situationen gesucht haben. Als Hilfsmittel haben sie dafür die Doppelseite «Nous parlons français!» (*magazine* Seiten 6 und 7) und die *revue* verwendet. Für den ersten Schritt in der *tâche* ist das Vorgehen analog: Die Lernenden erinnern sich an Strukturen aus der *langage de classe* und schlagen bei Bedarf in der *revue* nach.

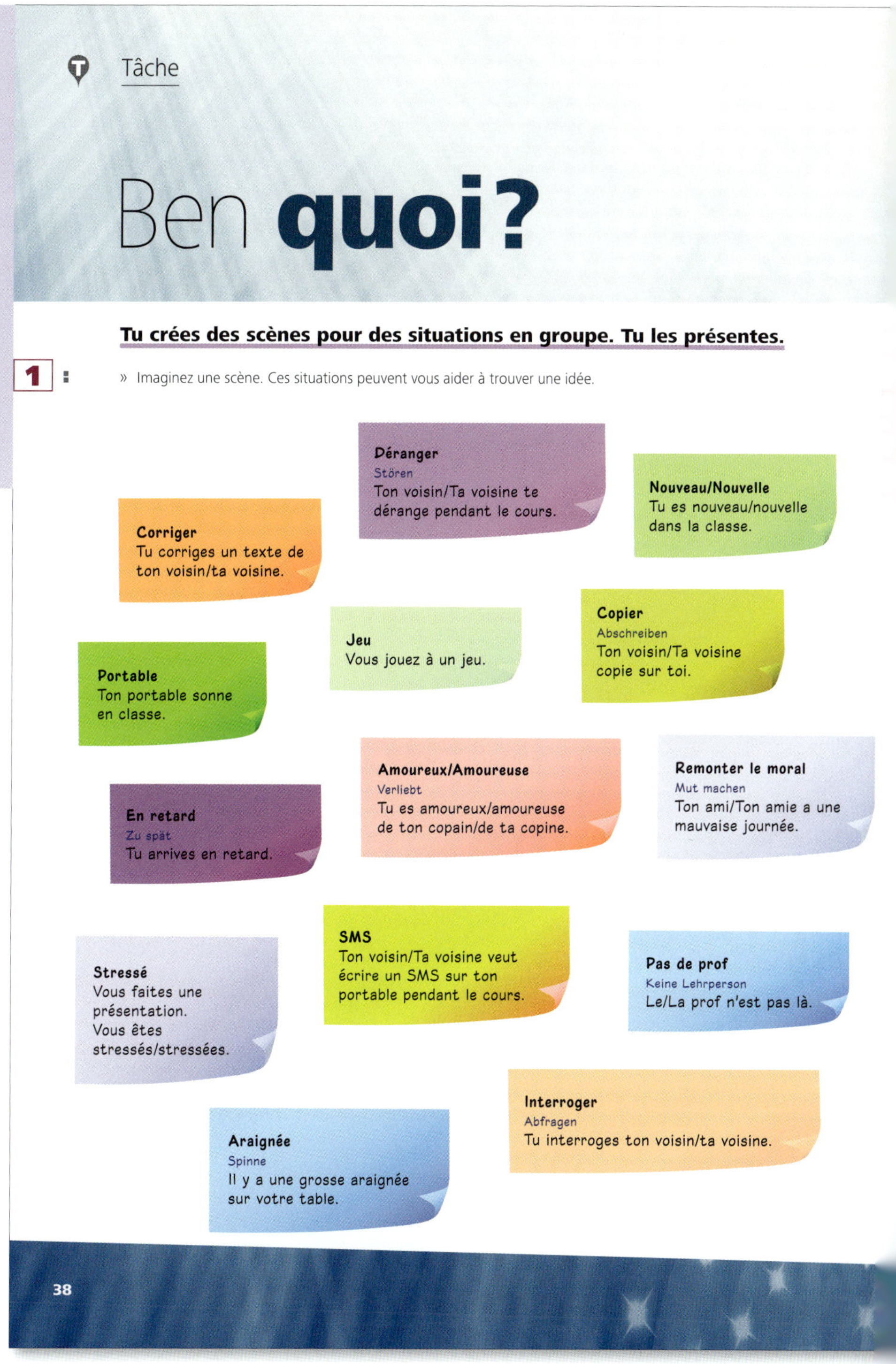

Tâche

Ben **quoi?**

Tu crées des scènes pour des situations en groupe. Tu les présentes.

1 » Imaginez une scène. Ces situations peuvent vous aider à trouver une idée.

Déranger
Stören
Ton voisin/Ta voisine te dérange pendant le cours.

Nouveau/Nouvelle
Tu es nouveau/nouvelle dans la classe.

Corriger
Tu corriges un texte de ton voisin/ta voisine.

Jeu
Vous jouez à un jeu.

Copier
Abschreiben
Ton voisin/Ta voisine copie sur toi.

Portable
Ton portable sonne en classe.

Amoureux/Amoureuse
Verliebt
Tu es amoureux/amoureuse de ton copain/de ta copine.

Remonter le moral
Mut machen
Ton ami/Ton amie a une mauvaise journée.

En retard
Zu spät
Tu arrives en retard.

SMS
Ton voisin/Ta voisine veut écrire un SMS sur ton portable pendant le cours.

Pas de prof
Keine Lehrperson
Le/La prof n'est pas là.

Stressé
Vous faites une présentation. Vous êtes stressés/stressées.

Interroger
Abfragen
Tu interroges ton voisin/ta voisine.

Araignée
Spinne
Il y a une grosse araignée sur votre table.

38

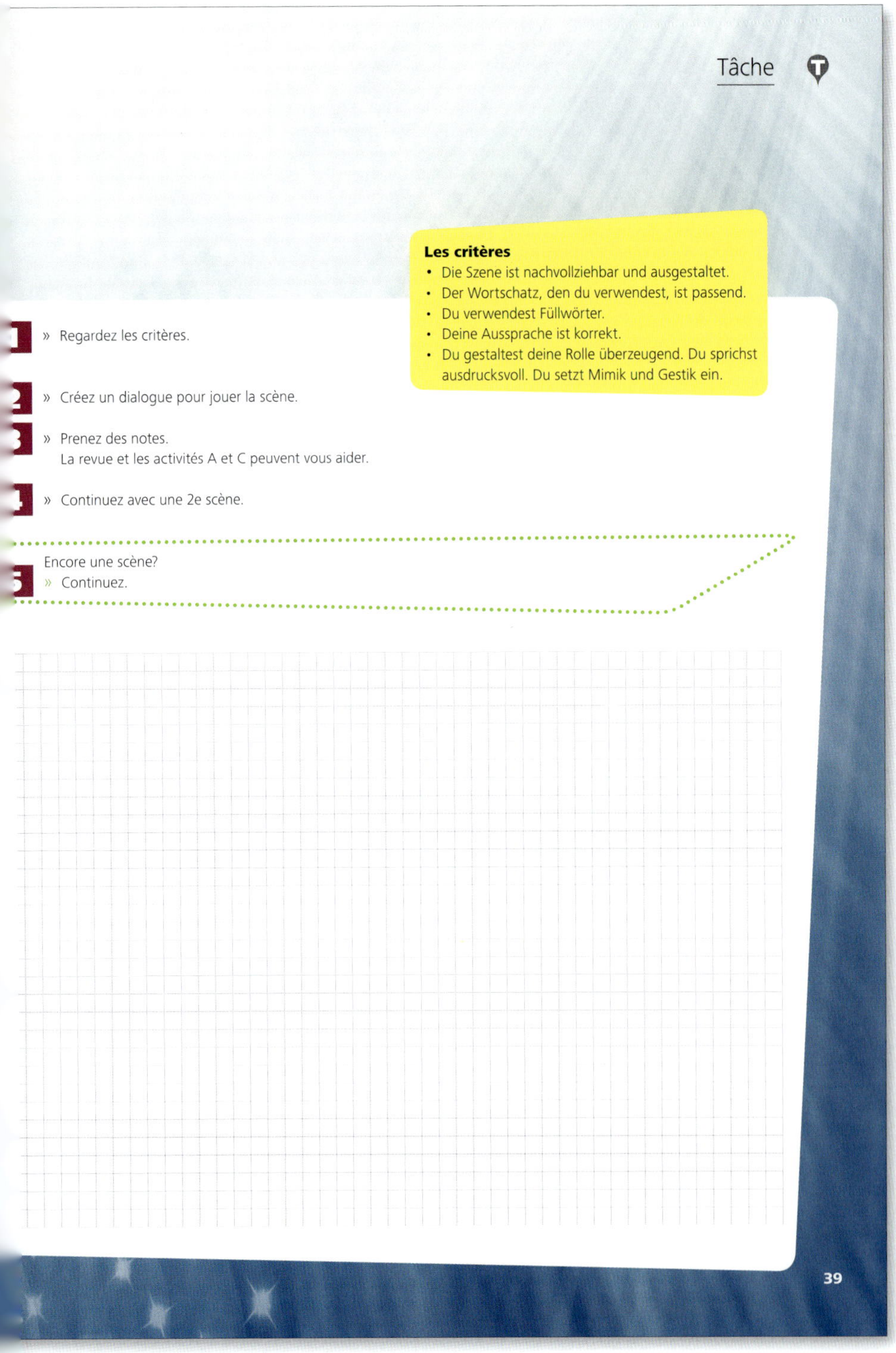

Tâche

Les critères

- Die Szene ist nachvollziehbar und ausgestaltet.
- Der Wortschatz, den du verwendest, ist passend.
- Du verwendest Füllwörter.
- Deine Aussprache ist korrekt.
- Du gestaltest deine Rolle überzeugend. Du sprichst ausdrucksvoll. Du setzt Mimik und Gestik ein.

1 » Regardez les critères.

2 » Créez un dialogue pour jouer la scène.

3 » Prenez des notes.
La revue et les activités A et C peuvent vous aider.

4 » Continuez avec une 2e scène.

5 Encore une scène?
» Continuez.

39

1 Da die *tâche* summativ evaluiert wird, ist es wichtig, dass die Lernenden im Voraus die Kriterien kennen. Die Lehrperson muss absichern, dass die Kriterien richtig verstanden werden, damit die Schülerinnen und Schüler beim Einstudieren der Szene darauf achten. Der entsprechende Kompetenzraster befindet sich im *magazine* auf Seite 43.

2 Die Szene entsteht in folgenden Etappen:

1. Situation wählen
2. Geschichte mit eigenen Ideen ausschmücken
3. Bestimmte Repliken festlegen

3 Die Situationen auf Seite 38 sind sehr knapp beschrieben. Die Lernenden erfinden eine Geschichte dazu und reichern sie mit Details an. Ihre Notizen geben den roten Faden der Geschichte wieder und enthalten bestimmte Ausdrücke, die im Dialog verwendet werden. Anmerkungen zu Gestik und Mimik können bestimmte Redemittel ersetzen oder unterstützen (Hände verwerfen, Kopf schütteln, auf etwas zeigen, lachen, weinen …).

Die Lernenden können die *revue* («Nous parlons français!»), die Redemittelsammlung (Seiten 6 und 7) und den Klassenwortschatz (Seiten 26 und 27) zur Unterstützung beiziehen. Es ist auch möglich, mit dem Lernprogramm am Computer einen Dialog zu erstellen und diesen als Basis für die Szene zu nutzen.

Es empfiehlt sich, für die Ausarbeitung der Szenen im Voraus gewisse Regeln zu klären:

» Es dürfen bei den Szenen keine Namen von Mitschülerinnen und Mitschülern verwendet werden.

» Die Hauptfiguren sind die Schülerinnen und Schüler, nicht die Lehrpersonen.

» …

4 Für die zweite Szene können neue 2er-Gruppen gebildet werden.

5 Zusätzliche Szenen können wieder in einer neuen Gruppenkonstellation erfunden und gespielt werden und dürfen auch ganz kurz sein.

Auf individuelle Bedürfnisse eingehen

Anforderungen reduzieren

Unterstützung durch Plenum

» Mit Lernenden, die dies wünschen, gemeinesam eine Szene erfinden

Deklarierte Minimalanforderungen

» Nur eine Szene erfinden (vgl. G, *magazine*, Seite 45)

Anforderungen erweitern

Fakultatives Zusatzangebot

» 3 oder mehr Szenen erfinden

1 Die Strategie «Spick-Notizen» ist den Lernenden seit Längerem bekannt. Sie kann in dieser *tâche* wieder angewendet werden. Die Lernenden notieren Wörter oder Sätze, die sie verwenden können. Beim Sprechen werfen sie wenn nötig einen Blick auf die vorbereitete Spick-Notiz.

2 Da die Szenen in der Schule spielen, müssen die Lernenden kein aufwändiges Bühnenbild erstellen. Als Accessoires können Unterrichtsmaterialien wie Hefte, Stifte, Tafel … verwendet werden.

3 Die Lehrperson kann den Lernenden Strategien zum Auswendiglernen in Erinnerung rufen und sie auf die Strategiensammlung in der *revue* verweisen. Zielführende Mnemotechniken könnten sein: «Spick-Notizen», «Stichwörter», «In Bewegung auswendig lernen», «Sich Textstellen merken – Texte rhythmisieren», «Sprechpausen machen» usw.

4 Die neue Strategie «Ausdruck der Stimme» wird in der *tâche* gewinnbringend eingesetzt. Der Inhalt soll durch das Variieren der Stimme für das Publikum einfacher nachvollziehbar sein.

5 Die neue Strategie «Füllwörter verwenden» hat zwei Aspekte, die den Lernenden bei der Umsetzung der *tâche* dienlich sein können: natürlich wirken und Sprechpausen überbrücken. Bei der Vorbereitung können die Lernenden zu ihren Dialogen absichtlich Füllwörter hinzufügen, um ihren Text authentisch zu gestalten. Sie können sich aber auch für das Vorspielen der Szenen zwei bis drei Füllwörter aussuchen, die sie sich merken, um während der Darbietung ein Blackout zu überbrücken.

6 Bevor die Lernenden ihre Szenen vor einer grösseren Gruppe spielen, machen sie vor einem kleinen Publikum eine Hauptprobe. Dabei üben sie ihre Szenen ein weiteres Mal. Eine weitere Möglichkeit für eine Hauptprobe wäre, die Szenen zu filmen und dann zu zweit kritisch auszuwerten.

7 Die Lernenden können ihre Szenen auch aufzeichnen (Audio oder Video) und sie in dieser Form der Klasse präsentieren.

Tâche

Pense-bêtes
Spick-Notizen
Notiere Sätze, die du verwenden kannst. Wirf beim Sprechen wenn nötig einen Blick auf die vorbereiteten Sätze und wende sie an.

» Préparez la présentation de vos scènes.
1 » Préparez des pense-bêtes.
2 » Préparez les accessoires.
3 » Répétez les dialogues.
4 » Parlez d'une voix expressive.
5 » Utilisez des petits mots pour combler un blanc.
6 » Faites une répétition générale.

une répétition générale
eine Hauptprobe

Expression de la voix
Ausdruck der Stimme
Variiere deine Stimme, um den Inhalt von Aussagen zu verdeutlichen.

Combler un blanc
Füllwörter verwenden
Verwende Füllwörter, um Sprechpausen zu überbrücken und um beim Sprechen natürlich zu wirken.

7 » Présentez vos scènes à un autre groupe.

40

Auf individuelle Bedürfnisse eingehen

Anforderungen reduzieren

Deklarierte Minimalanforderungen
» Eine bestimmte Anzahl von Fragen und Antworten vorgeben (z.B. 6 Repliken wie im Lernprogramm)

Zusätzlicher Support
» Sich beim Proben filmen, kritisch betrachten und verbessern

Anforderungen erweitern

Beurteilung und Rückmeldung
» Einer Mitschülerin oder einem Mitschüler ein Feedback zum Vorspielen geben

Weiterführende Aufgabe
» Bei vorliegendem Videomaterial aus allen Darbietungen einen Zusammenschnitt machen und einen Film produzieren

Zoom

Zoom

Ich kann Redemittel aus den BD und aus der *revue* («Nous parlons français») im schulischen Alltag verwenden.

Datum

Wie oft habe ich Gelegenheiten zum Französischsprechen genutzt?

- Setze auf der Skala ein Kreuz und notiere deine Erfahrungen.

Was nehme ich mir für kommende Woche vor?

- Notiere, was du ausprobieren willst. Die Ideen auf Seite 42 können dich unterstützen.

Welche Ausdrücke haben mir gefehlt?

- Notiere die Ausdrücke.

41

Tâche

» Préparez la présentation de vos scènes
  » Préparez des pense-bêtes.
  » Préparez les accessoires.
  » Répétez les dialogues.
  » Parlez d'une voix expressive.
  » Utilisez des petits mots pour combler un blanc.

Pense-bêtes
Spick-Notizen
Notiere Sätze, die du verwenden kannst. Wirf beim Sprechen wenn nötig einen Blick auf die vorbereiteten Sätze und wende sie an.

une répétition générale
eine Hauptprobe

» Faites une répétition générale.

Expression de la voix
Ausdruck der Stimme
Variiere deine Stimme, um den Inhalt von Aussagen zu verdeutlichen.

Combler un blanc
Füllwörter verwenden
Verwende Füllwörter, um Sprechpausen zu überbrücken und um beim Sprechen natürlich zu wirken.

» Présentez vos scènes à un autre groupe.

40

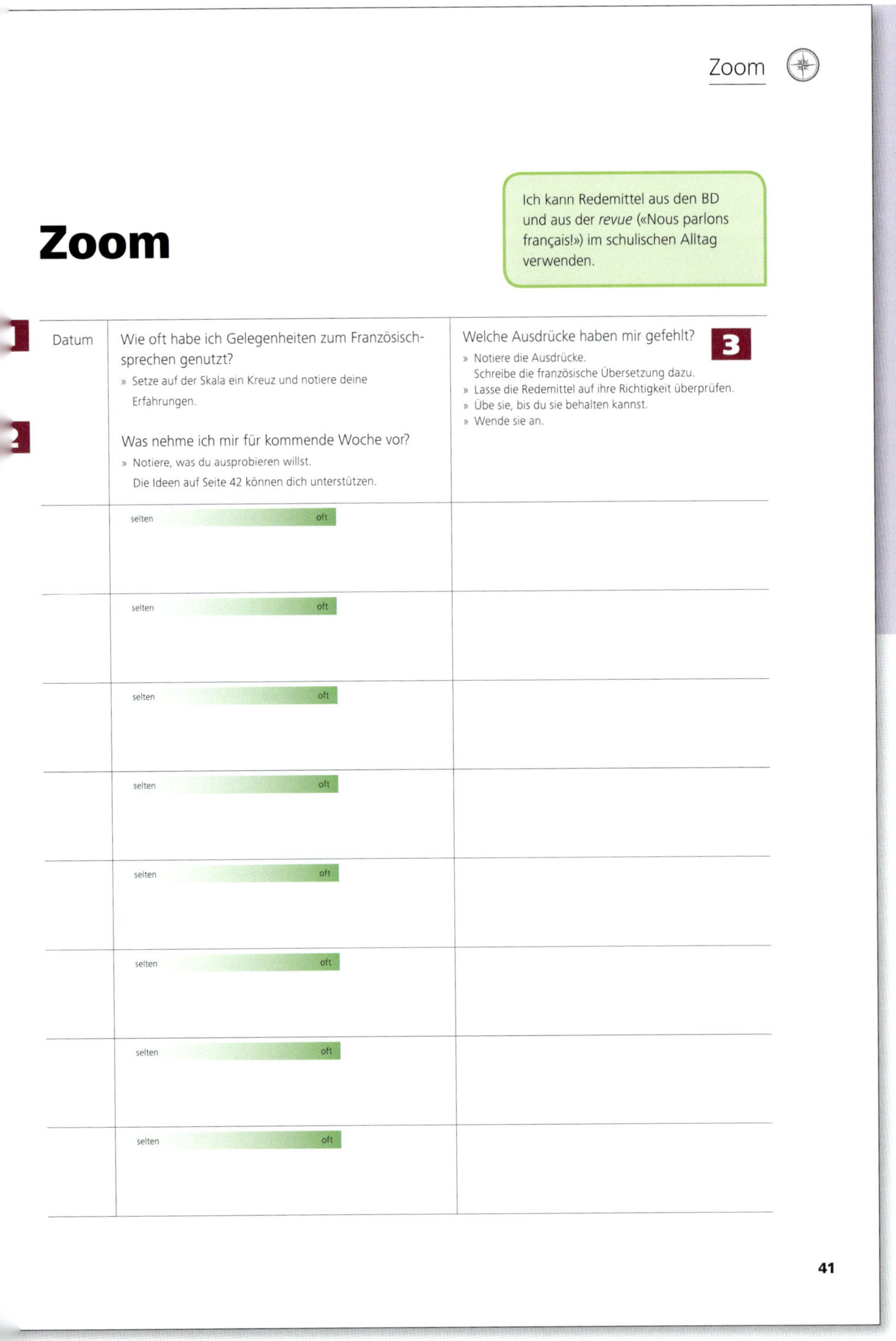

Zoom

Zoom

Ich kann Redemittel aus den BD und aus der *revue* («Nous parlons français!») im schulischen Alltag verwenden.

Datum	Wie oft habe ich Gelegenheiten zum Französischsprechen genutzt? » Setze auf der Skala ein Kreuz und notiere deine Erfahrungen. Was nehme ich mir für kommende Woche vor? » Notiere, was du ausprobieren willst. Die Ideen auf Seite 42 können dich unterstützen.	Welche Ausdrücke haben mir gefehlt? » Notiere die Ausdrücke. Schreibe die französische Übersetzung dazu. » Lasse die Redemittel auf ihre Richtigkeit überprüfen. » Übe sie, bis du sie behalten kannst. » Wende sie an.
	selten oft	
	selten oft	
	selten oft	
	selten oft	
	selten oft	
	selten oft	
	selten oft	
	selten oft	

41

Im *zoom* von «Fastoche!» wird dem Hauptaspekt des *magazine* Rechnung getragen: Die Lernenden werden während des *parcours* immer wieder dazu angehalten, darüber zu reflektieren, wie sie die Fremdsprache in der Gruppe anwenden. Dabei halten sie ihre Lernerfahrungen fest und setzen sich persönliche Lernziele für die Weiterarbeit.

Damit bearbeiten sie Ziele aus dem Kompetenzbereich III des Lehrplans «Passepartout». Im Handlungsfeld «Sprachemotion» heisst es dazu: «Die eigenen Barrieren überwinden und die Fremdsprache gebrauchen, ins kalte Wasser springen und Risiken eingehen, keine Angst vor dem Fehlermachen haben und so oft wie möglich die Gelegenheit zum Sprechen nutzen» (Lehrplan «Passepartout», Seite 63).

1 Jede Woche überlegen sich die Lernenden, wie erfolgreich sie sich in der Zielsprache verständigen konnten. Es wäre wünschenswert, dass durch die Bearbeitung des *parcours* das Kreuz auf der Skala immer mehr nach rechts rücken würde.

Die Lehrperson kann ihren Teil dazu beitragen, indem sie den Unterricht auf Französisch führt, eine entspannte Atmosphäre schafft und die Lernenden immer wieder ermuntert und dabei unterstützt, ihre Mitteilungsabsichten in der Zielsprache zu realisieren.

2 Nach dem Festhalten des Ist-Zustands setzen sich die Schülerinnen und Schüler persönliche Lernziele für die weitere Bearbeitung des *parcours*. Die Ideen von Seite 42 könnten bei der ersten Bearbeitung des *zoom* nach *activité* A Anlass für ein Klassengespräch bieten. Welche Ideen sind realistisch? Was machen wir bereits, um möglichst oft französisch miteinander zu sprechen? Womit können wir die Ideen anreichern?

3 In der rechten Spalte notieren die Schülerinnen und Schüler, was ihnen für eine erfolgreiche Kommunikation in der Zielsprache an sprachlichen Mitteln noch fehlt. Anschliessend versuchen sie bei der weiteren Bearbeitung des *parcours,* die Redemittel anzuwenden. Es ist sinnvoll, wenn die Lernenden Redemittel aus der *langage de classe* in ihren persönlichen Wortschatz aufnehmen.

1 Auf dieser Seite werden verschiedene Ideen präsentiert, wie die Schülerinnen und Schüler zu mehr und präziseren Äusserungen im Französischunterricht animiert werden können.

Je nach Klassenzusammensetzung kann sich ein gewisser Wettbewerb zur Motivation der Schülerinnen und Schüler eignen.

- Wer sammelt in einer Woche am meisten Striche?
- Wer wird in einer Diskussion alle Zettel los?
- Wer kann in einer Woche alle notierten Redemittel in Gesprächen einbringen?

Wichtiger zu werten sind allerdings die Fortschritte, die eine Schülerin oder ein Schüler von Woche zu Woche macht, indem die Anzahl Wortmeldungen und die neu erworbenen Redemittel, die zur Anwendungen kommen, zunehmen.

Zoom

1 **Wie kann ich mich und wie können wir uns gegenseitig beim Französischsprechen unterstützen?**

Striche machen
Ich mache während einer Französischstunde für jede Wortmeldung auf Französisch einen Strich.

In der nächsten Stunde versuche ich, die Anzahl zu erhöhen.

Gestik und Mimik einsetzen
Gestik und Mimik können mich unterstützen, um mich verständlich zu machen.

Zettel legen
Jeder/jede in der Gruppe bereitet 10 Zettel vor. Während einer Französischstunde legt man jedes Mal, wenn man einen Gesprächsbeitrag auf Französisch gemacht hat, einen Zettel in die Mitte. Ziel ist es, dass alle Gruppenmitglieder ihre Zettel am Ende der Stunde abgegeben haben. Es gilt, sich gegenseitig beim Französischsprechen zu unterstützen. Wer keine Zettel mehr hat, nimmt weiterhin am Gespräch teil.

In der nächsten Stunde wird die Anzahl Zettel erhöht.

Sprache wechseln
In der Gruppe bereitet man eine Karte vor. Auf der Vorderseite steht «Nous parlons français!», auf der Rückseite «Je parle allemand!». Die Karte liegt mit der Vorderseite nach oben auf der Bank. Kann man diese Vorgabe nicht einhalten, darf man kurz die Karte umdrehen und einen Gesprächsbeitrag auf Deutsch machen. Miteinander versucht man anschliessend herauszufinden, wie man dies auf Französisch sagen könnte.

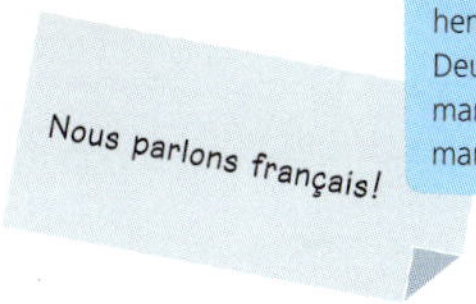

Switchen
Lieber kurz auf Deutsch wechseln, als auf Französisch zu schweigen.

So viel wie möglich auf Französisch, so viel wie nötig auf Deutsch.

Qu'est-ce que c'est en français «...»?

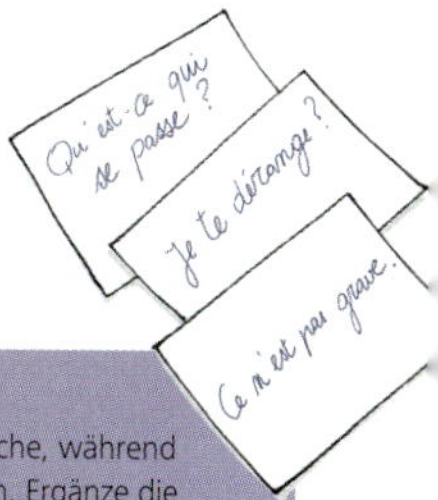

Redemittel einbringen
Schreibe Redemittel, die du gerne verwenden möchtest, auf Karten. Versuche, während einer Woche alle Redemittel an passender Stelle in Gespräche einzubringen. Ergänze die Karten für die kommende Woche, so dass die Aufgabe immer etwas anspruchsvoller wird.

42

Grilles d'évaluation

Activité D page 31

Eine BD vorlesen	++	+	+/–	–
Du liest die Texte in den Sprechblasen richtig vor.				
Du gestaltest deine Rolle überzeugend. Du variierst deine Stimme, um den Inhalt von Aussagen zu verdeutlichen.				
Deine Aussprache ist korrekt.				

Tâche page 38

Punkte	4	3	2	1	0
Inhalt	Die Szene ist nachvollziehbar und ausgestaltet. ❒	Die Szene ist bis auf wenige Stellen nachvollziehbar und genügend ausgestaltet. ❒	Die Szene ist nur teilweise nachvollziehbar und wenig ausgestaltet. ❒	Die Szene ist schwer nachvollziehbar und kaum ausgestaltet. ❒	❒
Sprache Wortschatz	Der Wortschatz, den du verwendest, ist passend. ❒	Der Wortschatz, den du verwendest, ist meist passend. ❒	Der Wortschatz, den du verwendest, ist nur teilweise passend. ❒	Der Wortschatz, den du verwendest, ist oft unpassend. ❒	❒
Aussprache			Deine Aussprache ist korrekt. ❒	Deine Aussprache ist teilweise korrekt. ❒	❒
Füllwörter				Du verwendest Füllwörter. ❒	❒
Gestaltung, Ausdruck			Du gestaltest deine Rolle überzeugend. Du sprichst ausdrucksvoll. Du setzt Mimik und Gestik ein. ❒	Du gestaltest deine Rolle kaum. Du sprichst wenig ausdrucksvoll. Du setzt selten Mimik und Gestik ein. ❒	❒

Zoom

Wie kann ich mich und wie können wir uns gegenseitig beim Französischsprechen unterstützen?

Striche machen
Ich mache während einer Französischstunde für jede Wortmeldung auf Französisch einen Strich.

In der nächsten Stunde versuche ich, die Anzahl zu erhöhen.

Zettel legen
Jeder/jede in der Gruppe bereitet 10 Zettel vor. Während einer Französischstunde legt man jedes Mal, wenn man einen Gesprächsbeitrag auf Französisch gemacht hat, einen Zettel in die Mitte. Ziel ist es, dass alle Gruppenmitglieder ihre Zettel am Ende der Stunde abgegeben haben. Es gilt, sich gegenseitig beim Französischsprechen zu unterstützen. Wer keine Zettel mehr hat, nimmt weiterhin am Gespräch teil.

In der nächsten Stunde wird die Anzahl Zettel erhöht.

Gestik und Mimik einsetzen
Gestik und Mimik können mich unterstützen, um mich verständlich zu machen.

Sprache wechseln
In der Gruppe bereitet man eine Karte vor. Auf der Vorderseite steht «Nous parlons français!», auf der Rückseite «Je parle allemand!». Die Karte liegt mit der Vorderseite nach oben auf der Bank. Kann man diese Vorgabe nicht einhalten, darf man kurz die Karte umdrehen und einen Gesprächsbeitrag auf Deutsch machen. Miteinander versucht man anschliessend herauszufinden, wie man dies auf Französisch sagen könnte.

Switchen
Lieber kurz auf Deutsch wechseln, als auf Französisch zu schweigen.

So viel wie möglich auf Französisch, so viel wie nötig auf Deutsch.

Redemittel einbringen
Schreibe Redemittel, die du gerne verwenden möchtest, auf Karten. Versuche, während einer Woche alle Redemittel an passender Stelle in Gespräche einzubringen. Ergänze die Karten für die kommende Woche, so dass die Aufgabe immer etwas anspruchsvoller wird.

42

» Kriterienliste für das Erstellen eigener summativer Evaluationsaufgaben

Die summativen Evaluationsaufgaben werden in den Formaten PDF und Word angeboten, damit sie bei Bedarf verändert und den Gegebenheiten in der eigenen Klasse angepasst werden können. Tondokumente sind als mp3-Dateien verfügbar.

Für die Evaluation von Lernergebnissen stehen auf der Plattform www.clin-doeil.ch folgende Dokumente zur Verfügung:

» Kompetenzraster zur Beurteilung der *tâche*
» Kriterienraster für den Evaluationsmoment in *activité* D
» Musteraufgaben zur Überprüfung des Lernerfolgs am Ende des *parcours*

Grilles d'évaluation

Activité D page 31

Eine BD vorlesen	++	+	+/–	–
Du liest die Texte in den Sprechblasen richtig vor.				
Du gestaltest deine Rolle überzeugend. Du variierst deine Stimme, um den Inhalt von Aussagen zu verdeutlichen.				
Deine Aussprache ist korrekt.				

Tâche page 38

Punkte	**4**	**3**	**2**	**1**	**0**
Inhalt	Die Szene ist nachvollziehbar und ausgestaltet. ❐	Die Szene ist bis auf wenige Stellen nachvollziehbar und genügend ausgestaltet. ❐	Die Szene ist nur teilweise nachvollziehbar und wenig ausgestaltet. ❐	Die Szene ist schwer nachvollziehbar und kaum ausgestaltet. ❐	❐
Sprache Wortschatz		Der Wortschatz, den du verwendest, ist meist passend. ❐	Der Wortschatz, den du verwendest, ist nur teilweise passend. ❐	Der Wortschatz, den du verwendest, ist oft unpassend. ❐	❐
Aussprache			Deine Aussprache ist korrekt. ❐	Deine Aussprache ist teilweise korrekt. ❐	❐
Füllwörter				Du verwendest Füllwörter. ❐	❐
Gestaltung, Ausdruck			Du gestaltest deine Rolle überzeugend. Du sprichst ausdrucksvoll. Du setzt Mimik und Gestik ein. ❐	Du gestaltest deine Rolle kaum. Du sprichst wenig ausdrucksvoll. Du setzt selten Mimik und Gestik ein. ❐	❐

43

wörtern. Sie wird ebenfalls mit einem Punkt belohnt. Schliesslich spielt der Klassenwortschatz eine zentrale Rolle, da er einen wesentlichen Beitrag zur *langage de classe* liefert. Am Computer wurden die Ausdrücke intensiv eingeübt und in der Lerneinheit wurden die Lernenden immer wieder dazu aufgefordert, so viel und so oft wie möglich französisch zu sprechen. In der *tâche* werden sie für ihren Effort belohnt.

kann länger oder kürzer ausfallen und mit mehr oder weniger Details ausgestaltet sein. Die Lernenden haben im *parcours* geübt, ihre Stimme zu variieren, um den Inhalt zu verdeutlichen. Zudem können sie Gestik und Mimik einsetzen, um ihre Rolle überzeugend zu gestalten.

Eine weitere Strategie, die im *parcours* eingeführt wurde, ist das Anwenden von Füll-

Der Kriterienraster zur *activité* D und der Kompetenzraster zur *tâche* orientieren sich an den im *magazine* aufgebauten Kompetenzen und Ressourcen. Bei der Punkteverteilung wird darauf geachtet, dass Ressourcen nicht stärker als Kompetenzen gewichtet werden.

Für den Lernprozess spielt die formative oder prozessorientierte Evaluation eine grosse Rolle. Folgende formativen Evaluationsmomente lassen sich in *magazine* 7.3 ausmachen:

- Vor und während der Bearbeitung des *parcours* werden Lernziele thematisiert.
- Die Lernenden setzen sich eigene Lernziele oder stellen fest, was sie zusätzlich gelernt haben.
- Sie bestimmen mit Hilfe der Navigationskarte den Lernweg mit.
- Sie korrigieren ihre Aufgaben mit Hilfe der *solutions* selbstständig.
- Sie reflektieren im *zoom* konkrete Lernerfahrungen und setzen sich Etappenziele.
- Sie beurteilen eigene Lernergebnisse mit Hilfe von Kriterien.
- Sie beurteilen in Co-Evaluation wertschätzend die Leistungen anderer.
- Sie schauen in der *revue* auf das Gelernte zurück.

Auch die summative oder ergebnisorientierte Evaluation hat ihre Bedeutung im Lernprozess. Sie findet meistens am Ende einer Lernphase statt, um die aufgebauten Kompetenzen und Ressourcen zu überprüfen. Vor einer summativen Evaluation wird die Evaluationsabsicht bekannt gegeben und die Kriterien werden mit den Lernenden besprochen. Die Kriterien- und Kompetenzraster erlauben eine differenzierte Beurteilung, die nicht defizitorientiert ist. In einer Evaluation soll bewertet werden, was die Lernenden wissen und können. In *magazine* 7.3 werden zwei summative Evaluationsmomente vorgeschlagen:

- Ergebnisse der *activité* D (mit dem Symbol gekennzeichnet)
- Szene aus der *tâche*

Inhaltlich wird bei der Beurteilung der *tâche* darauf geachtet, dass die Szene einen logischen Aufbau hat und in sich stimmig ist. Sie

Zoom

Wie kann ich mich und wie können wir uns gegenseitig beim Französischsprechen unterstützen?

Striche machen
Ich mache während einer Französischstunde für jede Wortmeldung auf Französisch einen Strich.

In der nächsten Stunde versuche ich, die Anzahl zu erhöhen.

Zettel legen
Jeder/jede in der Gruppe bereitet 10 Zettel vor. Während einer Französischstunde legt man jedes Mal, wenn man einen Gesprächsbeitrag auf Französisch gemacht hat, einen Zettel in die Mitte. Ziel ist es, dass alle Gruppenmitglieder ihre Zettel am Ende der Stunde abgegeben haben. Es gilt, sich gegenseitig beim Französischsprechen zu unterstützen. Wer keine Zettel mehr hat, nimmt weiterhin am Gespräch teil.

In der nächsten Stunde wird die Anzahl Zettel erhöht.

Gestik und Mimik einsetzen
Gestik und Mimik können mich unterstützen, um mich verständlich zu machen.

Sprache wechseln
In der Gruppe bereitet man eine Karte vor. Auf der Vorderseite steht «Nous parlons français!», auf der Rückseite «Je parle allemand!». Die Karte liegt mit der Vorderseite nach oben auf der Bank. Kann man diese Vorgabe nicht einhalten, darf man kurz die Karte umdrehen und einen Gesprächsbeitrag auf Deutsch machen. Miteinander versucht man anschliessend herauszufinden, wie man dies auf Französisch sagen könnte.

Nous parlons français!

Switchen
Lieber kurz auf Deutsch wechseln, als auf Französisch zu schweigen.

So viel wie möglich auf Französisch, so viel wie nötig auf Deutsch.

Qu'est-ce que c'est en français «...»?

Redemittel einbringen
Schreibe Redemittel, die du gerne verwenden möchtest, auf Karten. Versuche, während einer Woche alle Redemittel an passender Stelle in Gespräche einzubringen. Ergänze die Karten für die kommende Woche, so dass die Aufgabe immer etwas anspruchsvoller wird.

42

» Kriterienliste für das Erstellen eigener summativer Evaluationsaufgaben

Die summativen Evaluationsaufgaben werden in den Formaten PDF und Word angeboten, damit sie bei Bedarf verändert und den Gegebenheiten in der eigenen Klasse angepasst werden können. Tondokumente sind als mp3-Dateien verfügbar.

Für die Evaluation von Lernergebnissen stehen auf der Plattform www.clin-doeil.ch folgende Dokumente zur Verfügung:

» Kompetenzraster zur Beurteilung der *tâche*
» Kriterienraster für den Evaluationsmoment in *activité* D
» Musteraufgaben zur Überprüfung des Lernerfolgs am Ende des *parcours*

Grilles d'évaluation

Activité D page 31

Eine BD vorlesen	++	+	+/–	–
Du liest die Texte in den Sprechblasen richtig vor.				
Du gestaltest deine Rolle überzeugend. Du variierst deine Stimme, um den Inhalt von Aussagen zu verdeutlichen.				
Deine Aussprache ist korrekt.				

Tâche page 38

Punkte	**4**	**3**	**2**	**1**	**0**
Inhalt	Die Szene ist nachvollziehbar und ausgestaltet. ❐	Die Szene ist bis auf wenige Stellen nachvollziehbar und genügend ausgestaltet. ❐	Die Szene ist nur teilweise nachvollziehbar und wenig ausgestaltet. ❐	Die Szene ist schwer nachvollziehbar und kaum ausgestaltet. ❐	❐
Sprache Wortschatz	Der Wortschatz, den du verwendest, ist passend. ❐	Der Wortschatz, den du verwendest, ist meist passend. ❐	Der Wortschatz, den du verwendest, ist nur teilweise passend. ❐	Der Wortschatz, den du verwendest, ist oft unpassend. ❐	❐
Aussprache			Deine Aussprache ist korrekt. ❐	Deine Aussprache ist teilweise korrekt. ❐	❐
Füllwörter				Du verwendest Füllwörter. ❐	❐
Gestaltung, Ausdruck			Du gestaltest deine Rolle überzeugend. Du sprichst ausdrucksvoll. Du setzt Mimik und Gestik ein. ❐	Du gestaltest deine Rolle kaum. Du sprichst wenig ausdrucksvoll. Du setzt selten Mimik und Gestik ein. ❐	❐

43

wörtern. Sie wird ebenfalls mit einem Punkt belohnt. Schliesslich spielt der Klassenwortschatz eine zentrale Rolle, da er einen wesentlichen Beitrag zur *langage de classe* liefert. Am Computer wurden die Ausdrücke intensiv eingeübt und in der Lerneinheit wurden die Lernenden immer wieder dazu aufgefordert, so viel und so oft wie möglich französisch zu sprechen. In der *tâche* werden sie für ihren Effort belohnt.

sind. Sie können länger oder kürzer ausfallen und mit mehr oder weniger Details ausgestaltet sein. Die Lernenden haben im *parcours* geübt, ihre Stimme zu variieren, um den Inhalt zu verdeutlichen. Zudem können sie Gestik und Mimik einsetzen, um ihre Rolle überzeugend zu gestalten.

Eine weitere Strategie, die im *parcours* eingeführt wurde, ist das Anwenden von Füll-

Der Kriterienraster zur *activité* D und der Kompetenzraster zur *tâche* orientieren sich an den im *magazine* aufgebauten Kompetenzen und Ressourcen. Bei der Punkteverteilung wird darauf geachtet, dass Ressourcen nicht stärker als Kompetenzen gewichtet werden.

Für den Lernprozess spielt die formative oder prozessorientierte Evaluation eine grosse Rolle. Folgende formativen Evaluationsmomente lassen sich in *magazine* 7.3 ausmachen:

- Vor und während der Bearbeitung des *parcours* werden Lernziele thematisiert.
- Die Lernenden setzen sich eigene Lernziele oder stellen fest, was sie zusätzlich gelernt haben.
- Sie bestimmen mit Hilfe der Navigationskarte den Lernweg mit.
- Sie korrigieren ihre Aufgaben mit Hilfe der *solutions* selbstständig.
- Sie reflektieren im *zoom* konkrete Lernerfahrungen und setzen sich Etappenziele.
- Sie beurteilen eigene Lernergebnisse mit Hilfe von Kriterien.
- Sie beurteilen in Co-Evaluation wertschätzend die Leistungen anderer.
- Sie schauen in der *revue* auf das Gelernte zurück.

Auch die summative oder ergebnisorientierte Evaluation hat ihre Bedeutung im Lernprozess. Sie findet meistens am Ende einer Lernphase statt, um die aufgebauten Kompetenzen und Ressourcen zu überprüfen. Vor einer summativen Evaluation wird die Evaluationsabsicht bekannt gegeben und die Kriterien werden mit den Lernenden besprochen. Die Kriterien- und Kompetenzraster erlauben eine differenzierte Beurteilung, die nicht defizitorientiert ist. In einer Evaluation soll bewertet werden, was die Lernenden wissen und können. In *magazine* 7.3 werden zwei summative Evaluationsmomente vorgeschlagen:

- Ergebnisse der *activité* D (mit dem Symbol ⊕ gekennzeichnet)
- Szenen aus der *tâche*

Inhaltlich wird bei der Beurteilung der *tâche* darauf geachtet, dass die Szenen einen logischen Aufbau haben und in sich stimmig

Die *boîtes de traduction* unterstützen die Lernenden beim Entschlüsseln der BD.

Es ist denkbar, dass die Lernenden sie mit zusätzlichen Ausdrücken anreichern und ihren Mitschülerinnen und Mitschülern zur Verfügung stellen. «Entschlüsselungshilfen zur Verfügung stellen» wurde im 6. Schuljahr als Strategie eingeführt.

Nebst den *boîtes de traduction* können die Lernenden auch weitere Wörterbücher beiziehen. Zu beachten ist allerdings, dass die Strategie «(Online-)Wörterbücher» im Entschlüsselungsprozess jeweils als letzte Strategie eingesetzt werden soll. Die Lernenden nehmen keine wortwörtlichen Übersetzungen vor. Vielmehr geht es darum, den Inhalt im Grossen und Ganzen zu erfassen und der BD dann eine detaillierte Information zu entnehmen, wenn es beispielsweise darum geht, den Witz oder die Pointe zu verstehen.

Boîtes de traduction

Les Profs 1, page 12	
interroger	abfragen
le mien	meines
rappeler	zurückrufen
Msieu = Monsieur	Herr
appeler	anrufen
le portable	das Handy
laisser le numéro de portable	die Handynummer geben

Titeuf 1, page 13	
la déclaration (d'amour)	die Liebeserklärung
manque de bol = pas de chance	kein Glück, Pech gehabt

L'élève Ducobu 1, page 14	
fastoche = facile	leicht, einfach
cuire	kochen
piéger	reinlegen
le lièvre aguerri	der kampferprobte Hase
je déjouerai vos collets	ich werde den Kopf aus der Schlinge ziehen
copier sur…	bei … abschreiben

Titeuf 2, page 15	
le mention	der Vermerk
pô = pas	nicht
le cerveau	das Hirn
la taille	die Grösse
le petit-pois	die Erbse
le légume	das Gemüse
la graine	der Samen
bouffer = manger	essen
progresser	Fortschritte machen
le sommet	der Gipfel
l'échauffement (m)	das Aufwärmen
le Q.I.	der IQ (Intelligenzquotient)
la compétition	der Wettbewerb

L'élève Ducobu 2, page 16	
l'interrogation (f)	*hier:* der Test
la justice	die Gerechtigkeit
la précipitation	die Hast, die Eile
ne pas faire bon ménage	nicht gut miteinander auskommen
impérial/-e	kaiserlich
impartial/-e	unparteiisch
le chiffre	die Ziffer, die Zahl
supposer	vermuten
au demeurant	übrigens
le calcul	die Rechnung
de mieux en mieux	immer besser
Confiez votre champ de blé à votre âne, vous récolterez des chardons!	*Pseudo-Weisheit:* Vertrauen Sie Ihr Weizenfeld einem Esel an, und Sie werden Disteln ernten.

44

Boîtes de traduction

Les Profs 2, page 17

le cours	das Fach
l'emploi du temps (m)	der Stundenplan
repeindre le plafond	die Decke neu streichen
l'escabeau (m)	der Schemel
le col du fémur cassé	der gebrochene Oberschenkel
rare	selten
oublier	vergessen
la matière	das Fach
enseigner	unterrichten

Titeuf 3, page 18

le corbeau et le renard	der Rabe und der Fuchs, *Titel einer Fabel*
La Fontaine	*Name des Dichters*
pô = pas	nicht
répondre	antworten
la réponse	die Antwort
Lâche-moi le slip!	Rutsch mir doch den Buckel runter!
tricher	schummeln, falsch spielen

L'élève Ducobu 3, page 19

refuser	ablehnen
le copieur	der Abschreiber
fluet/-te	zart, flötend
Cela ne te dérange pas si…?	stört es dich nicht, wenn …?
au contraire	im Gegenteil
RanXerox	*Kopiermaschine von der Marke Xerox*
occupé/-e	besetzt
s'adapter	sich anpassen
sévère	streng
Ne t'en fais pas!	Mach dir nichts draus!
souffler les réponses	die Antworten zuflüstern
quelle veine! = Quelle chance!	Welch ein Glück!
dégager	*hier:* freilegen, herausziehen
la canine	der Eckzahn

Titeuf 4, page 20

prêt/-e	bereit
au bord du chemin	am Wegrand
le sentier	der Pfad
le bonheur	das Glück
interrompre quelqu'un	jemanden unterbrechen
la gaieté	die Fröhlichkeit
pôv' = pauvre	arm

1 Die abgebildete Seite ist ein Auszug aus der *mini-grammaire*. Das Grammatikbuch richtet sich an Jugendliche ab dem 6. Schuljahr und erscheint ab Sommer 2015 im Schulverlag.

Der *mini-grammaire* liegt ein konstruktivistisches Lernverständnis zugrunde. Das grammatikalische Phänomen erscheint zunächst in der Sprachrealität in Form eines authentischen Inputtextes und wird danach systematisiert und erklärt.

Zudem enthält das Grammatikbuch so genannte «viele Sprachen»-Seiten, auf denen ausgewählte Phänomene sprachvergleichend beleuchtet werden. Zu den Possessivbegleitern existiert eine solche Rubrik, die hier zwar nicht abgebildet ist, die aber zur Umsetzung der Mehrsprachigkeitsdidaktik einen Beitrag leisten kann.

Ausserdem enthält die Multimedia-CD zur *mini-grammaire* Lernprogramme, die für *Mille feuilles* und *Clin d'œil* entwickelt wurden. Auch das Lernprogramm zu den Possessivbegleitern, das den Lernenden auf Seite 36 im *magazine* zur Verfügung steht, ist darauf in leicht angepasster Form zu finden.

Grammaires de référence

Possessivbegleiter
Adjectif possessif

m sg		f sg		pl	
mon poème	mein Gedicht	**ma** classe	meine Klasse	**mes** copains	meine Freunde
ton poème	dein …	**ta** classe	deine …	**tes** copains	deine …
son poème	sein / ihr …	**sa** classe	seine / ihre …	**ses** copains	seine / ihre …
notre poème	unser …	**notre** classe	unsere …	**nos** copains	unsere …
votre poème	euer …	**votre** classe	eure …	**vos** copains	eure …
leur poème	ihr …	**leur** classe	ihre …	**leurs** copains	ihre …

Der Possessivbegleiter steht vor dem Nomen und gibt an, zu wem etwas gehört. Er richtet sich in Geschlecht und Zahl nach dem Nomen, das er begleitet.

66 ***Ma*** wird zu ***mon***, wenn das darauffolgende Nomen mit einem Vokal oder in manchen Fällen mit einem ***h***- beginnt.

C'est **mon** école. Das ist **meine** Schule.
Ton histoire me plaît. **Deine** Geschichte gefällt mir.

D F 44 Anders als im Deutschen spielt das Geschlecht der Person, zu der etwas gehört, in der 3. Person Singular keine Rolle.

seine / **ihre** Karriere — **sa** carrière
sein / **ihr** Gedicht — **son** poème
seine / **ihre** Bücher — **ses** livres

1 mini-grammaire

46

Grammaires de référence

Possessivpronomen als Begleiter

Possessivbegleiter (auf Französisch: *l'adjectif possessif*) stehen immer vor einem Nomen (sie werden von einem Nomen „begleitet"). Possessivbegleiter stimmen in Geschlecht und Zahl mit dem sogenannten Besitz überein. Die Pluralform für maskulin und feminin ist gleich.

Beispiel: Je cherche mon chapeau.
Elle cherche son chapeau.

Person	maskulin	feminin	plural
1. Person Singular	mon	ma	mes
2. Person Singular	ton	ta	tes
3. Person Singular	son	sa	ses
1. Person Plural	notre	notre	nos
2. Person Plural	votre	votre	vos
3. Person Plural	leur	leur	leurs

Beachte

Vor Vokal oder stummem *h* werden *ma, ta, sa* zu *mon, ton, son.*

Beispiel: Je cherche ~~ma~~ amie.
Je cherche mon amie.

47

lingolia

1 Der Online-Link lautet francais.lingolia.com/de/grammatik/pronomen/possessivpronomen

Bei *lingolia* wird in der Einleitung ebenfalls mit einer Illustration und mit einem Inputtext gearbeitet. Dieser ist allerdings konstruiert und thematisiert nebst der grammatikalischen Erscheinungsform «Possessivpronomen als Begleiter» auch die Possessivpronomen als Ersatz (z. B. *le mien, les vôtres…*). Aus diesem Grund wird im *magazine* nur ein Ausschnitt der entsprechenden Internetseite präsentiert.

Im Gegensatz zur *mini-grammaire* sind die Wörter in der Tabelle nicht übersetzt und stehen als Begleiter für sich ohne Nomen. Dafür wird die entsprechende Person angegeben.

1 Die abgebildete Seite ist ein Auszug aus der *mini-grammaire*. Das Grammatikbuch richtet sich an Jugendliche ab dem 6. Schuljahr und erscheint ab Sommer 2015 im Schulverlag.

Der *mini-grammaire* liegt ein konstruktivistisches Lernverständnis zugrunde. Das grammatikalische Phänomen erscheint zunächst in der Sprachrealität in Form eines authentischen Inputtextes und wird danach systematisiert und erklärt.

Zudem enthält das Grammatikbuch so genannte «viele Sprachen»-Seiten, auf denen ausgewählte Phänomene sprachvergleichend beleuchtet werden. Zu den Possessivbegleitern existiert eine solche Rubrik, die hier zwar nicht abgebildet ist, die aber zur Umsetzung der Mehrsprachigkeitsdidaktik einen Beitrag leisten kann.

Ausserdem enthält die Multimedia-CD zur *mini-grammaire* Lernprogramme, die für *Mille feuilles* und *Clin d'œil* entwickelt wurden. Auch das Lernprogramm zu den Possessivbegleitern, das den Lernenden auf Seite 36 im *magazine* zur Verfügung steht, ist darauf in leicht angepasster Form zu finden.

Grammaires de référence

Possessivbegleiter

Adjectif possessif

m sg		f sg		pl	
mon poème	mein Gedicht	**ma** classe	meine Klasse	**mes** copains	meine Freunde
ton poème	dein …	**ta** classe	deine …	**tes** copains	deine …
son poème	sein / ihr …	**sa** classe	seine / ihre …	**ses** copains	seine / ihre …
notre poème	unser …	**notre** classe	unsere …	**nos** copains	unsere …
votre poème	euer …	**votre** classe	eure …	**vos** copains	eure …
leur poème	ihr …	**leur** classe	ihre …	**leurs** copains	ihre …

Der Possessivbegleiter steht vor dem Nomen und gibt an, zu wem etwas gehört. Er richtet sich in Geschlecht und Zahl nach dem Nomen, das er begleitet.

66 ***Ma*** wird zu ***mon***, wenn das darauffolgende Nomen mit einem Vokal oder in manchen Fällen mit einem ***h***- beginnt.

C'est **mon** école. Das ist **meine** Schule.
Ton histoire me plaît. **Deine** Geschichte gefällt mir.

44 Anders als im Deutschen spielt das Geschlecht der Person, zu der etwas gehört, in der 3. Person Singular keine Rolle.

seine / ihre Karriere — **sa** carrière
sein / ihr Gedicht — **son** poème
seine / ihre Bücher — **ses** livres

1

mini-grammaire

46

Grammaires de référence

Possessivpronomen als Begleiter

Possessivbegleiter (auf Französisch: *l'adjectif possessif*) stehen immer vor einem Nomen (sie werden von einem Nomen „begleitet"). Possessivbegleiter stimmen in Geschlecht und Zahl mit dem sogenannten Besitz überein. Die Pluralform für maskulin und feminin ist gleich.

Beispiel: Je cherche mon chapeau.
Elle cherche son chapeau.

Person	maskulin	feminin	plural
1. Person Singular	mon	ma	mes
2. Person Singular	ton	ta	tes
3. Person Singular	son	sa	ses
1. Person Plural	notre	notre	nos
2. Person Plural	votre	votre	vos
3. Person Plural	leur	leur	leurs

Beachte

Vor Vokal oder stummem *h* werden *ma, ta, sa* zu *mon, ton, son*.

Beispiel: Je cherche ~~ma~~ amie.
Je cherche mon amie.

lingolia

Französische Grammatik: Das Possessivpronomen

Possessivpronomen werden verwendet, um ein Besitzverhältnis (eventuell eine Verbindung, Zusammengehörigkeit, Zuordnung) zu kennzeichnen: Das Possessivpronomen stimmt mit dem Substantiv, auf das es sich bezieht, in Numerus und Genus überein. Im Unterschied zum Deutschen wird das Possessivpronomen in der 3. Person im Genus nur an das Bezugswort angeglichen und nicht auch noch an den Genus des Besitzers. Die im Deutschen vorhandene Unterscheidung in *sein Kater/ ihr Kater* oder *seine Maus/ ihre Maus* fällt im Französischen weg. Dort gibt es nur die Unterscheidung in *son chat* (sein/ ihr Kater) oder *sa souris* (seine/ ihre Maus). Ob der Besitzer des Katers oder der Maus weiblich oder männlich ist, wird im Französischen nicht über das Pronomen ausgesagt.

Personalpronomen		**Possessivpronomen**			
		Singular		Plural	
je	ich	**mon, ma**	mein, meine	**mes**	meine
tu	du	**ton, ta**	dein, deine	**tes**	deine
il, elle, on	er, sie, es	**son, sa**	sein, ihr, seine, ihre	**ses**	seine, ihre, seine
nous	wir	**notre**	unser	**nos**	unsere
vous	ihr	**votre**	euer	**vos**	eure
ils, elles	sie	**ses**	seine, ihre	**leurs**	ihre

sprachenlernen24.de

47

1 Der Online-Link lautet francais.lingolia.com/de/grammatik/pronomen/possessivpronomen

Bei *lingolia* wird in der Einleitung ebenfalls mit einer Illustration und mit einem Inputtext gearbeitet. Dieser ist allerdings konstruiert und thematisiert nebst der grammatikalischen Erscheinungsform «Possessivpronomen als Begleiter» auch die Possessivpronomen als Ersatz (z. B. *le mien, les vôtres…*). Aus diesem Grund wird im *magazine* nur ein Ausschnitt der entsprechenden Internetseite präsentiert.

Im Gegensatz zur *mini-grammaire* sind die Wörter in der Tabelle nicht übersetzt und stehen als Begleiter für sich ohne Nomen. Dafür wird die entsprechende Person angegeben.

2 Der Online-Link lautet www.grammatiken.de/franzoesische-grammatik/pronom7.php

Diese Referenzgrammatik bildet keine Beispiele ab, ein langer Erklärungstext leitet das Kapitel ein. Darin wird ein starker Bezug zur Schulsprache Deutsch gemacht. Die Internetseite www.grammatiken.de eignet sich überdies gut für den Vergleich verschiedener Sprachen: Es werden Grammatiken zu 25 verschiedenen Sprachen angeboten.

Es empfiehlt sich, mit den Lernenden zu thematisieren, dass Französisch auch in Belgien eine der Landessprachen ist. Belgien ist wie die Schweiz ein mehrsprachiges Land. Auch das könnte zum Thema gemacht werden. Im Gegensatz zur Schweiz gibt es in Belgien jedoch pro Gebiet jeweils nur eine offizielle Sprache. Die Gemeinden im Norden Belgiens müssen ausschliesslich Niederländisch als Amtssprache benützen, während die Gemeinden im Süden des Landes nur Französisch verwenden. Für einige Gemeinden an der Sprachgrenze stimmt die Zuteilung zur Amtssprache nicht mehr, was in Belgien seit über 45 Jahren für einen Sprachenstreit sorgt. Eine Ausnahme bildet die Region «Bruxelles-Capitale» mit ihren 17 Gemeinden, die den offiziellen Status «bilingue» hat. Im Chanson «Bruxelles plurielle» heisst es deshalb, Bruxelles «reste loin de leur querelle d'une langue officielle».

Im Chanson ist ebenfalls die Rede vom Manneken-Pis, dem «kleinen wasserlassenden Knaben». Laut Akro soll er nicht nur Wasser von sich geben: «Manneken-Pis pisse de la Pils.» Dies ist ein *clin d'œil* an die langjährige und wichtige Brauereitradition Belgiens. Seit 1987 steht in Bruxelles übrigens auch das weibliche Pendant zum pinkelnden Jungen. Diese Fontäne heisst «Jeanneke-Pis» und ist weniger bekannt als der 400-jährige Manneken-Pis-Brunnen.

Ein weiteres Wahrzeichen der belgischen Hauptstadt ist das Atomium, das im Chanson ebenfalls besungen wird: «Les atomes qui s'illuminent». Am Abend und in der Nacht wird das Atomium mit 2970 LED-Lichtern beleuchtet. Es ist auf der Navigationskarte in der oberen linken Ecke zu erkennen.

In Bruxelles hat die Tourismusbranche das Potenzial der BDphilen längst gewittert und sich ihre Begeisterung zu Nutzen gemacht. Im *coup d'œil*-Text ist die Rede von Museen über BD. In Bruxelles gibt es vier Museen, die sich ganz dem Thema widmen:

- Le Centre belge de la bande dessinée (www.cbbd.be)
- La Maison de la bande dessinée (www.jije.org)
- Le Musée de la Figurine de la Bande Dessinée (www.moofmuseum.be)
- Le Musée et Fondation Marc Sleen (www.marc-sleen.be/)

Ebenfalls erwähnt werden die vielen Buchhandlungen und die Märkte, wo man ausschliesslich BD kauft oder eintauscht. Es gibt sogar ein Comic-Café, in dem man sich einen Obelix- oder Popeye-Hamburger bestellen kann (www.comicscafe.be).

In Bruxelles erhalten mittlerweile manche Strassen die Namen berühmter BD-Figuren. Auf www.ebru.be/Other/Strips/stripsstraten.html findet man Fotos und Erklärungen dazu.

Es bietet sich an, im Sinne eines fächerübergreifenden Unterrichts das Thema BD im Bildnerischen Gestalten aufzugreifen oder eine bilinguale Sequenz zur Stadt Brüssel in den Sachfachunterricht zu integrieren.

Solutions

Activité B page 24

1 Lucky Luke
2 Astérix
3 Ducobu
4 Boule et Bill
5 Kiki et Aliène
6 Schtroumpf
7 Tintin et Milou
8 Boulard (Les Profs)

Quel personnage manque? Titeuf

Activité F page 35

ton livre – dein Buch
notre livre – unser Buch
ma boîte – meine Schachtel

votre boîte – eure Schachtel
son livre – sein Buch/ihr Buch
mon livre – mein Buch
ta boîte – deine Schachtel
leur livre – ihr Buch
sa boîte – seine Schachtel/ihre Schachtel

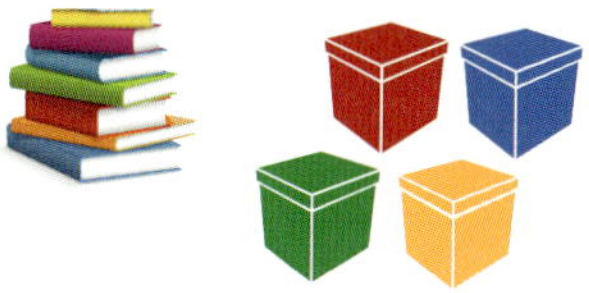

mes livres – meine Bücher
tes boîtes – deine Schachteln
vos livres – eure Bücher
nos boîtes – unsere Schachteln
ses livres – seine Bücher/ihre Bücher
leurs boîtes – ihre Schachteln

48

Coup d'œil

Bruxelles

Bruxelles est la capitale de la Belgique. Elle se situe au cœur de l'Europe et accueille aussi le Parlement européen. En Belgique, il y a trois langues officielles: le néerlandais, le français et l'allemand.

Dans leur chanson BRUXELLES PLURIELLE, AKRO et Julie Rens parlent du Manneken-Pis et de l'Atomium.

Le Manneken-Pis est la fontaine la plus célèbre de Bruxelles. La statuette existe depuis 1619. Le garçon change souvent de costume. Parfois il est habillé en Obélix, en Christophe Colomb, en footballeur, en père Noël…

L'Atomium est réalisé en 1958, à l'occasion de l'Exposition Universelle de Bruxelles. L'Atomium représente les 9 atomes qui constituent un cristal de fer, agrandi 165 milliards de fois. Le monument fait 102 mètres de haut et offre un panorama à 360°.

Fans de bande dessinée? Vous n'allez pas être déçus! Bruxelles est la capitale de la bande dessinée. Plusieurs musées, galeries, marchés, festivals et magasins spécialisés lui sont consacrés. Une activité étonnante est le fameux parcours BD.

La Fête de la Bande Dessinée a lieu depuis 2010. Sur la Place Royale, il y a un spectacle sons et lumières en 3D et la Balloon's Day Parade. Il s'agit d'une parade composée de fanfares et de ballons gonflés à l'hélium de plus de 20 mètres de haut.

Brüssel ist eine Hochburg für BD-Fans. Aus diesem Grund werfen die Lernenden in der Rubrik *coup d'œil* einen Blick auf die Hauptstadt Belgiens, der sie in einem *méli-mélo* bereits begegnet sind. Das *coup d'œil* kann als freiwilliges Zusatzangebot oder im Sinne einer Differenzierung für besonders motivierte Lernende verwendet werden.

Bild- und Quellennachweis
fil rouge

Titelseite
» unten links: les PROFS, Tome 7, mise en examen, © 2005 BAMBOO ÉDITION

Fastoche!
» Seite 5 unten links: Titeuf – Tchô, monde cruel par Zep, © Éditions Glénat, août 1997
» Seite 6 unten (Standbild): Film Dr. Titeuf et Mr. Zep, © RTS Radio Télévision Suisse

Bruxelles plurielle
» Seite 9: © Akro

Carte de navigation
» Seite 14, 15, 16, 17 (Hintergrund): © Michael Utech/www.istockphoto.com

Les Profs 1
» Seite 18: les PROFS, Tome 2, loto et colles, © 2001 BAMBOO ÉDITION

Titeuf 1
» Seite 19: Titeuf – Mes meilleurs copains par Zep, © Éditions Glénat, octobre 2006

L'élève Ducobu 1
» Seite 20: L'élève Ducobu, Les réponses ou la vie?, © LES ÉDITIONS DU LOMBARD (DARGAU-LOMBARD), 1999 by Godi & Zidrou

Titeuf 2
» Seite 21: Titeuf – Les sens de la vie par Zep, © Éditions Glénat, octobre 2008

L'élève Ducobu 2
» Seite 22: L'élève Ducobu, Premier de la classe, © LES ÉDITIONS DU LOMBARD (DARGAU-LOMBARD), 2008 by Godi & Zidrou

Les Profs 2
» Seite 23: les PROFS, Tome 7, mise en examen, © 2005 BAMBOO ÉDITION

Titeuf 3
» Seite 24: Titeuf – Tchô, monde cruel par Zep, © Éditions Glénat, août 1997

L'élève Ducobu 3
» Seite 25: L'élève Ducobu, La lutte des classes, © LES ÉDITIONS DU LOMBARD (DARGAU-LOMBARD), 2001 by Godi & Zidrou

Titeuf 4
» Seite 26: Titeuf – L'Amour, c'est pô propre… par Zep, © Éditions Glénat, août 1993

Bienvenue dans le monde des BD
» Seite 30, 32 von Mitte links nach unten rechts: (1) Mediatoon; (2) © 2013 LES EDITIONS ALBERT RENE / GOSCINNY – UDERZO, www.asterix.com; (3) L'élève Ducobu, © LES ÉDITIONS DU LOMBARD (DARGAU-LOMBARD); (4) Mediatoon; (5) Kiki et Aliène, Illustration: Nicolas Hubesch, © Bayard Presse, (7) © Hergé/Moulinsart 2015; (8) les PROFS, © BAMBOO ÉDITION; (6) © PEYO – 2015 – Licensed through I.M.P.S. (Brussels) – www.smurf.com
» Seite 31, 33 von oben links nach Mitte rechts: (1, 3) Titeuf – Tchô, monde cruel par Zep, © Éditions Glénat, août 1997; (2, 7) L'élève Ducobu, Premier de la classe, © LES ÉDITIONS DU LOMBARD (DARGAU-LOMBARD), 2008 by Godi & Zidrou; (4, 9, 10) Titeuf – Mes meilleurs copains par Zep, © Éditions Glénat, octobre 2006; (5) L'élève Ducobu, Les réponses ou la vie?, © LES ÉDITIONS DU LOMBARD (DARGAU-LOMBARD), 1999 by Godi & Zidrou; (6) L'élève Ducobu, La lutte des classes, © LES ÉDITIONS DU LOMBARD (DARGAU-LOMBARD), 2001 by Godi & Zidrou; (8) les PROFS, Tome 2, loto et colles, © 2001 BAMBOO ÉDITION
» Seite 34, 38 von Mitte links nach unten links: L'élève Ducobu, La lutte des classes, © LES ÉDITIONS DU LOMBARD (DARGAU-LOMBARD), 2001 by Godi & Zidrou; Titeuf – L'Amour, c'est pô propre… par Zep, © Éditions Glénat, août 1993; Titeuf – Les sens de la vie par Zep, © Éditions Glénat, octobre 2008; Titeuf – Tchô, monde cruel par Zep, © Éditions Glénat, août 1997
» Seite 35, 39 von oben nach unten: les PROFS, Tome 2, loto et colles, © 2001 BAMBOO ÉDITION; L'élève Ducobu, Les réponses ou la vie?, © LES ÉDITIONS DU LOMBARD (DARGAU-LOMBARD), 1999 by Godi & Zidrou; (3, 4) les PROFS, Tome 7, mise en examen, © 2005 BAMBOO ÉDITION

Parcours BD
» Seite 41 (Hintergrund): Titeuf par Zep, © Éditions Glénat, Foto: Eric Danhier, © www.visitbrussels.be, Mitte links: Simone Gan-guillet, Mitte rechts: extrait de l'ouvrage Le chat, Philippe Geluck, © Casterman, avec l'aimable autorisation des auteurs et des Éditions Casterman, Foto: Eric Danhier, © www.visitbrussels.be

Audiotracks

Track	Texte
1.	Bruxelles plurielle (Chanson)
2.	Dialogue 1
3.	Dialogue 2
4.	Dialogue 3
5.	Dialogue 4
6.	Dialogue 5
7.	Dialogue 6
8.	Les Profs 1
9.	Titeuf 1
10.	L'élève Ducobu 1
11.	Titeuf 2
12.	L'élève Ducobu 2
13.	Les Profs 2
14.	Titeuf 3
15.	L'élève Ducobu 3
16.	Titeuf 4
17.	Expressions «Se présenter»
18.	Revue «Se présenter»
19.	Expressions «Clarifier»

Track	Texte
20.	Revue «Clarifier»
21.	Expressions «Jouer aux jeux»
22.	Revue «Jouer aux jeux»
23.	Expressions «Remonter le moral»
24.	Expressions «S'exclamer»
25.	Revue «S'exclamer»
26.	Expressions «Téléphoner»
27.	Expressions «Donner son avis»
28.	Revue «Donner son avis»
29.	Expressions «poser des questions – Donner des réponses»
30.	Revue «poser des questions – Donner des réponses»
31.	Expressions – Parler fort ou doucement?
32.	Extraits de BD
33.	Extraits du film Zep
34.	Expressions «Combler un blanc»
35.	Adjectifs possessifs

50

Parler fort ou doucement?
» Seite 42 unten links: les PROFS, Tome 2, loto et colles, © 2001 BAMBOO ÉDITION, unten rechts: Titeuf – Les sens de la vie par Zep, © Éditions Glénat, octobre 2008
» Seite 43 von oben links nach Mitte rechts: Titeuf – Mes meilleurs copains par Zep, © Éditions Glénat, octobre 2006; (2, 6) L'élève Ducobu, Premier de la classe, © LES ÉDITIONS DU LOMBARD (DARGAU-LOMBARD), 2008 by Godi & Zidrou; les PROFS, Tome 7, mise en examen, © 2005 BAMBOO ÉDITION; (4, 5) L'élève Ducobu, La lutte des classes, © LES ÉDITIONS DU LOMBARD (DARGAU-LOMBARD), 2001 by Godi & Zidrou

Tchô
» Seite 44 (Standbilder + Text): Film Dr. Titeuf et Mr. Zep, © RTS Radio Télévision Suisse
» Seite 45: (Standbilder): Film Dr. Titeuf et Mr. Zep, © RTS Radio Télévision Suisse

Le Chat
» Seite 46, 50: Philippe Geluck, Le chat, © Casterman 2002

Grammaires de référence
» Seite 72, 74: (1, 2) Titeuf – Les sens de la vie par Zep, © Éditions Glénat, octobre 2008; (3, 4) Titeuf - L'Amour, c'est pô propre… par Zep, © Éditions Glénat, août 1993
» Seite 75 oben: www.lingolia.com, unten: www.sprachenlernen24.de

Bruxelles
» Seite 77 von oben nach unten: © Michael Utech/www.istockphoto.com; (2, 3) Jean Mottershead/www.flickr.com; Daniel Mennerich/www.flickr.com; sanza2012

Inhalt

Auf der Plattform des Schulverlags www.clin-doeil.ch befinden sich Angaben zum Zeitbedarf, Hinweise zur Planung des Unterrichts und weitere im *fil rouge* aufgeführte Dokumente.

Didaktische Aspekte

Si ça vous chante!

Chansons

In diesem *magazine* begegnen die Lernenden sieben Chansons, die in Bezug auf Zeit, Entstehung, Musikstil und Thema unterschiedlich sind. Gemeinsam ist den Chansons, dass sie von frankophonen Künstlerinnen und Künstlern interpretiert werden.

Das Wort «Chanson» bezeichnet im deutschen Sprachraum ein im französischen Kulturkreis verwurzeltes, liedhaftes, musikalisches Genre, das im 20. Jahrhundert zur französischen Variante der internationalen Populärmusik avancierte. Chansontraditionen gibt es in Frankreich, in den Benelux-Ländern, in der Suisse romande und in den französischsprachigen Gebieten Kanadas. Ein besonderes Merkmal des Chansons ist, dass der Inhalt resp. der Text eine wichtige Rolle spielt.

Während die ersten fünf Chansons dieses *magazine* die Macht der Musik besingen und zum Tanzen und Singen auffordern, erzählen die Chansons des Inputs Geschichten: ein Traum, in dem sich Missgeschick an Missgeschick reiht, und eine Begegnung mit einem Ausserirdischen.

«Sous le ciel de Paris s'envole une chanson» – dieser Textausschnitt aus einem Klassiker, der unter anderem von Edith Piaf, Yves Montand und Mireille Mathieu interpretiert worden ist, nimmt ein weiteres Thema auf: Paris als Inspirationsquelle für zahlreiche Künstlerinnen und Künstler, die rund 3000 Chansons über die Lichterstadt geschaffen haben. Im Atelier «Si Paris vous chante…» führen Textstellen aus verschiedenen Chansons zu elf Sehenswürdigkeiten und Besonderheiten, die anhand von Bildern, Texten, Hördokumenten oder Filmen vorgestellt werden.

Mit dem Thema dieses *magazine* werden verschiedene übergreifende Ziele verfolgt: Die Lernenden befassen sich mit typischem Kulturgut aus dem frankophonen Raum. Zudem ist das Hören von Musik ein sinnliches Erlebnis, das eine subjektive, emotionale Hinwendung auslöst. Die zielsprachlichen Chansontexte sprechen die Lernenden demnach auch auf der Gefühlsebene an, was besondere Möglichkeiten der Begegnung und des Memorierens eröffnet.

Die in den Chansons «Punaise» und «Petit martien» erzählten Geschichten regen die Lernenden überdies an, eine selber erlebte oder eine erfundene Geschichte zu Papier zu bringen.

Sprachhandeln

Grundlage des sprachlichen Handelns der Lernenden sind einerseits die authentischen Inputs, andererseits die Aufgabenstellungen, deren Bearbeitung das Verwenden der Zielsprache in authentischen Situationen verlangt.

Die authentischen Inputs dieses *magazine* sind französische Chansons, die eine Geschichte erzählen. Die Inhalte werden von

den Lernenden mit spezifischen Höraufträgen und mit Unterstützung von Bildern und zusammenfassenden Prosatexten global entschlüsselt. Die Themen bilden die Grundlage für das Schreiben einer eigenen Geschichte.

Die Lernenden verwenden die Zielsprache unter anderem auch, wenn sie Anweisungen umsetzen, aus Chansons einzelne Textausschnitte heraushören, miteinander über Vorlieben, Eindrücke oder Träume sprechen, Geschichten nacherzählen, schriftliche Übungen machen und diese gegenseitig korrigieren, sich über Sehenswürdigkeiten in Paris informieren, einer Autorenlesung folgen und eigene Texte verfassen und vorlesen.

Weitere Aufgabenstellungen betreffen das Entdecken und Einüben des *passé composé*, einer Zeitform, die häufig in Geschichten vorkommt. Während die Lernenden dem *passé composé* mit *avoir* bereits begegnet sind, erfahren sie hier neu, wie das *passé composé* mit *être* gebildet wird. Der Klassenwortschatz besteht unter anderem aus verschiedenen Verben und ihren Partizipien.

Aufmerksamkeit wird auch der Weiterentwicklung der Zielsprache als Arbeitssprache geschenkt. Damit wird etwas weitergeführt, das Hauptthema von *magazine* 7.3 ist und bereits in früheren *magazines* stark gewichtet worden ist. So werden den Lernenden häufig Redemittel in Sprechblasen zur Verfügung gestellt, mit welchen sie sich in Partner- und Gruppenarbeiten auf Französisch verständigen können. Die Lernenden werden es mittlerweile auch gewohnt sein, bei Bedarf die in der *revue* unter der Rubrik «Nous parlons français!» aufgeführten sprachlichen Strukturen und Chunks beizuziehen.

Bewusstheit für Sprachen und Kulturen

Im Lehrplan «Passepartout» wird das Globalziel für Kompetenzbereich II wie folgt beschrieben: «Durch Reflexion, Beobachtung und Spiel Bewusstheit für Sprache und Kulturen entwickeln und positive Haltungen aufbauen».

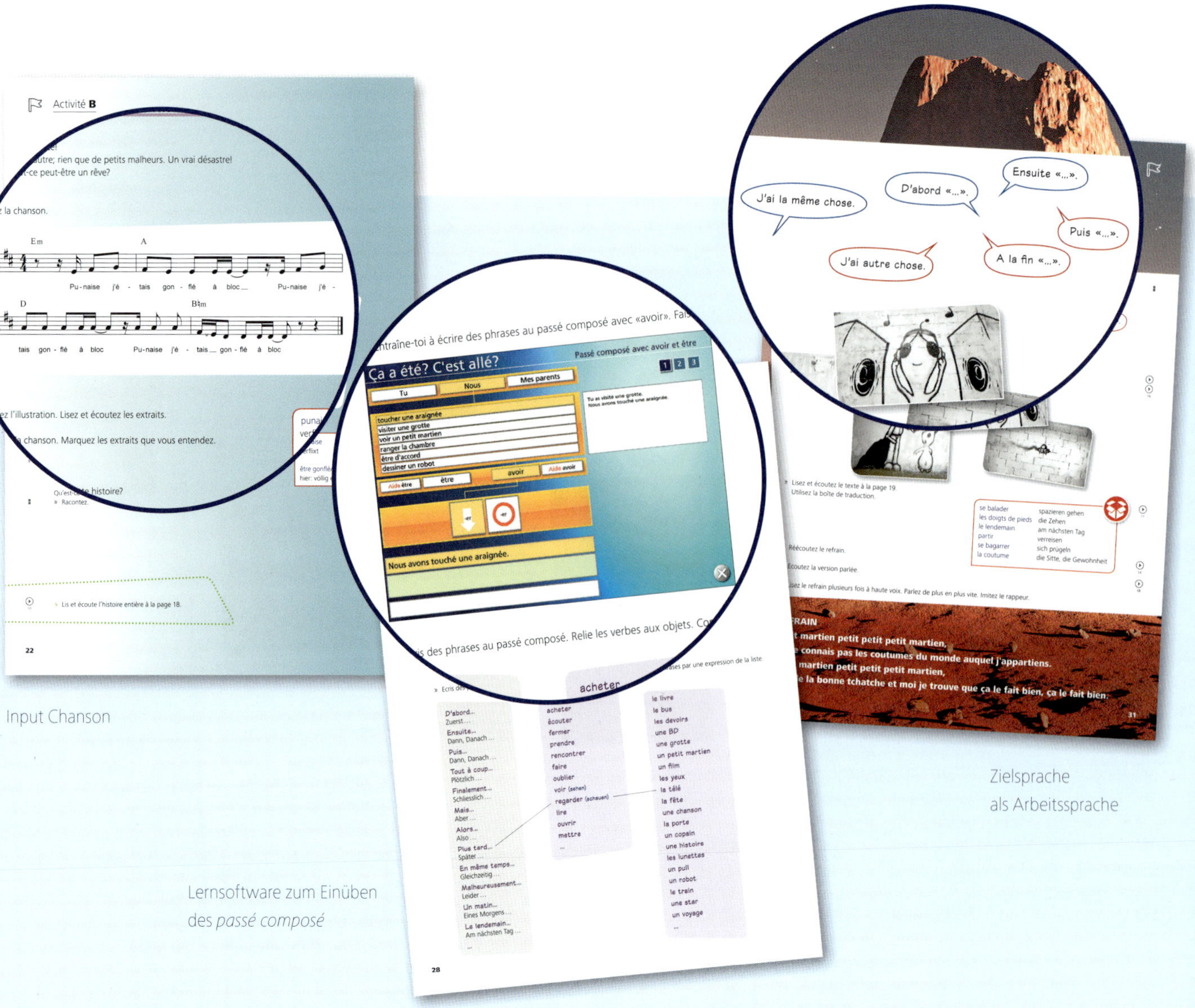

Input Chanson

Lernsoftware zum Einüben des *passé composé*

Zielsprache als Arbeitssprache

Didaktische Aspekte

In diesem *magazine* steht die Begegnung mit frankophonem Kulturgut im Vordergrund und somit das Erhalten und Weiterentwickeln einer positiven Haltung der Zielsprache und dem kulturellen Erbe gegenüber.

Die Lernenden hören eine Vielzahl von Chansons, begegnen also der französischen Sprache in der Musik. «Musik, so zeigt sich, wirkt auf allen Ebenen des Gehirns, sie hat einen direkten Zugang zu Emotionen und ist tief verankert in der Menschheitsgeschichte» (Zeit Wissen, 1/2012). Die Chansons können berühren, bewegen, zum Mitsummen oder Mitsingen einladen, sich als Ohrwurm entpuppen, der durch seine einprägsame Art in Erinnerung bleibt – die Chansons tragen die Macht der Musik in sich. Chansons leben zugleich stark von ihren Texten. Die künstlerisch-ästhetische Ausdrucksweise zeigt eine andere Facette der Zielsprache. Zudem sind die in Musik eingebetteten Texte eingängig und bleiben leicht im Gedächtnis haften.

Die intensive Beschäftigung mit Chansons hat das Potenzial, Lernende in ihren Hörgewohnheiten zu beeinflussen, so dass sie möglicherweise auch ausserhalb des Unterrichts und nach Bearbeitung dieses *magazine* französische Chansons hören.

Zum Kulturgut gehören nebst den künstlerischen Werken auch die Menschen, die sie geschaffen haben. Die Lernenden erfahren in kurzen informativen Texten etwas über die verschiedenen Musikerinnen und Musiker aus Paris, Strasbourg, Marseille, Bruxelles und Douala (Cameroun).

Ausschnitte aus Chansontexten wie «Paris sera toujours Paris, la plus belle ville du monde» führen zudem durch die Lichterstadt und zeigen einzelne kulturelle Errungenschaften. Die Ausschnitte aus Musicals, die Bilder, die Filme und die informativen Texte können ebenfalls einen Beitrag zu einer positiven

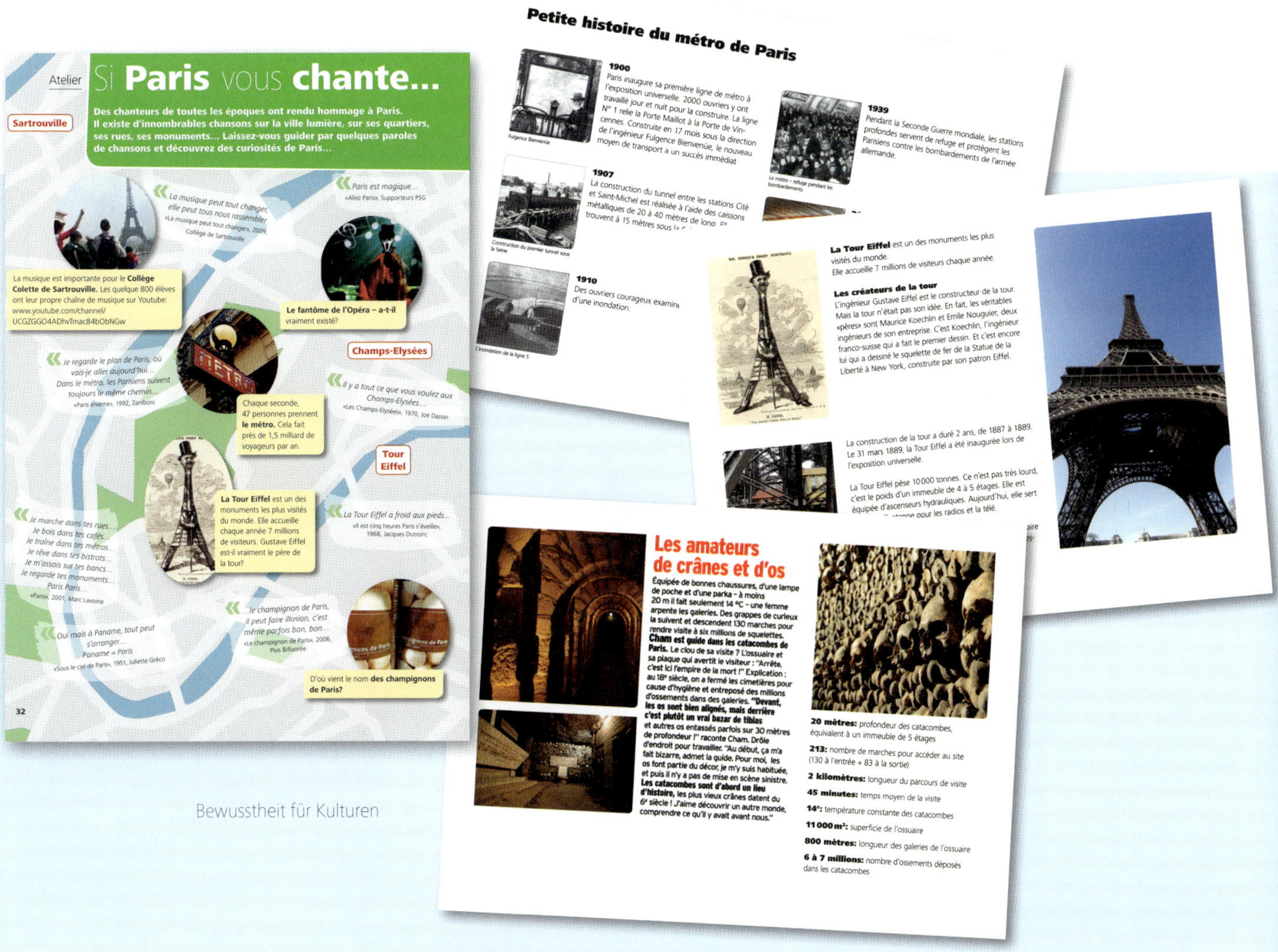

Bewusstheit für Kulturen

Haltung leisten, indem sie Neugierde und Interesse und vielleicht gar den Wunsch wecken, diese Kulturhauptstadt zu besuchen.

Lernstrategische Kompetenzen

Die Fähigkeit, sich eigenständig neues Wissen anzueignen, ist eine Schlüsselqualifikation, um der Forderung nach lebenslangem Lernen nachzukommen. Die Schule hat in diesem Bereich eine wichtige Aufgabe wahrzunehmen. Es obliegt ihr, den Lernenden für das schulische sowie für das selbstständige Lernen nach abgeschlossener Schulbildung das nötige Rüstzeug anzubieten, indem im Unterricht Lernprozesse angeregt und begleitet und geeignete Lernstrategien und Arbeitstechniken für das Bearbeiten von Aufgabenstellungen vermittelt und eingeübt werden.

Die lernstrategischen Ziele dieses *magazine* beziehen sich auf folgende drei unterschiedlichen Lernsituationen: Referenzdokumente als Informationsquelle nutzen, Auftreten und das eigene Lernen reflektieren.

Den Lernenden wird aufgezeigt, wie und wo sie korrekte Verbformen nachschauen können. Ihre Auftrittskompetenz entwickeln sie weiter, indem sie einüben, mit dem Publikum Blickkontakt aufzunehmen und zu halten. Zudem schätzen sie ein, welche dem Lernprozess förderlichen Handlungen sie oft, welche eher selten ausführen, und werden sich somit bewusst, wie sie ihr Lernen optimieren können. Die diesbezüglichen Vorsätze halten sie schriftlich fest.

Diese drei Strategien sind auf andere Lerninhalte und Fächer transferierbar.

Es ist wahrscheinlich, dass Grammatiken für Deutsch, Englisch oder für andere Sprachen einer ähnlichen Systematik folgen, so dass sich Lernende nach einer Einführung in einem Sprachfach in anderssprachigen Referenzdokumenten zurechtfinden können.

Die Auftrittskompetenz der Lernenden ist in verschiedenen Fächern gefragt. Die neu eingeübte Strategie kann sich damit zusammen mit bereits bekannten Strategien wie *Présence, Pauses de discours, Pense-bêtes, Combler un blanc, Expression de la voix* oder *Capter l'attention par des questions* auf das Halten von Vorträgen jeglichen Inhalts positiv auswirken.

Die meisten Indikatoren für erfolgreiches Lernen sind allgemeiner Natur und haben für jegliches Lernen Gültigkeit. Einzig das Vergleichen von Sprachlernprozessen und der Einbezug des ESP als Reflexionsinstrument betreffen insbesondere das Lernen von Fremdsprachen und das Erweitern der Kompetenzen in Schul- oder Herkunftssprache.

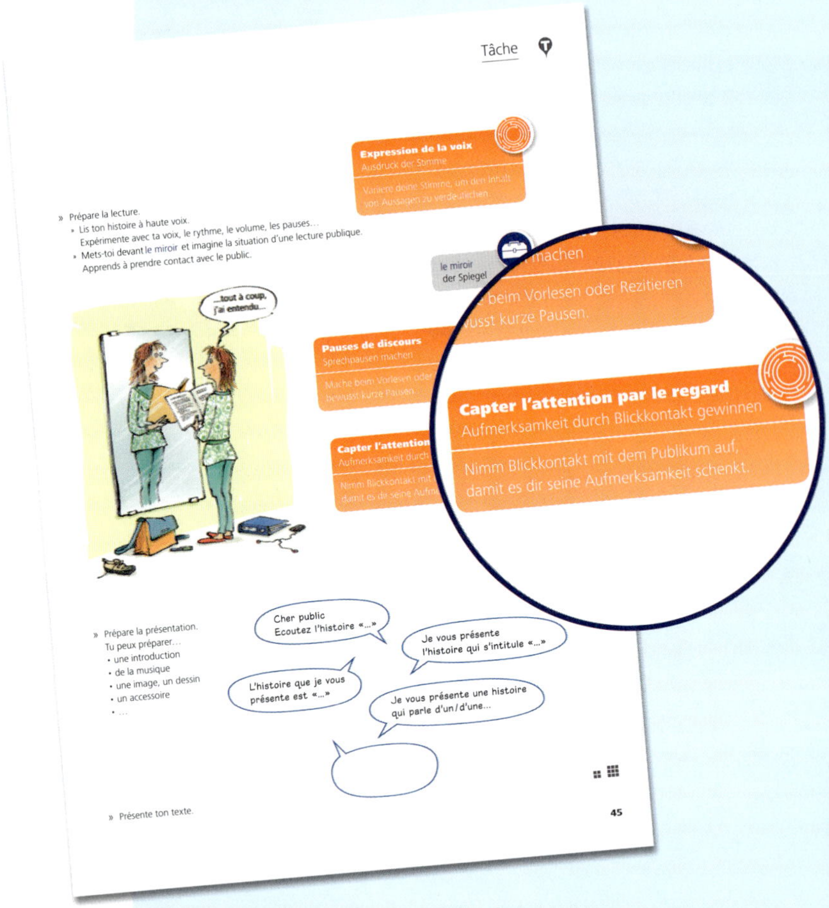

Einüben einer Lernstrategie

Lernenden sollen diese Transfermöglichkeiten von Strategien in der jeweiligen Lernsituation aufgezeigt werden, sei es, dass Lernstrategien aus dem Französischunterricht in anderen Fächern übernommen werden, sei es, dass Strategien aus anderen Fächern in den Französischunterricht einfliessen.

Dieses *magazine* beleuchtet verschiedene Themen aus der Perspektive der Musik. In den fünf Chansons, die zum Hören, Geniessen oder Mitsingen zur Verfügung stehen, ist Musik und Tanz Thema. Die beiden Chansons im Input erzählen Geschichten, während der Zugang zu Sehenswürdigkeiten und Besonderheiten von Paris durch Ausschnitte aus Chansontexten geschaffen wird.

Für die Aufgabenstellung in der *tâche* sind die beiden Chansons leitend, die die Geschichte eines Traums und einer Begegnung erzählen. Die Lernenden sind eingeladen, selber eine Geschichte zu erfinden, zu Papier zu bringen und im Rahmen einer Lesung zu präsentieren.

Si ça **vous chante!**

Des chansons te plongent dans l'univers de la musique. Elles sont à couper le souffle, qu'elles soient chantées ou rappées, mélodieuses ou rythmées. Elles parlent de la danse, de la musique, du chant ou elles racontent des histoires extraordinaires.

Paris – ville lumière et source d'inspiration pour de nombreux artistes. Leurs chansons te servent de guide pour y découvrir des curiosités et des particularités. Certains disent que c'est la plus belle ville du monde… Ça te chante?

Melodien, Rhythmen, Klänge und Chansons begleiten dich durch das ganze *magazine*. Die Geschichten, die in den Chansons erzählt werden, können dich inspirieren, wenn du selber zur Feder greifst.

Vielleicht lässt dich die eine oder andere Melodie gar nicht mehr los…

4

Nuit **de folie**

Y'a pas de saison pour que vive la musique
Au fond pas de saison pour que vive le son
En marchant tu donnes une cadence à tes pas
Tu sens la musique au bout de tes doigts

Tu dis que la vie qu'on t'a donnée est faite pour ça
Tant de choses grâce au son tu connaîtras
Ton cœur est un saphir de pick-up
On a trouvé des décibels dans ton check-up

REFRAIN

Tu danses le monde musique américaine
La cadence du funk au plus haut t'emmène
Le tempo en délire si ce soir il fait chaud
C'est qu'on monte nos mains vers le point le plus haut

REFRAIN

Toi qui dessines au fond de ton ennui les notes d'une mélodie
Une musique sans accord majeur c'est une piste sans danseur
Mais si tu ranges dans ces moments-là dans un placard tes idées noires
Les notes pourront se danser et nous reviendrons les chanter

Quand le sucre est tombé, choc, le café renversé
Je sentais bien que la journée était mal commencée
Plus tard la caisse était cassée avant que craquent les chromes
Mettant la gomme, j'avais détalé

La musique était mon sourire les vieux succès les souvenirs
On sort tous son dernier soupir lorsqu'on va mourir
Mais un souffle j'avais gardé car on ne peut pas trépasser
Chacun le sait sans voir un disque jockey

Et tu chantes danses jusqu'au bout de la nuit
Tes flashes en musique funky
Y'a la basse qui frappe et la guitare qui choque
Et y'a le batteur qui s'éclate et toi qui tiens le choc

REFRAIN

Début de soirée est un duo composé de Sacha Goëller, directeur d'une radio à Marseille, et William Picard, DJ dans un club de la région d'Aix-en-Provence.

Le groupe a connu un énorme succès en 1988 avec le titre «Nuit de folie». En tant que DJ, ils animaient des soirées en discothèques au sud de la France.

5

Das Chanson «Nuit de folie» ist heute ein Klassiker der Tanzmusik. Es war bei seinem Erscheinen im Jahre 1988 mit 1.5 Millionen verkauften Schallplatten Nummer eins der Charts in Frankreich.

In sprachlicher Hinsicht weist der Text eine Besonderheit auf. Er enthält ein semantisches Wortfeld rund um den Begriff «musique», das die Lernenden entdecken können: *son, notes, cadence, décibels, rythme, tempo, mélodie, accord majeur, piste de danse, DJ* etc.

Der Refrain ist durch seine vielen Wiederholungen einfach und kann von den Lernenden mitgesungen werden.

«Alors on danse» ist ein Chanson des belgisch-ruandischen Rappers Stromae aus dem Jahr 2009, das durch einfache melodische und rhythmische Elemente besticht. Es hielt sich in der Schweiz während fünf Wochen auf Platz eins der Charts.

Der im *magazine* angebotene Refrain lädt die Lernenden ein, das Chanson selber zu interpretieren. Ein Teil der Klasse kann den Rhythmus im Beat-Box-Stil klopfen, eine anderer das musikalische Grundmotiv auf einem Instrument spielen und eine dritte Gruppe den Refrain singen. Der Text kann von Lernenden, die sich im Rappen versuchen möchten, gesprochen werden.

Der Text handelt von Alltagsproblemen und enthält Ausdrücke aus der Alltagssprache, die man vorgängig klären könnte:

- *le taf:* Abkürzung für «travail à faire» – zu verrichtende Arbeit
- *les thunes:* Geld
- *les gosses:* die Kinder
- *s'en sortir:* damit fertig werden
- *prendre les tripes:* krank machen
- *prendre la tête:* Kopfzerbrechen bereiten

Irmas akustische Version stellt eine grosse Herausforderung für die Künstlerin dar. Während sie singt und sich auf der Gitarre begleitet, betätigt sie das Pedal ihres Loop-Geräts, das Gesang und Begleitung aufzeichnet. Während der Wiedergabe der Aufnahme singt und spielt Irma eine weitere Stimme oder Begleitmelodie. So entsteht der Effekt eines mehrstimmig gesungenen und von mehreren Gitarren begleiteten Chansons. Der Videoclip zeigt, wie virtuos Irma mit dem Loop-Gerät umzugehen weiss.

Alors **on danse**

Stromae

Alors on d… (3×)

Qui dit études dit travail, qui dit taf te dit les thunes
Qui dit argent dit dépenses et qui dit crédit dit créance
Qui dit dette te dit huissier et lui dit assis dans la merde
Qui dit amour dit les gosses, dit toujours et dit divorce
Qui dit proches te dit deuils car les problèmes ne viennent pas seuls
Qui dit crise te dit monde et dit famine dit tiers-monde
Qui dit fatigue dit réveil encore sourd de la veille
Alors on sort pour oublier tous les problèmes

Alors on danse (9×)

Et là tu t'dis que c'est fini car pire que ça ce serait la mort
Quand tu crois enfin que tu t'en sors quand y en a plus et ben y en a encore
Ecstasy tous les problèmes les problèmes ou bien la musique
Ça t'prend les tripes ça t'prend la tête et puis tu pries pour que ça s'arrête
Mais c'est ton corps c'est pas le ciel alors tu t'bouches plus les oreilles
Et là tu cries encore plus fort et ça persiste

Alors on chante
Lalalalalala, Lalalalalala
Alors on chante
Lalalalalala, Lalalalalala
Alors on chante (2×)

Et puis seulement quand c'est fini

Alors on danse (8×)

Et ben y en a encore (5×)

Stromae

Paul Van Haver est né en 1985 dans la région de Bruxelles. Sa mère est belge et son père rwandais.

Il n'a pas encore 18 ans quand il adopte son nom d'artiste. Stromae veut dire maestro en verlan.

En 2010, «Alors on danse» fait fureur en Belgique, en France, en Allemagne, en Suisse et au Québec. D'autres tubes comme «Papaoutai» ou «Formidable» font de Stromae une star mondiale.

Irma a interprété cette chanson d'une façon différente.
Le clip se trouve sur le CD.

Irma Pany est née le 15 juillet 1988 à Douala (Cameroun).

A l'âge de 7 ans, elle commence le piano classique. Plus tard, elle apprend seule à jouer de la guitare et compose ses premières chansons. A l'âge de 15 ans, Irma arrive à Paris pour faire des études.

Irma chante dans un groupe de rock. En 2011, elle entame une tournée à travers la France, la Belgique et la Suisse. Aujourd'hui, elle alimente une chaîne Youtube avec ses compositions. En 2012, son premier album se classe numéro 1 des ventes sur iTunes Store. Au MTV Europe Music Awards, elle est nominée dans la catégorie «Meilleur artiste français».

Das Chanson «Elle danse» handelt von einer jungen Frau, die hart trainiert, um ihren Traum zu verwirklichen. Sie will tanzen.

Einige Textstellen geben Hinweise darauf, wie der Tagesablauf eines *dancing victim* aussieht:

» *Elle court les salles de danse.*
» *Elle n'a plus trop le cœur à l'école.*
» *Elle s'exerce.*
» *Elle répète.*
» *Elle travaille jour et nuit.*
» *Elle se torture.*
» *Elle sait que l'on n'a rien sans rien.*

Der Refrain enthält einen Hinweis auf den 1983 erschienenen Musik- und Tanzfilm «Flashdance». Vielleicht lässt es sich einrichten, in der Klasse einen Ausschnitt aus diesem Kultfilm anzusehen. Es ist auch denkbar, die Lernenden eine kurze Choreographie zu diesem Chanson erfinden und einüben zu lassen.

Das Chanson hat einen autobiografischen Hintergrund. Shy'm tanzt ebenfalls intensiv und hat andere Berufswünsche zugunsten der Musik und des Tanzes verworfen.

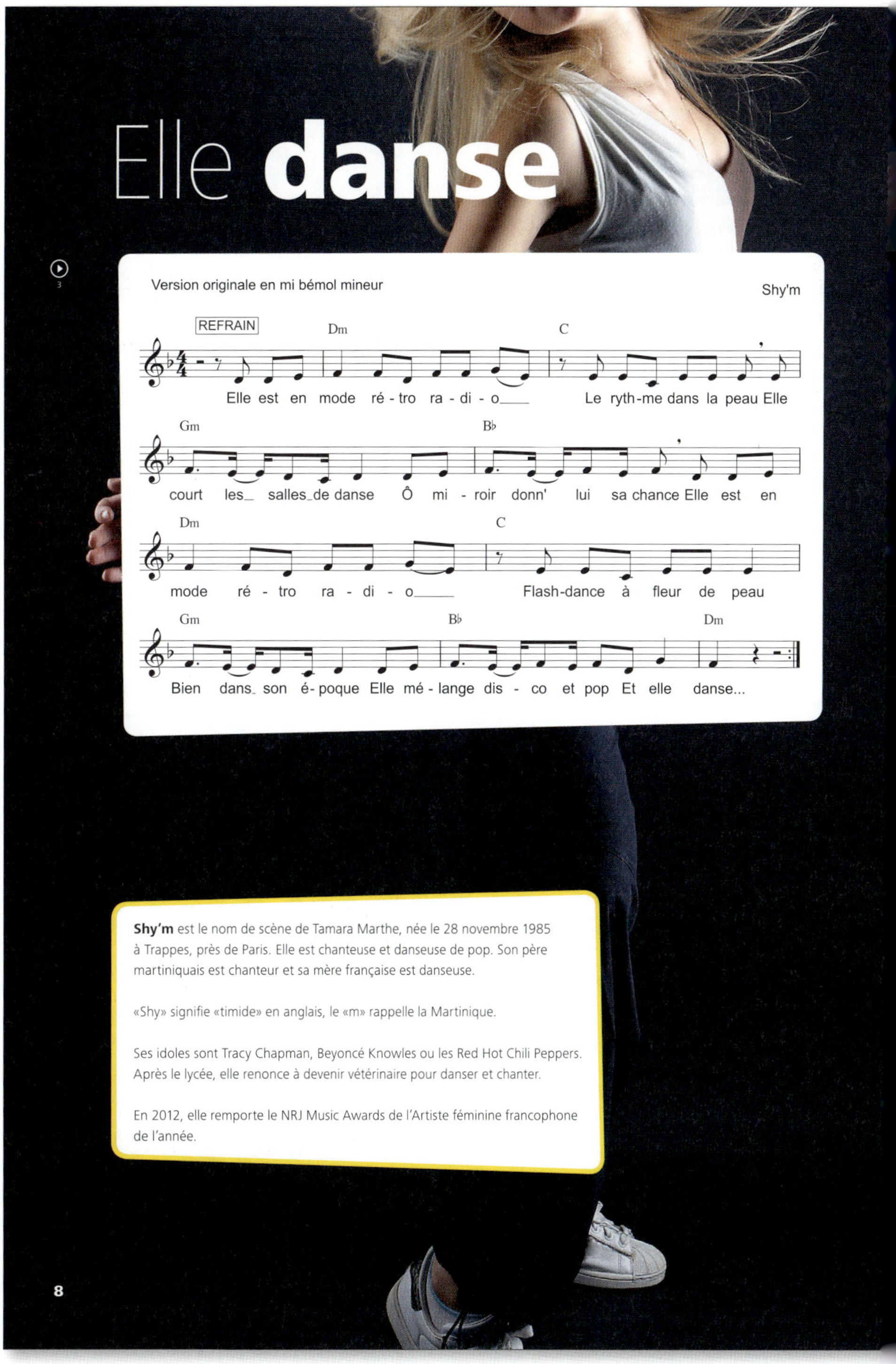
Elle **danse**

Shy'm est le nom de scène de Tamara Marthe, née le 28 novembre 1985 à Trappes, près de Paris. Elle est chanteuse et danseuse de pop. Son père martiniquais est chanteur et sa mère française est danseuse.

«Shy» signifie «timide» en anglais, le «m» rappelle la Martinique.

Ses idoles sont Tracy Chapman, Beyoncé Knowles ou les Red Hot Chili Peppers. Après le lycée, elle renonce à devenir vétérinaire pour danser et chanter.

En 2012, elle remporte le NRJ Music Awards de l'Artiste féminine francophone de l'année.

8

REFRAIN
Elle est en mode rétro-radio
Le rythme dans la peau
Elle court les salles de danse
Ô miroir donne-lui sa chance

Elle est en mode rétro-radio
Flashdance à fleur de peau
Bien dans son époque
Elle mélange disco et pop
Elle danse

Miss n'a plus trop le cœur à l'école
A le boom box à l'épaule
A troqué ses ballerines
Pour des Stan Smith sans lacets

Elle s'inspire de ses idoles
Elle porte les guêtres aux pieds
Une fashion victim est née

Elle court tous les jours
Pour évacuer le stress
Elle s'évade dans sa tête
Elle crâne, elle rêve

Elle s'enivre de mélodies
Qui inspirent ses moindres gestes
Elle s'exerce, elle répète
Elle est prête

REFRAIN

Et elle danse, danse, danse, danse, danse (4×)

Miss travaille jour et nuit
Se torture sans merci
Elle sait que l'on n'a rien sans rien
C'est le rêve de sa vie

Elle danse sa personnalité
Dans toute sa féminité
Une dancing victim est née

Elle court tous les jours
Pour évacuer le stress
Elle s'évade dans sa tête
Elle crâne, elle rêve

Elle s'enivre de mélodies
Qui inspirent ses moindres gestes
Elle s'exerce, elle répète
Elle est prête

REFRAIN

Et elle danse, danse, danse, danse, danse (4×)
Et elle danse

REFRAIN

Et elle danse, danse, danse, danse, danse (4×)

9

Die französische Gruppe «Les Forbans» erweckte in den Achtzigerjahren den amerikanischen «Rock'n'Roll» zu neuem Leben. Ihr Chanson «Chante», eine Adaptation des 1962 überaus erfolgreichen US-Hits «Shout shout (Knock Yourself Out)» von Ernest Maresca, wurde ein voller Erfolg. Die Gruppe orientierte sich auch modisch an den Fünfziger- und Sechzigerjahren und trat in weissen Anzügen und mit Elvis-Tollen auf.

Der Text des Chansons erinnert mit Ausdrücken wie *chouette, c'est sympa, ramène-toi, fais bien gaffe* an das neue Lebensgefühl von Freiheit und Vergnügen.

Mit Unterstützung der Multimedia-CD, des Ausschnitts aus der Partitur und den Strophen- und Refraintexten können die Lernenden das Chanson leicht mitsingen.

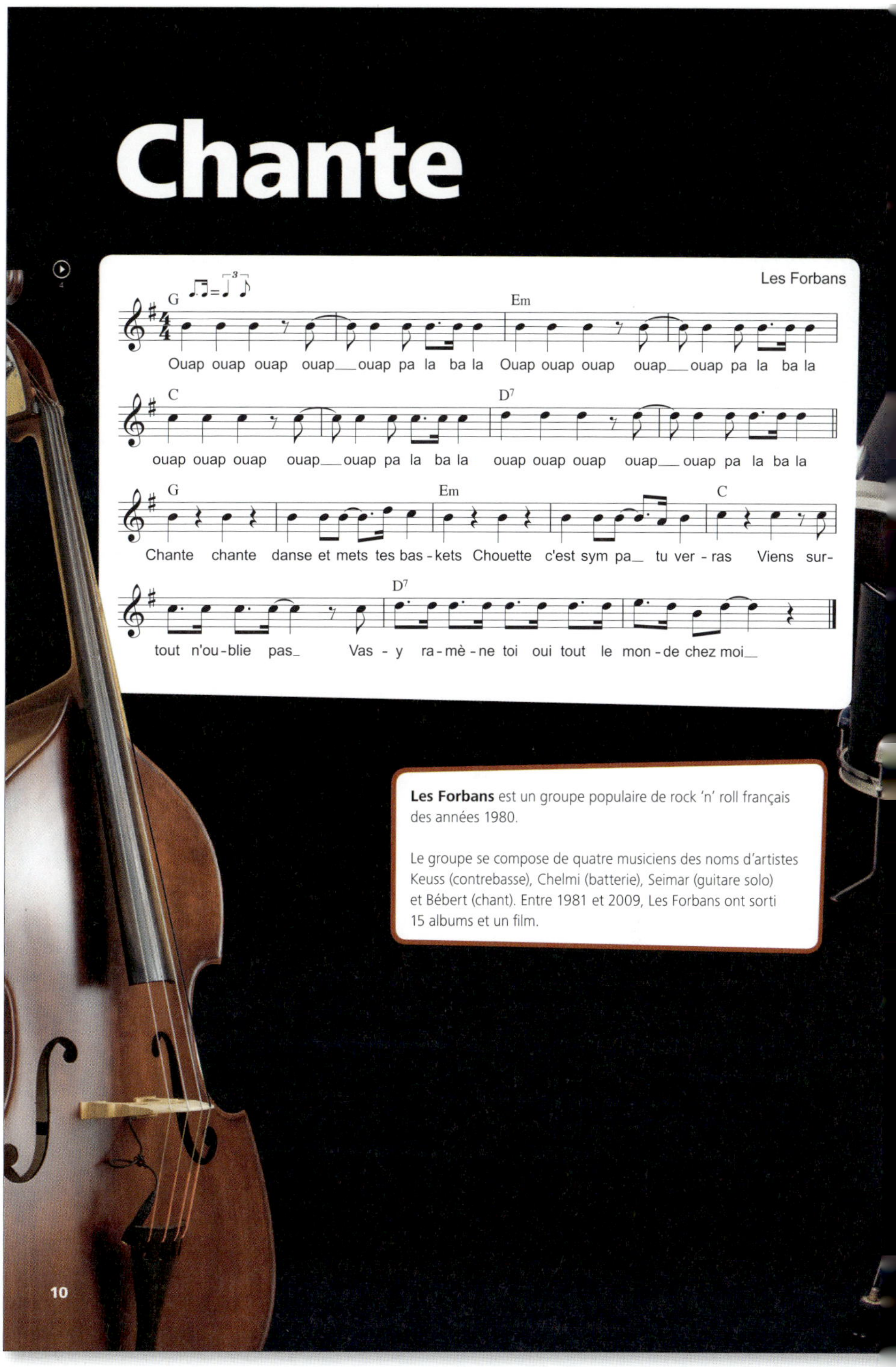

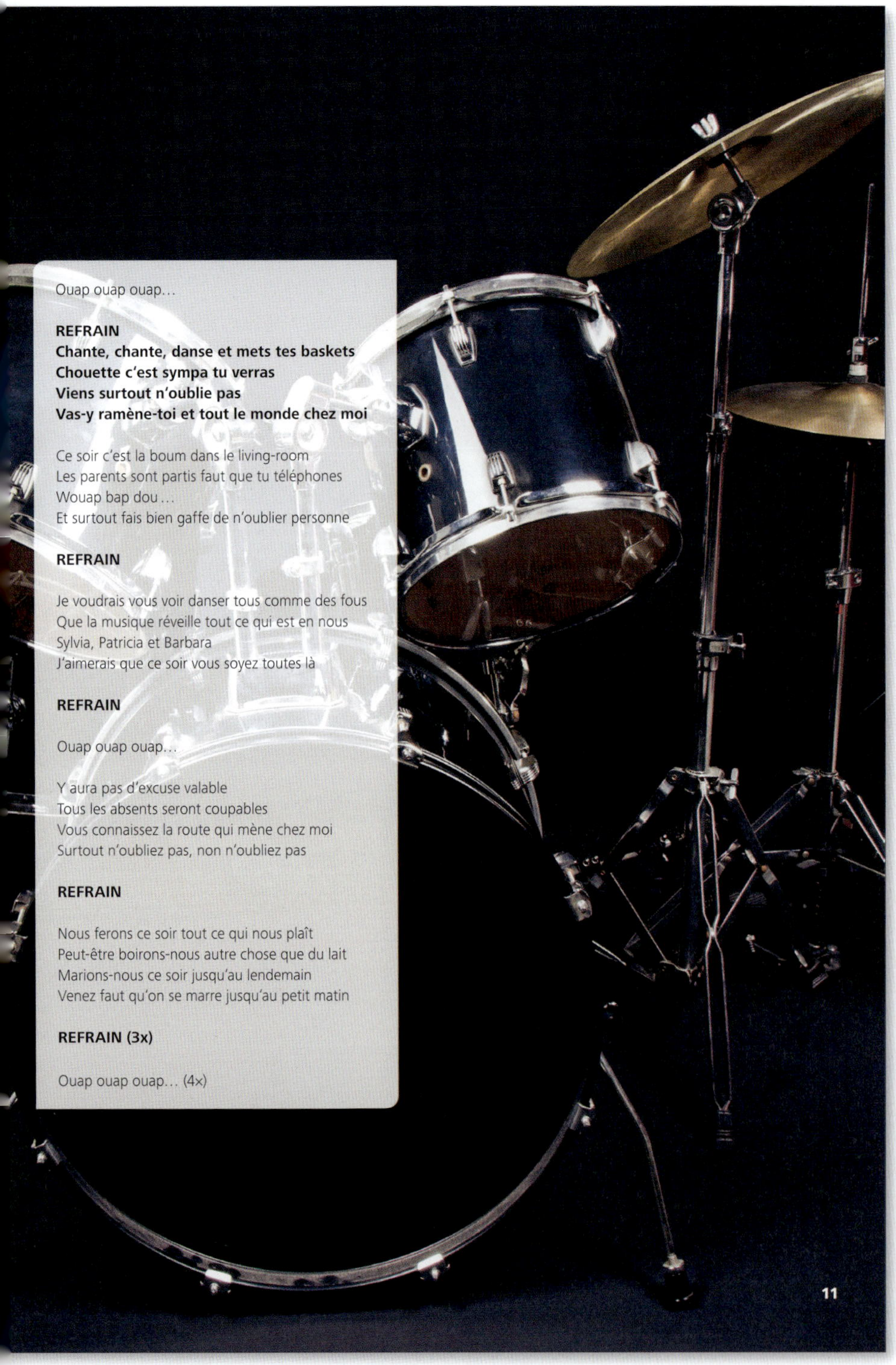

Ouap ouap ouap…

REFRAIN
Chante, chante, danse et mets tes baskets
Chouette c'est sympa tu verras
Viens surtout n'oublie pas
Vas-y ramène-toi et tout le monde chez moi

Ce soir c'est la boum dans le living-room
Les parents sont partis faut que tu téléphones
Wouap bap dou…
Et surtout fais bien gaffe de n'oublier personne

REFRAIN

Je voudrais vous voir danser tous comme des fous
Que la musique réveille tout ce qui est en nous
Sylvia, Patricia et Barbara
J'aimerais que ce soir vous soyez toutes là

REFRAIN

Ouap ouap ouap…

Y aura pas d'excuse valable
Tous les absents seront coupables
Vous connaissez la route qui mène chez moi
Surtout n'oubliez pas, non n'oubliez pas

REFRAIN

Nous ferons ce soir tout ce qui nous plaît
Peut-être boirons-nous autre chose que du lait
Marions-nous ce soir jusqu'au lendemain
Venez faut qu'on se marre jusqu'au petit matin

REFRAIN (3x)

Ouap ouap ouap… (4×)

11

Das Chanson «La musique peut tout changer» wurde im Rahmen eines musikpädagogischen Projekts von einer Klasse des «Collège Colette» in Sartrouville – einer *banlieue* von Paris – geschrieben, aufgenommen und als Videoclip realisiert. Die Schülerinnen und Schüler haben damit am Festival OROLEIS einen Preis gewonnen.

Der Refrain vermittelt die Botschaft des Chansons wie auch des Musikprojekts: «La musique peut tout changer, elle peut tous nous rassembler».

Die Lernenden werden weitere Stellen im Text finden, die die Macht der Musik besingen:

» *La musique a mis le feu*
» *La musique peut tout changer*
» *Alors on s'est tous mis à chanter, à bouger et à danser*
» *La musique nous tient chaud*

Der Videoclip, der in der Nähe des Eiffelturms aufgenommen worden ist, befindet sich auf der Multimedia-CD.

Die Internetadresse
www.youtube.com/channel/
UCGZGGO4ADhvTmac84bObNGw
leitet auf die eigene *chaîne musique* dieser Schule, wo zahlreiche weitere Videoclips mit Chansons, die am «Collège Colette» realisiert wurden, zu sehen sind. Ein Hinweis darauf findet sich im *magazine* auf Seite 32.

La musique
peut tout changer

Le Collège Colette se trouve à Sartrouville, dans la banlieue de Paris. En 2009, les élèves du Collège ont écrit cette chanson et ils ont tourné un clip près de la Tour Eiffel.

La chanson «La musique peut tout changer» parle de l'effet positif de la musique. Ces jeunes collégiens forment un groupe multiculturel qui exprime sa joie de vivre.

12

Collège Colette de Sartrouville - M. Bertram

On arrivait tous des quatre coins du monde
On s'était tous retrouvés par hasard
On s'était tous dit que ce serait de la bombe
Même si c'était pas gagné au départ
Chacun avait son look et son histoire
Sa propre manière pour chanter
On était tous un peu dans le brouillard
On ne savait pas où on allait
…

He, moi je sais pas chanter
T'inquiète pas, on va t'apprendre
On commence quand
On commence maintenant

Au début tout le monde se battait
On avait tous envie de se tuer
On se prenait tous des heures de colle
On n'aimait pas beaucoup l'école
Mais peu à peu, comme un jeu
La musique a mis le feu
Un peu comme si le vaudou
S'était emparé de nous

REFRAIN (2×)
La musique peut tout changer
Elle peut tous nous rassembler
Elle nous fait imaginer
Que la vie c'est Yeah!

Diouell voulait du hip-hop
Et Jason de la salsa
Laetitia voulait chanter du zouk
Et Tracy du ragga
Pas facile de trouver un chemin commun
Quand ça part dans tous les sens
Faut que chacun y mette du sien
On avance

Alors on s'est tous mis à chanter
A bouger et à danser
Comme si la tristesse de l'école
Etait oubliée
C'était un tremblement de terre
Une tornade un ouragan
Mais ensemble on peut tout faire
Et c'est ça ce qui est important

REFRAIN (2×)

Que l'on soit de Mexico
Ou de Bisso Na Bisso
Que l'on soit d'en bas ou d'en haut
La musique nous tient chaud
Oh…

La musique peut tout changer
Elle nous fait imaginer
Yeah!

REFRAIN

Die beiden Chansontexte im Input erzählen Geschichten und dienen damit als Anregung, selber eine Geschichte zu schreiben.

Das Chanson «Punaise» erzählt über «Un malheur après l'autre», wobei es sich herausstellt, dass es glücklicherweise nur ein Traum war, also «Ce n'est qu'un rêve», «Quelle chance!», während das Chanson «Le petit martien» über eine besondere Begegnung – «Une rencontre» – berichtet.

Diese vier Titel stehen den Lernenden als Thema ihrer eigenen Geschichte zur Wahl. Im Rahmen einer Lesung werden sie ihren Text den andern vorstellen.

Der Blick auf die *tâche* zeigt den Lernenden, welche Aufgabe sie am Ende des *parcours* bearbeiten werden. Das ermöglicht ihnen, während der Arbeit mit dem *magazine* den Zusammenhang zwischen den *objectifs,* den *activités* und der grossen Schlussaufgabe zu erkennen. Damit ist die *tâche* der eigentliche Motor für das Lernen.

Aperçu de la tâche

Aperçu de la tâche

Cette histoire vous chante?

Les chansons «Punaise» et «Petit martien» racontent des histoires amusantes. Dans la tâche, tu écris toi-même une histoire – l'histoire d'une rencontre, d'un petit malheur, d'un rêve inoubliable ou d'un moment où tu as eu de la chance. Ensuite, tu la lis devant un public: «Cher public, écoutez l'histoire...»

14

selbstständige Nachschauen von korrekten Formen mit Hilfe verschiedener Referenzwerke.

Ein weiteres Ziel dieses Bereichs betrifft die Auftrittskompetenz der Lernenden, während mit dem dritten Ziel das Handlungsfeld «Sprachlernreflexion» aus dem Lehrplan «Passepartout» abgebildet wird.

wählte Sehenswürdigkeiten und Besonderheiten in Paris, die in Chansons besungen werden, thematisiert, womit auf frankophones Kulturgut eingegangen wird.

Das Schreiben einer eigenen Geschichte im *passé composé* verlangt von den Lernenden das Bilden dieser Zeitform mit neuen, nicht eingeübten Verben. Aus diesem Grund betrifft ein Ziel aus Kompetenzbereich III das

Objectifs

Objectifs

Französisch hören, lesen, sprechen, schreiben
Ich kann aus Hörtexten (Chansons) einzelne Ausschnitte heraushören.
Ich kann den Inhalt von einigen Chansons verstehen, wenn mir Verstehenshilfen zur Verfügung stehen.
Ich kann eine eigene Geschichte schreiben.
Ich kann eine selbst geschriebene Geschichte vorlesen.
Ich kann das *passé composé* mit den Hilfsverben *avoir* und *être* bilden und beim Schreiben eines Textes verwenden.

Bewusstheit für Sprachen und Kulturen
Ich kenne einige französische Chansons und deren Interpretinnen und Interpreten.
Ich kenne verschiedene Sehenswürdigkeiten und Besonderheiten von Paris.

Lernstrategien
Ich weiss, dass ich Verbformen in einer Verbentabelle oder in einem Online-Wörterbuch nachschauen kann.
Ich weiss, dass ich durch Blickkontakt die Aufmerksamkeit des Publikums gewinnen kann.
Ich kann mein Lernen und meine Lernstrategien mit Hilfe der *revue* oder des ESP reflektieren.

Das habe ich auch noch gelernt

15

Zu Beginn des *magazine* verschaffen sich die Lernenden einen Überblick über die Lernziele. Dadurch können sie erkennen, welche Ressourcen und Kompetenzen sie sich aneignen werden, und möglicherweise während der Bearbeitung selbstständig überprüfen, inwieweit sie die Lernziele bereits erreicht haben.

Die vier Kompetenzziele zum Sprachhandeln beziehen sich auf das Handlungsfeld «Erzählungen und Berichte erschliessen und interpretieren» des Lehrplans «Passepartout». Die beiden als Input verwendeten Chansons erzählen Geschichten, die als Inspirationsquelle für das Schreiben einer eigenen Geschichte dienen. Diese wird anlässlich einer Autorenlesung vorgestellt, womit die Lernenden ihre Kompetenzen im gestaltenden Lesen und Auftreten weiterentwickeln.

Im *magazine* werden nebst den als Input verwendeten Chansons fünf weitere angeboten; dies einerseits, um die Palette an verschiedenen Stilrichtungen zu erweitern, andererseits, um Gelegenheit zu ungesteuertem Erwerb der Zielsprache zu schaffen. Chansontexte sind eingängig und es ist anzunehmen, dass die Lernenden die eine oder andere Formulierung ohne Anstrengung memorieren und in ihren Wortschatz aufnehmen.

Eine geläufige Zeitform, um die Handlung einer Geschichte wiederzugeben, ist das *passé composé.* Aus diesem Grund wird in *magazine* 7.4 diese Zeitform thematisiert. Das grammatikalische Ziel hat also keinen Selbstzweck, sondern steht im Dienste der sprachlichen Handlungsfähigkeit und ist dieser somit untergeordnet. Im Sinne des spiralförmigen Lernens vertiefen die Lernenden in diesem *magazine* ihr Wissen und Können in Bezug auf das *passé composé* mit *avoir* und entdecken neu das *passé composé* mit *être,* das die Anpassung des Partizips in Geschlecht und Zahl verlangt.

Das erste Ziel von Kompetenzbereich II betrifft ein Kulturgut der frankophonen Welt, dem die Lernenden im Verlaufe des Französischunterrichts schon oft begegnet sind. In jedem *magazine* von *Mille feuilles* und *Clin d'œil* wurden Chansons zum Hören oder zum Mitsingen angeboten. Da in diesem *magazine* französische Chansons als Input Verwendung finden, wird hier ein entsprechendes Ziel zur Bewusstheit über Kulturen ausgewiesen.

Die sieben Chansons wurden von verschiedenen Künstlern in den Jahren 1982 bis 2012 interpretiert. Den ersten fünf Chansons ist gemeinsam, dass sie Musik und Tanz besingen, die zwei als Input verwendeten erzählen Geschichten. Die Lernenden begegnen hier einer Palette an Chansons – vom Rock' n' Roll bis zum Rap. Zudem erhalten sie je ein paar Informationen über die verschiedenen Interpreten.

George Gershwin soll gesagt haben: «Il n'y a que deux sujets de chansons possibles: l'amour et Paris!». Und wirklich: über Paris wurden rund 3000 Chansons geschrieben. In diesem *magazine* werden ein paar ausge-

Idee des *parcours*
Die Lernenden begegnen mehreren französischen Chansons verschiedener Stilrichtungen und damit typisch französischem Kulturgut. Die Chansons sind einerseits die Grundlage für interkulturelles Lernen, andererseits baut die Spracharbeit auf den Inhalten einzelner Chansons auf.

Input
Den beiden Chansons ist gemeinsam, dass sie eine Geschichte erzählen: ein Traum und eine aussergewöhnliche Begegnung. Die Aufnahmen laden zum wiederholten Hören ein, wobei für die Geschichte des kleinen Marsmenschen zusätzlich ein Videoclip zur Verfügung steht. Die Lernenden erfassen die Inhalte global mit Hilfe von Höraufträgen, Illustrationen und unterstützenden Prosatexten.

Tâche
In der *tâche* schreiben die Lernenden zu einem der Themen, die zur Wahl stehen, eine eigene Geschichte, die sie den andern anlässlich einer Autorenlesung vorstellen.

Activités
In *activité* A steigen die Lernenden mit einem Potpourri der sieben in diesem *magazine* angebotenen Chansons in den *parcours* ein. Ein Hörauftrag unterstützt sie dabei, die einzelnen Ausschnitte herauszuhören, um anschliessend die vollständige Version des einen oder anderen Chansons nach Wahl zu geniessen.

In den *activités* B und D erschliessen die Lernenden die Inhalte der beiden Chansons «Punaise» und «Petit martien». Verschiedene Aufgabenstellungen und Hilfsmittel wie Illustrationen, Textausschnitte, *boîtes de traductions,* Prosatexte und ein Videoclip unterstützen sie dabei.

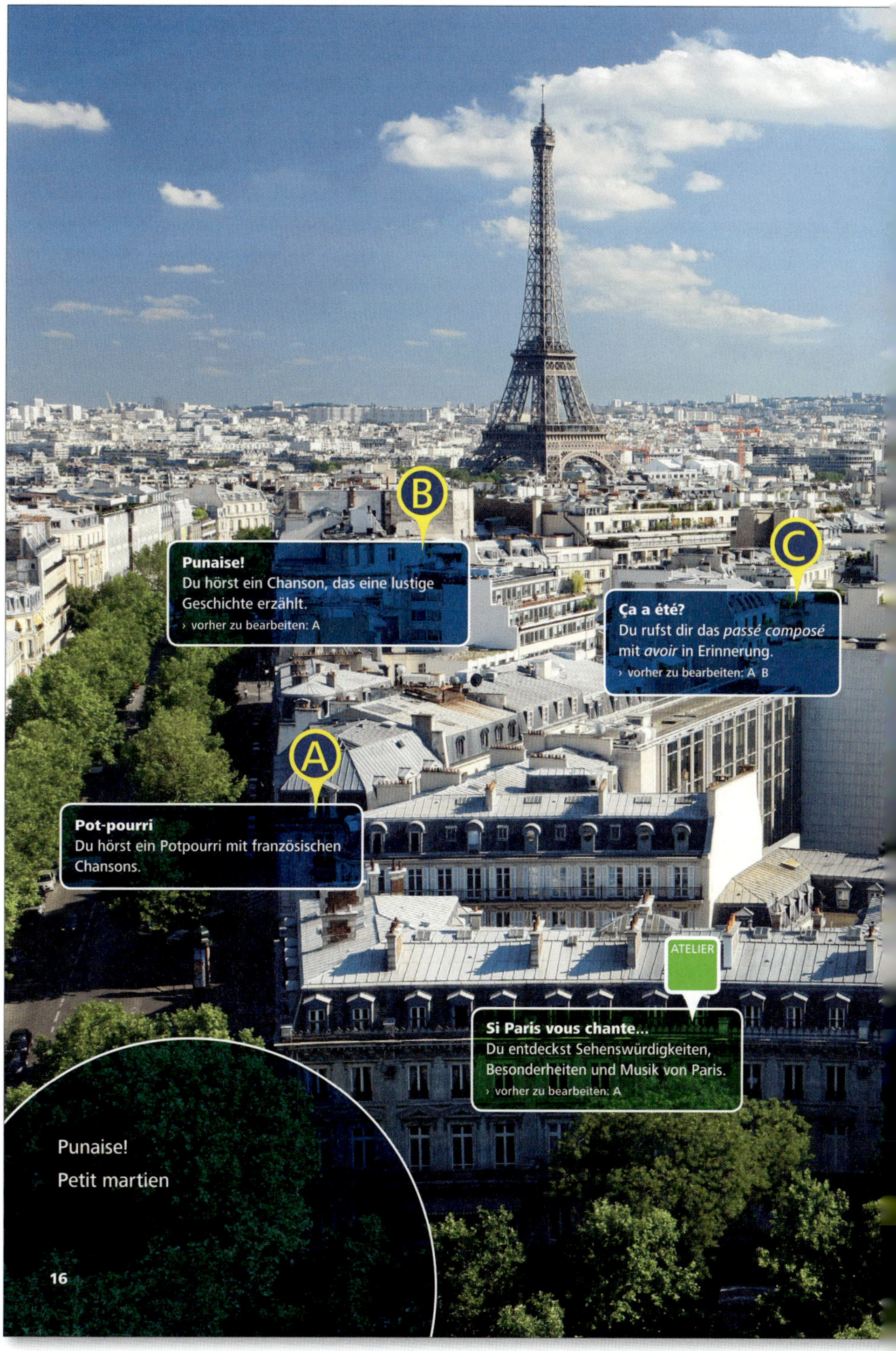

In *activité* C entdecken die Lernenden zum wiederholten Mal, wie das *passé composé* mit dem Hilfsverb *avoir* gebildet wird. Neu werden sie angeleitet, nicht bekannte Partizipformen von nicht -*er*-Verben in einem Online-Wörterbuch oder in einer Konjugationstabelle nachzuschauen.

Das *passé composé* mit dem Hilfsverb *être* wird in *activité* E thematisiert. Die Lernenden wiederholen zuerst die Konjugation von *être* und erkennen auf Grund verschiedener Beispiele, wie sich das Partizip dem Subjekt anpasst.

Im Atelier «Si Paris vous chante...» begeben sie sich auf einen Streifzug durch Paris. Geleitet von Zitaten aus Chansontexten begegnen sie einzelnen Sehenswürdigkeiten und Besonderheiten wie beispielsweise dem Eiffelturm, der Spezialität «Champignons de Paris», dem Glöckner von Notre-Dame, den Figuren von Jean Tinguely und Niki de Saint Phalle im Strawinski Brunnen, den Gebeinen in den Katakomben und vielem mehr. Auf der Multimedia-CD finden sich zu den thematisierten Inhalten weiterführende Informationen.

In *activité* F wohnen die Lernenden einer filmisch festgehaltenen Autorenlesung bei.

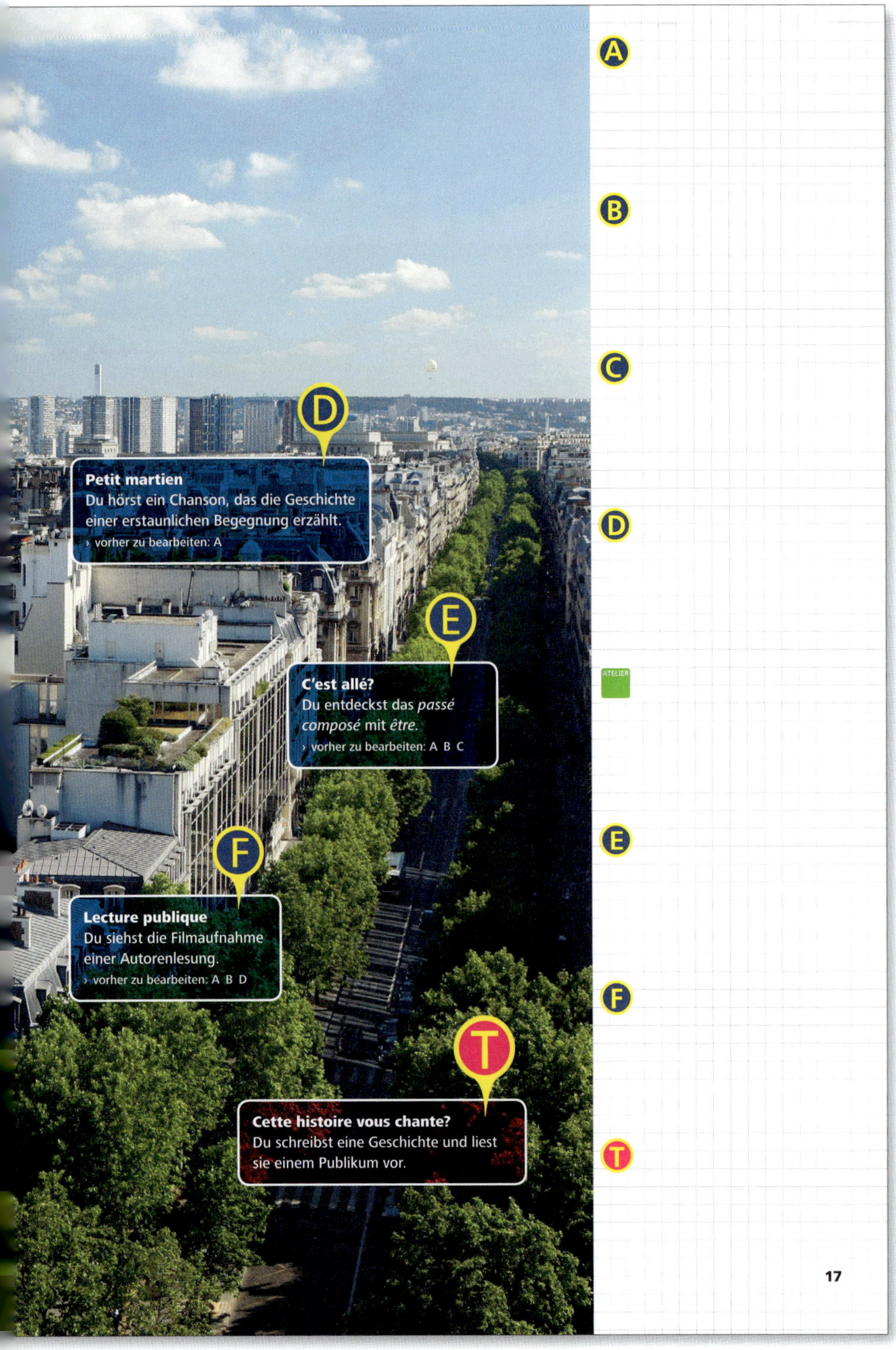

Die von einer Autorin und einem Autor aus der Romandie verfassten und präsentierten Kurzgeschichten dienen als Beispiele für das Verfassen und Vorlesen einer eigenen Geschichte.

Mit diesem Text wird der Inhalt des Chansontextes in Prosa nacherzählt.

CRASH! Punaise!

Thomas Fersen

9-10

Un matin, je suis parti de chez moi en voiture. Après quelques mètres, un clou a troué mon pneu. Punaise, j'étais gonflé à bloc. Je n'avais pas le choix: je devais marcher jusqu'au garage pour acheter une nouvelle chambre à air.

Arrivé là-bas, j'avais les pieds en compote. Malgré ces ennuis, j'ai rassemblé tout mon courage. J'ai mis le nouveau pneu et j'étais enfin prêt à repartir.

Malheureusement j'ai démarré en marche arrière et BING, j'ai enfoncé le pare-choc. Suite au coup, j'ai renversé le lait et pire encore, j'ai écrasé un coq. Quand je voulais partir de nouveau, j'ai oublié de desserrer le frein à main. Du coup, la bagnole était morte.

Enervé, je suis descendu de la voiture et j'ai claqué la porte. La clenche m'est restée dans ma main et la porte entière est tombée sur le chemin. J'ai crié: «Punaise!»

Tout à coup, j'ai entendu le chant du coq. Je me suis réveillé dans ma chambre, couché dans mon lit. Quelle chance! Ce n'était qu'un rêve.

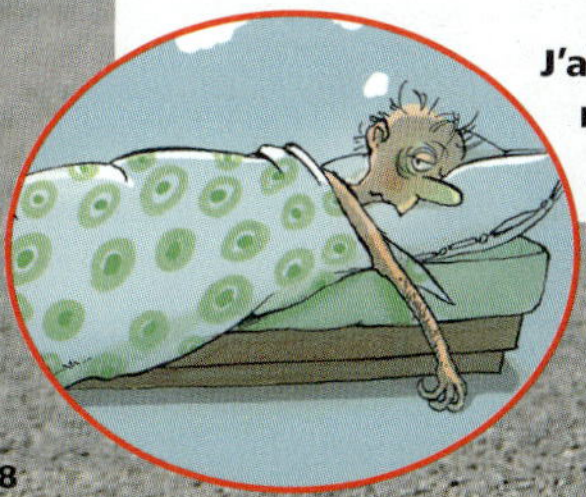

J'ai sauté du lit, j'ai mis mes habits et j'ai arrangé mes cheveux. Je suis parti à toute vitesse et j'ai fait crisser les pneus… J'étais gonflé à bloc!

Le Parisien **Thomas Fersen** a reçu sa première guitare pour ses 14 ans, en 1977. Sa première chanson est sortie en 1988. Depuis, il a sorti plusieurs albums à grand succès.

18

Mit diesem Text wird der Inhalt des Chansontextes in Prosa nacherzählt. Die Illustrationen stammen aus dem Videoclip.

Petit martien

La Fanfare en Pétard

16–17

Un matin, je me suis baladé dans la cité. C'est là que j'ai vu un petit martien. Il avait l'air bien énervé. Je lui ai demandé: «Hé, qu'est-ce que tu fais toi avec tes trois doigts de pieds?» Il m'a juste répondu: «Bibidibibidibibidibibidibibidiboum ba deï.»

Deux secondes après, on a rencontré un flic. Le martien lui a dit: «Hé toi, t'es ouf avec tes cinq doigts de pieds.»

Manque de chance – le policier nous a emmenés au commissariat où on a passé la nuit.

Le lendemain, on est sorti du commissariat. Le petit martien et moi, nous avons décidé de partir loin, très loin. Mais où aller? On avait envie d'écouter de la bonne musique hiphop funky. C'est pour cette raison qu'on a pris l'avion en destination de New York.

Arrivés dans cette grande ville, on est entré dans la première cave qu'on a trouvée. Malheureusement, la musique n'était pas bonne. C'est pourquoi le petit martien a commencé à se bagarrer avec le DJ pour obtenir le microphone. Hélas, il ne connaissait pas les coutumes du monde. Entre-temps, moi j'ai pris la place du DJ. Dans la salle toute enthousiasmée, on a fait la fête jusqu'au bout de la nuit.

Le groupe **La Fanfare en Pétard**, souvent surnommé **FEP**, est un groupe de hip-hop de Strasbourg, en Alsace. Il se compose de six musiciens dont les instruments sont: le mégaphone, le saxophone, la trompette, la caisse, le soubassophone et le trombone.

Ils chantent surtout en français, mais aussi en anglais et en alsacien.

19

Mit einem Potpourri der sieben in diesem *magazine* angebotenen Chansons steigen die Lernenden in den *parcours* ein. Die lose aneinandergereihten Ausschnitte ermöglichen eine Reise durch verschiedene Musikstile des französischen Chansons. Einen Überblick über dieses Musikgenre zu schaffen, ist allerdings kein Ziel. Die Chansons wurden vor allem nach thematischen Gesichtspunkten ausgewählt; die als Inputtexte angebotenen Chansons erzählen eine Geschichte, die weiteren besingen Musik und Tanz.

Nachdem die Lernenden das Potpourri als Ganzes gehört haben, versuchen sie auf Grund der Textausschnitte, die einzelnen Chansons herauszuhören, und schulen damit ihr Hörverstehen. Zum Abschluss der *activité* wählen sie ein bis zwei Chansons aus, die ihr Interesse geweckt haben, und hören sich die vollständige Version an.

Activité **A**

Pot-**pourri**

Tu écoutes un pot-pourri de chansons françaises.

7 chansons – 7 styles – 7 thèmes… il y en a pour tous les goûts!
Ça te chante de plonger dans le monde de la musique française?

1
6 » Ecoutez le pot-pourri qui se compose d'extraits des 7 chansons de ce magazine.
7 » Lisez et écoutez les titres et les extraits des chansons.
» Réécoutez le pot-pourri. Marquez les extraits que vous entendez.

réécoutez
hört noch einmal

La musique peut tout changer
Die Musik kann alles verändern
...la musique peut tout changer, elle peut tous nous rassembler...
… die Musik kann alles verändern, sie kann uns alle zusammenbringen …

Elle danse
Sie tanzt
...elle est en mode rétro-radio, le rythme dans la peau...
… sie ist im Retro-Radio-Modus, den Rhythmus in der Haut (im Blut) …

Alors on danse
Lasst uns tanzen
...alors on danse...

Nuit de folie
Verrückte Nacht
...et tu chantes, chantes, chantes ce refrain qui te plaît...

Petit martien
Kleiner Marsmensch
...petit martien, petit petit petit martien...

Chante
Sing
...chante, chante, danse et mets tes baskets...
… sing, sing, tanz und zieh deine Turnschuhe an …

Punaise
Verflixt
...j'étais gonflé à bloc...
… ich war so was von genervt …

2
1–5, 9, 16
Quelles chansons aimeriez-vous écouter?
» Choisissez 1 à 2 chansons.
» Ecoutez-les. Vous les trouvez aux pages 5 à 13 et 18 et 19.

J'aimerais écouter «…».
D'accord.
Ça roule!
Je préfère écouter «…».

20

1 Die Aufgabe dient der Schulung des Hörverstehens. Sie regt die Lernenden an, genau hinzuhören und Einzelnes aus einem komplexen Ganzen herauszuhören. Die Anordnung der gedruckten Texte lehnt sich der Reihenfolge der Chansons im Potpourri an, was das Erkennen der einzelnen Ausschnitte unterstützt und erleichtert.

Wenn die Lernenden motiviert sind, kann das Potpourri mehrmals abgespielt werden. Für die Weiterarbeit ist es jedoch nicht von Belang, dass sie alle Ausschnitte heraushören und unterscheiden können.

Reihenfolge der Chansons im Potpourri:

1. «La musique peut tout changer»
2. «Elle danse»
3. «Alors on danse»
4. «Chante»
5. «Petit martien»
6. «Nuit de folie»
7. «Punaise»

2 Die Sprechblasen zeigen an, dass an dieser Stelle ein Austausch auf Französisch vorgesehen ist. Für die Lernenden soll dieses Signal mittlerweile eindeutig und verbindlich sein.

Die Fertigkeit «Sprechen» wird unter anderem dann eingeübt, wenn sich die Lernenden mit Mitschülerinnen und Mitschülern über Unterrichtsinhalte austauschen. Im Lehrplan «Passepartout» sind solche Lernaktivitäten im Handlungsfeld «Die Fremdsprache in der Gruppe anwenden» beschrieben.

Méli-mélo

Titeuf

21

Dieses *méli-mélo* verbindet die Themen von *magazine* 7.3 und 7.4. Die Lernenden begegnen erneut der BD-Figur Titeuf, diesmal im Kontext von Musik und Tanz.

Zum Schluss der BD-Geschichte hören die beiden Jungen ein Chanson von Henri Dès. Die Lernenden können an die Chansons dieses Musikers erinnert werden, denen sie in *Mille feuilles* begegnet sind: «Polyglotte» (*magazine* 3.1) und «La machine» (*magazine* 4.1).

Auf individuelle Bedürfnisse eingehen

Anforderungen reduzieren
Zusätzlicher Support
» Das Potpourri nach jedem Ausschnitt kurz unterbrechen

Anforderungen erweitern
Erhöhte Komplexität der Aufgabe
» Die Höraufgabe ohne Angaben zur Reihenfolge der Textausschnitte bearbeiten (vgl. E, *magazine* Seite 20)

Weiterführende Aufgabe
» Beim Anhören der Chansons nach Wahl für jedes verstandene Wort einen Strich setzen oder das entsprechende Wort notieren
» Den Refrain eines ausgewählten Chansons (Seiten 5 bis 13) mehrmals anhören, mitlesen und mitsingen

Mit einem Potpourri der sieben in diesem *magazine* angebotenen Chansons steigen die Lernenden in den *parcours* ein. Die lose aneinandergereihten Ausschnitte ermöglichen eine Reise durch verschiedene Musikstile des französischen Chansons. Einen Überblick über dieses Musikgenre zu schaffen, ist allerdings kein Ziel. Die Chansons wurden vor allem nach thematischen Gesichtspunkten ausgewählt; die als Inputtexte angebotenen Chansons erzählen eine Geschichte, die weiteren besingen Musik und Tanz.

Nachdem die Lernenden das Potpourri als Ganzes gehört haben, versuchen sie auf Grund der Textausschnitte, die einzelnen Chansons herauszuhören, und schulen damit ihr Hörverstehen. Zum Abschluss der *activité* wählen sie ein bis zwei Chansons aus, die ihr Interesse geweckt haben, und hören sich die vollständige Version an.

Activité **A**

Pot-**pourri**

Tu écoutes un pot-pourri de chansons françaises.

7 chansons – 7 styles – 7 thèmes… il y en a pour tous les goûts!
Ça te chante de plonger dans le monde de la musique française?

6 » Ecoutez le pot-pourri qui se compose d'extraits des 7 chansons de ce magazine.

7 » Lisez et écoutez les titres et les extraits des chansons.

1 » Réécoutez le pot-pourri. Marquez les extraits que vous entendez.

réécoutez
hört noch einmal

Nuit de folie
Verrückte Nacht
...et tu chantes, chantes, chantes ce refrain qui te plaît...

Elle danse
Sie tanzt
...elle est en mode rétro-radio, le rythme dans la peau...
… sie ist im Retro-Radio-Modus, den Rhythmus in der Haut (im Blut) …

Petit martien
Kleiner Marsmensch
...petit martien, petit petit petit martien...

Alors on danse
Lasst uns tanzen
...alors on danse...

Chante
Sing
...chante, chante, danse et mets tes baskets...
… sing, sing, tanz und zieh deine Turnschuhe an …

Punaise
Verflixt
...j'étais gonflé à bloc...
… ich war so was von genervt …

La musique peut tout changer
Die Musik kann alles verändern
...la musique peut tout changer, elle peut tous nous rassembler...
… die Musik kann alles verändern, sie kann uns alle zusammenbringen …

2 Quelles chansons aimeriez-vous écouter?
» Choisissez 1 à 2 chansons.
» Ecoutez-les. Vous les trouvez aux pages 5 à 13 et 18 et 19.

1–5 9 16

J'aimerais écouter «…».
D'accord.
Ça roule!
Je préfère écouter «…».

20

1 Die Aufgabe dient der Schulung des Hörverstehens. Sie regt die Lernenden an, genau hinzuhören und Einzelnes aus einem komplexen Ganzen herauszuhören.

Wenn die Lernenden motiviert sind, kann das Potpourri mehrmals abgespielt werden. Für die Weiterarbeit ist es jedoch nicht von Belang, dass sie alle Ausschnitte heraushören und unterscheiden können.

Reihenfolge der Chansons im Potpourri:
1. «La musique peut tout changer»
2. «Elle danse»
3. «Alors on danse»
4. «Chante»
5. «Petit martien»
6. «Nuit de folie»
7. «Punaise»

2 Die Sprechblasen zeigen an, dass an dieser Stelle ein Austausch auf Französisch vorgesehen ist. Für die Lernenden soll dieses Signal mittlerweile eindeutig und verbindlich sein.

Die Fertigkeit «Sprechen» wird unter anderem dann eingeübt, wenn sich die Lernenden mit Mitschülerinnen und Mitschülern über Unterrichtsinhalte austauschen. Im Lehrplan «Passepartout» sind solche Lernaktivitäten im Handlungsfeld «Die Fremdsprache in der Gruppe anwenden» beschrieben.

Méli-mélo

Titeuf

21

Dieses *méli-mélo* verbindet die Themen von *magazine* 7.3 und 7.4. Die Lernenden begegnen erneut der BD-Figur Titeuf, diesmal im Kontext von Musik und Tanz.

Zum Schluss der BD-Geschichte hören die beiden Jungen ein Chanson von Henri Dès. Die Lernenden können an die Chansons dieses Musikers erinnert werden, denen sie in *Mille feuilles* begegnet sind: «Polyglotte» (*magazine* 3.1) und «La machine» (*magazine* 4.1).

Auf individuelle Bedürfnisse eingehen

Anforderungen reduzieren
Zusätzlicher Support
- Den Lernenden die Reihenfolge der Chansons vorgängig angeben (vgl. G, *magazine* Seite 20)
- Das Potpourri nach jedem Ausschnitt kurz unterbrechen

Anforderungen erweitern
Weiterführende Aufgabe
- Beim Anhören der Chansons nach Wahl für jedes verstandene Wort einen Strich setzen oder das entsprechende Wort notieren
- Den Refrain eines ausgewählten Chansons (Seiten 5 bis 13) mehrmals anhören, mitlesen und mitsingen

Die Lernenden erfassen in dieser *activité* die Geschichte, die im Chanson «Punaise» erzählt wird. Als Verstehenshilfe stehen Illustrationen und Ausschnitte aus dem Chansontext zur Verfügung. Mit einem Hörauftrag werden die Lernenden angeleitet, genau hinzuhören, einzelne Textstellen herauszuhören und damit das Hörverstehen zu schulen.

Bei der Geschichte handelt es sich um eine typische Traumszene. Missgeschick reiht sich an Missgeschick, bis beim Erwachen klar wird, dass es zum Glück nur ein Traum war. Der umgangssprachliche Ausdruck «Punaise» bringt die Stimmung während eines solchen Albtraums auf den Punkt: «Verflixt!»

Nach dem Eintauchen in die Traumwelt des Protagonisten werden Träume der Lernenden zum Thema. Eine Sammlung von Ausdrücken und Strukturen in Sprechblasen unterstützen sie dabei, sich über eigene oder fantasierte Träume auszutauschen. Dieser Sprechanlass schafft einerseits einen persönlichen Bezug zum Thema dieses Chansons, andererseits wenden die Lernenden die Zielsprache in einem bedeutungsvollen Kontext an.

Als freiwilliges Zusatzangebot wird der Inhalt des Chansons in Form eines Prosatextes zur Lektüre angeboten.

Activité **B**

Punaise!

Tu écoutes une chanson qui raconte une histoire drôle.

Punaise – pas de chance!
Une panne après l'autre; rien que de petits malheurs. Un vrai désastre!
Est-ce vrai ou est-ce peut-être un rêve?

1 9 » Ecoutez la chanson.

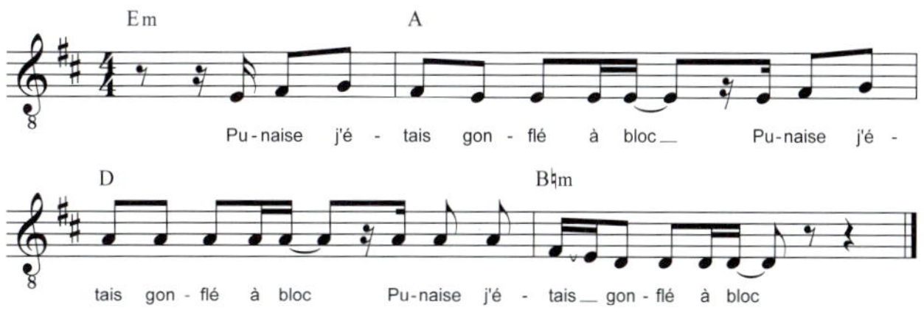

8 » Regardez l'illustration. Lisez et écoutez les extraits.

9 » Réécoutez la chanson. Marquez les extraits que vous entendez.

punaise
verflixt

être gonflé/-e à bloc
hier: völlig entnervt sein

2 Qu'est-ce qui se passe dans cette histoire?
» Racontez.

3 » Echangez vos versions de l'histoire.

4 10 » Lis et écoute l'histoire entière à la page 18.

22

1 Zuhanden der Lehrpersonen steht der Originaltext des Chansons auf der Plattform www.clin-doeil.ch zur Verfügung. Es ist aber nicht vorgesehen, den Lernenden diesen abzugeben, da das Chanson insbesondere der Hörschulung dient.

2 Für den Austausch über den Inhalt des Chansontextes können die Lernenden ermuntert werden, so viel wie möglich in der Zielsprache zu formulieren, so viel wie nötig in der Schulsprache. Für die Absicherung des Verständnisses kann in der Regel nicht auf das Verwenden der deutschen Sprache verzichtet werden. Es ist vor Gesprächssituationen sinnvoll, die Erwartungen an die Sprachverwendung zu deklarieren.

3 Der Austausch mit einer andern Partnergruppe ermöglicht den Lernenden, noch einmal zu verifizieren, ob sie den Inhalt der Geschichte richtig verstanden haben.

4 In diesem freiwilligen Zusatzangebot können die Lernenden die Geschichte als vertonten Prosatext nachhören und nachlesen.

Auf individuelle Bedürfnisse eingehen

Anforderungen reduzieren
Zusätzlicher Support
» Einzelne Wortübersetzungen zur Verfügung stellen (z.B. *en marche arrière* = rückwärts
un clou = ein Nagel
le pare-choc = die Stossstange
desserer = lösen
le frein à main = die Handbremse
la clenche = der Türgriff)

Activité **B**
Un clou a troué mon pneu.
BING
Je suis parti en marche arrière
et BING…
J'ai enfoncé le pare-choc.
J'ai renversé le lait.
J'ai écrasé un coq.
J'ai oublié de desserrer le frein à main -
la bagnole était morte.
CLAQUE
J'ai claqué la porte et la clenche
m'est restée dans la main.
TAC
La porte entière est tombée
sur le chemin.
J'ai entendu le chant du coq
et je me suis réveillé.
23

1 In den drei Kästchen werden Orte, Personen, Tiere und Vorkommnisse angegeben, wie sie in Träumen vorkommen können. Mit den Strukturen in den Sprechblasen zusammen regen sie dazu an, über eigene oder allenfalls fantasierte Träume zu erzählen.

2 Die Vorbereitungszeit erlaubt den Lernenden, sich, auch mit Hilfe von Wörterbüchern, das nötige Vokabular zurechtzulegen, um kurz über einen eigenen oder erfundenen Traum zu berichten. Es ist auch denkbar, dass sie vorgängig eine Skizze oder eine Mindmap erstellen, um eine schriftliche Gesprächsgrundlage zur Verfügung zu haben.

3 Die Anforderung dieser Aufgabe ist sehr hoch. Die Lernenden werden hier mit grosser Wahrscheinlichkeit erneut mit dem Umstand konfrontiert, dass sie sich in der Zielsprache weit weniger differenziert ausdrücken können, als sie gerne möchten. Und trotzdem, beim Versuch, ihre Mitteilungsabsichten zu verwirklichen, können sie erfahren, dass sie sich auch mit eingeschränktem Vokabular und mit Hilfe von weiteren Ausdrucksmitteln wie Gestik, Mimik, Geräuschen, Skizzen … verständlich machen können.

Auf individuelle Bedürfnisse eingehen

Anforderungen reduzieren
Deklarierte Minimalanforderungen
» Die Erzählung des Traums auf 3 Sätze beschränken: ein Ort (*Dans mon rêve, je suis…*), ein Protagonist (*Il y a…*) eine Aktion (*Je…*)

Anforderungen erweitern
Mehr und komplexere Redemittel
» Die Lernenden auf mögliche Redemittel hinweisen, um einen Satz zu beginnen (siehe *magazine*, Seite 28)

Activité **B**

Est-ce que tu te souviens d'un de tes rêves?
Ces expressions peuvent t'aider à te rappeler.

1 11 » Lisez et écoutez les expressions.

Dans mon rêve, je suis…

à l'école
dans ma chambre
dans un tunnel
sur une île
dans le désert
dans une forêt
dans une grande ville
dans la jungle
une star
….

Dans mon rêve, il y a…

une araignée
un tigre
un copain
…

Je rêve d'…

Je rêve que j'/je…

Dans mon rêve, j'/je…

sais voler *kann fliegen*
rate le train *verpasse den Zug*
suis poursuivi/-e par… *werde von … verfolgt*
tombe dans le vide *falle ins Leere*
arrive en retard *komme zu spät*
ai un accident *habe einen Unfall*
ai peur *habe Angst*
fais la fête *mache Party*
passe un examen *habe eine Prüfung*
reçois un cadeau *bekomme ein Geschenk*
…

2 » Prépare-toi à raconter un de tes rêves ou un rêve imaginé. Note quelques mots.

3 » Racontez vos rêves.

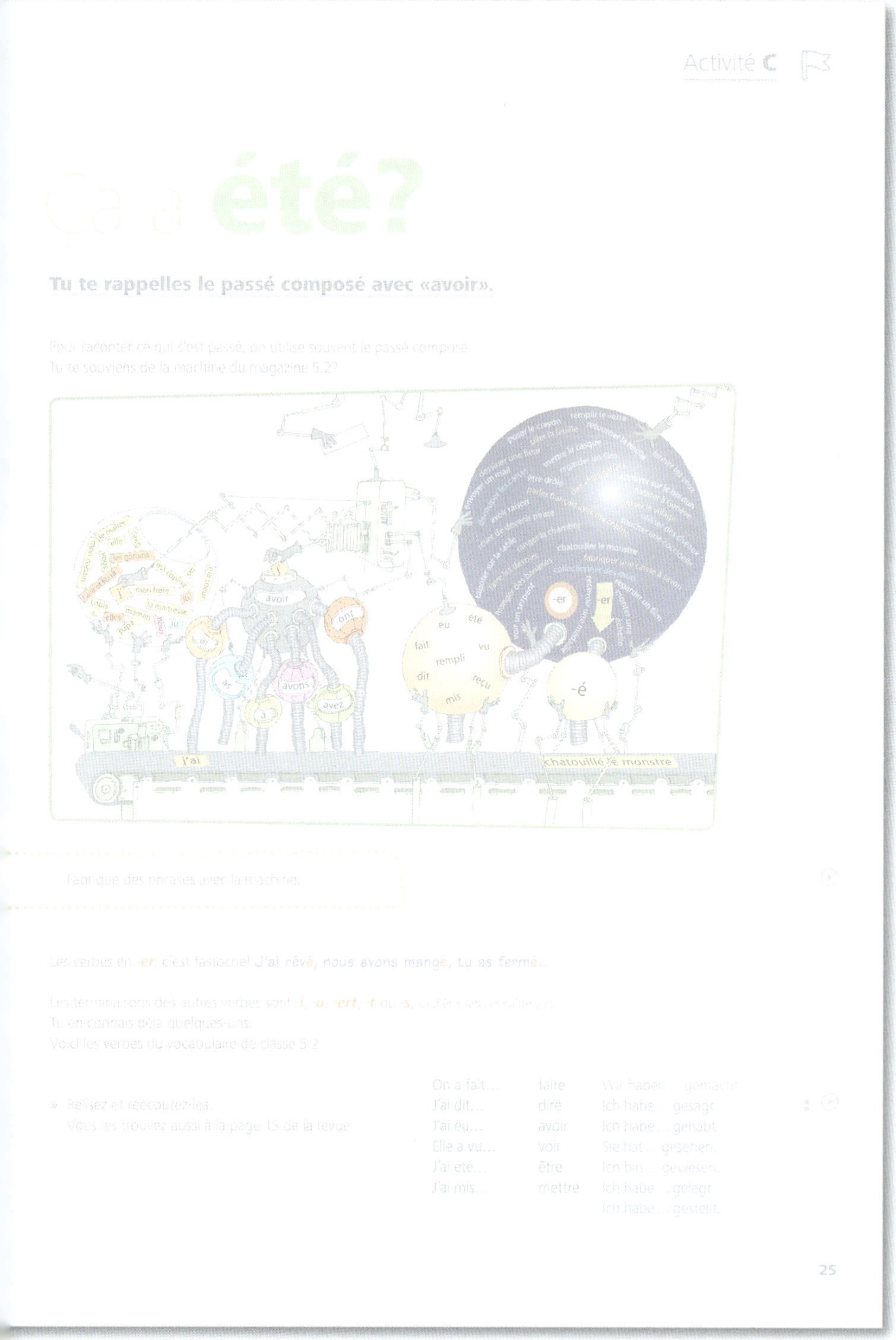

Activité **C**

Ça a **été?**

Tu te rappelles le passé composé avec «avoir».

Pour raconter ce qui s'est passé, on utilise souvent le passé composé.
Tu te souviens de la machine du magazine 5.2?

Fabrique des phrases avec la machine.

Les verbes en -er, c'est fastoche! J'ai rêvé, nous avons mangé, tu as fermé…

Les terminaisons des autres verbes sont -i, -u, -ert, -t ou -s,

Tu en connais déjà quelques-uns.
Voici les verbes du vocabulaire de classe 5.2

» Relisez et réécoutez-les.
Vous les trouvez aussi à la page 15 de la revue.

On a fait…	faire	Wir haben… gemacht.
J'ai dit…	dire	Ich habe… gesagt.
J'ai eu…	avoir	Ich habe… gehabt.
Elle a vu…	voir	Sie hat… gesehen.
J'ai été…	être	Ich bin… gewesen.
J'ai mis…	mettre	Ich habe… gelegt.
		Ich habe… gestellt.

25

Die Lernenden erfassen in dieser *activité* die Geschichte, die im Chanson «Punaise» erzählt wird. Als Verstehenshilfe stehen Illustrationen und Ausschnitte aus dem Chansontext zur Verfügung. Mit einem Hörauftrag werden die Lernenden angeleitet, genau hinzuhören, einzelne Textstellen herauszuhören und damit das Hörverstehen zu schulen.

Bei der Geschichte handelt es sich um eine typische Traumszene. Missgeschick reiht sich an Missgeschick, bis beim Erwachen klar wird, dass es zum Glück nur ein Traum war. Der umgangssprachliche Ausdruck «Punaise» bringt die Stimmung während eines solchen Albtraums auf den Punkt: «Verflixt!»

Nach dem Eintauchen in die Traumwelt des Protagonisten werden Träume der Lernenden zum Thema. Eine Sammlung von Ausdrücken und Strukturen in Sprechblasen unterstützen sie dabei, sich über eigene oder fantasierte Träume auszutauschen. Dieser Sprechanlass schafft einerseits einen persönlichen Bezug zum Thema dieses Chansons, andererseits wenden die Lernenden die Zielsprache in einem bedeutungsvollen Kontext an.

Als freiwilliges Zusatzangebot wird der Inhalt des Chansons in Form eines Prosatextes zur Lektüre angeboten.

Activité **B**

Punaise!

Tu écoutes une chanson qui raconte une histoire drôle.

Punaise – pas de chance!
Une panne après l'autre; rien que de petits malheurs. Un vrai désastre!
Est-ce vrai ou est-ce peut-être un rêve?

1 9 » Ecoutez la chanson.

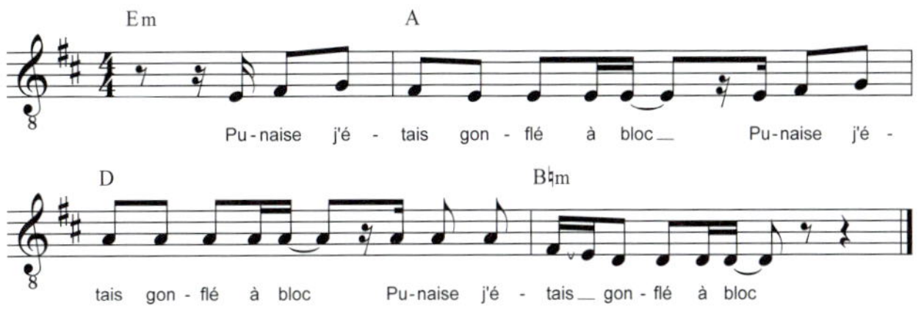

8 » Regardez l'illustration. Lisez et écoutez les extraits.

9 » Réécoutez la chanson. Marquez les extraits que vous entendez.

punaise
verflixt

être gonflé/-e à bloc
hier: völlig entnervt sein

2 Qu'est-ce qui se passe dans cette histoire?
» Racontez.

3 10 » Lis et écoute l'histoire entière à la page 18.

22

1 Zuhanden der Lehrpersonen steht der Originaltext des Chansons auf der Plattform www.clin-doeil.ch zur Verfügung. Es ist aber nicht vorgesehen, den Lernenden diesen abzugeben, da das Chanson insbesondere der Hörschulung dient.

2 Für den Austausch über den Inhalt des Chansontextes können die Lernenden ermuntert werden, so viel wie möglich in der Zielsprache zu formulieren, so viel wie nötig in der Schulsprache. Für die Absicherung des Verständnisses kann in der Regel nicht auf das Verwenden der deutschen Sprache verzichtet werden. Es ist vor Gesprächssituationen sinnvoll, die Erwartungen an die Sprachverwendung zu deklarieren.

3 In diesem freiwilligen Zusatzangebot können die Lernenden die Geschichte als vertonten Prosatext nachhören und nachlesen.

Auf individuelle Bedürfnisse eingehen

Anforderungen reduzieren
Zusätzlicher Support
» Einzelne Wortübersetzungen zur Verfügung stellen (z.B. *en marche arrière* = rückwärts/*un clou* = ein Nagel/ *le pare-choc* = die Stossstange/*desserer* = lösen/ *le frein à main* = die Handbremse/*la clenche* = der Türgriff)
Zusätzlicher Zwischenschritt
» Den Ablauf der Geschichte nach dem Zusammentragen in Partnerarbeit in Vierergruppen verifizieren (vgl. G, *magazine* Seite 22)

Activité B
Un clou a troué mon pneu.
BING
Je suis parti en marche arrière et BING…
J'ai enfoncé le pare-choc.
J'ai renversé le lait.
J'ai écrasé un coq.
RRRRAAAHRRAAAR…
J'ai oublié de desserrer le frein à main - la bagnole était morte.
CLAQUE
J'ai claqué la porte et la clenche m'est restée dans la main.
TAC
La porte entière est tombée sur le chemin.
Cocoricooo
J'ai entendu le chant du coq et je me suis réveillé.
23

1 In den drei Kästchen werden Orte, Personen, Tiere und Vorkommnisse angegeben, wie sie in Träumen vorkommen können. Mit den Strukturen in den Sprechblasen zusammen regen sie dazu an, über eigene oder allenfalls fantasierte Träume zu erzählen.

2 Die Vorbereitungszeit erlaubt den Lernenden, sich, auch mit Hilfe von Wörterbüchern, das nötige Vokabular zurechtzulegen, um kurz über einen eigenen oder erfundenen Traum zu berichten. Es ist auch denkbar, dass sie vorgängig eine Skizze oder eine Mindmap erstellen, um eine schriftliche Gesprächsgrundlage zur Verfügung zu haben.

3 Die Anforderung dieser Aufgabe ist sehr hoch. Die Lernenden werden hier mit grosser Wahrscheinlichkeit erneut mit dem Umstand konfrontiert, dass sie sich in der Zielsprache weit weniger differenziert ausdrücken können, als sie gerne möchten. Und trotzdem, beim Versuch, ihre Mitteilungsabsichten zu verwirklichen, können sie erfahren, dass sie sich auch mit eingeschränktem Vokabular und mit Hilfe von weiteren Ausdrucksmitteln wie Gestik, Mimik, Geräuschen, Skizzen … verständlich machen können.

Auf individuelle Bedürfnisse eingehen

Anforderungen reduzieren
Deklarierte Minimalanforderungen

» Die Erzählung des Traums auf 3 Sätze beschränken: ein Ort (*Dans mon rêve, je suis…*), ein Protagonist (*Il y a…*) eine Aktion (Je…)

Anforderungen erweitern
Mehr und komplexere Redemittel

» Die Lernenden auf mögliche Redemittel hinweisen, um einen Satz zu beginnen (siehe *magazine*, Seite 28)

Activité **B**

Est-ce que tu te souviens d'un de tes rêves?
Ces expressions peuvent t'aider à te rappeler.

1 11 » Lisez et écoutez les expressions.

Dans mon rêve, je suis…

à l'école
dans ma chambre
dans un tunnel
sur une île
dans le désert
dans une forêt
dans une grande ville
dans la jungle
une star
….

Dans mon rêve, il y a…

une araignée
un tigre
un copain
…

Je rêve d'…

Je rêve que j'/je…

Dans mon rêve, j'/je…

sais voler — kann fliegen
rate le train — verpasse den Zug
suis poursuivi/-e par… — werde von … verfolgt
tombe dans le vide — falle ins Leere
arrive en retard — komme zu spät
ai un accident — habe einen Unfall
ai peur — habe Angst
fais la fête — mache Party
passe un examen — habe eine Prüfung
reçois un cadeau — bekomme ein Geschenk
m'enfuis devant un / une… — fliehe vor…
nage dans la mer — schwimme im Meer
perds mes affaires — verliere meine Sachen
n'arrive pas à destination — komme nicht am Ziel an
…

2 » Prépare-toi à raconter un de tes rêves ou un rêve imaginé. Note quelques mots.

3 » Racontez vos rêves.

24

Activité **C**

Ça a été?

Tu te rappelles le passé composé avec «avoir».

Pour raconter ce qui s'est passé, on utilise souvent le passé composé.
Tu te souviens de la machine du magazine 5.2?

Fabrique des phrases avec la machine.

Les verbes en -er, c'est fastoche! J'ai rêvé, nous avons mangé, tu as fermé...

Les terminaisons des autres verbes sont -i, -u, -ert, -t ou -s.
Tu en connais déjà quelques-uns.
Voici les verbes du vocabulaire de classe 5.2.

» Relisez et réécoutez-les.
Vous les trouvez aussi à la page 15 de la revue.

On a fait…	faire	Wir haben … gemacht.
J'ai dit…	dire	Ich habe … gesagt.
J'ai eu…	avoir	Ich habe … gehabt.
Elle a vu…	voir	Sie hat … gesehen.
J'ai été…	être	Ich bin … gewesen.
J'ai mis…	mettre	Ich habe … gelegt.
		Ich habe … gestellt.

25

Activité **B**

à l'école
dans ma chambre
dans un tunnel
sur une île
dans le désert
dans une forêt
dans une grande ville
dans la jungle
une star
...

Dans mon rêve, je suis...

Dans mon rêve, il y a...

une araignée
un tigre
un copain
...

sais voler kann fliegen
rate le train verpasse den Zug
suis poursuivi/-e par... werde von ... verfolgt
tombe dans le vide falle ins Leere
arrive en retard komme zu spät
ai un accident habe einen Unfall
ai peur habe Angst
fais la fête mache Party
passe un examen habe eine Prüfung
reçois un cadeau bekomme ein Geschenk
m'enfuis devant un / une... fliehe vor...
nage dans la mer schwimme im Meer
perds mes affaires verliere meine Sachen
n'arrive pas à destination komme nicht am Ziel an
...

Je rêve que j'/je...

Dans mon rêve, j'/je...

Je rêve d'...

24

des Hilfsverbs *avoir* hinzuzufügen, anschliessend ein Verb aus der grossen Verbenkugel auszusuchen, die Entscheidung zu treffen, ob es sich um ein *-er*-Verb oder um kein *-er*-Verb handelt und damit das entsprechende Partizip zu finden. Befinden sich alle Einzelteile auf dem Fliessband, ertönt der Satz.

1 In der 5. Klasse (*magazine* 5.2) haben die Lernenden das *passé composé* mit *avoir* entdeckt und in der Lernsoftware mit Hilfe einer Maschine eingeübt. In der *tâche* haben sie diese Zeitform in einer freien Sprachproduktion angewendet.

2 In der fakultativ angebotenen Lernsoftware aus der 5. Klasse gilt es, eine Person auszuwählen, die richtige Form

Der Auftrag in der *tâche,* eine eigene Geschichte im *passé composé* zu schreiben, macht deutlich, dass das Einüben von Formen keinen Selbstzweck hat, sondern dazu dient, den eingeübten Lerngegenstand für die Anwendung in bedeutungsvollem Kontext zur Verfügung zu haben (vgl. «Zum Thema Üben» auf www.clin-doeil.ch).

Activité **C**

Ça a **été?**

Tu te rappelles le passé composé avec «avoir».

1 Pour raconter ce qui s'est passé, on utilise souvent le passé composé.
Tu te souviens de la machine du magazine 5.2?

2 » Fabrique des phrases avec la machine.

Les verbes en *-er*, c'est fastoche! J'ai rêvé, nous avons mangé, tu as fermé…

Les terminaisons des autres verbes sont *-i*, *-u*, *-ert*, *-t* ou *-s*, sauf être (été) et naître (né).
Tu en connais déjà quelques-uns.
Voici les verbes du vocabulaire de classe 5.2.

» Relisez et réécoutez-les.
Vous les trouvez aussi à la page 15 de la revue.

On a fait…	faire	Wir haben … gemacht.
J'ai dit…	dire	Ich habe … gesagt.
J'ai eu…	avoir	Ich habe … gehabt.
Elle a vu…	voir	Sie hat … gesehen.
J'ai été…	être	Ich bin … gewesen.
J'ai mis…	mettre	Ich habe … gelegt.
		Ich habe … gestellt.

12

25

Als grammatikalisches Phänomen, das in diesem *magazine* fokussiert wird, bietet sich die Zeitform *le passé composé* an. In den Geschichten, die in den Inputtexten erzählt werden, wird diese Form der Vergangenheit häufig verwendet und die Lernenden werden ihre eigene Geschichte in der *tâche* weitgehend im *passé composé* erzählen. Das *imparfait* und dessen Verwendung wird später, in der 8. Klasse, Thema sein.

Die Grammatikarbeit verteilt sich auf zwei *activités*. Während in *activité* C das *passé composé* mit dem Hilfsverb *avoir* Thema ist, wird in *activité* E auf das *passé composé* mit *être* eingegangen.

Als Erstes entdecken die Lernenden erneut, wie das *passé composé* mit *avoir* gebildet wird, eine Entdeckung, die schon in *Mille feuilles* 5 angelegt war. Damit wird ein wesentlicher Grundsatz in Bezug auf das Üben umgesetzt: Üben durch Wiederentdecken.

Die Unterscheidung in *-er*-Verben und Nicht-*er*-Verben gibt den Lernenden einen ersten Hinweis auf die Bildung des Partizips. Während die rund 5000 *-er*-Verben, die es gibt, im *passé composé* die gleiche Endung haben, sind die Endungen der übrigen Verben unterschiedlich. Die fünf möglichen Partizipendungen unterliegen zwar ebenfalls einer gewissen Regelhaftigkeit, Ausnahmen sind jedoch sehr häufig.

Für das Erlernen der richtigen Formen bieten sich verschiedene Möglichkeiten an. Mehrere sind in dieser *activité* angelegt. Die Lernenden werden als Erstes an Formen erinnert, die sie sich bereits angeeignet haben, und finden im aktuellen Klassenwortschatz weitere gebräuchliche Verben und deren Partizipien zum Memorieren. Zudem werden sie befähigt, Verbformen in einer Verbentabelle oder in einem Online-Wörterbuch nachzuschauen. Diese Strategie erlaubt ihnen, Verben nach eigener Wahl korrekt zu verwenden, und ist damit von grosser Bedeutsamkeit.

Dem Einüben der Zeitform als Ganzem wird zudem ein grosser Stellenwert beigemessen. Dazu stehen eine Lernsoftware und eine schriftliche Übung im *magazine* zur Verfügung. Das Schreiben von Sätzen in der Lernsoftware bietet in zweifacher Hinsicht einen Mehrwert: Die Lernenden können den korrekten Satz jederzeit anhören, bekommen die Formen ins Ohr und erhalten zudem nach der Niederschrift die Rückmeldung Richtig oder Falsch. Zudem ist in der Lernsoftware eine immanente Wortschatzrepetition angelegt. Bekannte Wörter und Ausdrücke, insbesondere aus dem Klassenwortschatz der letzten Jahre, kommen zur Anwendung.

In der schriftlichen Übung im *magazine* bereiten sich die Lernenden zusätzlich auf das Schreiben eines eigenen Textes in der *tâche* vor, indem sie die Sätze je mit einem Adverb, einer Konjunktion oder einer Wendung beginnen. Mit variierten Satzanfängen wird ihr Text in der Zielsprache an Aussagekraft und Stil gewinnen.

1 Die Visualisierung der Maschine «Le *passé composé*» wird hier in vereinfachter Form wieder aufgenommen. Die Lernenden wählen aus der Verbenkugel ein Verb aus und entscheiden aufgrund des Infinitivs, ob es sich um ein *-er*-Verb oder kein *-er*-Verb handelt, und schlagen den entsprechenden Weg ein: Durchfahrt oder Fahrverbot. Das Partizip der *-er*-Verben auf *-é* kennen sie, den Verben *mettre* und *faire* und deren Partizipien sind sie im Klassenwortschatz der 5. Klasse bereits begegnet.

Auf individuelle Bedürfnisse eingehen

Anforderungen reduzieren

Unterstützung durch Plenum

» Die schriftliche Übung mit den Lernenden, die das wünschen, gemeinsam im Plenum bearbeiten

Activité C

Comment utiliser la machine «Le passé composé»?
S'agit-il de verbes en *-er*? Oui ou non?

entendre: non	renverser: oui
-er (interdit)	-er (flèche)
entendu	renversé
fait	claqué
…	…

1 » Ecrivez des phrases au passé composé dans la case correspondante.

avoir
J'ai…
Tu as…
Il/Elle/On a…
Nous avons…
Vous avez…
Ils/Elles ont…

-er (interdit)	-er (flèche)
J'ai entendu le chant du coq.	Il a renversé le lait.

26

Activité **C**

1 Tu peux chercher des formes que tu ne connais pas dans un livre de conjugaison ou dans un dictionnaire en ligne.

Chercher des formes verbales
Verbformen suchen
Schlage Verbformen nach.

dict.leo.org/frde

» Inscris le verbe. Clique sur 🔍

dormir

» Clique sur ☐.

dormir

...et tu trouves:

Passé composé
j'ai dormi
tu as dormi
il/elle a dormi
nous avons dormi
vous avez dormi
ils/elles ont dormi

2 » Utilisez un livre de conjugaison ou un dictionnaire en ligne. Ecrivez des phrases au passé composé.

ouvrir les yeux **entendre un bruit**
choisir une chanson **répondre au téléphone** **prendre le bus**
lire une histoire **recevoir une médaille** **remplir un verre**

J'ai ouvert les yeux.
Elle a reçu une médaille.
Tu as .... le bus?

27

ouvrir	→ *ouvert*	*(couvrir)*
entendre	→ *entendu*	*(rendre)*
prendre	→ *pris*	*(prendre)*
choisir	→ *choisi*	*(finir)*
répondre	→ *répondu*	*(rendre)*
remplir	→ *rempli*	*(finir)*
lire	→ *lu*	*(lire)*
recevoir	→ *reçu*	*(recevoir)*

1 Beim freien Schreiben ist es wichtig, dass die Lernenden wissen, wo und wie sie Verbformen nachschauen können. Es empfiehlt sich darum, ihnen im Klassenzimmer verschiedene Mittel zur Verfügung zu stellen. Im Handel ist zum Beispiel «Bescherelle – la conjugaison pour tous» mit seinen Konjugationstabellen günstig zu haben. Zudem wird den Lernenden im *magazine* aufgezeigt, wie sie in einem Online-Wörterbuch zu den gewünschten Informationen kommen können.

Der Klassenwortschatz enthält einige häufig vorkommende Verben mit den entsprechenden Partizipformen. Wenn die Lernenden jedoch – wie in der *tâche* – einen eigenen Text verfassen, ist der Wortschatz nicht absehbar. Dem autonomen Nachschauen von Formen wird daher ein grösseres Gewicht beigemessen als dem Auswendiglernen von ausgewählten Formen; dies immer auch in der Gewissheit, dass das mehrmalige Verwenden einer Form in einem bedeutungsvollen Kontext für das erfolgreiche Memorieren eine weit wichtigere Rolle spielt als das kontextfreie Auswendiglernen.

2 Es ist nicht vorgesehen, dass die Lernenden alle acht Formen nachschauen. Die Übung dient dazu, sich in den Nachschlagewerken zurechtzufinden.

Ein Online-Wörterbuch ist in der Verwendung wesentlich einfacher als ein papierenes Nachschlagewerk. Online lässt sich das gewünschte Verb eingeben und auf Knopfdruck erscheinen die entsprechenden Verbformen.

Das Nachschlagen in einem Konjugationsbuch gestaltet sich anspruchsvoller. Zuerst muss das gewünschte Verb im umfangreichen alphabetischen Verzeichnis gesucht werden. Hier wird auf ein «tableau modèle» verwiesen. Die rund 9600 Verben sind zu 104 Gruppen mit identischer Konjugation zusammengefasst, so dass die Formen des gewünschten Verbs oft von einem anderen, gleich funktionierenden Verb abgeleitet werden müssen.

Folgende Partizipien lassen sich finden. In der Klammer ist je das Modellverb im Konjugationsbuch angegeben:

1 In der Regel sind in den Lernsoftware-Angeboten von *Clin d'œil* immanente Wortschatzrepetitionen angelegt. Bekannte Wörter und Ausdrücke, insbesondere aus dem Klassenwortschatz der letzten Jahre, kommen so wiederholt zur Anwendung.

Auch in dieser Lernsoftware wälzen die Lernenden beim Einüben von Verbformen bekannten Wortschatz um. Nebst 27 Verben auf *-er* wenden sie die Partizipien von folgenden 14 Verben auf *-re*, *-ir* oder *-oir* an: *avoir, faire, mettre, voir, dire, être, entendre, recevoir, lire, dormir, prendre, ouvrir, répondre, remplir.*

Die Lernsoftware ist folgendermassen aufgebaut:

- Die Lernenden wählen aus einem Angebot von drei möglichen Subjekten resp. Personalformen und sechs Satzteilen resp. Verben im Infinitiv aus, z. B. *Elles/entendre une blague.*
- Sie entscheiden, ob es sich um ein *-er*-Verb oder kein *-er*-Verb handelt.
- Mit den ausgewählten Ausdrücken bilden sie einen Satz im *passé composé* und schreiben ihn auf, also beispielsweise: *Elles ont entendu une blague.*
- Bei Bedarf können sie «Aide-avoir» anklicken, um die Verbformen des Hilfsverbs zur Verfügung zu haben.
- Sie können den korrekten Satz anhören, vom Moment an, da sie mindestens den ersten Buchstaben des zweiten Wortes geschrieben haben.
- Durch Anklicken von «Vérifier» kann der Satz überprüft werden. Der korrekt geschriebene Satz erscheint.
- Die Lernenden entscheiden bei Fehlern selber, ob sie diese verbessern oder sich durch Lesen und Hören die korrekten Formen merken wollen.
- Die korrekten Sätze werden in einem separaten Feld gesammelt.

Wenn es die Infrastruktur im Klassenzimmer verlangt, kann eine Gruppe am Computer arbeiten, während die andere die entsprechende Übung im *magazine* bearbeitet.

2 Die schriftliche Übung im *magazine* stellt in verschiedener Hinsicht leicht höhere Anforderungen als die Lernsoftware. Zum einen können die Lernenden die gebildeten Sätze nicht anhören, zum andern erhalten sie keine unmittelbare Rückmeldung zu Richtig oder Falsch. Zudem üben sie sich zusätzlich im Verwenden von Adverbien, die sich eignen, einen Satz zu beginnen. In der *tâche* sind die Korrektheit der Formen und die Vielfalt der Satzanfänge als Beurteilungskriterien aufgeführt.

Activité **C**

1 » Entraîne-toi à écrire des phrases au passé composé avec «avoir». Fais le niveau 1 à l'ordinateur.

2 » Ecrivez des phrases au passé composé. Reliez les verbes aux objets. Commencez les phrases par une expression de la liste.

D'abord... Zuerst...
Ensuite... Dann, Danach...
Puis... Dann, Danach...
Tout à coup... Plötzlich...
Finalement... Schliesslich...
Mais... Aber...
Alors... Also...
Plus tard... Später...
En même temps... Gleichzeitig...
Malheureusement... Leider...
Un matin... Eines Morgens...
Le lendemain... Am nächsten Tag...
...

acheter
écouter
fermer
prendre
rencontrer
faire
oublier
voir (sehen)
regarder (schauen)
lire
ouvrir
mettre
...

le livre
le bus
les devoirs
une BD
une grotte
un petit martien
un film
les yeux
la télé
la fête
une chanson
la porte
un copain
une histoire
les lunettes
un pull
un robot
le train
une star
un voyage
...

28

Activité **C**

Plus tard, nous avons regardé la télé.

Un matin, j'ai ouvert la porte.

Corriger
Korrigieren

Überprüfe Texte von anderen auf sprachliche Korrektheit. So gewinnst du mehr Sicherheit im Verwenden von Formen.

1 » Corrigez ensemble.

2 » Mémorise quelques verbes avec «avoir» au passé composé et les autres expressions.

demander: «…»	fragen: «…»
fermer	schliessen
rêver	träumen
rencontrer	begegnen, treffen
oublier	vergessen
répondre: «…»	antworten: «…»
répondu	geantwortet
dormir	schlafen
dormi	geschlafen
ouvrir	öffnen
ouvert	geöffnet
d'abord	zuerst
ensuite	dann, danach
puis	dann, danach
plus tard	später
tout à coup	plötzlich
un matin	eines Morgens

29

1 In der Gruppe wird die Korrektheit der Sätze überprüft. Die Lernenden übernehmen damit Verantwortung für das eigene und das Lernen von Mitschülerinnen und Mitschülern. Damit arbeiten sie an folgendem Lehrplanziel aus dem Handlungsfeld «Die Fremdsprache in der Gruppe anwenden»: «Mit Hilfsmitteln wie Wörterbüchern, Wortlisten oder Grammatikbüchern die Korrektheit der Grammatik und Orthografie überprüfen.»

2 Der Klassenwortschatz besteht aus gebräuchlichen Verben, teilweise mit den entsprechenden Partizipien. Zudem enthält er Adverbien und Wendungen, die sich als Satzanfänge eignen und die Lernenden beim Schreiben einer eigenen Geschichte in der *tâche* unterstützen.

Auf individuelle Bedürfnisse eingehen

Anforderungen reduzieren
Stoffreduktion
» Den Klassenwortschatz reduzieren; die Partizipien der Nicht-er-Verben und die Adverbien weglassen

Anforderungen erweitern
Mehr sprachliche Mittel
» Den Klassenwortschatz E lernen (vgl. E, *magazine*, Seite 29)

Auf individuelle Bedürfnisse eingehen

Anforderungen reduzieren
Vorentlastung
» Mit den Lernenden, die das wünschen, gemeinsam passende Ergänzungen zu den Verben suchen
Zusätzlicher Support
» Die Partizipien der Nicht-er-Verben auf Plakaten zur Verfügung stellen
Stoffreduktion
» Das Einüben auf die Lernsoftware beschränken, ohne schriftliche Übung im *magazine*

Anforderungen erweitern
Selbstständigeres Vorgehen durch Einzelarbeit
» Die Sätze in Einzelarbeit schreiben
Weiterführende Aufgabe
» Eigene Sätze schreiben, ohne Vorgabe von Adverbien, Verben und Ergänzungen
» Für Mitschülerinnen und Mitschüler eine schriftliche Übung erstellen
» Für Mitschülerinnen und Mitschüler mit Hilfe der Vorlagen auf learningapps.org eine Lernsoftware entwickeln

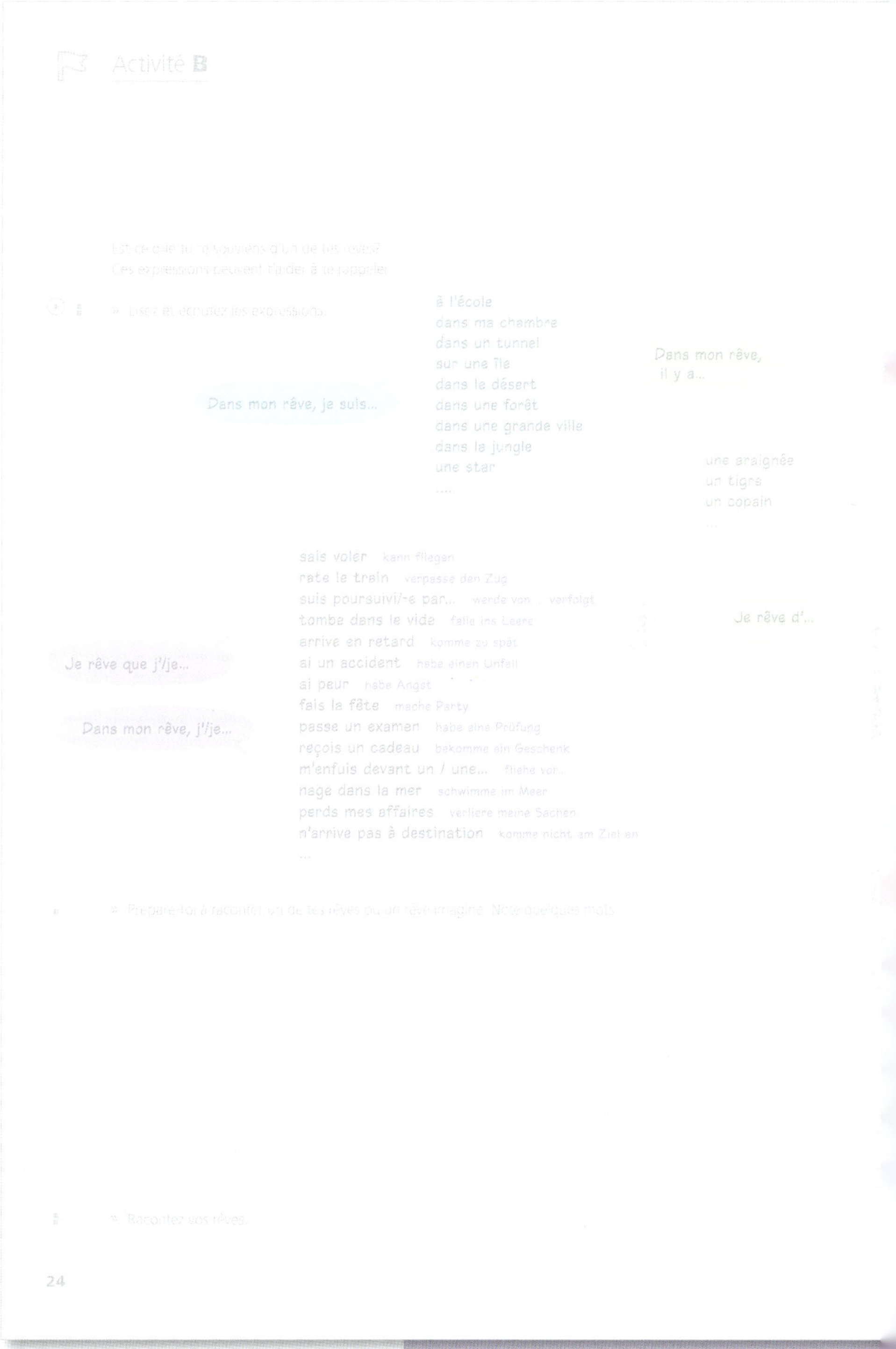

Activité B

Est-ce que tu te souviens d'un de tes rêves?
Ces expressions peuvent t'aider à te rappeler.

» Lisez et écoutez les expressions.

Dans mon rêve, je suis...

à l'école
dans ma chambre
dans un tunnel
sur une île
dans le désert
dans une forêt
dans une grande ville
dans la jungle
une star
....

Dans mon rêve, il y a...

une araignée
un tigre
un copain
...

Je rêve d'...

Je rêve que j'/je...

Dans mon rêve, j'/je...

sais voler kann fliegen
rate le train verpasse den Zug
suis poursuivi/-e par... werde von ... verfolgt
tombe dans le vide falle ins Leere
arrive en retard komme zu spät
ai un accident habe einen Unfall
ai peur habe Angst
fais la fête mache Party
passe un examen habe eine Prüfung
reçois un cadeau bekomme ein Geschenk
m'enfuis devant un / une... fliehe vor...
nage dans la mer schwimme im Meer
perds mes affaires verliere meine Sachen
n'arrive pas à destination komme nicht am Ziel an
...

» Prépare-toi à raconter un de tes rêves ou un rêve imaginé. Note quelques mots.

» Racontez vos rêves.

24

des Hilfsverbs *avoir* hinzuzufügen, anschliessend ein Verb aus der grossen Verbenkugel auszusuchen, die Entscheidung zu treffen, ob es sich um ein *-er*-Verb oder um kein *-er*-Verb handelt, und damit das entsprechende Partizip zu finden. Befinden sich alle Einzelteile auf dem Fliessband, ertönt der Satz.

1 In der 5. Klasse (*magazine* 5.2) haben die Lernenden das *passé composé* mit *avoir* entdeckt und in der Lernsoftware mit Hilfe einer Maschine eingeübt. In der *tâche* haben sie diese Zeitform in einer freien Sprachproduktion angewendet.

2 In der fakultativ angebotenen Lernsoftware aus der 5. Klasse gilt es, eine Person auszuwählen, die richtige Form

Der Auftrag in der *tâche,* eine eigene Geschichte im *passé composé* zu schreiben, macht deutlich, dass das Einüben von Formen keinen Selbstzweck hat, sondern dazu dient, den eingeübten Lerngegenstand für die Anwendung in bedeutungsvollem Kontext zur Verfügung zu haben (vgl. «Zum Thema Üben» auf www.clin-doeil.ch).

Activité **C**

Ça a **été?**

Tu te rappelles le passé composé avec «avoir».

1 Pour raconter ce qui s'est passé, on utilise souvent le passé composé.
Tu te souviens de la machine du magazine 5.2?

2 » Fabrique des phrases avec la machine.

Les verbes en *-er*, c'est fastoche! J'ai rêvé, nous avons mangé, tu as fermé...

Les terminaisons des autres verbes sont *-i*, *-u*, *-ert*, *-t* ou *-s*, sauf être (été) et naître (né).
Tu en connais déjà quelques-uns.
Voici les verbes du vocabulaire de classe 5.2.

» Relisez et réécoutez-les.
Vous les trouvez aussi à la page 15 de la revue.

On a fait…	faire	Wir haben … gemacht.
J'ai dit…	dire	Ich habe … gesagt.
J'ai eu…	avoir	Ich habe … gehabt.
Elle a vu…	voir	Sie hat … gesehen.
J'ai été…	être	Ich bin … gewesen.
J'ai mis…	mettre	Ich habe … gelegt.
		Ich habe … gestellt.

12

25

Als grammatikalisches Phänomen, das in diesem *magazine* fokussiert wird, bietet sich die Zeitform *le passé composé* an. In den Geschichten, die in den Inputtexten erzählt werden, wird diese Form der Vergangenheit häufig verwendet und die Lernenden werden ihre eigene Geschichte in der *tâche* weitgehend im *passé composé* erzählen. Das *imparfait* und dessen Verwendung wird später, in der 8. Klasse, Thema sein.

Die Grammatikarbeit verteilt sich auf zwei *activités*. Während in *activité* C das *passé composé* mit dem Hilfsverb *avoir* Thema ist, wird in *activité* E auf das *passé composé* mit *être* eingegangen.

Als Erstes entdecken die Lernenden erneut, wie das *passé composé* mit *avoir* gebildet wird, eine Entdeckung, die schon in *Mille feuilles* 5 angelegt war. Damit wird ein wesentlicher Grundsatz in Bezug auf das Üben umgesetzt: Üben durch Wiederentdecken.

Die Unterscheidung in *-er*-Verben und Nicht-*er*-Verben gibt den Lernenden einen ersten Hinweis auf die Bildung des Partizips. Während die rund 5000 *-er*-Verben, die es gibt, im *passé composé* die gleiche Endung haben, sind die Endungen der übrigen Verben unterschiedlich. Die fünf möglichen Partizipendungen unterliegen zwar ebenfalls einer gewissen Regelhaftigkeit, Ausnahmen sind jedoch sehr häufig.

Für das Erlernen der richtigen Formen bieten sich verschiedene Möglichkeiten an. Mehrere sind in dieser *activité* angelegt. Die Lernenden werden als Erstes an Formen erinnert, die sie sich bereits angeeignet haben, und finden im aktuellen Klassenwortschatz weitere gebräuchliche Verben und deren Partizipien zum Memorieren. Zudem werden sie befähigt, Verbformen in einer Verbentabelle oder in einem Online-Wörterbuch nachzuschauen. Diese Strategie erlaubt ihnen, Verben nach eigener Wahl korrekt zu verwenden, und ist damit von grosser Bedeutsamkeit.

Dem Einüben der Zeitform als Ganzem wird zudem ein grosser Stellenwert beigemessen. Dazu stehen eine Lernsoftware und eine schriftliche Übung im *magazine* zur Verfügung. Das Schreiben von Sätzen in der Lernsoftware bietet in zweifacher Hinsicht einen Mehrwert: Die Lernenden können den korrekten Satz jederzeit anhören, bekommen die Formen ins Ohr und erhalten zudem nach der Niederschrift die Rückmeldung Richtig oder Falsch. Zudem ist in der Lernsoftware eine immanente Wortschatzrepetition angelegt. Bekannte Wörter und Ausdrücke, insbesondere aus dem Klassenwortschatz der letzten Jahre, kommen zur Anwendung.

In der schriftlichen Übung im *magazine* bereiten sich die Lernenden zusätzlich auf das Schreiben eines eigenen Textes in der *tâche* vor, indem sie die Sätze je mit einem Adverb, einer Konjunktion oder einer Wendung beginnen. Mit variierten Satzanfängen wird ihr Text in der Zielsprache an Aussagekraft und Stil gewinnen.

1 Die Visualisierung der Maschine «Le *passé composé*» wird hier in vereinfachter Form wieder aufgenommen. Die Lernenden wählen aus der Verbenkugel ein Verb aus und entscheiden aufgrund des Infinitivs, ob es sich um ein *-er*-Verb oder kein *-er*-Verb handelt, und schlagen den entsprechenden Weg ein: Durchfahrt oder Fahrverbot. Das Partizip der *-er*-Verben auf *-é* kennen sie, den Verben *mettre* und *faire* und deren Partizipien sind sie im Klassenwortschatz der 5. Klasse bereits begegnet.

Auf individuelle Bedürfnisse eingehen

Anforderungen reduzieren

Unterstützung durch Plenum

» Die schriftliche Übung mit den Lernenden, die das wünschen, gemeinsam im Plenum bearbeiten

Activité C

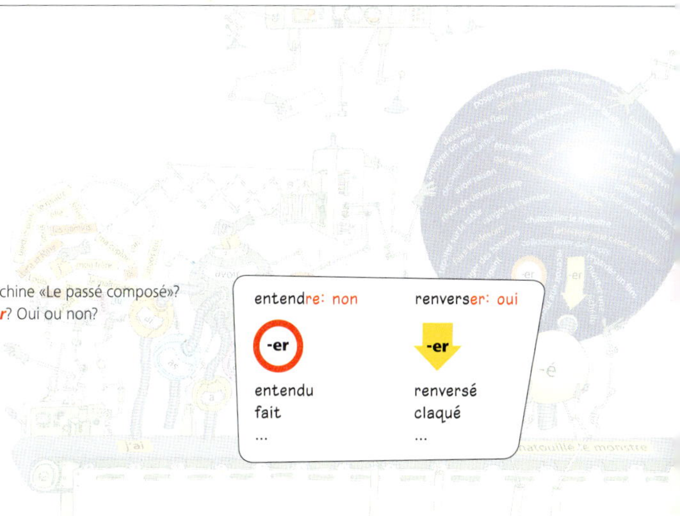

Comment utiliser la machine «Le passé composé»?
S'agit-il de verbes en *-er*? Oui ou non?

entendre: non	renverser: oui
-er	-er
entendu	renversé
fait	claqué
…	…

1 » Ecrivez des phrases au passé composé dans la case correspondante.

avoir
J'ai…
Tu as…
Il/Elle/On a…
Nous avons…
Vous avez…
Ils/Elles ont…

-er (non)	-er (oui)
J'ai entendu le chant du coq.	Il a renversé le lait.

Activité **C**

1 Tu peux chercher des formes que tu ne connais pas dans un livre de conjugaison ou dans un dictionnaire en ligne.

Chercher des formes verbales
Verbformen suchen

Schlage Verbformen nach.

dict.leo.org/frde

» Inscris le verbe. Clique sur 🔍

dormir

» Clique sur ◫.

dormir

…et tu trouves:

Passé composé
j'ai dormi
tu as dormi
il/elle a dormi
nous avons dormi
vous avez dormi
ils/elles ont dormi

2 » Utilisez un livre de conjugaison ou un dictionnaire en ligne.
Ecrivez des phrases au passé composé.

ouvrir les yeux **entendre un bruit**
choisir une chanson **répondre au téléphone** **prendre le bus**
lire une histoire **recevoir une médaille** **remplir un verre**

J'ai .... les yeux.

27

ouvrir	→ *ouvert*	*(couvrir)*
entendre	→ *entendu*	*(rendre)*
prendre	→ *pris*	*(prendre)*
choisir	→ *choisi*	*(finir)*
répondre	→ *répondu*	*(rendre)*
remplir	→ *rempli*	*(finir)*
lire	→ *lu*	*(lire)*
recevoir	→ *reçu*	*(recevoir)*

1 Beim freien Schreiben ist es wichtig, dass die Lernenden wissen, wo und wie sie Verbformen nachschauen können. Es empfiehlt sich darum, ihnen im Klassenzimmer verschiedene Mittel zur Verfügung zu stellen. Im Handel ist zum Beispiel «Bescherelle – la conjugaison pour tous» mit seinen Konjugationstabellen günstig zu haben. Zudem wird den Lernenden im *magazine* aufgezeigt, wie sie in einem Online-Wörterbuch zu den gewünschten Informationen kommen können.

Der Klassenwortschatz enthält einige häufig vorkommende Verben mit den entsprechenden Partizipformen. Wenn die Lernenden jedoch – wie in der *tâche* – einen eigenen Text verfassen, ist der Wortschatz nicht absehbar. Dem autonomen Nachschauen von Formen wird daher ein grösseres Gewicht beigemessen als dem Auswendiglernen von ausgewählten Formen; dies immer auch in der Gewissheit, dass das mehrmalige Verwenden einer Form in einem bedeutungsvollen Kontext für das erfolgreiche Memorieren eine weit wichtigere Rolle spielt als das kontextfreie Auswendiglernen.

2 Es ist nicht vorgesehen, dass die Lernenden alle acht Formen nachschauen. Die Übung dient dazu, sich in den Nachschlagewerken zurechtzufinden.

Ein Online-Wörterbuch ist in der Verwendung wesentlich einfacher als ein papierenes Nachschlagewerk. Online lässt sich das gewünschte Verb eingeben und auf Knopfdruck erscheinen die entsprechenden Verbformen.

Das Nachschlagen in einem Konjugationsbuch gestaltet sich anspruchsvoller. Zuerst muss das gewünschte Verb im umfangreichen alphabetischen Verzeichnis gesucht werden. Hier wird auf ein «tableau modèle» verwiesen. Die rund 9600 Verben sind zu 104 Gruppen mit identischer Konjugation zusammengefasst, so dass die Formen des gewünschten Verbs oft von einem anderen, gleich funktionierenden Verb abgeleitet werden müssen.

Folgende Partizipien lassen sich finden. In der Klammer ist je das Modellverb im Konjugationsbuch angegeben:

1 In der Regel sind in den Lernsoftware-Angeboten von *Clin d'œil* immanente Wortschatzrepetitionen angelegt. Bekannte Wörter und Ausdrücke, insbesondere aus dem Klassenwortschatz der letzten Jahre, kommen so wiederholt zur Anwendung.

Auch in dieser Lernsoftware wälzen die Lernenden beim Einüben von Verbformen bekannten Wortschatz um. Nebst 27 Verben auf *-er* wenden sie die Partizipien von folgenden 14 Verben auf *-re*, *-ir* oder *-oir* an: *avoir, faire, mettre, voir, dire, être, entendre, recevoir, lire, dormir, prendre, ouvrir, répondre, remplir.*

Die Lernsoftware ist folgendermassen aufgebaut:

- » Die Lernenden wählen aus einem Angebot von drei möglichen Subjekten resp. Personalformen und sechs Satzteilen resp. Verben im Infinitiv aus, z. B. *Elles/entendre une blague*
- » Sie entscheiden, ob es sich um ein *-er*-Verb oder kein *-er*-Verb handelt.
- » Mit den ausgewählten Ausdrücken bilden sie einen Satz im *passé composé* und schreiben ihn auf, also beispielsweise: *Elles ont entendu une blague.*
- » Bei Bedarf können sie «Aide-avoir» anklicken, um die Verbformen des Hilfsverbs zur Verfügung zu haben.
- » Sie können den korrekten Satz anhören, vom Moment an, da sie mindestens den ersten Buchstaben des zweiten Wortes geschrieben haben.
- » Durch Anklicken von «Vérifier» kann der Satz überprüft werden. Der korrekt geschriebene Satz erscheint.
- » Die Lernenden entscheiden bei Fehlern selber, ob sie diese verbessern oder sich durch Lesen und Hören die korrekten Formen merken wollen.
- » Die korrekten Sätze werden in einem separaten Feld gesammelt.

Wenn es die Infrastruktur im Klassenzimmer verlangt, kann eine Gruppe am Computer arbeiten, während die andere die entsprechende Übung im *magazine* bearbeitet.

2 Die schriftliche Übung im *magazine* stellt in verschiedener Hinsicht leicht höhere Anforderungen als die Lernsoftware. Zum einen können die Lernenden die gebildeten Sätze nicht anhören, zum andern erhalten sie keine unmittelbare Rückmeldung zu Richtig oder Falsch. Zudem üben sie sich zusätzlich im Verwenden von Adverbien, die sich eignen, einen Satz zu beginnen. In der *tâche* sind die Korrekteit der Formen und die Vielfalt der Satzanfänge als Beurteilungskriterien aufgeführt.

Activité **C**

1 » Entraîne-toi à écrire des phrases au passé composé avec «avoir». Fais le niveau 1 à l'ordinateur.

2 » Ecris des phrases au passé composé. Relie les verbes aux objets. Commence les phrases par une expression de la liste.

D'abord... Zuerst...
Ensuite... Dann, Danach...
Puis... Dann, Danach...
Tout à coup... Plötzlich...
Finalement... Schliesslich...
Mais... Aber...
Alors... Also...
Plus tard... Später...
En même temps... Gleichzeitig...
Malheureusement... Leider...
Un matin... Eines Morgens...
Le lendemain... Am nächsten Tag...
...

acheter
écouter
fermer
prendre
rencontrer
faire
oublier
voir (sehen)
regarder (schauen)
lire
ouvrir
mettre
...

le livre
le bus
les devoirs
une BD
une grotte
un petit martien
un film
les yeux
la télé
la fête
une chanson
la porte
un copain
une histoire
les lunettes
un pull
un robot
le train
une star
un voyage
...

28

Activité **C**

Plus tard, nous avons regardé la télé.

Corriger
Korrigieren

Überprüfe Texte von anderen auf sprachliche Korrektheit. So gewinnst du mehr Sicherheit im Verwenden von Formen.

1 » Corrigez ensemble.

2 » Mémorise quelques verbes avec «avoir» au passé composé et les autres expressions.

demander: «…»	fragen: «…»
fermer	schliessen
rêver	träumen
rencontrer	begegnen, treffen
oublier	vergessen
répondre: «…»	antworten: «…»
répondu	geantwortet
dormir	schlafen
dormi	geschlafen
ouvrir	öffnen
ouvert	geöffnet
d'abord	zuerst
ensuite	dann, danach
puis	dann, danach
plus tard	später
finalement	schliesslich
tout à coup	plötzlich
en même temps	gleichzeitig
malheureusement	leider
un matin	eines Morgens
le lendemain	am nächsten Tag

29

1 In der Gruppe wird die Korrektheit der Sätze überprüft. Die Lernenden übernehmen damit Verantwortung für das eigene und das Lernen von Mitschülerinnen und Mitschülern. Damit arbeiten sie an folgendem Lehrplanziel aus dem Handlungsfeld «Die Fremdsprache in der Gruppe anwenden»: «Mit Hilfsmitteln wie Wörterbüchern, Wortlisten oder Grammatikbüchern die Korrektheit der Grammatik und Orthografie überprüfen».

2 Der Klassenwortschatz besteht aus gebräuchlichen Verben, teilweise mit den entsprechenden Partizipien. Zudem enthält er Adverbien und Wendungen, die sich als Satzanfänge eignen und die Lernenden beim Schreiben einer eigenen Geschichte in der *tâche* unterstützen.

Auf individuelle Bedürfnisse eingehen

Anforderungen reduzieren
Stoffreduktion
» Den Klassenwortschatz reduzieren; die Partizipien der Nicht-er-Verben und die Adverbien weglassen

Anforderungen erweitern
Mehr sprachliche Mittel
» Den Klassenwortschatz E lernen (vgl. E, *magazine*, Seite 29)

Auf individuelle Bedürfnisse eingehen

Anforderungen reduzieren
Vorentlastung
» Mit den Lernenden, die das wünschen, gemeinsam passende Ergänzungen zu den Verben suchen
Zusätzlicher Support
» Die Partizipien der Nicht-er-Verben auf Plakaten zur Verfügung stellen
Stoffreduktion
» Das Einüben auf die Lernsoftware beschränken, ohne schriftliche Übung im *magazine*

Anforderungen erweitern
Selbstständigeres Vorgehen durch Einzelarbeit
» Die Sätze in Einzelarbeit schreiben
Weiterführende Aufgabe
» Eigene Sätze schreiben, ohne Vorgabe von Adverbien, Verben und Ergänzungen
» Für Mitschülerinnen und Mitschüler eine schriftliche Übung erstellen
» Für Mitschülerinnen und Mitschüler mit Hilfe der Vorlagen auf learningapps.org eine Lernsoftware entwickeln

Bei der Beschäftigung mit der Geschichte, die im Chanson «Petit martien» erzählt wird, werden Hör- und Leseverstehen, Sprechen und Aussprache geschult.

Mit dem Refrain werden die Lernenden auf den Rap der elsässischen Hip-Hop-Gruppe «La Fanfare en Pétard» eingestimmt. Im Sinne einer Vorentlastung denken sie sich anschliessend auf Grund von sechs Angaben einen möglichen Verlauf der Geschichte aus und tauschen ihre Versionen untereinander aus. Bei diesem Sprechanlass strukturieren sie einen Ablauf und vergleichen die verschiedenen Versionen. Dabei üben sie unter anderem bekannte Redemittel, denen sie schon häufig in der Rubrik «Tu piges?» begegnet sind, ein.

Beim Visionieren des Video-Clips, der mit seinen Illustrationen das Verstehen unterstützt, erfahren sie, in welcher Reihenfolge sich die Ereignisse zugetragen haben. Das Lesen und Hören des Prosatextes im *magazine* ermöglicht, den Inhalt des sprachlich anspruchsvollen Raps noch detaillierter zu erfassen.

Der Rap – eine Art Sprechgesang – lebt unter anderem von der Virtuosität der Rezitation. Die Lernenden werden eingeladen, ihr Sprechwerkzeug zu trainieren, indem sie den Sänger Philipp Gaston Rieger beim Rezitieren des Refrains imitieren.

1 Zur Einstimmung hören sich die Lernenden den Refrain an. Sie nehmen dabei ein erstes Ohr voll Sprechgesang und erfahren im Text und der freien deutschen Übersetzung, dass es um die Begegnung mit einem Marsmenschen geht.

2 Die sechs Angaben lassen sich beliebig zu einer Geschichte zusammenfügen. Es gibt dabei kein Richtig oder Falsch. Die Beschäftigung mit einzelnen inhaltlichen Fragmenten dient einerseits der Vorentlastung, andererseits ergibt sich beim Austausch ein authentischer Sprechanlass.

Activité **D**

Petit martien

Tu écoutes une chanson qui raconte l'histoire d'une rencontre étonnante.

Qu'est-ce qui se passe quand un petit martien arrive sur Terre?
Il trouve un ami et l'aventure commence...

1 (14) » Ecoutez le refrain de la chanson.

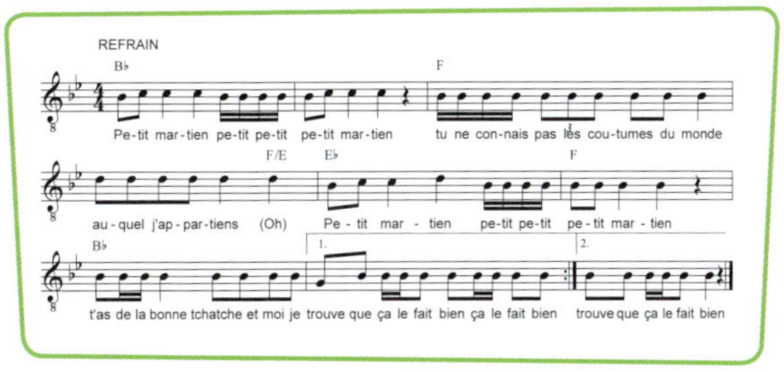

Kleiner Marsmensch, du weisst nicht, wie meine Welt tickt.
Kleiner Marsmensch, du quasselst andauernd und das finde ich cool.

(15) » Lis et écoute les extraits.

Le martien dit au flic: «T'es ouf!»	....
On se rencontre dans la cité.	....
On prend l'avion pour New York.	....
On fait la fête.	....
On passe la nuit au commissariat.	....
On rencontre un flic.	....

un flic
ein Polizist

ouf = fou
verrückt

la cité
die Vorstadtsiedlung

passer la nuit
die Nacht verbringen

2 Qu'est-ce qui se passe au début, ensuite... et à la fin?
» Imagine une histoire. Numérote les extraits de 1 à 6.

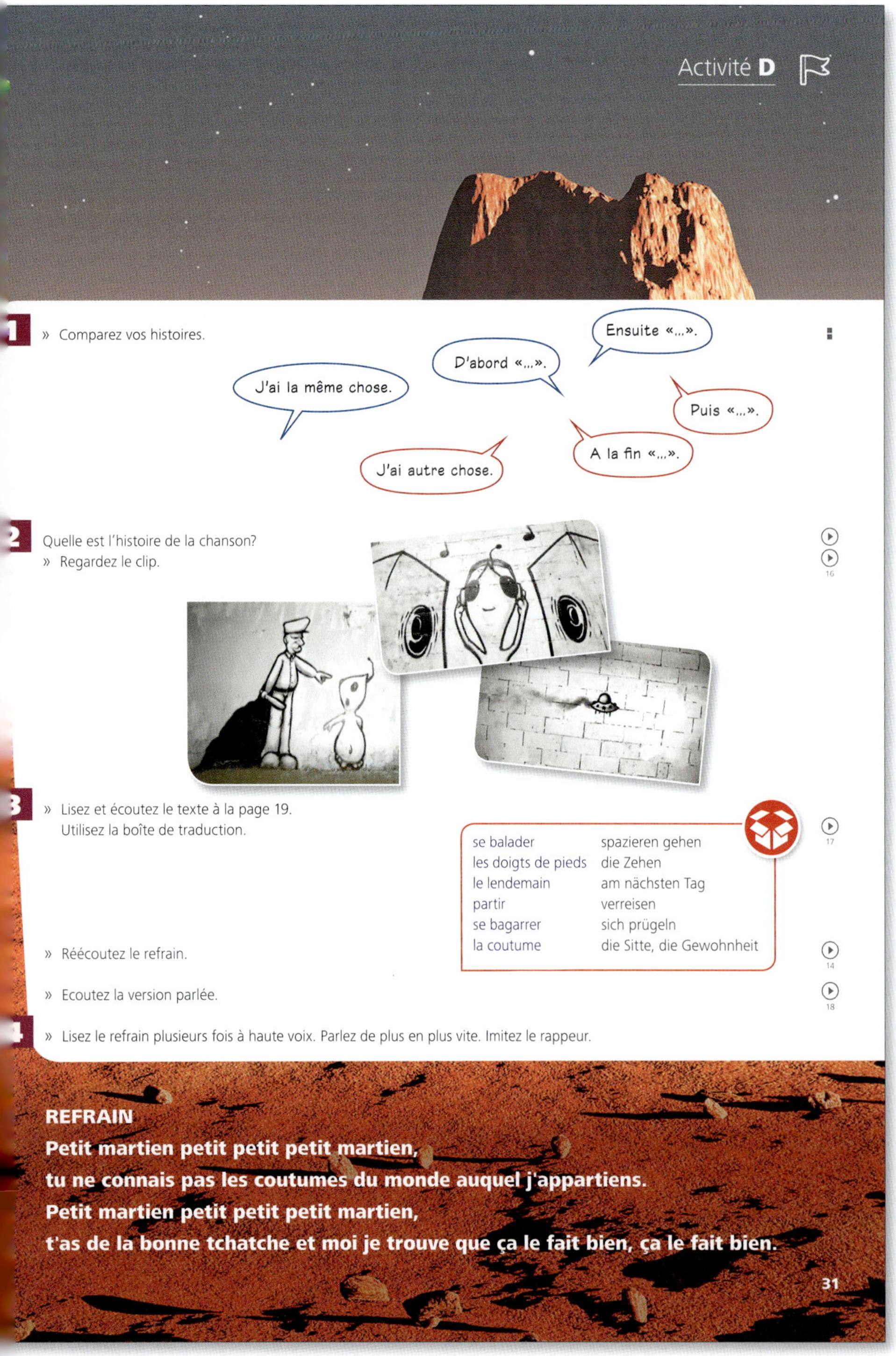
Activité **D**

1 » Comparez vos histoires.

2 Quelle est l'histoire de la chanson?
» Regardez le clip.

16

3 » Lisez et écoutez le texte à la page 19.
Utilisez la boîte de traduction.

17

se balader	spazieren gehen
les doigts de pieds	die Zehen
le lendemain	am nächsten Tag
partir	verreisen
se bagarrer	sich prügeln
la coutume	die Sitte, die Gewohnheit

» Réécoutez le refrain. 14

» Ecoutez la version parlée. 18

4 » Lisez le refrain plusieurs fois à haute voix. Parlez de plus en plus vite. Imitez le rappeur.

REFRAIN
Petit martien petit petit petit martien,
tu ne connais pas les coutumes du monde auquel j'appartiens.
Petit martien petit petit petit martien,
t'as de la bonne tchatche et moi je trouve que ça le fait bien, ça le fait bien.

31

1 Die Sprechblasen zeigen an, dass an dieser Stelle ein mündlicher Austausch auf Französisch vorgesehen ist. Um die Konversation ausschliesslich in der Zielsprache zu führen, kann in Situationen des mündlichen Austauschs eine Karte mit der Aufschrift «On parle français!» auf dem Tisch hilfreich sein. Damit geben die Lernenden eine Art Absichtserklärung ab, an die sie während des Gesprächs erinnert werden.

2 Den Illustrationen können die Lernenden folgende Informationen entnehmen:
» Ein Ufo landet.
» Ein Marsmensch spricht aufgeregt.
» Ein Polizist taucht auf.
» Der Polizist und der Marsmensch reden miteinander. Der Marsmensch zeigt auf die Füsse des Polizisten.
» Der Marsmensch wird in einem Polizeiwagen hinter Gittern abgeführt.
» Der Sänger und der Marsmensch gehen aufeinander zu und sprechen miteinander.
» Das Ufo fliegt in eine Stadt mit Wolkenkratzern.
» Ein Typ mit Hut und Augenbinde spricht. (DJ)
» Der Marsmensch steht zwischen zwei Lautsprechern und hat Kopfhörer auf.
» Der Marsmensch zeigt auf sich und spricht.
» Das Ufo fliegt davon.

Aufgrund der Bilder könnte man sich in etwa folgende Geschichte zusammenreimen:
Ein Marsmensch landet mit seinem Ufo auf der Erde. Er wird von der Polizei verhaftet und abgeführt. Er trifft den Sänger der Gruppe und fliegt daraufhin mit seinem Ufo nach New York. Hier wird er DJ, bevor er die Erde in seiner fliegenden Untertasse wieder verlässt.

Gemäss Rap-Text ergibt sich folgender Ablauf der Geschichte:
1. *On se rencontre dans la cité.*
2. *On rencontre un flic.*
3. *Le martien dit au flic: «T'es ouf!»*
4. *On passe la nuit au commissariat.*
5. *On prend l'avion pour New York.*
6. *On fait la fête.*

3 Beim Hören und Lesen der Geschichte als Prosatext können die Lernenden Verstehenslücken füllen und die Geschichte detaillierter verstehen.

Zuhanden der Lehrpersonen steht der Originaltext des Chansons auf der Plattform www.clin-doeil.ch zur Verfügung. Es ist nicht vorgesehen, den Lernenden diesen abzugeben, da das Chanson insbesondere der Hörschulung dienen soll.

4 Die Lernenden versuchen sich im Sprechgesang und damit in einer schnellen, deutlichen Aussprache beim Rezitieren eines kurzen Textes.

In diesem Atelier wird ein Blick auf einzelne Sehenswürdigkeiten und Besonderheiten von Paris geworfen. Grundlage ist eine kleine Auswahl aus den rund 3000 Chansons, die über Paris geschrieben worden sind. Die Zitate aus Chansontexten führen zu einer Kurzinformation, zu der auf der Multimedia-CD je nach Thema Bilder, Lese- und Hörtexte, Filme oder Ausschnitte aus Musicals zu finden sind. Die angebotenen Inhalte orientieren sich nur bedingt an typischen Touristenattraktionen. Für die Auswahl sind nebst dem Chansonbezug vor allem die Attraktivität für Jugendliche und die Breite des thematischen Angebots ausschlaggebend.

Von den eigenen Interessen geleitet beschäftigen sich die Lernenden mit einzelnen Sehenswürdigkeiten und Besonderheiten. Dabei erwerben sie neues Weltwissen anhand der Zielsprache und lernen gleichzeitig die Zielsprache anhand neuer Inhalte. Sie erarbeiten dabei Sprachhandlungskompetenzen, die im Lehrplan «Passepartout» im Handlungsfeld «Neue Inhalte und neues Weltwissen in der Fremdsprache erwerben» ausgewiesen werden. Zudem erweitern sie ihr kulturelles Wissen.

Die Hauptstadt Frankreichs bietet viel Interessantes, das im Rahmen des Französischunterrichts thematisiert werden kann. Mit den elf Inhalten in diesem Atelier und den Hinweisen im *coup d'œil* ist ein Anfang gemacht, der u.a. in den *magazines* 8.3 *(Que faire à Paris?)* und 9.1 *(Paris s'éveille)* wieder aufgenommen und weitergeführt wird.

Atelier
Si **Paris** vous **chante...**

Des chanteurs de toutes les époques ont rendu hommage à Paris. Il existe d'innombrables chansons sur la ville lumière, sur ses quartiers, ses rues, ses monuments... Laissez-vous guider par quelques paroles de chansons et découvrez des curiosités de Paris...

Sartrouville

« *La musique peut tout changer, elle peut tous nous rassembler*
«La musique peut tout changer», 2009, Collège de Sartrouville

La musique est importante pour le **Collège Colette de Sartrouville.** Les quelque 800 élèves ont leur propre chaîne de musique sur Youtube: www.youtube.com/channel/UCGZGGO4ADhvTmac84bObNGw

« *Paris est magique...*
«Allez Paris», Supporteurs PSG

Le fantôme de l'Opéra – a-t-il vraiment existé?

« *Je regarde le plan de Paris, où vais-je aller aujourd'hui... Dans le métro, les Parisiens suivent toujours le même chemin...*
«Paris énième», 1992, Zaniboni

Chaque seconde, 47 personnes prennent **le métro.** Cela fait près de 1,5 milliard de voyageurs par an.

Champs-Elysées

« *Il y a tout ce que vous voulez aux Champs-Elysées...*
«Les Champs-Elysées», 1970, Joe Dassin

Tour Eiffel

La Tour Eiffel est un des monuments les plus visités du monde. Elle accueille chaque année 7 millions de visiteurs. Gustave Eiffel est-il vraiment le père de la tour?

« *La Tour Eiffel a froid aux pieds...*
«Il est cinq heures Paris s'éveille», 1968, Jacques Dutronc

« *Je marche dans tes rues... Je bois dans tes cafés... Je traîne dans tes métros... Je rêve dans tes bistrots... Je m'assois sur tes bancs... Je regarde tes monuments... Paris Paris...*
«Paris», 2001, Marc Lavoine

« *...le champignon de Paris, il peut faire illusion, c'est même parfois bon, bon...*
«Le champignon de Paris», 2006, Plus Bifluorée

« *Oui mais à Paname, tout peut s'arranger... Paname = Paris*
«Sous le ciel de Paris», 1951, Juliette Gréco

D'où vient le nom **des champignons de Paris?**

32

Die Lernenden sind eingeladen, sich je nach Interesse und Vermögen mit einzelnen Sehenswürdigkeiten und Besonderheiten von Paris zu befassen. Zitate aus Chansontexten bieten einen poetischen Zugang zu den verschiedenen Themen, die in den Kästchentexten kurz beschrieben sind. Die Kurztexte sollen Neugierde und Interesse wecken, sich mit den weiterführenden Angeboten – Bildern, Texten, Hördokumenten und Filmen – auf der Multimedia-CD zu beschäftigen.

Diese Angebote beinhalten Folgendes:

Le métro
Die Entwicklung der Métro von 1900 bis 2025 in einem Kurzabriss in Text und Bild

La Tour Eiffel
Informationen über Besucherzahlen, Bau, Einrichtungen und Unterhalt des Eiffelturms in Text und Bild

Le fantôme de l'Opéra
Hintergründe und Inhaltsangabe der Geschichte des Phantoms der Oper, Audioaufnahme des gleichnamigen Chansons aus dem Musical

Les Catacombes
Bericht über einen Besuch in den Katakomben, Informationen und Zahlen über diesen besonderen Ort

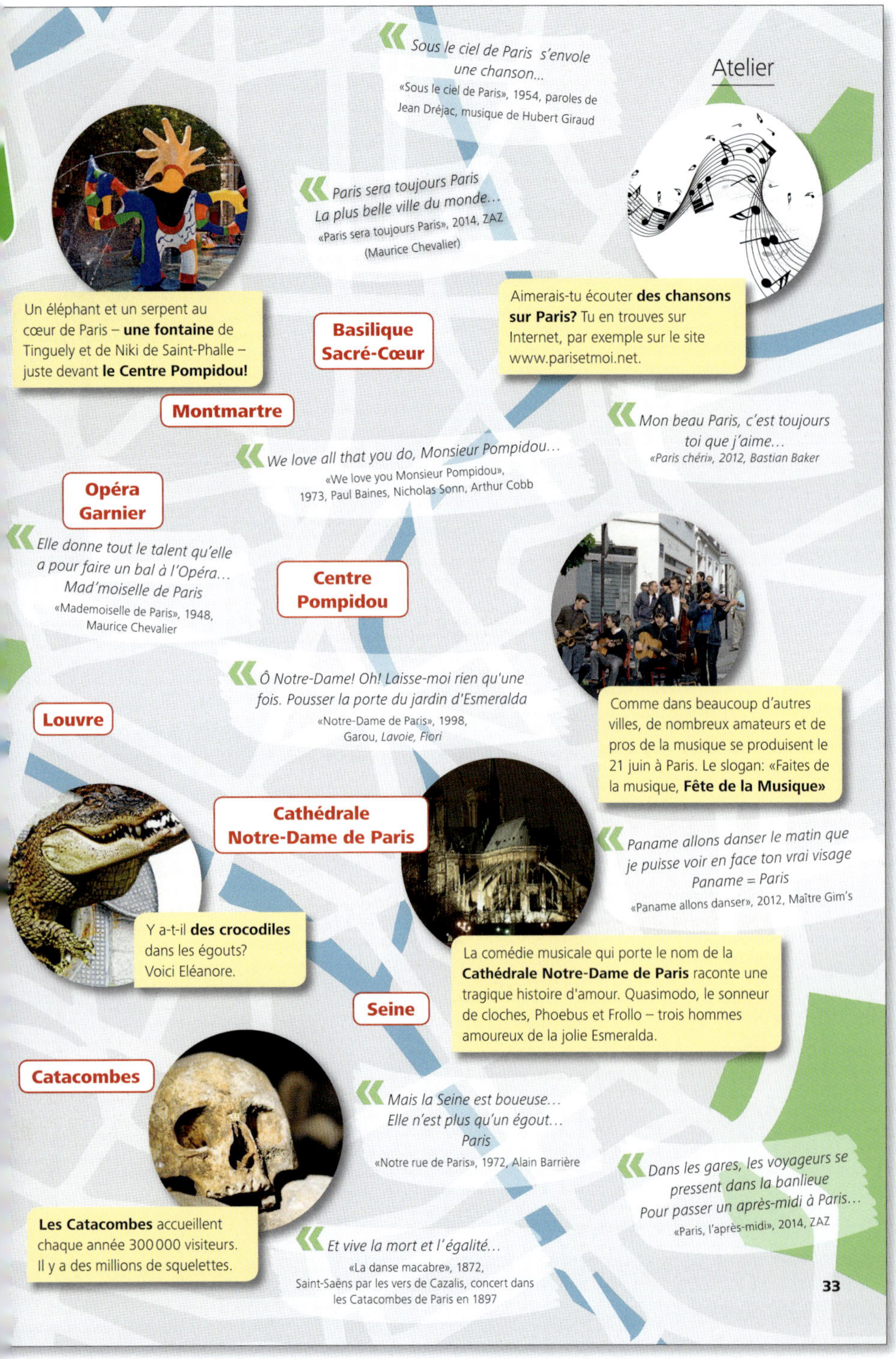

Atelier

Sous le ciel de Paris s'envole une chanson…
«Sous le ciel de Paris», 1954, paroles de Jean Dréjac, musique de Hubert Giraud

Paris sera toujours Paris
La plus belle ville du monde…
«Paris sera toujours Paris», 2014, ZAZ (Maurice Chevalier)

Un éléphant et un serpent au cœur de Paris – **une fontaine** de Tinguely et de Niki de Saint-Phalle – juste devant **le Centre Pompidou!**

Basilique Sacré-Cœur

Aimerais-tu écouter **des chansons sur Paris?** Tu en trouves sur Internet, par exemple sur le site www.parisetmoi.net.

Montmartre

Mon beau Paris, c'est toujours toi que j'aime…
«Paris chéri», 2012, Bastian Baker

We love all that you do, Monsieur Pompidou…
«We love you Monsieur Pompidou», 1973, Paul Baines, Nicholas Sonn, Arthur Cobb

Opéra Garnier

Elle donne tout le talent qu'elle a pour faire un bal à l'Opéra… Mad'moiselle de Paris
«Mademoiselle de Paris», 1948, Maurice Chevalier

Centre Pompidou

Ô Notre-Dame! Oh! Laisse-moi rien qu'une fois. Pousser la porte du jardin d'Esmeralda
«Notre-Dame de Paris», 1998, Garou, *Lavoie, Flori*

Louvre

Comme dans beaucoup d'autres villes, de nombreux amateurs et de pros de la musique se produisent le 21 juin à Paris. Le slogan: «Faites de la musique, **Fête de la Musique»**

Cathédrale Notre-Dame de Paris

Paname allons danser le matin que je puisse voir en face ton vrai visage
Paname = Paris
«Paname allons danser», 2012, Maître Gim's

Y a-t-il **des crocodiles** dans les égouts? Voici Eléanore.

La comédie musicale qui porte le nom de la **Cathédrale Notre-Dame de Paris** raconte une tragique histoire d'amour. Quasimodo, le sonneur de cloches, Phoebus et Frollo – trois hommes amoureux de la jolie Esmeralda.

Seine

Catacombes

Mais la Seine est boueuse… Elle n'est plus qu'un égout… Paris
«Notre rue de Paris», 1972, Alain Barrière

Dans les gares, les voyageurs se pressent dans la banlieue Pour passer un après-midi à Paris…
«Paris, l'après-midi», 2014, ZAZ

Les Catacombes accueillent chaque année 300 000 visiteurs. Il y a des millions de squelettes.

Et vive la mort et l'égalité…
«La danse macabre», 1872, Saint-Saëns par les vers de Cazalis, concert dans les Catacombes de Paris en 1897

33

Une fontaine
Kurzbericht und eine filmische Impression über den Strawinsky-Brunnen mit Skulpturen von Jean Tinguely und Nicki de Saint Phalle

Des champignons de Paris
Bericht über die Produktion von Champignons – früher in unterirdischen Gängen von Paris – heute vor allem in Saumur, einer Stadt in Westfrankreich. Zudem ein Rezept des traditionellen Gerichts *Clafoutis aux champignons de Paris*

Des crocodils
Bericht aus einer Jugendzeitschrift über den Fund eines Krokodils in einem Abwasserkanal in Paris

La Cathédrale Notre-Dame de Paris
Inhaltsangabe der Geschichte des Glöckners von Notre-Dame, Audioaufnahme des Chansons «Belle» aus dem Musical «Notre-Dame de Paris»

Le Collège de Sartrouville
Verweis auf den Videoclip auf Seite 12 des *magazine* und Internetlink auf Youtube (*Collège Colette de Sartrouville: La chaîne Musique*)

Fête de la Musique
Bilderreigen vom jährlich stattfindenden Fest

Chansons de Paris
Verweis auf das Internet, wo viele *Chansons de Paris* angehört werden können

Zu den meisten Themen finden sich im Internet Filmaufnahmen, welche die Texte und Hörbeispiele zusätzlich auf lebendige Weise illustrieren können.

Es ist denkbar, weitere Sehenswürdigkeiten und Besonderheiten von Paris zu thematisieren. Die Lernenden können sich – je nach Möglichkeit – mit einer Internet-Recherche über weitere Themen informieren und ihre Einsichten den anderen mündlich oder schriftlich präsentieren.

Auf individuelle Bedürfnisse eingehen

Anforderungen reduzieren
Unterstützung durch Austausch
» Sich nach der Bearbeitung eines Themas mit einer andern Gruppe austauschen
Stoffreduktion
» Sich nur mit einzelnen Kurztexten im *magazine* befassen, ohne die weiterführenden Angebote auf der Multimedia-CD zu bearbeiten

Anforderungen erweitern
Erstellung von Unterrichtshilfen
» Für die Mitschülerinnen und Mitschüler Entschlüsselungshilfen für die Texte auf der Multimedia-CD erstellen
Selbstständige Recherche
» Im Internet zu ausgewählten Themen weitere Informationen recherchieren

«Der aktuelle inhalts- und handlungsorientierte Ansatz geht einher mit der Überzeugung, dass ein zyklischer Prozess in Spiralform den Sprachaufbau am nachhaltigsten fördert. Ein entsprechendes Vorgehen im Verlaufe des Unterrichts über eine längere Zeit könnte wie folgt aussehen:

1. Die Lernenden begegnen einer Struktur vorwiegend rezeptiv, d.h. in thematisch eingebetteten Hör- und Leseverstehensaktivitäten und in Handlungsanweisungen.
2. Die Lernenden verwenden die Struktur mit Unterstützung (Sprachsupport) situativ angemessen. Bei der Verwendung passieren je nach Unterstützungsgrad noch häufig Fehler. Durch induktives Vorgehen entdecken die Lernenden selber einzelne Strukturen. Teilweise sind die Einsichten sprachenübergreifend.
3. Die Lernenden sind in der Lage, in konkreten Aufgabenstellungen und gegebenenfalls mit Vorentlastung die Struktur aktiv und teilweise korrekt zu gebrauchen und sie mit anderen Strukturen zu verknüpfen. Bei der spontanen Verwendung passieren noch häufig Fehler.»

(Auszug aus Positionspapier und Référentiel «Passepartout»)

Der Auszug aus dem Positionspapier macht deutlich, dass der Weg von der ersten Begegnung mit einer grammatikalischen Erscheinungsform bis zu deren korrekter Verwendung lang ist und über mehrere Stufen verläuft. Die Spracharbeit in *Clin d'œil* ist so angelegt, dass jeweils die verschiedenen Phasen durchlaufen werden. Stufe 1 ist durch das Angebot an authentischen Inputtexten gesichert. Auf Stufe 2 steht das wiederholte Entdecken und das Anwenden mit Unterstützung in bedeutungsvollen Sprachhandlungssituationen im Vordergrund.

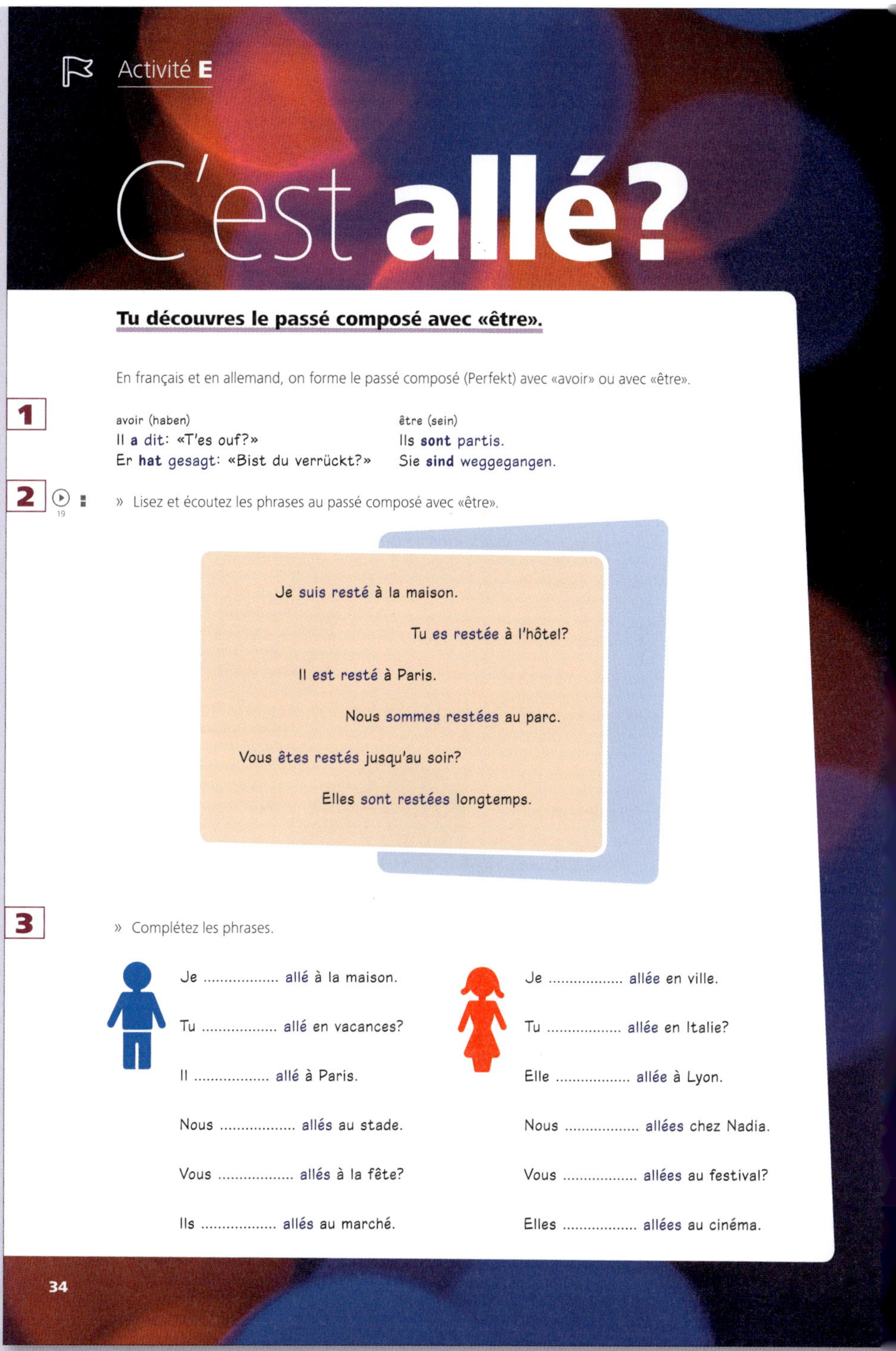

Activité **E**

C'est **allé?**

Tu découvres le passé composé avec «être».

En français et en allemand, on forme le passé composé (Perfekt) avec «avoir» ou avec «être».

1

avoir (haben)	être (sein)
Il **a dit**: «T'es ouf?»	Ils **sont partis**.
Er **hat gesagt**: «Bist du verrückt?»	Sie **sind weggegangen**.

2 19 » Lisez et écoutez les phrases au passé composé avec «être».

Je **suis resté** à la maison.

Tu **es restée** à l'hôtel?

Il **est resté** à Paris.

Nous **sommes restées** au parc.

Vous **êtes restés** jusqu'au soir?

Elles **sont restées** longtemps.

3 » Complétez les phrases.

Je .... allé à la maison.	Je .... allée en ville.
Tu .... allé en vacances?	Tu .... allée en Italie?
Il .... allé à Paris.	Elle .... allée à Lyon.
Nous .... allés au stade.	Nous .... allées chez Nadia.
Vous .... allés à la fête?	Vous .... allées au festival?
Ils .... allés au marché.	Elles .... allées au cinéma.

34

Auf dieser Stufe lässt sich *activité* E einordnen. Die Lernenden entdecken die Bildung des *passé composé* mit *être*, wobei ihnen der Vergleich mit der Schulsprache Deutsch erlaubt, bereits vorhandenes Wissen auf die Zielsprache zu übertragen. Die Einsichten üben sie in einer Lernsoftware und in einer fakultativen schriftlichen Übung ein, bevor diese in der schriftlichen Sprachproduktion in der *tâche* zur Anwendung kommen.

Die Zeitform *passé composé* wird im Sinne des spiralzyklischen Lernens zu Beginn der 8. Klasse erneut thematisiert werden.

In einem ersten Schritt wiederholen die Lernenden in *activité* E die Personalformen des Hilfsverbs *être*, um diese für die nachfolgenden Übungen präsent zu haben.

Den Lernenden wird anschliessend aufgezeigt, dass sich das Partizip im Französischen in Geschlecht und Zahl dem Subjekt anpasst. Die Ausführungen über das Adjektiv erinnern sie daran, dass sie dieser Gesetzmässigkeit bereits in anderem Kontext begegnet sind.

Der Klassenwortschatz besteht aus elf Verben der Bewegung und des Verweilens, die im *passé composé* mit *être* verwendet werden.

Activité **E**

1

Erinnerst du dich?

Die Endungen von Adjektiven passen sich in Geschlecht und Zahl dem Nomen an.

un hôtel volant	une voiture volant**e**
des hôtels volant**s**	des voitures volant**es**

Auch die Verben mit *être* im *passé composé* passen sich in Geschlecht und Zahl an.

Il es all**é**	Elle est all**ée**
Il sont all**és**	Elles sont all**ées**

Voici quelques verbes courants avec «être» au passé composé.
» Lisez et écoutez-les.

20

2

Il est… allé monté arrivé venu entré retourné resté parti sorti descendu tombé

aller	gehen
monter	hinaufsteigen, einsteigen
arriver	ankommen
venir	kommen
venu/-e	gekommen
entrer	eintreten
retourner	zurückkehren
rester	bleiben
partir	weggehen, verreisen
parti/-e	weggegangen, verreist
sortir	hinausgehen
sorti/-e	hinausgegangen
descendre	hinabsteigen, aussteigen
descendu/-e	hinabgestiegen, ausgestiegen
tomber	hinfallen, fallen, stürzen

21–22

arriver
to arrive

retourner
to return

entrer
to enter

35

In dieser ersten Bewusstmachungsphase ist nicht vorgesehen, dass die Lernenden alles über diese grammatikalische Erscheinungsform erfassen. So wird hier nicht thematisiert, dass einzelne Verben wie *monter, sortir, retourner* oder *rentrer* je nach Bedeutung auch transitiv verwendet werden können und deren *passé composé* dann mit dem Hilfsverb *avoir* gebildet wird. Im Weiteren werden im Klassenwortschatz nur sehr gebräuchliche Verben angeboten. Die Liste der französischen Verben, die im *passé composé* das Hilfsverb *être* verlangen, ist wesentlich umfangreicher und enthält nebst den reflexiven auch eine grosse Anzahl an Verben, die eher wenig frequent sind, wie z.B. *échoir, accoutumer…*

1 Die Anpassung des Partizips wird hier in Anlehnung an eine Lernerfahrung, die die Lernenden in Bezug auf das Adjektiv bereits wiederholt gemacht haben, aufgezeigt, ohne dass diese Thematik bei der Beschäftigung mit dem *passé composé* mit *être* im Vordergund stehen soll.

2 Die Visualisierung des Klassenwortschatzes kann die Lernenden dabei unterstützen, sich die Verben, die im *passé composé* das Hilfsverb *être* verlangen, einzuprägen.

Mit besonders interessierten Lernenden könnte hier thematisiert werden, dass mehrere dieser Verben auch mir dem Präfix *re-* existieren, was in der Regel *wieder* oder *zurück* bedeutet (*remonter, revenir, rentrer, repartir, ressortir, redescendre, retomber*). Auch diese Verben verlangen im *passé composé* das Hilfsverb *être*. Zudem ist den Lernenden das Verb *venir* mit dem Präfix *de-* bekannt.

Auf individuelle Bedürfnisse eingehen

Anforderungen erweitern
Selbstständige Sprachentdeckung
» Die Regeln bezüglich Anpassung des Partizips im dreischrittigen Prozess D – A – V selber entdecken und verbalisieren (vgl. E, *magazine* Seite 35)

1 Die Lernenden können erneut erkennen, dass es in der Bildung des deutschen Perfekts und des französischen *passé composé* grosse Übereinstimmungen gibt.

2 Das Lesen und Hören der sechs Sätze ruft den Lernenden die Konjugation des Hilfsverbs *être* in Erinnerung und macht die Form des *passé composé* eingängig.

3 Die Lernenden verwenden das Hilfsverb *être* in allen Personalformen und nehmen möglicherweise in Bezug auf das Partizip in den beiden Spalten Unterschiede wahr.

1 Die Lernsoftware verlangt auf Level 2 das gleiche Vorgehen wie auf Level 1, wo die Lernenden das *passé composé* mit *avoir* eingeübt haben. Jetzt wählen sie nebst dem Subjekt resp. der Personalform aus einem Pool von Verben aus, die das Hilfsverb *être* verlangen. Als zusätzliche Herausforderung gilt es, das Partizip in Geschlecht und Zahl der Personalform anzupassen. Bei den Personalpronomen *je, tu, nous* und *vous* werden je die männliche und die weibliche Form als korrekt akzeptiert.

2 Mit der fakultativen schriftlichen Übung können die Lernenden die Bildung des *passé composé* mit *être* festigen und erneut die Verwendung von Adverbien als Satzanfang einüben.

Auf individuelle Bedürfnisse eingehen

Anforderungen erweitern

Fakultatives Zusatzangebot

» Die fakultative Aufgabe im *magazine* bearbeiten

Beurteilung und Rückmeldung

» Die Sätze einer Mitschülerin oder eines Mitschülers auf deren Korrektheit überprüfen

Activité **E**

1 2 3

1 » Entraîne-toi à former des phrases au passé composé avec «être».
Fais le niveau 2 à l'ordinateur.

2 » Formez des phrases au passé composé.

D'abord...	arriver	à l'école
Ensuite...	entrer	au cinéma
Puis...	rester	à la maison
Tout à coup...	aller	au lit
Finalement...	retourner	à la salle de sport
Mais...	venir	à la chambre
Alors...	venu/-e	à la cave
Plus tard...	descendre	au premier étage
En même temps...	descendu/-e	au Canada
Malheureusement...	partir	au troisième étage
Un matin...	parti/-e	au stade de foot
Le lendemain...	monter	sur la Tour Eiffel
		sur l'arbre
		à Genève
		en Italie
		...

sortir	de l'école
sorti/-e	du lit
tomber	de l'arbre
	du stade de foot
	par terre
	du podium
	du bateau
	...

Alors, elle est partie au Canada.

être
je suis...
tu es...
il/elle/on est...
nous sommes...
vous êtes...
ils/elles sont...

36

Activité **E**

» Faites corriger les phrases.

1 » Entraîne-toi à l'ordinateur à former des phrases au passé composé avec «avoir» et «être». Fais le niveau 3.

1 2 3

2 » Mémorise les expressions de la page 35.

3 » Note tes découvertes dans la revue.

37

1 Auf Level 3 der Lernsoftware werden die sprachlichen Mittel von Level 1 und 2 gemischt angeboten. Die Lernenden haben demnach zusätzlich die Entscheidung zu treffen, ob das angegebene Verb mit *avoir* oder *être* ins *passé composé* gesetzt wird.

2 Für das Einüben des Klassenwortschatzes stehen den Lernenden wie üblich der *fichier*, Spielformen (siehe www.clin-doeil.ch) und zahlreiche Mnemotechniken (siehe *revue*) zur Verfügung.

3 Die Lernenden haben die Aufgabe, ihre Einsichten in die Bildung der Zeitform *passé composé* in der *revue* mit Skizzen, Schemata und Beispielen darzustellen. Anschliessend besprechen sie ihre Einträge untereinander, was ihnen erlaubt, verschiedene Darstellungsformen zu sehen und ihren Eintrag bei Bedarf zu ergänzen.

Für eine grammatikalische Erscheinungsform eine eigene Darstellungsform zu finden, ist eine kognitiv anspruchsvolle Aufgabe. Eine selber geschriebene Grammatik ist jedoch der Abschrift aus einem offiziellen Regelwerk überlegen, selbst wenn die eigene Darstellung möglicherweise noch lückenhaft ist. Sie entspricht dem derzeitigen Einsichtsvermögen und dient den Lernenden beim Erinnern, Memorieren und Nachschlagen. Eine derart persönliche Auseinandersetzung mit dem Lerngegenstand kann durch das Vorgeben einer offiziellen Darstellung nicht erreicht werden.

Auf individuelle Bedürfnisse eingehen

Anforderungen erweitern
Fakultatives Zusatzangebot
» Das fakultative Lernsoftware-Angebot nutzen

«Der aktuelle inhalts- und handlungsorientierte Ansatz geht einher mit der Überzeugung, dass ein zyklischer Prozess in Spiralform den Sprachaufbau am nachhaltigsten fördert.» Im Positionspapier und Référentiel «Passepartout» wird dieser Prozess in drei Stufen beschrieben, die sich wie folgt zusammenfassen lassen: 1. Begegnung in Hör- und Leseverstehensaktivitäten, 2. Entdeckung durch induktives Vorgehen und Verwendung mit Sprachsupport, 3. Teilweise korrekte Verwendung in konkreten Aufgabenstellungen; Fehler bei spontaner Verwendung häufig. (Originaltext siehe *fil rouge* Seite 52.)

Das Positionspapier macht deutlich, dass der Weg von der ersten Begegnung mit einer grammatikalischen Erscheinungsform bis zu deren korrekter Verwendung lang ist. Die Spracharbeit in *Clin d'œil* ist so angelegt, dass jeweils die verschiedenen Phasen durchlaufen werden. Stufe 1 ist durch das Angebot an authentischen Inputtexten gesichert. Auf Stufe 2 steht das wiederholte Entdecken und das Anwenden mit Unterstützung in bedeutungsvollen Sprachhandlungssituationen im Vordergrund.

Auf dieser Stufe lässt sich *activité* E einordnen. Die Lernenden entdecken die Bildung des *passé composé* mit *être,* wobei ihnen der Vergleich mit der Schulsprache Deutsch erlaubt, bereits vorhandenes Wissen auf die Zielsprache zu übertragen. Die Einsichten üben sie in einer Lernsoftware und in einer schriftlichen Übung ein, bevor diese in der schriftlichen Sprachproduktion in der *tâche* zur Anwendung kommen.

Die Zeitform *passé composé* wird im Sinne des spiralzyklischen Lernens zu Beginn der 8. Klasse erneut thematisiert werden.

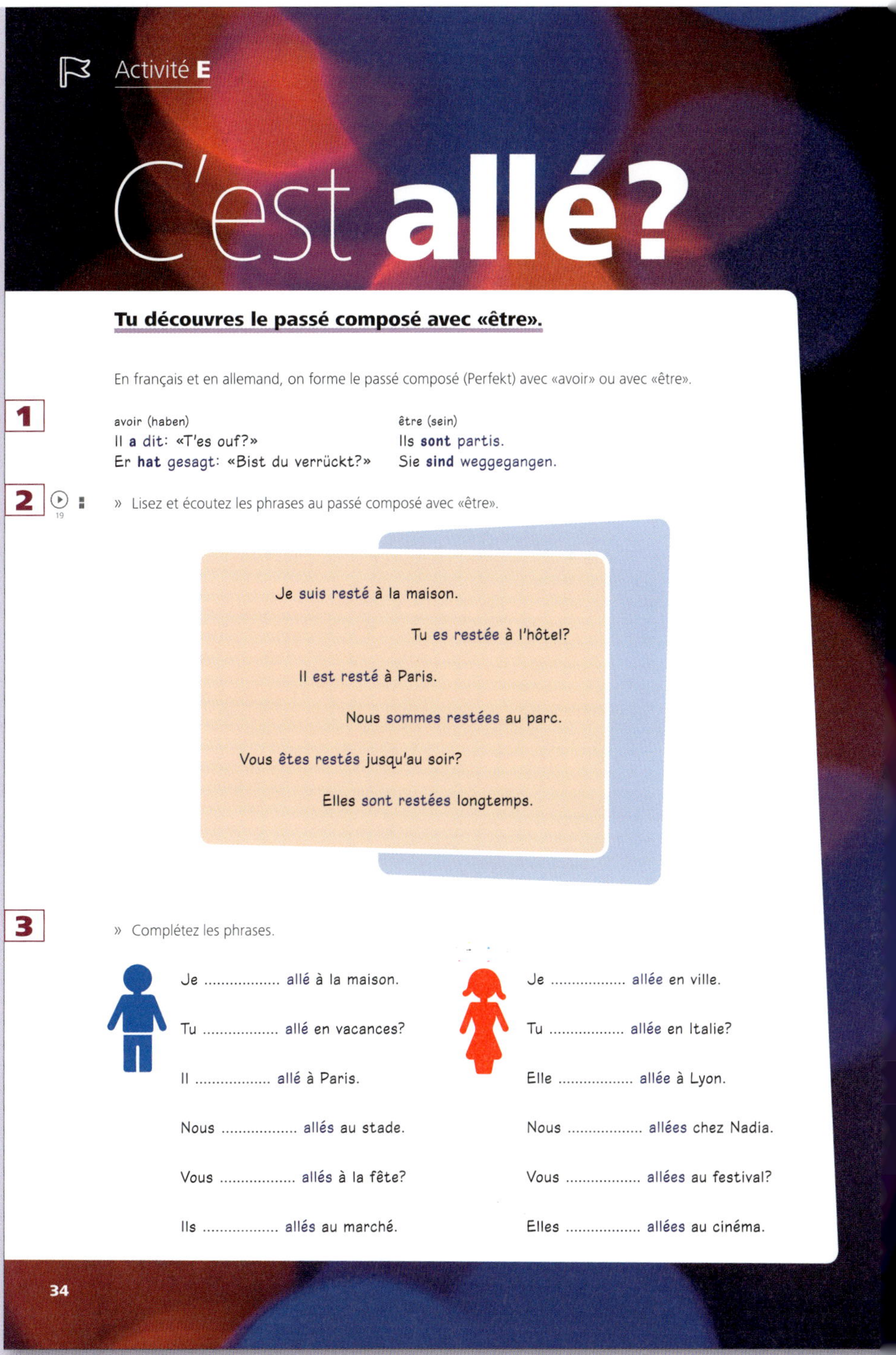

Activité **E**

C'est **allé?**

Tu découvres le passé composé avec «être».

En français et en allemand, on forme le passé composé (Perfekt) avec «avoir» ou avec «être».

1

avoir (haben)	être (sein)
Il **a** dit: «T'es ouf?»	Ils **sont** partis.
Er **hat** gesagt: «Bist du verrückt?»	Sie **sind** weggegangen.

2 19 » Lisez et écoutez les phrases au passé composé avec «être».

Je suis resté à la maison.
Tu es restée à l'hôtel?
Il est resté à Paris.
Nous sommes restées au parc.
Vous êtes restés jusqu'au soir?
Elles sont restées longtemps.

3 » Complétez les phrases.

Je .... allé à la maison.	Je .... allée en ville.
Tu .... allé en vacances?	Tu .... allée en Italie?
Il .... allé à Paris.	Elle .... allée à Lyon.
Nous .... allés au stade.	Nous .... allées chez Nadia.
Vous .... allés à la fête?	Vous .... allées au festival?
Ils .... allés au marché.	Elles .... allées au cinéma.

34

In einem ersten Schritt wiederholen die Lernenden in *activité* E die Personalformen des Hilfsverbs *être,* um diese für die nachfolgenden Übungen präsent zu haben.

Die anschliessende Grammatikarbeit ist induktiv und nach dem Grundprinzip des kooperativen Lernens D – A – V (Denken – Austauschen – Vorstellen) angelegt. Beim Analysieren der Beispiele erkennen die Lernenden, dass sich das Partizip im Französischen in Geschlecht und Zahl dem Subjekt anpasst. Die Ausführungen über das Adjektiv erinnern sie daran, dass sie dieser Gesetzmässigkeit bereits in anderem Kontext begegnet sind. Ihre Einsichten tauschen sie mit einer anderen Gruppe aus, bevor die Regelmässigkeit im Plenum besprochen und offizialisiert wird und mit verschiedenen Übungsanlagen eingeübt wird.

Der Klassenwortschatz besteht aus elf Verben der Bewegung und des Verweilens, die im *passé composé* mit *être* verwendet werden.

In dieser ersten Bewusstmachungsphase ist nicht vorgesehen, dass die Lernenden alles über diese grammatikalische Erscheinungsform erfassen. So wird hier nicht thematisiert, dass einzelne Verben wie *monter, sortir, retourner* oder *rentrer* je nach Bedeutung auch

Activité E

Erinnerst du dich?

Die Endungen von Adjektiven passen sich in Geschlecht und Zahl dem Nomen an.
- un hôtel volant
- des hôtels volant**s**
- une voiture volant**e**
- des voitures volant**es**

Auch die Verben mit *être* im *passé composé* passen sich in Geschlecht und Zahl an.

1 Quand faut-il écrire allé, allée, allés ou allées?
» Discutez. Notez les règles.

2 » Echangez les règles.

3 » Présentez les règles.

Nous sommes allés. Vous êtes allés. Ils sont allés.

4 Voici quelques verbes courants avec «être» au passé composé.
» Lisez et écoutez-les.

20

21–22

aller	gehen
monter	hinaufsteigen, einsteigen
arriver	ankommen
venir	kommen
venu/-e	gekommen
entrer	eintreten
retourner	zurückkehren
rester	bleiben
partir	weggehen, verreisen
parti/-e	weggegangen, verreist
sortir	hinausgehen
sorti/-e	hinausgegangen
descendre	hinabsteigen, aussteigen
descendu/-e	hinabgestiegen, ausgestiegen
tomber	hinfallen, fallen, stürzen

arriver
to arrive

retourner
to return

entrer
to enter

35

1 Die Lernenden erschliessen die Gesetzmässigkeit durch Beobachtung, Vergleich und Generalisierung. Dieses induktive Vorgehen ist in Partnerarbeit angelegt, damit die Lernenden ihre Beobachtungen und Vermutungen austauschen können. Anhand der vier Partizipien aus den Beispielsätzen von Seite 34 entdecken sie, dass sich das Partizip in Geschlecht und Zahl dem Personalpronomen anpasst. Sie werden in ihrer Entdeckung durch die Informationen im grünen Kästchen unterstützt, indem mit dem Hinweis auf die Anpassung von Adjektivendungen eine Brücke zu Bekanntem geschlagen wird.

Sie können ihre Einsicht mit Strichmännchen und den entsprechenden Partizipien darstellen, mit metasprachlichen Begriffen beschreiben oder anhand von Beispielen erläutern.

2 In Anlehnung an die Grundform des kooperativen Lernens tauschen die Lernenden ihre Sprachentdeckungen mit einer anderen Gruppe aus.

3 In der dritten Phase werden die Einsichten präsentiert, diskutiert und zum Abschluss offizialisiert, so dass gewährleistet ist, dass die Regelhaftigkeit richtig erkannt worden ist.

4 Die Visualisierung des Klassenwortschatzes kann die Lernenden dabei unterstützen, sich Verben, die im *passé composé* das Hilfsverb *être* verlangen, einzuprägen.

Mit besonders interessierten Lernenden könnte hier thematisiert werden, dass mehrere dieser Verben auch mir dem Präfix *re-* existieren, was in der Regel *wieder* oder *zurück* bedeutet (*remonter, revenir, rentrer, repartir, ressortir, redescendre, retomber*). Auch diese Verben verlangen im *passé composé* das Hilfsverb *être*. Zudem ist den Lernenden das Verb *venir* mit dem Präfix *de-* bekannt.

transitiv verwendet werden können und deren *passé composé* dann mit dem Hilfsverb *avoir* gebildet wird. Im Weiteren werden im Klassenwortschatz nur sehr gebräuchliche Verben angeboten. Die Liste der französischen Verben, die im *passé composé* das Hilfsverb *être* verlangen, ist wesentlich umfangreicher und enthält nebst den reflexiven auch eine grosse Anzahl an Verben, die eher wenig frequent sind, wie z.B. *échoir, accoutumer…*

1 Die Lernenden können erneut erkennen, dass es in der Bildung des deutschen Perfekts und des französischen *passé composé* grosse Übereinstimmungen gibt.

2 Das Lesen und Hören der sechs Sätze ruft den Lernenden die Konjugation des Hilfsverbs *être* in Erinnerung und macht die Form des *passé composé* eingängig.

3 Die Lernenden verwenden das Hilfsverb *être* in allen Personalformen und nehmen möglicherweise in Bezug auf das Partizip in den beiden Spalten Unterschiede wahr.

1 Die Lernsoftware verlangt auf Level 2 das gleiche Vorgehen wie auf Level 1, wo die Lernenden das *passé composé* mit *avoir* eingeübt haben. Jetzt wählen sie nebst dem Subjekt resp. der Personalform aus einem Pool von Verben aus, die das Hilfsverb *être* verlangen. Als zusätzliche Herausforderung gilt es, das Partizip in Geschlecht und Zahl der Personalform anzupassen. Bei den Personalpronomen *je, tu, nous* und *vous* werden je die männliche und die weibliche Form als korrekt akzeptiert.

Wenn es die Infrastruktur im Klassenzimmer erfordert, kann eine Gruppe am Computer arbeiten, während die andere sich mit der schriftlichen Übung beschäftigt.

2 Die schriftliche Übung dient einerseits der Festigung des *passé composé* mit *être,* andererseits üben sich die Lernenden erneut im Verwenden von Adverbien als Satzanfang. In der *tâche* wird beides als Kriterium aufgeführt und beurteilt.

Auf individuelle Bedürfnisse eingehen

Anforderungen reduzieren

Vorentlastung

» Mit den Lernenden, die das wünschen, gemeinsam passende Ergänzungen zu den Verben suchen

Stoffreduktion

» Das Einüben der Formen auf die Lernsoftware beschränken, ohne schriftliche Übung im *magazine*

Anforderungen erweitern

Selbstständigeres Vorgehen durch Einzelarbeit

» Die Sätze in Einzelarbeit schreiben

Weiterführende Aufgabe

» Eigene Sätze schreiben, ohne Vorgabe von Adverbien, Verben und Ergänzungen

Activité E

1 2 3

1 » Entraîne-toi à former des phrases au passé composé avec «être».
Fais le niveau 2 à l'ordinateur.

2 » Formez des phrases au passé composé.

D'abord...	arriver	à l'école
Ensuite...	entrer	au cinéma
Puis...	rester	à la maison
Tout à coup...	aller	au lit
Finalement...	retourner	à la salle de sport
Mais...	venir	à la chambre
Alors...	venu/-e	à la cave
Plus tard...	descendre	au premier étage
En même temps...	descendu/-e	au Canada
Malheureusement...	partir	au troisième étage
Un matin...	parti/-e	au stade de foot
Le lendemain...	monter	sur la Tour Eiffel
		sur l'arbre
		à Genève
		en Italie
		...

sortir	de l'école
sorti/-e	du lit
tomber	de l'arbre
	du stade de foot
	par terre
	du podium
	du bateau
	...

Alors, elle est partie au Canada.

être
je suis...
tu es...
il/elle/on est...
nous sommes...
vous êtes...
ils/elles sont...

36

persönliche Auseinandersetzung mit dem Lerngegenstand kann durch das Vorgeben einer offiziellen Darstellung nicht erreicht werden.

Auf individuelle Bedürfnisse eingehen

Anforderungen erweitern

Fakultatives Zusatzangebot

» Das fakultative Lernsoftware-Angebot nutzen

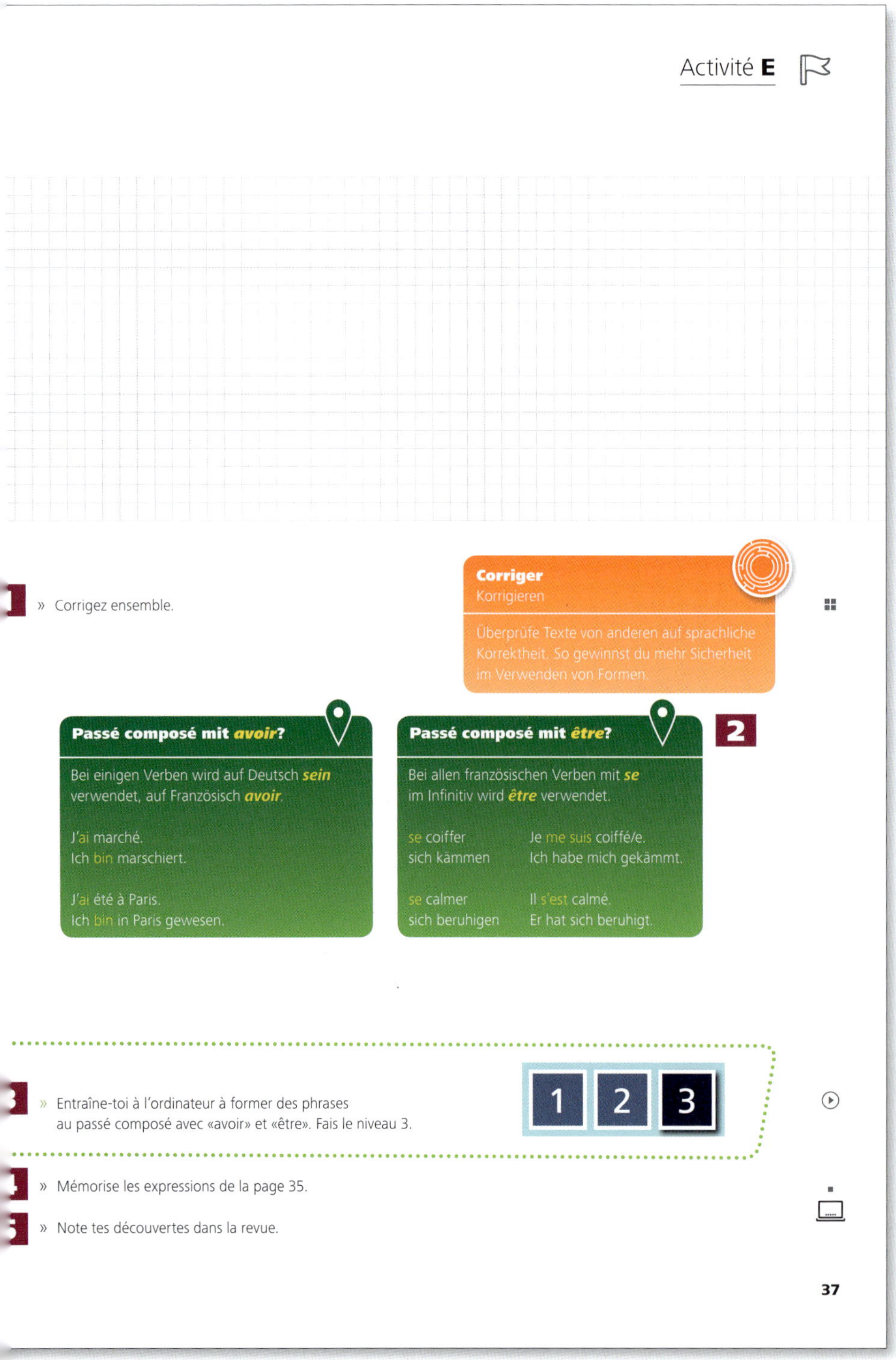

Activité **E**

1 » Corrigez ensemble.

Corriger
Korrigieren
Überprüfe Texte von anderen auf sprachliche Korrektheit. So gewinnst du mehr Sicherheit im Verwenden von Formen.

Passé composé mit *avoir*?

Bei einigen Verben wird auf Deutsch ***sein*** verwendet, auf Französisch ***avoir***.

J'ai marché.
Ich bin marschiert.

J'ai été à Paris.
Ich bin in Paris gewesen.

Passé composé mit *être*?

Bei allen französischen Verben mit ***se*** im Infinitiv wird ***être*** verwendet.

se coiffer sich kämmen	Je me suis coiffé/e. Ich habe mich gekämmt.
se calmer sich beruhigen	Il s'est calmé. Er hat sich beruhigt.

2

3 » Entraîne-toi à l'ordinateur à former des phrases au passé composé avec «avoir» et «être». Fais le niveau 3.

1 2 3

4 » Mémorise les expressions de la page 35.

5 » Note tes découvertes dans la revue.

37

1 Das gemeinsame Korrigieren hat ein grosses Lernpotenzial. Die Lernenden beschäftigen sich noch einmal vertieft mit dem Lerngegenstand und diskutieren bei Uneinigkeit die korrekten Formen. Dies unterstützt sie dabei, Unsicherheiten zu erkennen und zu klären. Zudem kann «Lernen durch Lehren» stattfinden – eine Unterrichtsmethode, die das Lernen in verschiedener Hinsicht begünstigt:

Um einen Lerngegenstand jemand anderem erklären zu können, bedarf es einer Einsicht, die weit über das reine Anwenden geht. Damit profitieren Lernende, die ihre Mitschülerinnen und Mitschüler lehren, in besonderem Masse von diesem Lernarrangement. Der anspruchsvolle Lerninhalt wird aus der Perspektive der Lernenden beleuchtet, was den Zugang und das Verstehen erleichtert. Die Hemmschwelle, Unverständnis auszudrücken, nachzufragen oder um Erklärung zu bitten, ist tiefer. Das soziale Lernen wird gefördert, indem Lernende neue Rollen übernehmen und einüben, sich im Weiteren einander zuwenden und sich gegenseitig unterstützen.

Lernen durch Lehren ist eine lernstrategische Kompetenz, die auch im Lehrplan «Passepartout» aufgeführt ist: «Die Technik ‹Lernen durch Lehren› benützen, das heisst, anderen etwas beibringen und dabei selbst dazulernen».

2 Die Lernenden werden mit dem Hinweis auf die reflexiven Verben im *passé composé* auf eine Besonderheit hingewiesen. Damit ist jedoch kein Anspruch verbunden, solche Verben einzuüben. Das Thema wird in *Clin d'œil* 8 wieder aufgenommen.

3 Auf Level 3 der Lernsoftware werden die sprachlichen Mittel von Level 1 und 2 gemischt angeboten. Die Lernenden haben demnach zusätzlich die Entscheidung zu treffen, ob das angegebene Verb mit *avoir* oder *être* ins *passé composé* gesetzt wird.

4 Für das Einüben des Klassenwortschatzes stehen den Lernenden wie üblich der *fichier*, Spielformen (siehe www.clin-doeil.ch) und zahlreiche Mnemotechniken (siehe *revue*) zur Verfügung.

5 Die Lernenden haben die Aufgabe, ihre Einsichten in die Bildung der Zeitform *passé composé* in der *revue* mit Skizzen, Schemata und Beispielen darzustellen. Anschliessend besprechen sie ihre Einträge untereinander, was ihnen erlaubt, verschiedene Darstellungsformen zu sehen und ihren Eintrag bei Bedarf zu ergänzen.

Für eine grammatikalische Erscheinungsform eine eigene Darstellungsform zu finden, ist eine kognitiv anspruchsvolle Aufgabe. Eine selber geschriebene Grammatik ist jedoch der Abschrift aus einem offiziellen Regelwerk überlegen, selbst wenn die eigene Darstellung möglicherweise noch lückenhaft ist. Sie entspricht dem derzeitigen Einsichtsvermögen und dient den Lernenden beim Erinnern, Memorieren und Nachschlagen. Eine derart

Zwei Mitglieder der «Association des Jeunes Auteurs Romands» haben zu den in der *tâche* angebotenen Themen eine Kurzgeschichte geschrieben und diese anlässlich einer filmisch festgehaltenen Lesung präsentiert. Damit zeigen sie einerseits beispielhaft auf, wie auf der Grundlage eines Themas eine Geschichte entstehen kann, andererseits machen sie verschiedene Ausdrucksmittel einer Lesung erfahr- und beobachtbar.

1 Die Zusammenfassungen der beiden Geschichten von Seite 40 in deutscher Sprache sollen den Lernenden ermöglichen, den Verlauf während der Lesungen im Grossen und Ganzen nachzuvollziehen. Es ist nicht vorgesehen, dass sie eine intensive Entschlüsselungsarbeit leisten. Die Unterstützung soll so gross sein, dass sich die Lernenden während der Lesung auch auf die Ausdrucksmittel der Autorin und des Autors konzentrieren können.

Activité **F**

Lecture **publique**

Tu regardes le film d'une lecture publique.

Anne-Sophie Subilia et Guy Chevalley sont de jeunes auteurs de Suisse romande. Ils lisent leurs histoires «Une rencontre» et «Un jour de chance» devant un public. Tu peux t'inspirer de leurs présentations pour ta propre lecture dans la tâche.

1 » Lisez les résumés.

Eine Begegnung

Ich fuhr mit dem Zug nach St. Gallen zu meinem Vater.

Während der Fahrt von Bern nach Zürich sass mir eine alte Frau völlig bewegungslos, aber mit durchbohrendem Blick gegenüber. Ich fand sie sehr merkwürdig, so dass ich mich gar nicht auf meine Lektüre konzentrieren konnte, sondern ihr Spiegelbild im Fenster betrachten musste.

Plötzlich beugte sich die alte Frau vor und nahm meine Hand: «Komm, Kleine, ich werde dir deine Zukunft voraussagen.»

Anne-Sophie Subilia

Ein Glückstag

Gestern Abend ging ich mit meinen Freunden auf den Jahrmarkt. Meine Eltern erlaubten mir ausnahmsweise, erst um Mitternacht nach Hause zu kommen.

Obwohl meine Freunde und ich nicht viel Geld hatten, um auf Bahnen zu gehen, amüsierten wir uns an diesem Abend bestens. Erst als die Lichter ausgingen, schaute ich auf die Uhr. Es war eins! Ich rannte los, um den letzten Bus zu erreichen.

Mit fast zwei Stunden Verspätung kam ich zu Hause an. Es brannte noch Licht. Meine Eltern sassen vor dem Fernseher – und schliefen! Auf Zehenspitzen schlich ich in mein Zimmer. Sie haben nie erfahren, wann ich vom Jahrmarkt zurückgekommen bin.

Guy Chevalley

38

Activité **F**

» Regardez les vidéos. Observez les auteurs.
Comment captent-ils l'attention du public?

1 » Echangez vos impressions.

Sa voix est vive.

Sa mimique est expressive.

Parfois, il/elle parle fort.
Parfois, il/elle parle doucement.

Il/Elle regarde le public.

Il/Elle fait des gestes.

Il/Elle fait des pauses.

Il/Elle utilise un accessoire.

Il/Elle utilise des petits mots pour combler un blanc.

2 » Lis les 2 histoires à la page 40.

39

1 Die Redemittel in den Sprechblasen geben den Lernenden die Möglichkeit, sich zu den Lesungen in der Zielsprache zu äussern. Mit dem Austausch der Beobachtungen und Impressionen sollen sie für die Gestaltung der eigenen Lesung sensibilisiert werden.

2 Die beiden Geschichten stehen auch als Lesetexte zur Verfügung. Interessierte Lernende können sich selber eine Aufgabe stellen, zum Beispiel:

- den Text im Film hören und im *magazine* mitlesen
- einzelne Textstellen im Detail erschliessen
- alles Verstandene markieren
- den französischen Text mit der deutschen Zusammenfassung vergleichen. Im französischen Text die Informationen markieren, die die Zusammenfassung nicht enthält.
- üben, einen Text ausdrucksvoll vorzulesen
- …

Activité **F**

Une rencontre

Il était 10 heures quand la vieille s'est assise en face de moi dans le wagon. Je m'en souviens parce que j'avais sorti mon pain au chocolat et un jus d'orange en me disant: «Miam, encore deux heures de liberté et de tranquillité!». J'écoutais de la bonne musique, les pieds posés sur la banquette. J'ai l'habitude de voyager seule depuis que j'ai dix ans. Mon père vit à St-Gall. J'essaie toujours d'avoir une place près de la fenêtre.

Quand la vieille est arrivée, je ne l'ai pas saluée. Pas envie. J'ai laissé mes affaires sur la tablette et j'ai plongé la tête dans mon magazine. La vieille n'a pas ouvert la bouche, elle a mis ses mains en croix sur sa jupe. De Berne à Zurich, elle n'a pas bougé d'un millimètre. Une vraie statue! Je commençais à trouver ça bizarre, au point que je n'arrivais plus à me concentrer... J'ai observé son reflet dans la vitre. Elle avait un air vif et pénétrant.

Tout à coup, elle a avancé son visage et m'a pris la main:
– Viens, ma petite, je vais te lire l'avenir.

Anne-Sophie Subilia

Un jour de chance

Hier soir, je suis sorti avec mes copains. D'habitude, mes parents me demandent d'être rentré pour 23 heures, le samedi. Mais, pour une fois, j'ai pu rester dehors jusqu'à minuit parce qu'une fête foraine s'est installée en ville.

Mes copains et moi n'avons pas beaucoup d'argent et les manèges sont chers. Alors on a marché dans la foule, on a regardé les autres s'amuser et on a mangé des frites, assis sur un banc. On a discuté, on a ri. Puis, les gens ont quitté la fête foraine et les lumières se sont éteintes. J'ai regardé ma montre: il était une heure du matin! Le temps a passé si vite. J'ai couru pour prendre le dernier bus.

Quand je suis arrivé à la maison, j'avais presque deux heures de retard! J'ai vu de la lumière aux fenêtres. Mes parents m'ont attendu... J'ai poussé la porte d'entrée et je les ai trouvés devant la télévision, endormis sur le canapé! Je suis allé jusqu'à ma chambre sur la pointe des pieds, sans les réveiller. Et ils n'ont jamais su à quelle heure je suis rentré.

Guy Chevalley

40

2 Nach der inhaltlichen Vorbereitung stellen die Lernenden Wortschatz für ihre Geschichte bereit. Diese Liste an Wörtern und Ausdrücken könnte zudem in der Autorenlesung Verwendung finden, indem sie den Zuhörenden in geeigneter Form zur Verfügung gestellt wird. Damit kann sichergestellt werden, dass diese den Inhalt der Geschichte erfassen können.

Auf individuelle Bedürfnisse eingehen

Anforderungen reduzieren
Unterstützung durch Partnerarbeit
» Die Geschichte in Partnerarbeit verfassen

notieren sie sich in Stichworten, was darin vorkommen soll. Es ist auch möglich, die Geschichte in einzelnen Sequenzen zu denken und diese in Form von Untertiteln festzuhalten.
Für diese wie für weitere Schreibphasen ist es sinnvoll, die Lernenden auf Vorgehensweisen hinzuweisen, die sie im Deutschunterricht erprobt haben.

1 Als Erstes skizzieren die Lernenden ihre Geschichte. Dabei können sie sich von W-Fragen leiten lassen – ein Vorgehen, das ihnen aus *Mille feuilles* bekannt ist. Eine weitere Möglichkeit, einen Text zu planen, stellt die Struktur «Einleitung – Hauptteil – Schluss» dar. Die Lernenden falten ein Blatt der Breite nach, so dass vier Spalten entstehen. In die Spalte 1 (Einleitung), Spalten 2 und 3 (Hauptteil) und Spalte 4 (Schluss)

Tâche

Cette histoire vous chante?

Tu écris une histoire. Tu lis ton texte devant un public.

Tu préfères les histoires vraies ou fantastiques? La réalité ou les rêves? Les extraterrestres ou les terriens? Fais comme ça te chante!

Voici quelques thèmes à choix:

Ce n'est qu'un rêve Es ist nur ein Traum

Un malheur après l'autre Ein Missgeschick nach dem anderen

Une rencontre Eine Begegnung

Quelle chance! Welche ein Glück!

1 » Imagine l'histoire. Prends des notes.

Qui? Avec qui? Quoi? Quand?

Où? Avec quoi? Comment? ...?

Questions W-Fragen

2 » Prépare le vocabulaire.
Note quelques mots.

Dictionnaire
Dictionnaire en ligne

41

Verwendung geeigneter Strategien eine zentrale Rolle. So werden in dieser Aufgabe an bekannte Strategien wie «Questions», «Dictionnaire», «Expérimenter» und «Relecture» erinnert. Zudem werden die Lernenden angeleitet, einzelne Textstellen auf Korrektheit zu überprüfen. Für die Vorbereitung der Autorenlesung werden ihnen zudem zwei bekannte und eine neue Strategie angeboten.

Die Lernenden sehen anhand der Kriterien, welche Erwartungen an ihre Textproduktion gestellt werden. Nebst Kriterien zu Inhalt und Handlung werden stilistische und grammatikalische Vorgaben gemacht. Zwei weitere Kriterien betreffen die Gestaltung der Lesung.

Bei anspruchsvollen Lernanlässen wie beispielsweise beim freien Schreiben spielt die

Die Lernenden schreiben in der *tâche* eine eigene Geschichte und präsentieren sie anlässlich einer Autorenlesung. Dazu mobilisieren sie Kompetenzen und Ressourcen, die sie in früheren *magazines* und während der Bearbeitung dieses *parcours* erworben haben. Zu Letzterem gehören unter anderem die Beschäftigung mit Geschichten ähnlichen Inhalts, das Einüben von Verben im *passé composé* und von verschiedenen Satzanfängen, zudem das Nachschauen von Verbformen.

Die Lernenden haben die Vorgabe, beim Erzählen ihrer Geschichte auch das *passé composé* zu verwenden. Da die Zeitform *imparfait* und die Regeln für deren Verwendung noch nicht thematisiert worden sind, werden die Lernenden auch für Beschreibungen und nicht abgeschlossene Handlungen das *passé composé* verwenden, was dem jetzigen Lernstand und den Lernzielen entspricht. Im Sinne des spiralförmigen Lernens werden ihre Einsichten in die Bildung und Verwendung von Formen der Vergangenheit später wieder aufgenommen, erweitert, differenziert und vertieft.

Beim Schreiben einer eigenen Geschichte verwenden die Lernenden auch Wortschatz und Satzkonstruktionen, die sie nicht eingeübt haben. Wenn Lernende in der Zielsprache formulieren, was sie ausdrücken möchten, und nicht nur, was sie ausdrücken können, ist es wahrscheinlich, dass gehäuft Fehler auftreten. Fehler können demnach auch als Gradmesser für den unverkrampften und angstfreien Gebrauch der Zielsprache gewertet werden, was seinerseits eine wichtige Voraussetzung für einen erfolgreichen Erwerb ist. Aus diesen Gründen ist es wichtig, dass bei freien Sprachproduktionen realistische Ansprüche an die Korrektheit gestellt werden und ein pädagogischer Umgang mit Fehlern gepflegt wird.

Schreiben spielt im Erwerbsprozess eine bedeutende Rolle. Das freie Schreiben von Texten ermöglicht den Lernenden, ihr gesamtes Sprachwissen zu aktivieren, ohne unter Zeitdruck zu stehen. Es erweist sich damit als Übungsformat, das den formalen Übungen zum Erwerb von Wortschatz und von sprachlichen Strukturen überlegen ist.

1 Bevor die Lernenden mit dem Schreiben des Entwurfs beginnen, empfiehlt es sich, die Kriterien gemeinsam zu besprechen.

2 Gemeinsam kann vorgängig zusammengestellt werden, wo die Lernenden im Schreibprozess Unterstützung finden können.

Wortschatz:
Inputtexte, Kurzgeschichten (*activité* F), Klassenwortschatz, Adjektive (*magazine* 7.1), Wörterbücher, Online-Wörterbücher …

Stilmittel
Satzanfänge (*activités* C und E), Fragen (*magazine* 7.2), direkte Rede (*magazine* 7.3, *revue*)…

Verbformen *passé composé:*
Klassenwortschatz, *activités* C und E, Konjugationsbücher, Online-Wörterbücher (vgl. Seite 27) …

Falls es die Infrastruktur erlaubt, können die Lernenden ihren Entwurf am Computer schreiben, am besten mit einem aktivierten Korrekturprogramm Französisch. Die automatische Überprüfung von Orthografie und Grammatik kann das Schreiben zwar unterstützen, bietet aber keine Gewähr für einen fehlerlosen Text. Dies kann beim freien Schreiben auf diesem Sprachniveau ohnehin kein Ziel sein. Selber realisierte Fehlerkorrekturen fördern aber die Bewusstheit für korrekte Formen.

Auf individuelle Bedürfnisse eingehen

Anforderungen reduzieren

Unterstützung durch Austausch
» Vor dem Schreiben des Entwurfs die Geschichte einem Partner/einer Partnerin auf Deutsch erzählen und eine Rückmeldung zum Inhalt einholen

Erstellung von Unterrichtshilfen
» Den individuellen Wortschatz öffentlich machen, indem die Lernenden ihn zuhanden der Klasse fortlaufend an die Wandtafel oder auf ein Plakat schreiben

Zusätzlicher Support
» Bei Formulierungsfragen die Lehrperson zu Rate ziehen

Tâche

1 » Regarde les critères.

Les critères
- Deine Geschichte ist nachvollziehbar.
  Du beschreibst die Handlung ausführlich.
- Du verwendest in deinem Text verschiedene Satzanfänge.
- Du verwendest das *passé composé* korrekt.
- Du liest den Text flüssig und ausdrucksvoll vor.
  Die Aussprache ist korrekt. Du setzt Pausen bewusst ein.
- Du nimmst mit dem Publikum Blickkontakt auf.

2 » Ecris un brouillon. Ecris au passé composé.
Donne un titre à ton histoire.

Expérimenter
Experimentieren
Finde durch Experimentieren gute Formulierungen.

Débuts de phrases:
D'abord…
Ensuite…
Puis…
Tout à coup…
Finalement…
Mais…
Alors…
Plus tard…
En même temps…
Malheureusement…
Un matin…
Le lendemain…

Tâche

» Relis ton histoire.
Marque 3 à 4 passages que tu aimerais vérifier.

» Vérifie-les. Tu peux…
- demander à un copain ou à une copine.
- consulter un dictionnaire (en ligne), un correcteur à l'ordinateur, un livre de conjugaison…

» Echangez vos brouillons. Donnez-vous un feedback.

» Retravaille ton texte.
La grille dans la revue à la page 25 peut t'aider.

Relecture
Gegenlesen

Gib den Text jemandem zu lesen. Er/Sie soll dir den Inhalt auf Deutsch erzählen. So kannst du merken, ob dein Text verständlich ist.

43

1 Auf dem Sprachniveau, das die Lernenden laut Lehrplan «Passepartout» in der Fertigkeit «Schreiben» in diesem Schuljahr erreichen sollen (A1.2 für Grundanforderungen/A2.1 für erweiterte Anforderungen), sind Formulierungsschwierigkeiten und grammatikalische und orthografische Fehler normal (siehe auch «Qualitativer Beurteilungsraster Lingualevel» auf der Plattform www.clin-doeil.ch). Mit der Aufforderung, einzelne Stellen im Text zu markieren, die in Bezug auf die Korrektheit Fragen aufwerfen, sollen die Lernenden sensibilisiert werden, Fehler zunehmend selbstständig zu erkennen.

In einer ersten Phase – also beim Schreiben des Entwurfs – soll die Aufmerksamkeit der Lernenden aber vor allem dem Inhalt gelten, den sie zu Papier bringen möchten. Ein Korrektheitsanspruch würde den Schreibprozess beeinträchtigen.

2 Den Lernenden werden verschiedene Möglichkeiten aufgezeigt, um die Korrektheit einzelner Textstellen zu überprüfen. Es ist wünschenswert, dass sie vermehrt Erfahrungen mit automatischen Korrekturprogrammen am Computer machen können. Diese erkennen gewisse Fehler, bieten aber keine Gewähr für fehlerlose Texte.

3 Im Schreibprozess wechseln sich Phasen von Einzelarbeit mit Phasen des Austauschs ab, so dass der Lernanlass bestmöglich genutzt werden kann. Die Lernenden können in den Texten von Mitschülerinnen und Mitschülern Stellen ausmachen, die nicht nachvollziehbar oder zu wenig ausgearbeitet sind und durch ihre Rückmeldung einen wichtigen Beitrag zum Gelingen beitragen. Durch das Gegenlesen werden sie sich ihrerseits bewusst, was einen gelungenen Text ausmacht. Diese Einsichten unterstützen sie wiederum beim Schreiben eigener Texte. Der Strategie «Gegenlesen» kommt damit im Schreibprozess eine wichtige Bedeutung zu.

4 Aus dem Deutschunterricht dürften den Lernenden verschiedene Vorgehensweisen für das Überarbeiten von Texten bekannt sein. Diese lassen sich weitgehend auf den Fremdsprachenunterricht übertragen. Zudem steht ihnen in der *revue* auf Seite 25 ein Formular zur Verfügung, das die Überarbeitung durch Leitfragen zu Textaufbau, Stilmitteln und Korrektheit unterstützt.

Tâche

» Ecris la version définitive.

Tâche

Expression de la voix
Ausdruck der Stimme
Variiere deine Stimme, um den Inhalt von Aussagen zu verdeutlichen.

» Prépare la lecture.
- » Lis ton histoire à haute voix.
  Expérimente avec ta voix, le rythme, le volume, les pauses…
- » Mets-toi devant le miroir et imagine la situation d'une lecture publique.
  Apprends à prendre contact avec le public.

le miroir
der Spiegel

Pauses de discours
Sprechpausen machen
Mache beim Vorlesen oder Rezitieren bewusst kurze Pausen.

Capter l'attention par le regard
Aufmerksamkeit durch Blickkontakt gewinnen
Nimm Blickkontakt mit dem Publikum auf, damit es dir seine Aufmerksamkeit schenkt.

» Prépare la présentation.
Tu peux préparer…
- une introduction
- de la musique
- une image, un dessin
- un accessoire
- …

Cher public
Ecoutez l'histoire «…»

Je vous présente l'histoire qui s'intitule «…»

L'histoire que je vous présente est «…»

Je vous présente une histoire qui parle d'un/d'une…

» Présente ton texte.

45

1 Die selber verfassten Texte sollen anlässlich einer Autorenlesung ein Publikum erhalten, was einer sorgfältigen Vorbereitung bedarf. Dabei üben sich die Lernenden in gestaltendem Lesen und richten ihre Aufmerksamkeit auf Flüssigkeit, Rhythmus, Ausdruck, Sprechpausen…

2 Den Lernenden wird geraten, die Lesung vor einem Spiegel einzuüben. Der Spiegel erlaubt, die Situation des Auftretens zu simulieren, indem man sich selber aus der Perspektive einer Zuschauerin oder eines Zuschauers wahrnehmen kann. Während des Vorlesens soll sich der Blick immer wieder vom Text lösen und Kontakt zum Publikum aufnehmen.

Die Vorbereitung vor einem Spiegel lässt sich auf verschiedene schulische und ausserschulische Situationen übertragen.

3 Den Lernenden werden ein paar Ideen angeboten, wie sie ihre Präsentation stimmungsvoll gestalten können. Das Ansagen einer Darbietung ist ihnen bereits aus *Mille feuilles* bekannt, wie sie auch das Verwenden von Musik, Bildern oder Accessoires bereits aus verschiedenen Präsentationssituationen kennen.

Die Lernenden bereiten sich bei Bedarf auch darauf vor, den Zuhörenden Verständnishilfen in Form von Erklärungen, Skizzen, Bildern, Übersetzungen … zur Verfügung zu stellen.

4 Je nach zeitlichen Möglichkeiten und Klassensituation empfiehlt es sich, die Autorenlesungen in kleinen Gruppen oder als Klassenaktivität durchzuführen. Es ist auch denkbar, im Schulhaus verschiedene Standorte für die Lesungen einzurichten und alle interessierten Schülerinnen und Schüler daran teilhaben zu lassen. Vielleicht haben Lernende auch Interesse daran, ihre Geschichten in einer Lesenacht, anlässlich eines «Café littéraire» oder an einem Elternabend zu präsentieren.

Auf individuelle Bedürfnisse eingehen

Anforderungen reduzieren

Unterstützung durch Partnerarbeit
» Die Autorenlesung in Partnerarbeit gestalten

Deklarierte Minimalanforderungen
» Lernende, die gehemmt sind, die eigene Geschichte vor Publikum vorzulesen, können einen Text nach Wahl rezitieren, beispielsweise eine der beiden Geschichten auf Seite 40

In diesem *zoom* reflektieren die Lernenden einerseits drei Lernziele, die die konkrete Arbeit mit diesem *magazine* betreffen, andererseits ein übergeordnetes Lernziel, das die Reflexion über das eigene Lernen beinhaltet. Zudem überprüfen sie ihre Vorsätze, die sie nach der Bearbeitung von *magazine* 7.2 in Bezug auf ihre Einstellung zum Lernen gefasst haben. Das Aufbauen einer positiven Einstellung zum Sprachenlernen und die Reflexion über das eigene Lernen werden im Lehrplan «Passepartout» unter den lernstrategischen Kompetenzen aufgeführt (vgl. Seite 63). In der *revue* werden für beide Bereiche Instrumente zur Verfügung gestellt, die den Lernenden Ideen zum Optimieren des Lernens unterbreiten und zur Reflexion anregen.

Zoom

Zoom

1

Ich kann eine eigene Geschichte schreiben.

Du hast in der *tâche* einen eigenen Text verfasst.
Welche Strategien haben dich dabei unterstützt?

» Kreuze an, wie du vorgegangen bist, und markiere, was besonders hilfreich war.

- ❒ eine Idee skizzieren
- ❒ sich beim Überlegen des Inhalts an Fragewörtern orientieren (Qui? Où? Quand? ...)
- ❒ den Wortschatz vorbereiten
- ❒ einen Dictionnaire (en ligne) verwenden
- ❒ den Klassenwortschatz verwenden
- ❒ Verbformen nachschlagen
- ❒ eine Liste von Satzanfängen benutzen
- ❒ durch Experimentieren gute Formulierungen finden
- ❒ den Entwurf gegenlesen lassen
- ❒ einzelne Stellen markieren und nochmals prüfen
- ❒ den Text mit Hilfe der *revue* Seite 25 überarbeiten
- ❒ ______________________
- ❒ ______________________

2

Ich kenne einige französische Chansons und deren Interpretinnen und Interpreten.

Du hast in verschiedene französische Chansons gehört; auf der Multimedia-CD und vielleicht auch im Internet.
Welcher Stil, welche Gruppen oder Interpretinnen und Interpreten und welche Chansons sprechen dich besonders an?

3

Ich kenne verschiedene Sehenswürdigkeiten und Besonderheiten von Paris.

Quelles images te passent par la tête quand tu entends «Paris»?
Qu'est-ce que tu aimerais absolument voir ou faire dans cette ville?

46

1 Die Lernenden lassen bei dieser Fragestellung den Schreibprozess Revue passieren und überlegen, welche Vorgehensweisen sie als besonders gewinnbringend erfahren haben. Die leeren Zeilen laden dazu ein, weitere verwendete Arbeitstechniken und Strategien aufzuführen. Das Beurteilen von Strategien nach individuellen Vorlieben ermöglicht, das Lernen zunehmend eigenständig und erfolgreich zu organisieren.

2 Die Lernenden können bei der Reflexion über dieses Ziel aus Kompetenzbereich II ihre musikalischen Trouvaillen festhalten. Zudem werden sie durch die Erinnerung an diese Zielsetzung möglicherweise motiviert, auch nach Abschluss dieses *magazine* französische Chansons zu hören und die Musik beliebter Gruppen oder Interpretinnen und Interpreten zu nutzen, um Französisch entspannt und genussvoll ins Ohr zu bekommen.

3 Es ist anzunehmen, dass die Lernenden einiges an Vorwissen über Paris mitbringen und dies mit den Informationen über verschiedene Sehenswürdigkeiten und Besonderheiten, die sie im Atelier «Si Paris vous chante...» gewonnen haben, verbinden. Auch in der Rubrik «Coup d'œil» erfahren sie Sehens- und Wissenswertes über die Hauptstadt Frankreichs. All dies kann einerseits ihre inneren Bilder und Assoziationen beeinflussen und andererseits Wünsche wecken oder verstärken, mehr über die Lichterstadt zu erfahren oder sie zu besuchen.

Zoom

1 Im *zoom* von *magazine* 7.2 hast du über deine Einstellungen zum Lernen nachgedacht und Vorsätze gefasst.
Schau in der *revue* auf Seite 28 nach, was du damals festgehalten hast. Überprüfe, wie gut es dir gelungen ist, deine Vorsätze zu verwirklichen.

Ich kann meine Einstellungen zum Lernen mit Hilfe der *revue* reflektieren.

Ich kann mein Lernen und meine Lernstrategien mit Hilfe der *revue* oder des ESP reflektieren.

2 Trage deine Einschätzungen auf Seite 29 der *revue* in den Barometer ein. Was nimmst du dir vor?

Über das Lernen nachdenken

selten — oft

Ich organisiere mein Lernen selbstständig.

Ich überlege mir, welche Lernstrategien mir besonders nützlich sind.

Ich setze mir eigene Ziele.

Ich wiederhole, was ich gelernt habe, damit ich es behalten kann.

Ich schätze meine Lernergebnisse und meine Fortschritte selber ein.

Ich vergleiche das Lernen verschiedener Sprachen miteinander (Deutsch, Französisch, Englisch …)

Ich mache mir mit Hilfe des Sprachenportfolios Gedanken über abgeschlossene Arbeiten und ziehe für meine weitere Arbeit Schlüsse daraus.

Das nehme ich mir vor

29

47

1 Im *zoom* von *magazine* 7.2 haben die Lernenden über ihre Einstellungen zum Lernen nachgedacht, indem sie auf einem Barometer einschätzen, wie oft sie bestimmte Handlungen, die von einer positiven Einstellung zeugen, ausführen. Auf dieser Grundlage haben sie Vorsätze formuliert, die es nun zu überprüfen gilt.

Es ist denkbar, dass die Lernenden vorgängig eine neue Einschätzung vornehmen, indem sie diese mit einer andern Farbe auf dem Barometer dokumentieren und damit sichtbar machen, was gleich geblieben ist und was sich verändert hat.

Die schriftlich festgehaltenen Vorsätze reflektieren sie, indem sie sich Rechenschaft darüber geben, ob sie diese im Laufe der letzten Monate verwirklicht haben.

Es dürfte besonders zielführend sein, wenn die Lernenden über ihre Erfahrungen sprechen, sei es mit einer Lernpartnerin/einem Lernpartner oder mit der Lehrperson. Der Einfluss, den man auf das eigene Lernen nehmen kann, bietet einen vielversprechenden Gesprächsstoff, der sich auf das Weiterlernen positiv auswirken kann.

2 Auch die Reflexion über das eigene Lernen hat zum Ziel, das Lernen positiv zu beeinflussen. Als Reflexionsinstrument werden in der *revue* Handlungen und der Umgang mit Lernstrategien beschrieben. Dies erlaubt den Schülerinnen und Schülern, das eigene Lernen einzuschätzen, indem sie sich vergegenwärtigen, wie oft oder selten sie davon Gebrauch machen. Ihre Vorsätze halten sie schriftlich fest. Damit bekommen diese eine gewisse Verbindlichkeit und können von Zeit zu Zeit überprüft werden. Auch hier ist das Gespräch wichtig, damit Lernende zunehmend bewusst und verantwortungsvoll lernen und konkrete Möglichkeiten sehen, das eigene Lernen gewinnbringend zu gestalten.

Zur summativen Beurteilung der *tâche* steht ein Kompetenzraster zur Verfügung, in dem die Kriterien für unterschiedliche Erreichungsgrade ausformuliert sind. Die Anzahl der möglichen Punkte orientiert sich an der Gewichtung des jeweiligen Kriteriums. Stark gewichtet werden Inhalt und Aussprache, stilistische und grammatikalische Kriterien spielen eine untergeordnete Rolle.

Grille d'évaluation

Tâche pages 41 à 45

Punkte	**4**	**3**	**2**	**1**	**0**
Inhalt Handlung	Deine Geschichte ist nachvollziehbar. Du beschreibst die Handlung ausführlich. ❐	Deine Geschichte ist meist nachvollziehbar. Du beschreibst die Handlung ziemlich ausführlich. ❐	Deine Geschichte ist einigermassen nachvollziehbar. Die Beschreibung der Handlung weist einzelne Lücken auf. ❐	Deine Geschichte ist nur teilweise nachvollziehbar. Die Beschreibung der Handlung weist viele Lücken auf. ❐	❐
Sprache Wortschatz			Du verwendest in deinem Text viele verschiedene Satzanfänge. ❐	Du verwendest in deinem Text verschiedene Satzanfänge. ❐	❐
Passé composé			Du verwendest das *passé composé* oft korrekt. ❐	Du verwendest das *passé composé* gelegentlich korrekt. ❐	❐
Vortragen Flüssigkeit und Aussprache		Du liest den Text flüssig und ausdrucksvoll vor. Die Aussprache ist korrekt. ❐	Du liest den Text ziemlich flüssig und stellenweise ausdrucksvoll vor. Die Aussprache ist meistens korrekt. ❐	Du liest den Text teilweise stockend und monoton vor. Die Aussprache ist oft nicht korrekt. ❐	❐
Kontakt mit dem Publikum				Du nimmst mit dem Publikum Blickkontakt auf. ❐	❐

48

Für die summative Beurteilung und das Beurteilen mit einem Kompetenzraster sind folgende Gedanken leitend:

- Die Beurteilung orientiert sich an den im Lehrplan «Passepartout» aufgeführten Kompetenzen.
- Sie überprüft, wie gut Lernende eine bestimmte sprachliche Handlung ausführen. Der Fokus liegt demnach auf dem, was Lernende können.
- Das Zählen von Fehlern entspricht einer defizitorientierten Beurteilung und steht im Widerspruch zur Kompetenzorientierung. Davon ist darum unbedingt abzusehen.
- Ein eingeschränkter Wortschatz, grammatikalische und orthografische Fehler sind Merkmale von Sprachlernenden auf diesem Niveau. Das Fokussieren auf Fehler ist demnach nicht angebracht, da es das freie Schreiben hemmen und damit eine der wirkungsvollsten Lerngelegenheiten beeinträchtigen würde. (vgl. Kompetenzbeschreibungen «Lingualevel», Raster Schreiben auf www.clin-doeil.ch)
- Klar definierte Kriterien können sich auf die korrekte Verwendung eines bestimmten Wortschatzes oder einer grammatikalischen Form beziehen; dies, wenn die Anforderungen in Lernzielen ausgewiesen sind und die Lernenden im Verlaufe des *parcours* ausreichend Gelegenheit zum Üben erhielten.
- Das Beurteilen mit einem Kompetenzraster ermöglicht, die Texte der Lernenden als Gesamtes wahrzunehmen und beim Lesen auf bestimmte Kriterien zu achten.
- Ein Kriterium wird manchmal mit mehr als einem Indikator beschrieben, zum Beispiel Flüssigkeit, Ausdruck und Korrektheit der Aussprache. Bei der Beurteilung sind alle Indikatoren zu beachten und gegeneinander abzuwägen. So kann es beispielsweise sein, dass Lernende ihren Text flüssig und ausdrucksvoll vorlesen, einzelne Wörter aber nicht korrekt aussprechen oder dass der Text zwar flüssig und mit korrekter Aussprache, aber eher monoton vorgelesen wird. Unter Berücksichtigung aller drei Indikatoren ergäbe sich für die beiden Beispiele eine Punktzahl von rund 2.5.
- Für eine angemessen differenzierte Beurteilung ist es auch möglich, halbe Punkte anzugeben, indem im Kompetenzraster zwei nebeneinanderliegende Kompetenzbeschreibungen bezeichnet werden.

Der Kompetenzraster kann als Formular in den Formaten PDF und Word von der Plattform www.clin-doeil.ch heruntergeladen werden. Er kann wenn nötig den Bedürfnissen der eigenen Klasse angepasst werden und ausgedruckt als Rückmeldeformular an die Lernenden dienen.

Coup d'œil

Paris

Paris est la capitale de la France. La ville compte plus de 2 millions d'habitants, plus de 10 millions avec les agglomérations.

Le Louvre est un immense musée. La pyramide marque l'entrée. Des milliers d'œuvres, comme la Joconde, y sont exposées.

De nombreux peintres exposent leurs tableaux à Montmartre. 234 marches conduisent à la basilique du Sacré-Cœur d'où l'on a une magnifique vue sur Paris.

A Paris, la musique est partout: dans le métro, dans la rue, dans les cafés, dans les bistrots…

49

In der Rubrik *coup d'œil* werfen die Lernenden einen Blick auf den Ort, der auf der Navigationskarte abgebildet ist – hier also auf Paris. Die Bilder und Kurztexte geben – zusätzlich zu den Inhalten des Ateliers «Si Paris vous chante…» – weitere Einblicke in Sehens- und Wissenswertes über die Hauptstadt Frankreichs. Für die Auswahl war hier vor allem der musisch-künstlerische Aspekt leitend, also Musik als Thema dieses *magazine* und bildende Kunst, womit eine Brücke zu *magazine* 7.2 geschlagen wird. Die Inhalte stehen wie gewohnt als nicht didaktisiertes Angebot zur Verfügung.

Es ist der Lehrperson und den Lernenden überlassen, inwieweit sie das Thema Paris anreichern und vertiefen wollen. Die Kurzeinblicke in *coup d'œil* können als freiwilliges Zusatzangebot oder im Sinne einer Differenzierung für besonders motivierte Lernende verwendet werden. Es ist auch möglich, dass sich Lernende durch eine Internet-Recherche weiterführende Informationen erarbeiten. Damit würden sie eine Lernaktivität ausführen, die sich im Lehrplan «Passepartout» unter «Lesen – Schuljahr 10» (also 8. Klasse) mit folgendem Wortlaut findet: «Zu einem Unterrichtsthema Informationen im Internet suchen und global verstehen».

Für die Evaluation von Lernergebnissen stehen auf der Plattform zusätzlich folgende Instrumente und Dokumente zur Verfügung:

- Musteraufgaben zur summativen Evaluation der Lernziele dieses *magazine,* in den Formaten PDF und Word, allfällige Tondokumente als mp3-Dateien
- Hinweise für die Lehrpersonen zum Umgang mit den Evaluationsaufgaben
- Kriterienraster für das Erstellen eigener summativer Evaluationsaufgaben

Zur summativen Beurteilung der *tâche* steht ein Kompetenzraster zur Verfügung, in dem die Kriterien für unterschiedliche Erreichungsgrade ausformuliert sind. Die Anzahl der möglichen Punkte orientiert sich an der Gewichtung des jeweiligen Kriteriums. Stark gewichtet werden Inhalt und Aussprache, stilistische und grammatikalische Kriterien spielen eine untergeordnete Rolle.

Grille d'évaluation

Tâche pages 41 à 45

Punkte	**4**	**3**	**2**	**1**	**0**
Inhalt Handlung	Deine Geschichte ist nachvollziehbar. Du beschreibst die Handlung ausführlich. ❐	Deine Geschichte ist meist nachvollziehbar. Du beschreibst die Handlung ziemlich ausführlich. ❐	Deine Geschichte ist einigermassen nachvollziehbar. Die Beschreibung der Handlung weist einzelne Lücken auf. ❐	Deine Geschichte ist nur teilweise nachvollziehbar. Die Beschreibung der Handlung weist viele Lücken auf. ❐	❐
Sprache Wortschatz			Du verwendest in deinem Text viele verschiedene Satzanfänge. ❐	Du verwendest in deinem Text verschiedene Satzanfänge. ❐	❐
Passé composé		Du verwendest das *passé composé* meist korrekt. ❐	Du verwendest das *passé composé* oft korrekt. ❐	Du verwendest das *passé composé* gelegentlich korrekt. ❐	❐
Vortragen Flüssigkeit und Aussprache		Du liest den Text flüssig und ausdrucksvoll vor. Die Aussprache ist korrekt. ❐	Du liest den Text ziemlich flüssig und stellenweise ausdrucksvoll vor. Die Aussprache ist meistens korrekt. ❐	Du liest den Text teilweise stockend und monoton vor. Die Aussprache ist oft nicht korrekt. ❐	❐
Kontakt mit dem Publikum				Du nimmst mit dem Publikum Blickkontakt auf. ❐	❐

48

Für die summative Beurteilung und das Beurteilen mit einem Kompetenzraster sind folgende Gedanken leitend:

» Die Beurteilung orientiert sich an den im Lehrplan «Passepartout» aufgeführten Kompetenzen.
» Sie überprüft, wie gut Lernende eine bestimmte sprachliche Handlung ausführen. Der Fokus liegt demnach auf dem, was Lernende können.
» Das Zählen von Fehlern entspricht einer defizitorientierten Beurteilung und steht im Widerspruch zur Kompetenzorientierung. Davon ist darum unbedingt abzusehen.
» Ein eingeschränkter Wortschatz, grammatikalische und orthografische Fehler sind Merkmale von Sprachlernenden auf diesem Niveau. Das Fokussieren auf Fehler ist demnach nicht angebracht, da es das freie Schreiben hemmen und damit eine der wirkungsvollsten Lerngelegenheiten beeinträchtigen würde. (vgl. Kompetenzbeschreibungen «Lingualevel», Raster Schreiben auf www.clin-doeil.ch)
» Klar definierte Kriterien können sich auf die korrekte Verwendung eines bestimmten Wortschatzes oder einer grammatikalischen Form beziehen; dies, wenn die Anforderungen in Lernzielen ausgewiesen sind und die Lernenden im Verlaufe des *parcours* ausreichend Gelegenheit zum Üben erhielten.
» Das Beurteilen mit einem Kompetenzraster ermöglicht, die Texte der Lernenden als Gesamtes wahrzunehmen und beim Lesen auf bestimmte Kriterien zu achten.
» Ein Kriterium wird manchmal mit mehr als einem Indikator beschrieben, zum Beispiel Flüssigkeit, Ausdruck und Korrektheit der Aussprache. Bei der Beurteilung sind alle Indikatoren zu beachten und gegeneinander abzuwägen. So kann es beispielsweise sein, dass Lernende ihren Text flüssig und ausdrucksvoll vorlesen, einzelne Wörter aber nicht korrekt aussprechen oder dass der Text zwar flüssig und mit korrekter Aussprache, aber eher monoton vorgelesen wird. Unter Berücksichtigung aller drei Indikatoren ergäbe sich für die beiden Beispiele eine Punktzahl von rund 2.5.
» Für eine angemessen differenzierte Beurteilung ist es auch möglich, halbe Punkte anzugeben, indem im Kompetenzraster zwei nebeneinanderliegende Kompetenzbeschreibungen bezeichnet werden.

Der Kompetenzraster kann als Formular in den Formaten PDF und Word von der Plattform www.clin-doeil.ch heruntergeladen werden. Er kann wenn nötig den Bedürfnissen der eigenen Klasse angepasst werden und ausgedruckt als Rückmeldeformular an die Lernenden dienen.

Coup d'œil

Paris

Paris est la capitale de la France. La ville compte plus de 2 millions d'habitants, plus de 10 millions avec les agglomérations.

Le Louvre est un immense musée. La pyramide marque l'entrée. Des milliers d'œuvres, comme la Joconde, y sont exposées.

De nombreux peintres exposent leurs tableaux à Montmartre. 234 marches conduisent à la basilique du Sacré-Cœur d'où l'on a une magnifique vue sur Paris.

A Paris, la musique est partout: dans le métro, dans la rue, dans les cafés, dans les bistrots…

49

In der Rubrik *coup d'œil* werfen die Lernenden einen Blick auf den Ort, der auf der Navigationskarte abgebildet ist – hier also auf Paris. Die Bilder und Kurztexte geben – zusätzlich zu den Inhalten des Ateliers «Si Paris vous chante…» – weitere Einblicke in Sehens- und Wissenswertes über die Hauptstadt Frankreichs. Für die Auswahl war hier vor allem der musisch-künstlerische Aspekt leitend, also Musik als Thema dieses *magazine* und bildende Kunst, womit eine Brücke zu *magazine* 7.2 geschlagen wird. Die Inhalte stehen wie gewohnt als nicht didaktisiertes Angebot zur Verfügung.

Es ist der Lehrperson und den Lernenden überlassen, inwieweit sie das Thema Paris anreichern und vertiefen wollen. Die Kurzeinblicke in *coup d'œil* können als freiwilliges Zusatzangebot oder im Sinne einer Differenzierung für besonders motivierte Lernende verwendet werden. Es ist auch möglich, dass sich Lernende durch eine Internet-Recherche weiterführende Informationen erarbeiten. Damit würden sie eine Lernaktivität ausführen, die sich im Lehrplan «Passepartout» unter «Lesen – Schuljahr 10» (also 8. Klasse) mit folgendem Wortlaut findet: «Zu einem Unterrichtsthema Informationen im Internet suchen und global verstehen».

Für die Evaluation von Lernergebnissen stehen auf der Plattform zusätzlich folgende Instrumente und Dokumente zur Verfügung:

- Musteraufgaben zur summativen Evaluation der Lernziele dieses *magazine,* in den Formaten PDF und Word, allfällige Tondokumente als mp3-Dateien
- Hinweise für die Lehrpersonen zum Umgang mit den Evaluationsaufgaben
- Kriterienraster für das Erstellen eigener summativer Evaluationsaufgaben

Bild- und Quellennachweis *fil rouge*

Titelseite
» unten rechts: La Fanfare en pétard FEP

Si ça vous chante!
» Seite 8 unten von links nach rechts: (1) MicroWorks/www.thinkstock.com; (3, 5) La Fanfare en pétard FEP; (4) Frank Heuer/Keystone

Nuit de folie
» Seite 9: W. Picard / C. Mainguy / S. Pichot, Début de soirée

Alors on danse
» Seite 10 (Partitur + Liedtext): BECAUSE Music, Foto: Kmeron/www.flickr.com

» Seite 11: Sébastien Mory/www.flickr.com

Elle danse
» Seite 12,13 (Partitur + Liedtext): Elle danse, Musik: Cyril Kamar / Louis Cote, Text: Cyril Kamar, © 2010 by Warner Chappell Music France/K. Pone Publ. Inc/Les Éditions Recto Verso, SVL: Intersong Musikverlag GmbH

Chante
» Seite 14, 15: Les Forbans, Universal Music Publishing GmbH

La musique peut tout changer
» Seite 16 (Bilder): Collège Colette de Satrouville

» Seite 17 (Partitur + Liedtext): Collège Colette de Satrouville

Carte de navigation
» Seite 20, 21 (Hintergrund): Christophe Lehenaff/Keystone

Petit martien
» Seite 23 (Bilder): La Fanfare en pétard FEP

Titeuf
» Seite 25, 27: Titeuf – et le derrière des choses par Zep, © Éditions Glénat, mai 1996

Punaise!
» Seite 28, 32 (Partitur + Liedtext): Thomas Fersen, Punaise, Bucephale Éditions

Ça a été?
» Seite 39, 45 links: Bescherelle, © Hatier – Paris 2012, rechts: LEO GmbH

Petit martien
» Seite 48 (Partitur + Liedtext): La Fanfare en pétard FEP

» Seite 49 (Bilder): La Fanfare en pétard FEP

Audiotracks

Track	Texte
1.	Nuit de folie (Chanson)
2.	Alors on danse (Chanson)
3.	Elle danse (Chanson)
4.	Chante (Chanson)
5.	La musique peut tout changer (Chanson)
6.	Pot-pourri
7.	Titres et extraits des chansons
8.	Extraits «Punaise»
9.	Chanson «Punaise»
10.	Histoire «Punaise»
11.	Expressions: rêves
12.	Verbes au passé composé (m5²)
13.	Fichier (1re partie): verbes avec «avoir» au passé composé
14.	Refrain «Petit martien» (version orignale)
15.	Extraits «Petit martien»
16.	Chanson «Petit martien»
17.	Histoire «Petit martien»
18.	Refrain «Petit martien» (version parlée)
19.	Phrases au passé composé (être)
20.	Verbes avec «être» au passé composé
21.	Fichier (2e partie): verbes avec «être» au passé composé
22.	Expressions français – anglais

50

Si Paris vous chante…
» Seite 50 von oben nach unten: Collège Colette de Satrouville; © Bayard Jeunesse, OKAPI No 952 du 15 février 2013; hsinli wang/www.thinkstock.com; photos.com/www.thinkstock.com; Simone Ganguillet

» Seite 51: Frank Heuer/Keystone; www.thinkstock.com; Nicolas Vigier/www.flickr.com; Marc Soller/www.flickr.com; © Bayard Jeunesse, OKAPI No 952 du 15 février 2013; Ekaterina Krasnikova/www.thinkstock.com

Paris
» Seite 71, 73 von oben nach unten: Christophe Lehenaff/Keystone; Andi Thommen; © A1PIX/Your Photo Today; Marko Kudjerski/www.flickr.com; TongRo Images/www.thinkstock.com

Inhalt

7.5

Auf der Plattform des Schulverlags www.clin-doeil.ch befinden sich Angaben zum Zeitbedarf und Hinweise zur Planung des Unterrichts.

Didaktische Aspekte

On se fait un ciné?

Zum Abschluss des 7. Schuljahrs schauen die Lernenden den französischen Spielfilm «Les Choristes».

Dieses *magazine* unterscheidet sich in verschiedener Hinsicht von den anderen *magazines*. Die Inhalte sind weniger umfangreich und darum in kürzerer Zeit bearbeitbar. Es gibt keine G- und E-Versionen: Beiden Niveaustufen stehen dieselben vier *activités* und zwei Ateliers zur Verfügung. Am Ende des *parcours* bearbeiten die Lernenden an Stelle der *tâche* eine *rétrospective*. Für dieses letzte *magazine* der 7. Klasse sind keine Aufgaben zur summativen Evaluation vorgesehen.

Sprachhandeln

Die Filmerschliessungskompetenzen werden in den *activités* aufgebaut. Diese gliedern die Filmpräsentation in vier Teile. Wie bei der Rezeption von Hör- und Lesetexten wird das Verstehen des Inhalts in den drei Phasen «vor – während – nach dem Sehen» aufgebaut. Vor dem Visionieren werden die Lernenden angeleitet, sich in die Filmhandlung einzudenken und eine emotionale Bereitschaft für das Kommende zu entwickeln. Standbilder mit Kurzbeschreibungen ermöglichen den Lernenden, die nachfolgenden Szenen zu antizipieren und Vermutungen zum weiteren Filmverlauf anzustellen. Während des Visionierens verifizieren sie ihre Hypothesen. Nach dem Visionieren tauschen sie sich über die Filmgeschichte aus und klären gemeinsam Verständnisfragen.

Neben kognitiv-analytischen Aufgaben bietet das Medium Film auch Gelegenheit für kreative Arbeitsformen. Dieser kreative Umgang mit dem Film geschieht hauptsächlich in den beiden Ateliers. Dort stehen je drei Posten zur Auswahl, die nach Interesse und Vorliebe gewählt und bearbeitet werden.

Auf der Doppelseite «Autour du film» finden sich Hintergrundinformationen zum Film und den Beteiligten sowie Anekdoten zu den Dreharbeiten. Die Lernenden können sich bei der Bearbeitung der nicht didaktisierten Doppelseite von ihren Interessen leiten lassen.

In der *rétrospective* lassen die Lernenden den Film noch einmal Revue passieren und denken über die Gefühle nach, die er ausgelöst hat. Dabei drücken sie ihre persönliche Leseart und Interpretation des Films «Les Choristes» aus. Durch die subjektiven Wahr-

nehmungen können die Einschätzungen unterschiedlich ausfallen. Ein einheitliches Interpretationsergebnis wird nicht angestrebt.

Der gesamte Spielfilm wird in vier Sequenzen angesehen. Beim Schauen des Films schulen die Lernenden ihre Hör-/Sehfertigkeit. Die audiovisuellen Impulse umfassen Bild (Kommunikationssituation, Ort, Zeit, Personen, Gestik, Mimik, Farben, Bewegung etc.) und Ton (Geräusche, Sprache, Musik), die sich oft einem eindeutigen Verständnis entziehen. Für eine erfolgreiche Filmverarbeitung stellen die Lernenden Verbindungen zwischen dem Filmgeschehen und ihren eigenen Erfahrungen her: «Die eigentliche Geschichte eines Films entsteht […] erst im Kopf des Zuschauers – die Lernenden sind bei der Filmrezeption im Fremdsprachenunterricht also aktiv gefordert.» (R. Henseler, St. Möller, C. Surkamp 2011: Filme im Englischunterricht. Grundlagen, Methoden, Genres, Seite 13.)

Filme sprechen häufig Emotionen an und ermöglichen individuelle Konstruktionen und Reaktionen. In solchen Momenten kommt die Ganzheitlichkeit des Fremdsprachenlernens besonders zum Tragen: Die Lernenden nehmen mit ihrer ganzen Person als wissendes, emotionales, denkendes und aktives Individuum am Lernprozess teil.

Auch die sprachlichen Produktionen der Lernenden stehen in engem Zusammenhang mit dem Filmgeschehen. Filme erzählen von Menschen und ihren Geschichten und erlauben den Lernenden, an ihre eigenen Erfahrungen anzuknüpfen. Oft ist das Bedürfnis gross, sich nach einem Kinobesuch über den Film zu unterhalten oder seine Meinung zu äussern. Dies kann für den Fremdsprachenunterricht genutzt werden: «Wenn diese Geschichten mit den Erfahrungen der Lernenden korrespondieren oder kollidieren, ist dies ein wahrer Fundus für authentische Sprechanlässe.» (A. Sass 2007: Filme im Unterricht – Sehen(d) lernen. Fremdsprache Deutsch 36, Seite 7.) Solche authentischen Sprechanlässe werden im *magazine* jeweils durch Sprechblasen signalisiert, was impliziert, dass diese Momente in der Zielsprache stattfinden.

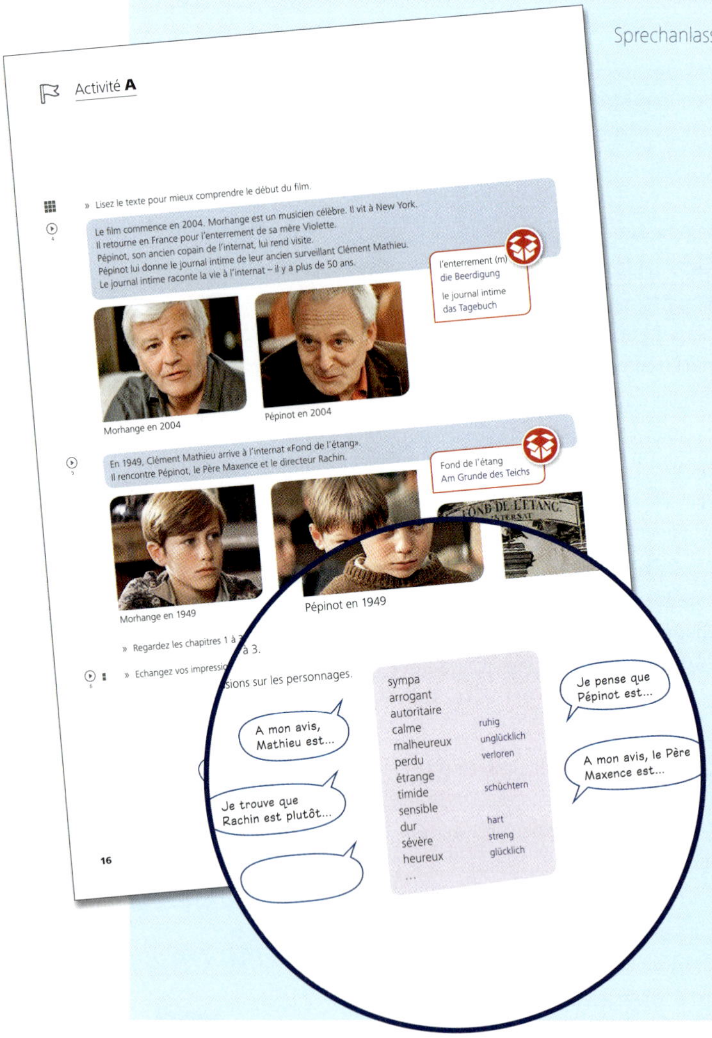

Sprechanlass

Fokussieren und Einüben von Wortschatz

Der Wortschatz wird in den *activités* sukzessive auf- und ausgebaut. Die Lernenden begegnen den Sprachmitteln auch in den Ateliers und in der *rétrospective*, was zu einem wiederholten Umwälzen der Strukturen einlädt. «On se fait un ciné?» führt nicht nur neue Strukturen ein, sondern wiederholt auch Klassenwortschatz der vorangehenden *magazines* der 7. Klasse. Dabei vertiefen die Lernenden ihre Sprachkenntnisse und festigen sie im Sinne eines spiralzyklischen Lernprozesses. Wie in *magazine* 7.3 greift der Klassenwortschatz in «On se fait un ciné?» bekannten Wortschatz aus der Rubrik «Nous parlons français!» der *revue* auf («Seine Meinung äussern»). Zudem werden wie in den *magazines* 7.1 und 7.2 Adjektive eingeführt, die für Personenbeschreibungen dienlich sind. Somit werden die Lernenden befähigt, sich zum Film und zu den Figuren zu äussern. Der Klassenwortschatz zeichnet sich konzeptgetreu durch ein hohes Transferpotenzial aus. Die angeeigneten Strukturen können von den Lernenden auf die kommenden Unterrichtssituationen transferiert werden und finden auch im ausserschulischen Sprachgebrauch Verwendung.

Didaktische Aspekte

Bewusstheit für Sprachen und Kulturen

In «On se fait un ciné?» kommen alle Handlungsfelder des Kompetenzbereichs «Bewusstheit für Sprachen und Kulturen» zum Tragen («Savoir», «Savoir-faire» und «Savoir-être»).

Die Schülerinnen und Schüler lernen einen französischen Spielfilm kennen und erweitern damit ihr «Savoir/Wissen».

Durch die kreativen Verfahren in den Ateliers bewegen sich die Lernenden auch im Handlungsfeld «Savoir-faire/Fertigkeiten».

Wenn sich die Lernenden auf den Film einlassen, beeinflusst dies ihr «Savoir-être». Interkulturelles Lernen erfordert eine offene Haltung und empathische Fähigkeiten, zum Beispiel beim Einnehmen ungewohnter Perspektiven. Dabei werden affektive und imaginative Fähigkeiten genutzt und weiterentwickelt.

«Les Choristes» wurde mit zahlreichen Filmpreisen ausgezeichnet. Für das Verstehen der Bedeutung des Films ist nicht nur die Entschlüsselung des Inhalts, sondern auch die seiner ästhetischen Besonderheiten nötig. Dazu müssen sich die Lernenden Wissen über filmästhetische Aspekte aneignen. Filmwissen kann in allen Sprach-, aber auch in Sachfächern aufgebaut werden. In «Les Choristes» stellt die Filmmusik ein wesentliches filmästhetisches Merkmal dar. Sie wird deshalb stärker als andere mögliche Merkmale (Dekor, Filmtechniken, Schnitt etc.) fokussiert.

Lernstrategische Kompetenzen

Bei der Filmrezeption werden viele Strategien angewendet, die den Lernenden bereits von der Bearbeitung anderer Textsorten her bekannt sind. Beispielsweise kann über die Bildaussage Sprache antizipiert werden, der Ausdruck der Stimme verrät viel über den Inhalt der Geschichte, mit Raten können Zusammenhänge aus dem Kontext erschlossen werden, die Geräusche helfen ebenfalls und die Hypothesen, die die Lernenden im Voraus über den Fortlauf der Geschichte bilden, unterstützen das Verstehen.

Als neue Strategie wird die Vorbereitung auf den Film mit dem Trailer und dem Filmplakat eingeführt. Sich im Voraus über einen Film zu informieren, entspricht dem natürlichen Verhalten der Lernenden. Auch sie werden von Filmtrailern und Plakaten zu einem Kinobesuch gelockt und wissen schon einiges über den Inhalt des Films, bevor sie ihn sehen. Dies erleichtert das Verständnis, da sie dadurch an bereits vorhandenes Wissen anknüpfen können. Die Strategie lässt sich auf andere Textsorten übertragen. Beispielsweise ist es auch bei einem Roman oder Hörspiel sinnvoll, sich zuvor über die Personen und den Inhalt der Geschichte zu informieren. Insofern kann die Strategie fächerübergreifend genutzt werden.

In den Posten findet ebenfalls strategisches Handeln statt, auch wenn dieses nicht als Ziel ausgewiesen wird. In Atelier B wird die Körpersprache beobachtet und die Lernenden interpretieren die Körperhaltung, Gestik und Mimik der Schauspieler, um daraus inhaltliche Schlüsse zu ziehen. In Atelier C spielt die Filmmusik eine grosse Rolle, denn auch sie gibt Hinweise zur Handlung. Bei der so genannten Paraphrasierung unterstützt die Musik das Bild, indem sie dessen Aussage durch eine passende Melodie untermalt.

Zudem können bestimmte Filmsequenzen von der Lehrperson gezielt mehrmals gezeigt werden, manchmal sogar mit deutschen Untertiteln. Auch dieses strategische Vorgehen führt zu einem detaillierteren Filmverstehen.

Strategie

Input

Umgang mit der DVD

Die DVD steht nur der Lehrperson zur Verfügung. Der Spielfilm wird deshalb immer im Plenum angeschaut. Für die Filmpräsentation sollte ein Beamer zur Verfügung stehen.

Als Erstes muss im Hauptmenü unter «Sprach- und Tonauswahl» «Französisch Dolby Digital 5.1» eingestellt werden. Obschon eine synchronisierte Version auf Deutsch vorliegt, wird abgeraten, Sequenzen daraus zu zeigen. Die Schauspieler sprechen anders, was verwirrend sein kann, wenn man sich an ihre Originalstimmen gewöhnt hat. Zudem erhielte dadurch der ganze Film eine andere Färbung.

«Deutsche Untertitel für Hörgeschädigte» bleibt am Anfang noch auf «Aus» eingestellt. In den grau hinterlegten Kästchen «Auf individuelle Bedürfnisse eingehen» dieses *fil rouge* sind jeweils Schlüsselmomente angegeben, für deren detaillierteres Verstehen ein zweites Visionieren mit Untertiteln sinnvoll sein kann.

Beim Klicken auf «Filmstart» beginnt der Film mit Kapitel 1. Über das Menü «Kapitel» können Kapitel nach Wahl angesteuert werden. Für die Filmpräsentation in der Klasse wird der Film in folgende vier Sequenzen unterteilt:

Teil A: 00:00:00–00:07:01
1. Filmstart
2. Wiedersehen mit Pépinot
3. 15.01.1949

Teil B: 00:07:02–00:36:33
4. Appell
5. Erstmals vor der Klasse
6. Schreibaufgabe
7. Nur drei Bitten
8. Man soll niemals nie sagen
9. Aktion ist gleich Reaktion
10. Das Experiment beginnt
11. Zustimmung vom Direktor

Teil C: 00:36:34–01:03:09
12. Ein besonderes Geschenk
13. Begegnung auf dem Dachboden
14. Mathieu hört Pierre singen
15. Besuch von Pierres Mutter
16. Chorproben
17. Heimliche Proben

Teil D: 01:03:10–01:32:36
18. Der Tintenbeutel
19. Ein Brief von Violette
20. Besuch der Comtesse
21. Das Geld wird gefunden
22. Das Internat brennt
23. Abschied
24. Abspann

Der Titel von *magazine* 7.5 lautet «On se fait un ciné?» und fordert zum gemeinsamen Kinobesuch auf. Die Wendung ist umgangssprachlich und sehr gebräuchlich. Man könnte sie sinngemäss mit «Gehen wir ins Kino?» oder «Wollen wir uns einen Film anschauen?» wiedergeben. Kinoliebhaber beziehen sich häufig auch auf die Kinoleinwand und fragen: «On se fait une toile?».

Die Struktur «On se fait un/une…?» wird in der Umgangssprache oft verwendet, um einen Vorschlag für eine gemeinsame Beschäftigung zu machen: «On se fait un resto?» – «Gehen wir essen?» oder «On se fait une sortie?» – «Gehen wir zusammen weg?»

«On se fait un ciné?» kann als abgespeicherter Chunk von den Lernenden ausserschulisch im Austausch mit frankophonen Jugendlichen verwendet werden. Zuerst lässt *magazine* 7.5 aber schon innerhalb der Klasse Kinogefühl aufkommen. «Les Choristes» war 2004 ein Riesenerfolg und zog Millionen von Zuschauerinnen und Zuschauern in die Kinosäle. «On se fait un ciné?» nimmt die Lernenden mit auf eine Reise in die fünfziger Jahre ins ländliche Frankreich.

In der Einleitung erhalten die Lernenden Informationen zum Film. Die Synopsis auf Französisch und Deutsch fasst den Anfang der Geschichte zusammen und weckt die Neugier der Lernenden: Wie sieht der Alltag dieser Kinder aus? Was bewegt diese abgehärteten Jungs? Wie kommt Monsieur Mathieu mit ihnen zurecht? Und was kann die Musik bewirken?

On se fait **un ciné?**

Le film «Les Choristes» est un des plus gros succès du cinéma français. Rien qu'en France, plus de 8.5 millions de personnes l'ont vu au cinéma. Le film raconte la vie dans un internat en France en 1949 et il montre la force magique de la musique.

Synopsis

En 2004, le célèbre chef d'orchestre Pierre Morhange reçoit la visite de son ancien copain de l'internat: Pépinot. Celui-ci apporte le journal intime de leur surveillant Clément Mathieu.
Les deux hommes se souviennent…

Im Jahre 1949 übernimmt der erfolglose Komponist Clément Mathieu eine Stelle als Aufseher im Internat «Fond de l'étang».

Er ist über die harten Strafen entrüstet, mit denen Direktor Rachin Disziplin erwirken will. Obwohl ihn die Schüler nicht schonen, bleibt Monsieur Mathieu verständnisvoll und warmherzig und hat Vertrauen in seine Schützlinge.

Eines Tages gründet Mathieu einen Schülerchor und entdeckt dabei die wundervolle Stimme von Pierre Morhange.

Die Begeisterung für das Singen, der Stolz über den Erfolg und die Kraft der Musik wirken sich auf das Verhalten der Schüler und auf die Atmosphäre im Internat positiv aus.

Aber…

4

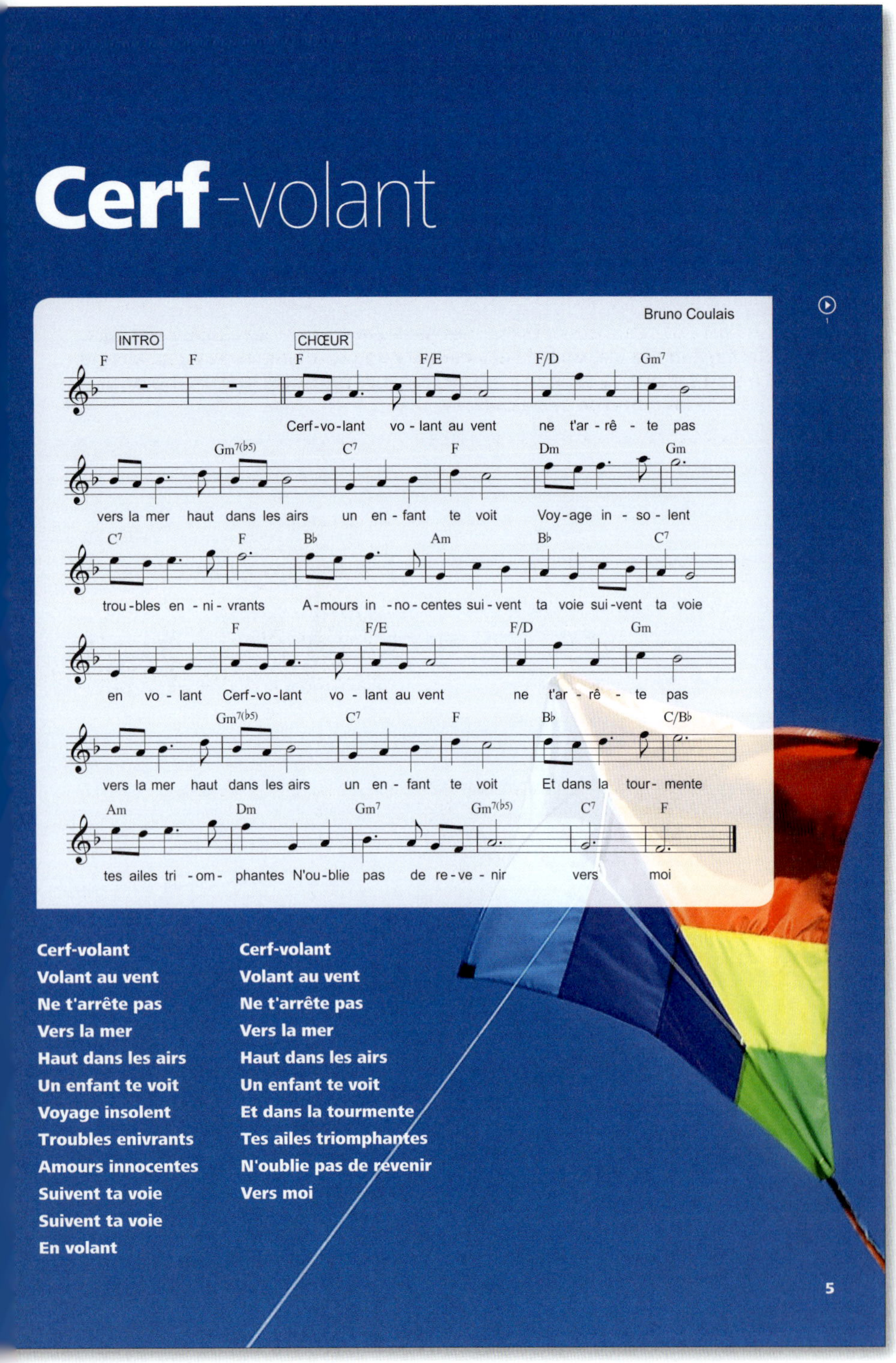
Cerf-volant

Cerf-volant
Volant au vent
Ne t'arrête pas
Vers la mer
Haut dans les airs
Un enfant te voit
Voyage insolent
Troubles enivrants
Amours innocentes
Suivent ta voie
Suivent ta voie
En volant

Cerf-volant
Volant au vent
Ne t'arrête pas
Vers la mer
Haut dans les airs
Un enfant te voit
Et dans la tourmente
Tes ailes triomphantes
N'oublie pas de revenir
Vers moi

5

Die Lieder eignen sich nicht alle zum Mitsingen. Sie werden vom professionellen Jugendchor «Les Petits Chanteurs de Saint-Marc» aus Lyon interpretiert und sind musikalisch sehr anspruchsvoll. Zum Hören sind die Lieder jedoch ein Genuss! Im Film singt Monsieur Mathieu erst ab Teil C mit seinen Schülern. Es empfiehlt sich darum, die Lieder erst gegen Ende des *parcours* einzuführen.

Als Mathieu «Cerf-volant» für seine Schüler komponiert (01:15:59–01:16:56), äussert er sich folgendermassen dazu: «Je sens dans le regard de mes gosses des désirs d'escapade, de construire des cabanes plus près du ciel. Ce beau temps les rend tristes.»

In der Melodie von «Cerf-volant» kommt die Aufbruchstimmung zum Ausdruck und das ganze Chanson klingt wie eine Ode an die Freiheit. Die Noten scheinen wie ein Drachen vom Wind getragen zu werden. Die Melodie stammt übrigens vom Regisseur Christophe Barratier, der auch als Komponist tätig ist.

«Cerf-volant» wird im Original sehr hoch gesungen. Es empfiehlt sich, das Lied mit den Schülerinnen und Schülern eine Oktave tiefer zu singen. Beim Einsingen könnte das stimmhafte «v» geübt werden, weil es im Liedtext häufig vorkommt: «Cerf-**v**olant **v**olant au **v**ent», «**v**ers la mer [...] un enfant te **v**oit **V**oyage insolent, troubles enni**v**rants [...] Amours innocentes suivent ta **v**oie en **v**olant.»

In Posten C3 «Une chanson en images» lassen die Lernenden das Chanson auf sich wirken und malen ein Bild dazu.

«Vois sur ton chemin» ist wohl das bekannteste Lied von «Les Choristes». Es handelt von den Internatsschülern und gibt Hoffnung auf bessere Zeiten. Immer wieder hört man «gamins oubliés égarés» und die Zuhörenden werden aufgefordert, ihnen die Hand zu geben, um sie in eine bessere Zukunft zu führen («donne-leur la main pour les mener vers d'autres lendemains»).

Im Film wird «Vois sur ton chemin» erstmals gesungen, als Mathieu die aussergewöhnliche Stimme von Pierre Morhange entdeckt. Man sieht, wie Mathieu das Lied für seine Chorsänger komponiert und dem Solisten Privatstunden erteilt (00:45:23–00:46:46).

Es bietet sich an, das Chanson mit den Lernenden zu singen. Besonders der Refrain ist relativ leicht zu erlernen, da die Melodie sehr eingängig ist. Das Intermezzo wird *staccato* gesungen: Jede Silbe wird einzeln ausgesprochen, wodurch sich dieser Teil vom Rest des Chansons in *legato* abhebt.

In Posten C1 hören die Lernenden das Lied als Instrumentalversion. Diese begleitet Pierre Morhange durch den ganzen Film. Beispielsweise erklingt die Melodie in einer schwermütigen Variation in dem Moment, in dem Pierre triefend nass vom Ausriss zum Restaurant seiner Mutter ins Internat zurückkehrt. Diese Filmmusik («Sous la pluie») hören die Schülerinnen und Schüler in Posten «La musique nous parle».

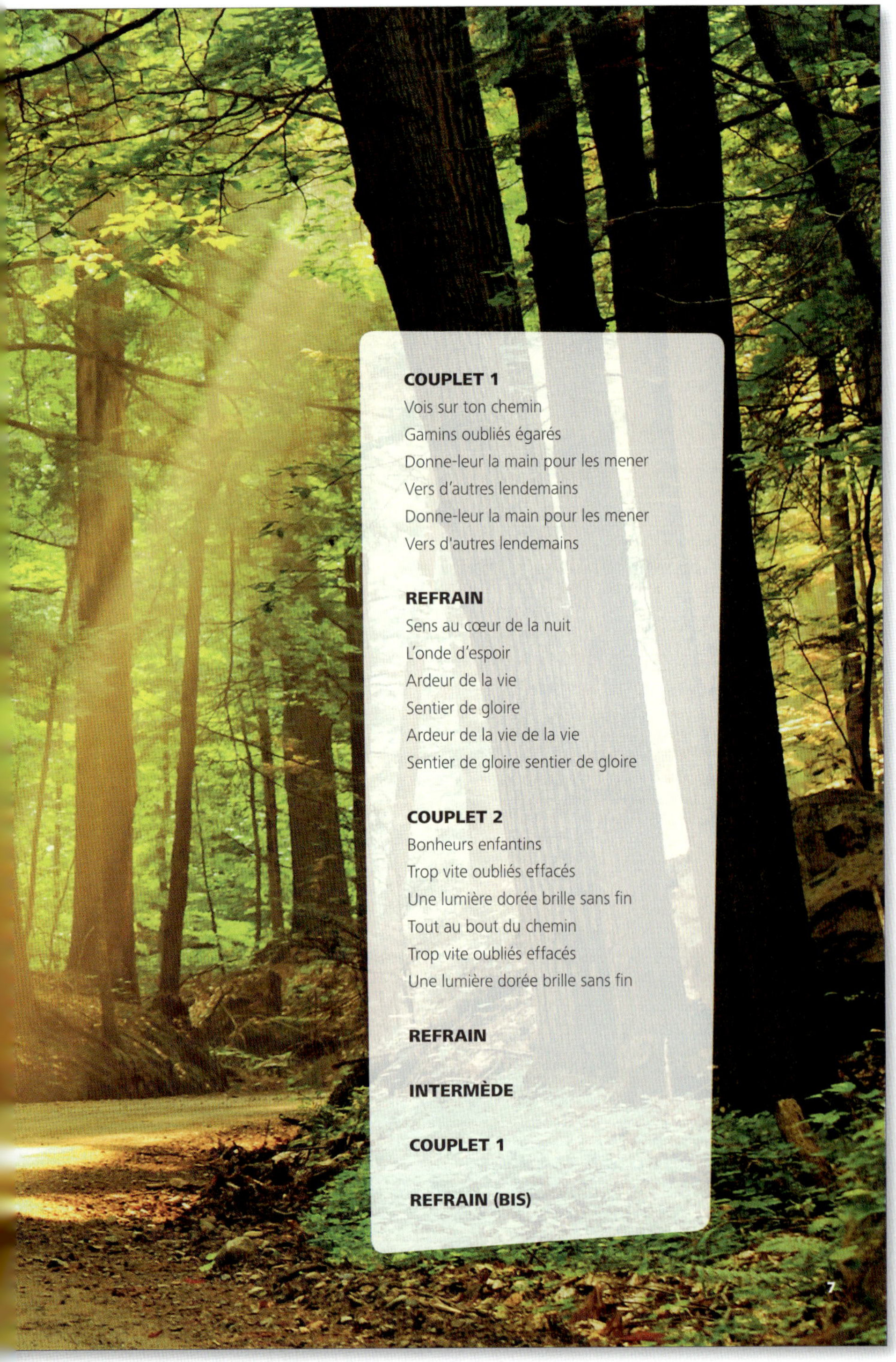

COUPLET 1
Vois sur ton chemin
Gamins oubliés égarés
Donne-leur la main pour les mener
Vers d'autres lendemains
Donne-leur la main pour les mener
Vers d'autres lendemains

REFRAIN
Sens au cœur de la nuit
L'onde d'espoir
Ardeur de la vie
Sentier de gloire
Ardeur de la vie de la vie
Sentier de gloire sentier de gloire

COUPLET 2
Bonheurs enfantins
Trop vite oubliés effacés
Une lumière dorée brille sans fin
Tout au bout du chemin
Trop vite oubliés effacés
Une lumière dorée brille sans fin

REFRAIN

INTERMÈDE

COUPLET 1

REFRAIN (BIS)

Die Zeichnung illustriert das Lied «Caresse sur l'océan» und greift verschiedene Schlüsselwörter des Liedtextes auf: Man erkennt darauf Vögel, die von den bedrohlich kalten Winterbergen oben rechts in den freundlichen Frühling unten links fliegen. Mitten drin steht ein Regenbogen, der den Übergang vom Regen zum Sonnenschein, von der Kälte in die Wärme markiert. Der Ozean fängt die erschöpften Vögel sanft auf und schaukelt sie bis zum (Luft-)Schloss. Dort können sie sich setzen und erholen.

Das Lied hat einen symbolischen Gehalt. Die Vögel können als Metapher für die Internatsschüler gesehen werden, die dem tristen Alltag entkommen und ein fröhlicheres Dasein finden. Mathieu ist derjenige, der ihnen diesen neuen Weg in eine friedlichere Welt aufzeigt. Bei ihm lernen die Schüler Luftschlösser bauen.

In dem Moment, in dem man dieses Lied zum ersten Mal im Film hört, fühlt man eine Wende zum Positiven (00:51:22–00:53:22). Mathieu komponiert das Lied für seine Internatskinder, weil er mehr denn je an das Gute in ihnen glaubt und durch sie seine Musik zum Leben erweckt wird: «Avril. Ces enfants m'inspirent. J'étais sûr, je le savais qu'un jour viendrait où l'on jouerait ma musique. Je m'appelle Clément Mathieu, je suis musicien et chaque nuit je compose pour eux.»

Während Mathieu das Lied «Caresse sur l'océan» komponiert, werden im Film zunächst eher triste Bilder des Internatslebens eingeblendet: Es regnet, Mondain wird von Rachin geschlagen, Morhange ist zum Hausdienst verdonnert. Im Verlaufe des Lieds werden die Bilder immer freundlicher: Die Sonne scheint, Papierfallschirme fliegen durch die Luft, die Kinder spielen mit freudigem Geschrei Indianerspiele. Dieser Ablauf im Film entspricht dem Gedanken einer Reise aus dem Dunkeln ins Helle.

Nachdem Mathieu das Lied zum ersten Mal mit den Kindern gesungen hat, ist er von ihrer Leistung überwältigt. Sein Schweigen deutet Corbin zunächst als eine negative Reaktion. Deshalb fragt er nach: «C'était pas bien Monsieur?» Mathieu entgegnet: «Si c'était bien. C'était très bien.»

ans l'aube grise du levant
découvrira le printemps
Revenant de terres enneigées
Air éphémère de l'hiver
Caresse sur l'océan
Porte l'oiseau si léger
Caresse sur l'océan
Pose l'oiseau si léger
Calme sur l'océan.
9

Die erste Strophe von «Caresse sur l'océan» wird vom Chor «Les Petits Chanteurs de Saint-Marc» gesungen. In der zweiten Strophe soliert Jean-Baptiste Maunier. Es ist denkbar, das Chanson mit der Klasse ähnlich zu interpretieren oder beide Strophen mit der ganzen Klasse zu singen. Es empfiehlt sich, das Chanson tief zu oktavieren, um so das hohe f" zu vermeiden.

«Caresse sur l'océan» enthält viele lange Phrasen und Taktwechsel, die auf den ersten Blick etwas kompliziert anmuten, die aber der natürlichen Betonung der Wörter entsprechen. Ausserdem widerspiegelt diese Phrasierung auch das wellenartige Ansteigen der Musik im Refrain und den Wind, der mal als heftiger Windstoss und dann wieder als feine Brise weht. Dass am Schluss des Chansons Ruhe einkehrt, zeigt sich an den ganzen Noten in den letzten Takten.

Der Melodie von «Caresse sur l'océan» begegnen die Schülerinnen und Schüler auch in Posten C1 («Pépinot»).

Caresse sur l'océan

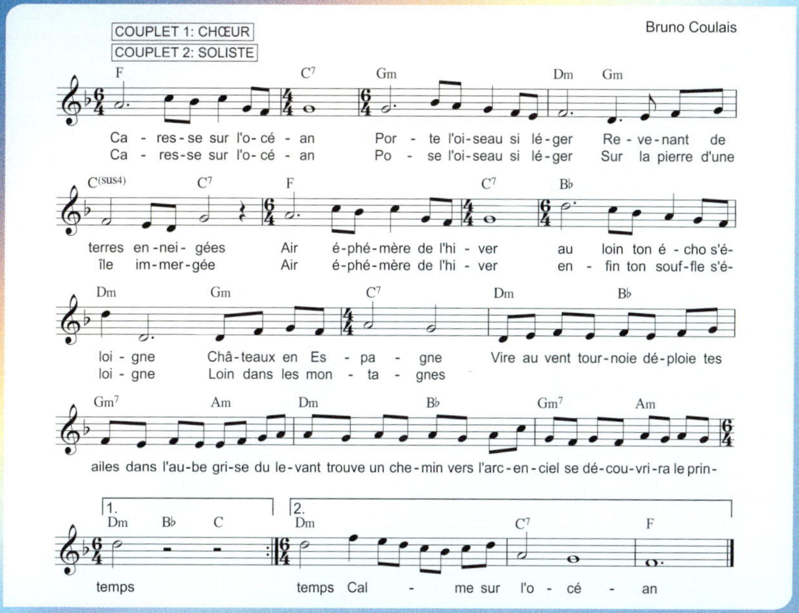

Caresse sur l'océan
Porte l'oiseau si léger
Revenant de terres enneigées
Air éphémère de l'hiver
Au loin ton écho s'éloigne
Châteaux en Espagne

Vire au vent tournoie déploie tes ailes
Dans l'aube grise du levant
Trouve un chemin vers l'arc-en-ciel
Se découvrira le printemps

Caresse sur l'océan
Pose l'oiseau si léger
Sur la pierre d'une île immergée
Air éphémère de l'hiver
Enfin ton souffle s'éloigne
Loin dans les montagnes

Vire au vent tournoie déploie tes ailes
Dans l'aube grise du levant
Trouve un chemin vers l'arc-en-ciel
Se découvrira le printemps

Calme sur l'océan

10

nenden, um den Spielfilm im Grossen und Ganzen zu verstehen. Die Strategie kann von den Lernenden auch auf andere Medien und Textsorten übertragen werden, wie beispielsweise das Lesen eines Klappentextes oder eines Leads, das Überfliegen eines Inhaltsverzeichnisses, das vorgängige Recherchieren im Internet etc.

Objectifs

Objectifs

Französisch hören, lesen, sprechen, schreiben

Ich kann einen französischen Spielfilm im Grossen und Ganzen verstehen.

Ich kann mich in einfachen Worten zu einzelnen Gesichtspunkten des Films äussern.

Bewusstheit für Sprachen und Kulturen

Ich kenne den französischen Spielfilm «Les Choristes».

Lernstrategien

Ich weiss, dass ich einen Spielfilm besser verstehen kann, wenn ich mir im Voraus einen Überblick über den Inhalt verschaffe.

Das habe ich auch noch gelernt

11

Der Teil *aperçu de la tâche* fehlt, weil es in diesem *magazine* keine *tâche* im eigentlichen Sinne gibt. Die Sprachhandlung findet bereits bei der Filmrezeption statt. Nach der Filmpräsentation erwartet die Lernenden eine Retrospektive, in der sie ihre Eindrücke über den Film mit anderen austauschen. Es empfiehlt sich, die Seiten 46 und 47 im *magazine* mit den Lernenden im Voraus gemeinsam zu betrachten und die eine oder andere Fragestellung aus der Sammlung aufzugreifen. Dies kann ihre Wahrnehmung beim Filmschauen schärfen und ihren Blick auf bestimmte Aspekte lenken. Mit dem Blick auf die *rétrospective* wissen die Lernenden, was sie am Ende des *parcours* erwartet.

Das erste Kompetenzziel wird im Lehrplan «Passepartout» im Handlungsfeld «Erzählungen (Jugendliteratur) und Berichte erschliessen und interpretieren» aufgeführt (vgl. Seite 37). Es ist eine grosse Herausforderung für die Lernenden, einem ganzen Spielfilm in der Fremdsprache zu folgen. Unter «Lernaktivitäten und Inhalte» wird im Lehrplan präzisiert, dass «die Lernenden [...] Filme im Grossen und Ganzen verstehen, wenn sie zuvor eingeführt worden sind». Deshalb ist dieses Ziel eng mit dem Strategieziel aus Kompetenzbereich III vernetzt.

Das zweite Kompetenzziel bezieht sich auf die Sprechanlässe in den *activités*, den Ateliers und in der *rétrospective*. Die Lernenden kommentieren das Filmplakat, charakterisieren die Figuren, besprechen die Chronologie einzelner Filmszenen und führen in den Ateliers Sprachhandlungen zu verschiedenen Aspekten des Films aus. In der *rétrospective* versprachlichen sie ihre persönlichen Eindrücke.

Die Lernenden beschäftigen sich während des ganzen *parcours* intensiv mit dem Spielfilm «Les Choristes», was im Wissensziel von Kompetenzbereich II ausgewiesen wird. Es ist anzunehmen, dass die Beschäftigung mit dem Film auch Auswirkungen auf ihr «Savoir-être», also auf ihre Haltung hat. Im Lehrplan «Passepartout» wird dieses Handlungsfeld unter anderem mit «Neugier und Interesse für die frankophone Kultur bewahren und wenn möglich ausbauen» beschrieben. Dies wird mit einem Spielfilm mit grosser Wahrscheinlichkeit gewährleistet, ist jedoch personenabhängig und kaum überprüfbar.

Ein anderer Inhalt, der in diesem Handlungsfeld aufgeführt wird, lautet: «Erfahren, dass man nicht alles auf einmal versteht und das Verstehen immer wieder ausgehandelt werden muss» (vgl. Lehrplan «Passepartout», Seite 61). An dieser Einstellung arbeiten die Lernenden seit der 3. Klasse, da sie im Umgang mit authentischen Materialien immer wieder gefordert sind. Der Spielfilm dürfte für sie dennoch eine neue Herausforderung darstellen. Die Lehrperson kann die Lernenden dazu ermuntern, den freien Platz unter «Das habe ich auch noch gelernt» vor allem für persönliche Lernziele aus dem Handlungsfeld «Savoir-être» zu nutzen.

Sich im Voraus über die Personen und die Handlung einer Geschichte zu informieren, trägt zu einem besseren Verständnis bei. Diese Vorentlastung brauchen die Ler-

Idee des *parcours*

Die Lernenden schauen den französischen Spielfilm «Les Choristes» in vier Sequenzen unterteilt an, wobei sich Vorführung und Auswertung abwechseln. Dieses Verfahren lässt antizipatorische und kreativ-produktive Aufgabenformate zu. Die Segmentierung des Films entspricht jedoch nicht den Sehgewohnheiten der Lernenden und kann sich negativ auf ihr Filmerlebnis auswirken. Um diesem Umstand entgegenzuwirken, könnte man den ganzen Film zum Schluss noch einmal am Stück sehen oder den Film zu einem späteren Zeitpunkt in einer Filmnacht wieder aufnehmen. Ein verdunkelter Raum und bequeme Sitze können auch bei kürzeren Filmsequenzen ein Kinogefühl aufkommen lassen.

Input

«Les Choristes» ist eine Adaptation des Films «La Cage aux Rossignols» von Jean Dréville aus dem Jahre 1945. Christophe Barratier hat den Stoff 2004 wieder aufgenommen und damit seinen ersten Spielfilm gedreht. Mit 8,5 Millionen Eintritten nach nur 10 Wochen ist er einer der grössten Erfolge des französischen Kinos.

«Les Choristes» wurde unter anderem mit folgenden Filmpreisen ausgezeichnet:

- Europäischer Filmpreis 2004: beste Filmmusik (Bruno Coulais)
- César 2005: beste Filmmusik (Bruno Coulais), bester Ton

Zudem wurde der Film für folgende Auszeichnungen nominiert:

- Oscar 2005: bester Filmsong («Vois sur ton chemin») und bester fremdsprachiger Film
- British Academy of Films and Television Arts 2005: bester nicht englischsprachiger Film, bestes adaptiertes Drehbuch, beste Filmmusik
- César 2005: bester Film, beste Regie, bester Hauptdarsteller (Gérard Jugnot), bestes Erstlingswerk, bestes Szenenbild, bester Nebendarsteller (François Berléand)

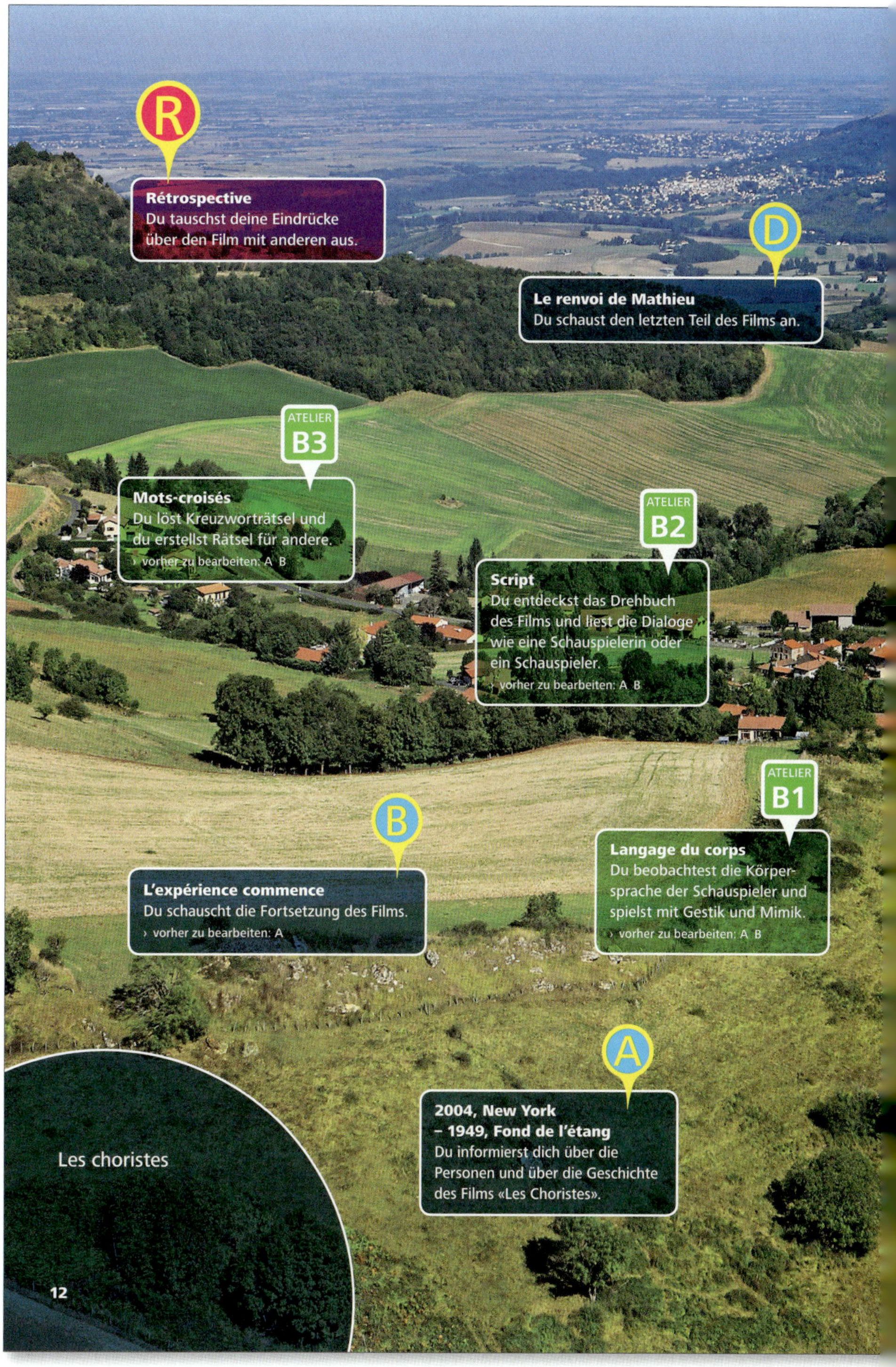

Rétrospective

Die Lernenden blicken zum Schluss noch einmal auf den Film zurück. Sie überlegen sich, welche Szenen sie am meisten beeindruckt haben, und machen sich zu weiteren Fragen Gedanken. In Kleingruppen tauschen sie sich über ihre Empfindungen aus.

Activités

Die Reihenfolge der *activités* kann in diesem *magazine* nicht gewählt werden, da sie dem Filmgeschehen entspricht und deshalb chronologisch erfolgen muss. Die *activités* werden durch die beiden Ateliers unterbrochen, die in je einer Lektion bearbeitet werden können. Der Film wird somit in einer relativ kurzen Zeitspanne gezeigt, was das Filmerlebnis begünstigt.

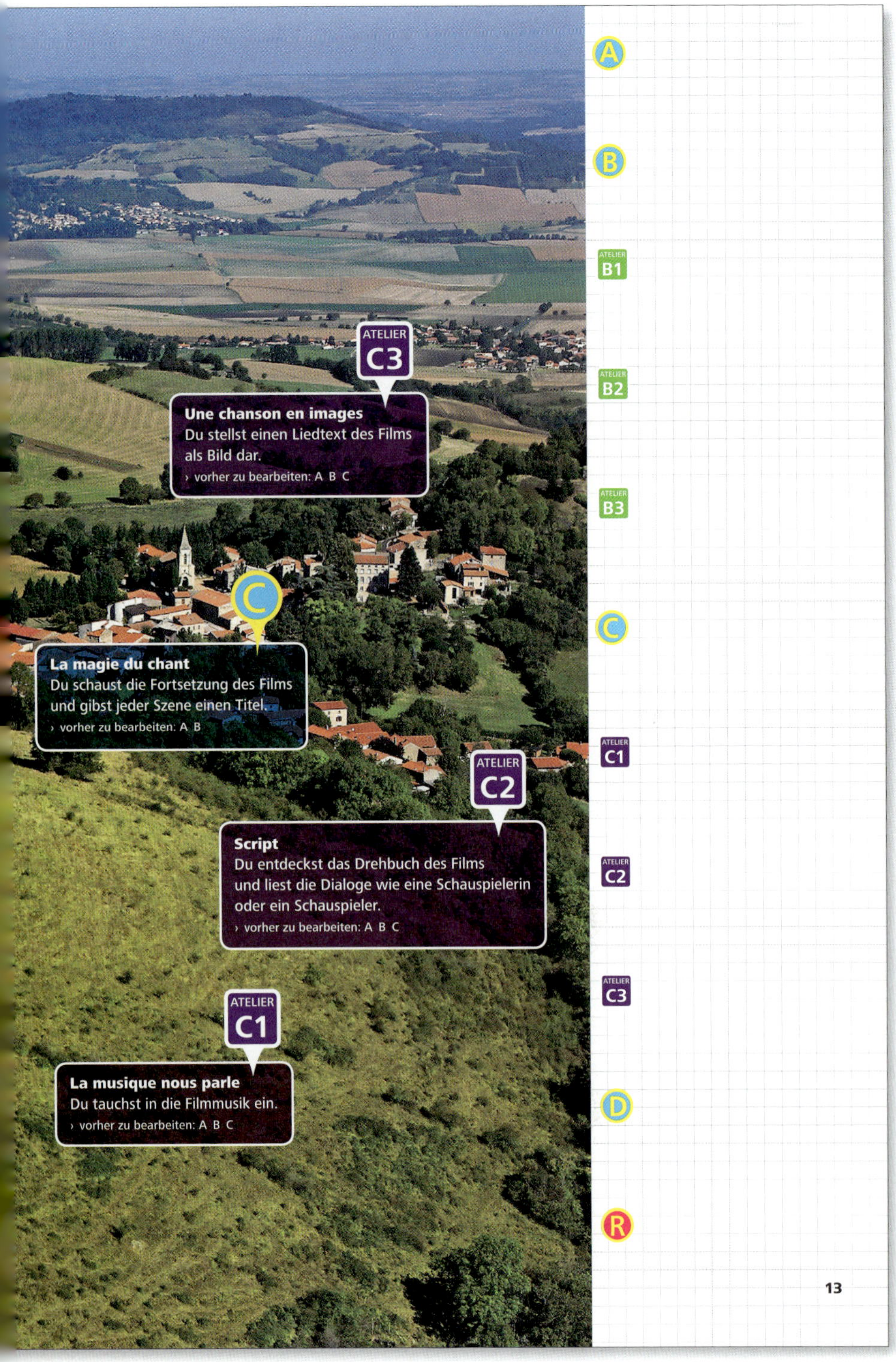

Die Lernenden informieren sich in *activité* A über den Inhalt und die Hauptfiguren und schauen den Anfang des Films. In *activité* B stellen sie Hypothesen über den Fortlauf der Geschichte auf, bevor sie sich den zweiten Teil des Films ansehen. Nachdem sie sich in *activité* C die Filmhandlung noch einmal in Erinnerung gerufen haben, schauen sie die nächste Sequenz des Films und suchen für jede Szene einen passenden Titel. *Activité* D beginnt ebenfalls mit einer Rückschau auf die Geschehnisse, bevor die Lernenden den Schluss des Films schauen.

Ateliers

Die je drei Atelier-Posten werden nach den *activités* B und C bearbeitet und sind als Wahlangebot zu verstehen. Die Lernenden haben die Möglichkeit, kreativ und produktiv zu sein. Auf den Übersichten auf den Seiten 19 und 33 werden die Inhalte der Posten beschrieben.

In B1 beobachten die Lernenden die Körpersprache der Schauspieler und probieren selbst, mit Körpersprache verschiedene Gefühle auszudrücken. In B2 lesen die Lernenden einen Ausschnitt aus dem Drehbuch vor und spielen damit Szenen aus dem Film nach. In B3 überprüfen sie ihre Kenntnisse über den Inhalt des Films anhand von Kreuzworträtseln und erstellen selber Rätsel für ihre Mitschülerinnen und Mitschüler.

In C1 hören die Lernenden Filmmusik aus «Les Choristes» und beschäftigen sich mit der Wirkung von Musik. In C2 lesen sie weitere Ausschnitte aus dem Drehbuch vor und spielen damit Szenen aus dem Film nach. In C3 hören die Lernenden Chorlieder von «Les Choristes» und gestalten dazu ein eigenes Bild.

Die Postenarbeit sollte die Filmpräsentation nicht für eine allzu lange Zeit unterbrechen. Einzelne Posten eignen sich auch als Hausaufgabe.

«Les Choristes» gehört zu den erfolgreichsten französischen Filmen der vergangenen Jahre. Es ist der erste Spielfilm des Musikers und Regisseurs Christophe Barratier, des Neffen des Produzenten Jacques Perrin. An der Co-Produktion von «Les Choristes» ist auch der Schweizer Produzent und mehrfache Oscar-Preisträger Arthur Cohn beteiligt.

Beim Dreh spannt Jacques Perrin mehrere Familienmitglieder ein: Seine Frau ist die Assistentin von Christophe Barratier, seine Schwester betätigt sich als Pressebeauftragte, sein Sohn Maxence spielte den jungen Pépinot und Perrin selbst übernimmt die Rolle des alten Morhange.

Nach «Les Choristes» hat Christophe Barratier zwei weitere Spielfilme gedreht: «Faubourg 36» (2008) und «La Nouvelle Guerre des boutons» (2011). Gérard Jugnot und Kad Merad spielen wieder in beiden Filmen mit. In «Faubourg 36» erhält auch Maxence Perrin erneut eine Rolle.

Gérard Jugnot spielt den «surveillant» Clément Mathieu. Für diese Hauptrolle wird er 2005 für den «César du meilleur acteur» nominiert. Die Filmographie von Gérard Jugnot beginnt in den siebziger Jahren und ist sehr lang. Den Durchbruch schafft er mit seiner «Troupe du Splendid» neben Thierry Lhermitte, Michel Blanc und weiteren berühmten Komödianten. Gemeinsam amüsieren sie das frankophone Publikum mit Klassikern der französischen Komödie wie «Les Bronzés font du ski» (1978) oder «Le Père Noël est une ordure» (1982). Dass Gérard Jugnot auch Talent für dramatischere Rollen hat, beweist er mit Filmen wie «Monsieur Batignole» (2002: Als Metzger verhilft er jüdischen Kindern zur Flucht) und «Les Choristes». Für «Monsieur Batignole» übernimmt er selbst die Regie. Auch bei «Les Choristes» wirkt Gérard Jugnot in der Produktion mit und nimmt sogar eine Hypothek auf seine Wohnung auf, um den Film mitzufinanzieren.

Kad Merad ist ein Schauspieler, der ebenfalls zunächst mit seinem Komiktalent das Publikum erobert und erst später mit ernsteren Filmen bekannt wird. Im Jahre 2008 landet der Franko-Algerier mit seiner Rolle in «Bienvenue chez les Ch'tis» einen Riesenerfolg.

Die Rollen der Internatsschüler werden mit Laien besetzt. Schüler aus der Region Clermont-Ferrand in der Auvergne bewerben sich an Castings dafür. Jean-Baptiste Maunier gehört dem Chor «Les Petits Chanteurs de Saint-Marc» an und erhält dank seines Gesangstalents die Rolle von Pierre Morhange.

Den Lernenden fällt vielleicht zudem auf, dass auf dem Plakat nur Jungen zu sehen sind und in dieser Schule keine Mädchen unterrichtet werden. Die Kleider der Internatsschüler lassen darauf schliessen, dass die Geschichte in der Vergangenheit spielt.

Activité **A**

2004, New York – 1949, Fond de l'étang

Tu t'informes sur les personnages et sur l'histoire du film «Les Choristes».
Tu regardes le début du film.

1 » Cherchez *choristes bande annonce* sur Internet. Choisissez www.dailymotion.com ou www.cinemovies.fr
Regardez la bande-annonce.

2 » Regardez les personnages du film.

Surveillant

Le surveillant s'occupe des élèves en dehors des cours. On l'appelle aussi le «pion».

S'informer auparavant
Sich im Voraus informieren

Verschaffe dir im Voraus einen Überblick über die Personen und die Handlung einer Geschichte, um sie besser zu verstehen.

3 » Regardez l'affiche à la page 14. Qu'est-ce que vous voyez?

15

Die Lernenden schauen als Erstes den Trailer und das Plakat des Films «Les Choristes» an, um sich über die Geschichte zu informieren. Dieses Vorgehen ist üblich, um sich auf einen Kinobesuch vorzubereiten.

Danach schauen sie den Anfang des Films. In dieser Sequenz findet ein zeitlicher Sprung von 50 Jahren zurück ins Jahr 1949 statt. Eine Zusammenfassung der wichtigsten Ereignisse aus dem Jahre 2004 und Fotos der jungen und alten Schauspieler erleichtern den Lernenden das Nachvollziehen des Flashbacks.

1 Filmtrailer geben dem potenziellen Kinopublikum einen Vorgeschmack auf den Film und motivieren es zum Kinobesuch. Auslassungen sind Teil der Werbestrategie: Trailer präsentieren zentrale Szenen, liefern jedoch nur Fragmente einer Geschichte, wobei das Nichtgezeigte beim Zuschauer Fragen aufwirft, die nur durch das Anschauen des Films beantwortet werden können. Es ist deshalb ein anspruchsvolles Unterfangen, einem Filmtrailer wesentliche Informationen zu entnehmen. An die Präsentation des Trailers sollte sich eine kurze Austauschphase anschliessen, um den Lernenden Gelegenheit zu geben, erste Eindrücke zu formulieren und Unverstandenes zu verbalisieren. So wird eine Erwartungshaltung geschaffen.

2 Sich im Voraus über die Personen und die Handlung einer Geschichte zu informieren, trägt zu einem besseren Verständnis bei. Deshalb wird dieses Vorgehen als Strategie eingeführt.

Die Hauptpersonen werden anhand von Porträts vorgestellt. Die Anordnung der Fotos entspricht der Hierarchie im Internat: Ganz oben steht Direktor Rachin, der mit eiserner Führung Disziplin erzwingen will. Auf der zweiten Ebene stehen die Lehrpersonen und ganz unten in der Hierarchie befinden sich die Kinder.

Die Funktion eines «surveillant» kann mit den Lernenden besprochen werden. «Surveillants» gibt es in allen Schulen Frankreichs. Sie kümmern sich um die Pausenaufsicht und um die Aufgabenstunden nach dem regulären Unterricht. Zudem beaufsichtigen sie die Schülerinnen und Schüler, wenn eine Lehrperson krank ist. Im Internat wird ihre Aufsichtsrolle auf weitere Funktionen ausgeweitet: Mathieu begleitet die Internatsschüler von morgens bis abends durch den Tag und kontrolliert sogar die Nachtruhe. Dass man einen «surveillant» auch abschätzig *pion* nennt, ist in der Szene von Mathieus Entlassung von Bedeutung: Rachin beschimpft Mathieu mit «pion, pion, pion, pion».

3 Die Lernenden versuchen, die Hauptfiguren auf dem offiziellen Filmplakat wiederzuerkennen. Alle auf Seite 15 abgebildeten Protagonisten sind auch auf dem Filmplakat zu sehen. Das Betrachten des Klassenfotos dient der Vorbereitung auf den Film. Gleich zu Beginn studieren auch Morhange und Pépinot das Klassenfoto und erkennen sich selbst und Mathieu wieder.

1 Die Zusammenfassung dient der Vorentlastung der zwei ersten Kapitel des Films, die im Jahre 2004 spielen. Die Lernenden sollen nicht den Eindruck gewinnen, einen Film über zwei ältere Herren zu schauen, der in New York spielt. Die Fotos der beiden erwachsenen Morhange und Pépinot können mit denjenigen der jungen Internatsschüler verglichen werden.

Von der Lehrperson wird sichergestellt, dass die Lernenden den zweiten Absatz verstanden haben: Die (Haupt-)Geschichte spielt im Jahre 1949 im Internat «Fond de l'étang». Mathieu ist der «surveillant» und Pépinot sein Schüler. Diese Informationen können die Lernenden dem Abschnitt mit der W-Fragen-Strategie entnehmen:

» *Quand? En 1949.*
» *Où? A l'internat «Fond de l'étang».*
» *Qui? Mathieu, le surveillant; Pépinot, l'élève; Maxence, le concierge; Rachin, le directeur.*

2 Die Lernenden schauen die ersten drei Kapitel bis 00:07:01.

Vermutlich werden die Lernenden die Rahmengeschichte aus dem Jahre 2004 noch nicht ganz einordnen können. Das ist nicht weiter schlimm, kann doch der Anfang des Films am Ende des *parcours* noch einmal geschaut und besprochen werden. Wichtig ist, dass sie hier den Einstieg in die Geschichte finden, die sich im Internat abspielt.

3 Die Sprechblasen signalisieren, dass sich die Lernenden auf Französisch austauschen. Die Lehrperson kann die Momente, die ausschliesslich in der Zielsprache stattfinden, durch ein weiteres Signal verbindlich machen. Ein solches Signal könnte beispielsweise ein für alle gut sichtbares Symbol an der Wandtafel sein.

Bei der Filmrezeption gibt es zahlreiche Momente, in denen die Lernenden ihr persönliches Empfinden und ihre eigene Wahrnehmung ausdrücken möchten. Die Redemittel in den Sprechblasen befähigen sie dazu. Sie sind den Lernenden schon seit Längerem bekannt und werden in diesem *magazine* in den Klassenwortschatz aufgenommen.

Activité **A**

1 » Lisez le texte pour mieux comprendre le début du film.

4

Le film commence en 2004. Morhange est un musicien célèbre. Il vit à New York.
Il retourne en France pour l'enterrement de sa mère Violette.
Pépinot, son ancien copain de l'internat, lui rend visite.
Pépinot lui donne le journal intime de leur ancien surveillant Clément Mathieu.
Le journal intime raconte la vie à l'internat – il y a plus de 50 ans.

l'enterrement (m)
die Beerdigung
le journal intime
das Tagebuch

Morhange en 2004

Pépinot en 2004

5

En 1949, Clément Mathieu arrive à l'internat «Fond de l'étang».
Il rencontre Pépinot, le Père Maxence et le directeur Rachin.

Fond de l'étang
Am Grunde des Teichs

Morhange en 1949

Pépinot en 1949

2 » Regardez les chapitres 1 à 3.

3 6 » Echangez vos impressions sur les personnages.

A mon avis, Mathieu est…

Je trouve que Rachin est plutôt…

Je pense que Pépinot est…

A mon avis, le Père Maxence est…

sympa	
arrogant	
autoritaire	
calme	ruhig
malheureux	unglücklich
perdu	verloren
étrange	
timide	schüchtern
sensible	
dur	hart
sévère	streng
heureux	glücklich
…	

16

Auf individuelle Bedürfnisse eingehen

Anforderungen reduzieren

Reduzierte und weniger komplexe sprachliche Mittel
» Die Adjektivsammlung auf *sympa, dur, malheureux, timide* reduzieren

Vorentlastung
» Den TV-Beitrag zu *pion* aus der Sendung «Karambolage» schauen: videos.arte.tv/de/videos/karambolage-sendung-vom-27-oktober-2013--7691852.html (2. Teil ab 05:00)

Anforderungen erweitern

Mehr und komplexere sprachliche Mittel
» Die Sprechblasen mit anspruchsvolleren und vielfältigeren Redemitteln aus der *revue* («Nous parlons français!»: «Faire des hypothèses») anreichern

Activité **B**

L'expérience commence

Tu regardes la suite du film.

Vous souvenez-vous du début du film?

1 » Regardez les images et lisez les textes.
2 » Numérotez-les dans l'ordre chronologique. Discutez.

☐ 
Mathieu fait la connaissance du directeur Rachin.

☐ 
Le directeur Rachin siffle pour le rassemblement.

☐ 
Le Père Maxence a un accident.

☐ 
Pépinot attend à l'entrée.

☐ 

Mathieu arrive à l'internat.

☐ 
Le Père Maxence montre l'internat à Mathieu.

D'abord…

Puis…

Finalement…

Ensuite…

Plus tard…

17

In einem ersten Schritt erinnern sich die Lernenden an den Anfang des Films und sprechen über wichtige Szenen. Danach antizipieren sie den Fortlauf der Geschichte anhand von Standbildern und kurzen Szenenbeschreibungen.

Die Lernenden schauen die nächsten Filmkapitel und fassen die wichtigsten Ereignisse zusammen. Gemeinsam klären sie Verständnisfragen.

1 Die Standbilder und die Texte laden ein, sich an das bereits Gesehene und die dabei empfundenen Gefühle zu erinnern.

2 Die richtige Reihenfolge lautet:

1. *Mathieu arrive à l'internat.*
2. *Pépinot attend à l'entrée.*
3. *Le Père Maxence montre l'internat à Mathieu.*
4. *Mathieu fait la connaissance du directeur Rachin.*
5. *Le Père Maxence a un accident.*
6. *Le directeur Rachin siffle pour le rassemblement.*

Durch die Diskussion über die Abfolge der Szenen gelangen die Lernenden zurück zur Filmhandlung. Dies stellt gleichzeitig einen willkommenen Sprechanlass dar. Die Redemittel in den Sprechblasen sind Bestandteil des Klassenwortschatzes von *magazine* 7.4 und wurden von den Lernenden in der Lernsoftware ausgiebig geübt. Diese Übung ermöglicht ein erneutes Umwälzen der Redemittel.

1 Aus den bereits gesehenen Szenen können sich Fragen ergeben wie z. B.:

» *Qui a joué un mauvais tour au Père Maxence?*

» *Est-ce qu'ils vont trouver le coupable?*

» *Comment va se passer le premier cours de Monsieur Mathieu?*

Solche und ähnliche Fragen könnten in der Klasse gesammelt und zu einem späteren Zeitpunkt beantwortet werden.

2 Es ist leichter, einer Filmgeschichte zu folgen, wenn man sich im Voraus Gedanken über ihren möglichen Verlauf macht. Die Standbilder und die Texte laden die Lernenden ein, Hypothesen über den weiteren Handlungsverlauf zu bilden.

3 Die Lernenden schauen die acht nächsten Kapitel (00:07:02–00:36:33).

4 Die Lernenden unterhalten sich über das Gesehene und überlegen, ob sie mit ihren Hypothesen richtig lagen.

Im Austausch mit anderen entwickeln sie ihre filmästhetische Kompetenz weiter. Es ist deshalb auch möglich, dass sie sich von der reinen Handlungsebene entfernen und einander mitteilen, was sie beim Visionieren erstaunt, berührt oder irritiert hat.

5 Handlungsfragen, die die Lernenden nicht alleine zu klären vermögen, können im Plenum besprochen werden.

6 Die Berufswünsche der Internatsschüler können Anlass für ein Klassengespräch sein. Die Lernenden können die Bedeutung aller Berufe erraten, ausser vielleicht die von *pompier*. Es zeigt sich, dass diese Jungen eigentlich ganz gewöhnliche Kinderträume haben. In der weiteren Handlung wird der Beruf *pilote de montgolfière* von Bedeutung sein, weil er den Diebstahl der 200 000 *francs* erklärt.

Activité **B**

le coupable	der Schuldige
une punition collective	eine Kollektivstrafe
dénoncer	verraten
le métier	der Beruf
lever la punition	die Strafe aufheben
volé	gestohlen
l'autorisation (f)	die Erlaubnis

1 Qu'est-ce qui va se passer par la suite?

2 » Regardez les images et lisez les textes.

Rachin ne trouve pas **le coupable** de l'accident du Père Maxence. Il donne **une punition collective** aux élèves.

Mathieu est devant la classe pour la première fois.

Mathieu connaît **le coupable** mais il ne le **dénonce** pas.

Les élèves notent **le métier** qu'ils aimeraient faire plus tard.

Grâce à Mathieu, Rachin **lève la punition**.

Quelqu'un a **volé** les affaires de Mathieu.

Des élèves inventent une chanson sur Mathieu.

Violette veut rendre visite à son fils Pierre.

L'expérience de la chorale commence.

Mathieu demande **l'autorisation** pour la chorale.

3 » Regardez les chapitres 4 à 11.

4 » Racontez ce qui s'est passé.
Les images et les textes peuvent vous aider.

5 Avez-vous bien compris l'histoire?
» Clarifiez vos questions à deux et ensuite en classe.

6 **Les métiers de rêve des élèves**

- pompier
- cowboy
- dresseur de tigre
- pilote de guerre
- espion
- général de Napoléon
- pilote de montgolfière
- légionnaire

18

Auf individuelle Bedürfnisse eingehen

Anforderungen reduzieren

Zusätzlicher Support

» Den Anfang dieses Teils ein zweites Mal mit deutschen Untertiteln anschauen («Appell»: 00:07:02–00:09:43)

Unterstützung durch Plenum

» Mit den Lernenden, die dies wünschen, den Anfang der *activité* gemeinsam bearbeiten

Anforderungen erweitern

Fakultatives Zusatzangebot

» Den Lernenden den Auftrag geben, in der Klasse eine Umfrage zu den Berufswünschen zu machen

Atelier **B**

Atelier B

Il y a trois postes à choix aux pages 20 à 27. A vous de choisir!

B1 | Langage du corps | Körpersprache

Tu observes le langage du corps des acteurs. Tu joues avec la gestuelle et la mimique.

B2 | Script | Drehbuch

Tu découvres le script du film et tu lis les dialogues comme une actrice ou un acteur.

```
A   EXT. PORTAIL - JOUR

Mathieu arrive à l'internat. Pépinot attend à la grille.

MATHIEU        Bonjour! T'es tout seul? Qu'est-ce que
               tu fais là?

PEPINOT        (à voix basse)
               J'attends samedi.

MATHIEU        Pourquoi?
```

B3 | Mots-croisés | Kreuzworträtsel

Tu remplis des mots-croisés. Tu crées des mots-croisés pour d'autres.

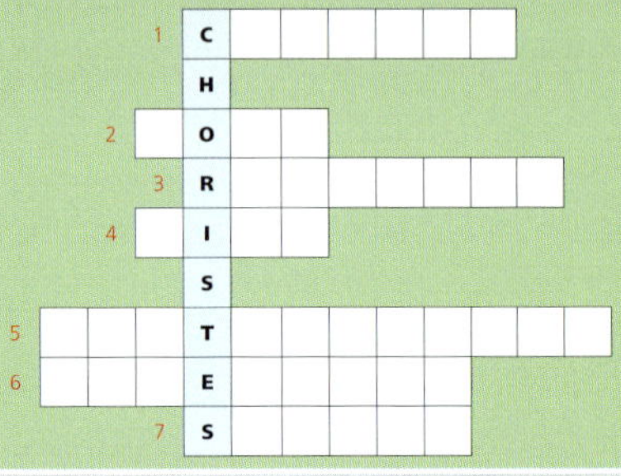

19

Die Lernenden können aus einem Wahlangebot von drei Posten auswählen. Sie bearbeiten mindestens einen davon.

Organisation: Die Lernenden bearbeiten den Anfang ihres Postens in Partnerarbeit. Gegen Ende der Postenarbeit schliessen sich jeweils zwei Zweiergruppen zusammen:

» *Langage du corps*: um zu viert das Spiel zu spielen
» *Script:* um einer anderen Gruppe die Szene vorzuspielen
» *Mots-croisés:* um die Kreuzworträtsel auszutauschen und zu lösen

Es empfiehlt sich, dass die Lernenden für eine selbstständige Bearbeitung des Postens die *revue* zu Hilfe nehmen, um die Aufträge in der Rubrik «Consignes» nachzuschlagen.

Die Gruppen, die Posten 1 wählen, könnten die Szenen, in denen sie die Körpersprache untersuchen, noch einmal auf DVD schauen (00:06:00–00:09:04). Sie können aber auch dem im *magazine* abgedruckten Filmstreifen genügend Informationen entnehmen.

Die Gruppen, die Posten 2 wählen, brauchen einen Audioplayer bzw. einen Computer, um die Dialoge zu hören und nachzusprechen.

Auf individuelle Bedürfnisse eingehen

Anforderungen reduzieren

Unterstützung durch Plenum

» Vor der Auswahl die Posten mit den Lernenden, die dies wünschen, besprechen

Unterstützung durch Gruppenarbeit

» Die Lernenden, die dies wünschen, lösen bereits den Anfang des Postens zu viert

Anforderungen erweitern

Weiterführende Aufgabe

» Den Mitschülerinnen und Mitschülern von der Postenarbeit berichten und die Produkte präsentieren. Die nötigen Verben *(regarder, commenter, jouer / lire, apprendre, jouer / remplir, créer, donner)* und sonstige Redemittel können von der Lehrperson zur Verfügung gestellt oder von den Lernenden in der *revue* unter «Nous parlons français!» selber nachgeschlagen werden («Clarifier», «Donner son avis»). Z. B.: *D'abord, nous avons…; Puis on a…; Finalement, nous avons…*

Fakultatives Zusatzangebot

» Einen weiteren Posten wählen und bearbeiten

Das Medium Film ermöglicht die Anwendung anderer Entschlüsselungsstrategien als reine Lese- oder Hörtexte. Eine davon ist das Beobachten der Körpersprache. Die Bewegungen der Schauspielerinnen und Schauspieler, ihre Position im Raum, ihre Gesten und ihre Mimik verraten oft viel über ihre Gefühle und über die Geschichte.

Die Lernenden analysieren und interpretieren zunächst die Körpersprache anhand von drei Filmstreifen, um Aussagen über die Stimmung der Personen zu machen. Danach experimentieren sie in einem Spiel mit ihrer eigenen Körpersprache, indem sie versuchen, verschiedene Emotionen nonverbal auszudrücken.

Atelier **B1**

Langage du corps

Tu observes le langage du corps des acteurs.
Tu joues avec la gestuelle et la mimique.

1 » Observez les gestes et les mimiques des personnages. Qu'est-ce que le langage du corps exprime? Discutez.

2 » Lisez les interprétations à la page 21. Est-ce que vous êtes d'accord?

3 » Jouez au jeu.
- » Mettez-vous avec un autre groupe.
- » Lisez les règles du jeu.
- » Jouez au jeu.

06:00–06:20

07:55–08:35

08:38–09:04

Peut-être que Rachin est...

Je pense que Mathieu se sent...

intimidé	eingeschüchtert
stressé	nervös
effrayé	erschrocken
joyeux	fröhlich
impatient	ungeduldig
sévère	streng
maladroit	ungeschickt
triste	traurig
fâché	zornig, wütend
méfiant	misstrauisch
content	zufrieden
mal à l'aise	nicht wohl
sûr de lui	selbstsicher
peu sûr de lui	wenig selbstsicher
choqué	schockiert

20

1 Eine Filmsequenz ohne Ton führt die Lernenden zu einem intensiveren Sehen. Sie können sich auf die visuellen Informationen konzentrieren und dadurch die Kommunikationssituationen erkennen.

Grossaufnahmen ermöglichen es, den Gesichtsausdruck der gezeigten Personen zu beobachten. Mimik und Gestik sagen auch viel über den Charakter und die Intentionen der sprechenden Figuren aus.

Die meisten Adjektive dieser Sammlung sind Bestandteil des Klassenwortschatzes. Teilweise sind die Lernenden ihnen schon in *activité* A begegnet. Bei diesem Sprechanlass wälzen sie diese erneut um.

2 Es handelt sich bei den drei Texten um Interpretationsmöglichkeiten und nicht um Lösungen. Was die Lernenden zuvor festgestellt haben, ist ebenfalls richtig. Es entspricht ihren persönlichen Sinneswahrnehmungen und ihren eigenen Körpererfahrungen. Den Lernenden soll bewusst werden, dass man mit der Körpersprache viel ausdrückt.

3 Diese ganzheitliche Erfahrung dient dazu, die Lernenden auf das Nonverbale aufmerksam zu machen. Auch sie können mit ihrer Gestik und Mimik unterschiedlichen Gefühlen Ausdruck verleihen.

Gleichzeitig werden im Spiel Adjektive aus dem Klassenwortschatz angewendet. Es ist wichtig, dass die Lernenden sich während des Spiels in der Zielsprache austauschen. Bereits das Klären der Spielregeln kann Anlass für ein Gespräch sein. Die *revue* kann die Lernenden dabei unterstützen, sich an die in *magazine* 7.3 intensiv eingeübten Strukturen zu erinnern («Nous parlons français!»: «Jouer aux jeux», «Faire des hypothèses»).

Auf individuelle Bedürfnisse eingehen

Anforderungen reduzieren

Reduzierte Textmenge
» Die Adjektivsammlung auf *effrayé, joyeux, sévère, triste* und *fâché* reduzieren und das Spiel zuerst nur mit diesen Adjektiven spielen

Anforderungen erweitern

Mehr und komplexere sprachliche Mittel
» Die Adjektivsammlung mit weiteren Adjektiven aus dem (Online-)Wörterbuch anreichern

Atelier **B1**

Voici des interprétations possibles:

Rachin steht oben, weil er der mächtige Direktor ist. Mathieu steht unten, weil er ihm untergeordnet ist. Rachin bleibt unbeweglich stehen, während Mathieu die Treppe zu ihm hochgehen muss.

Mathieu wechselt andauernd die Position seiner Arme. Dies zeigt, dass er sich nicht wohl fühlt und unsicher und nervös ist.
Er ist fassungslos, dass Rachin ihn bestimmt, einen Schuldigen zu nennen.

Mathieu schaut die Schüler streng an. Ein Zwischenruf und die Aufgabe, einen Schuldigen zu bestimmen, machen ihn ratlos und unsicher. Zum Schluss bemüht er sich, wieder selbstsicher zu wirken.

Règles du jeu:

- Découpez les cartes. Mélangez-les et faites une pile.
- **A** pioche une carte. **A** représente le sentiment noté avec le langage du corps.
- **B**, **C** et **D** devinent le sentiment qu'il représente.
  - faux: **B**, **C** et **D** continuent de deviner.
  - juste: **B** pioche une carte…

J'ai trouvé: tu es…

Non, je pense que tu es…

Ah je sais: tu es…!

intimidé/-e	stressé/-e	effrayé/-e
joyeux/-se	impatient/-e	sévère
maladroit/-e	triste	fâché/-e
méfiant/-e	content/-e	mal à l'aise
sûr/-e de toi	peu sûr/-e de toi	choqué/-e

Atelier **B1**

22

Auf individuelle Bedürfnisse eingehen

Anforderungen reduzieren

Unterstützung durch Gruppenarbeit

» Mit einer anderen Partnergruppe, die den gleichen Dialog gewählt hat, Verständnisfragen klären

Anforderungen erweitern

Weiterführende Aufgabe

» Den Dialog auswendig lernen

7 Die Lernenden können auch denselben Dialog beibehalten und die Rollen tauschen.

Szenen in der *tâche* von *magazine* 7.3 dienlich waren (*Expression de la voix, Combler un blanc*), oder sie auf die Strategien-Sammlung in der *revue* verweisen. Techniken, die das Vortragen erleichtern, wären beispielsweise *Pauses de discours, D'autres moyens d'expression que la parole etc.*

Atelier **B2**

Script

Tu découvres le script du film et tu lis les dialogues comme une actrice ou un acteur.

1 » Découvrez la présentation d'un script.

2 » Choisissez un dialogue.

3 » Lisez et écoutez le dialogue et vérifiez si vous comprenez la même chose.

4 » Répartissez les rôles et marquez votre texte.

5 » Apprenez à lire les textes avec le CD.

6 » Jouez les dialogues devant un autre groupe.

7 » Choisissez un autre dialogue.

Voici les éléments d'un script:

```
A   EXT. PORTAIL – JOUR

Mathieu arrive à l'internat. Pépinot attend à la grille.

MATHIEU       Bonjour! T'es tout seul? Qu'es
              tu fais là?
              (à voix basse)
              J'attends samedi.

MATHIEU       Pourquoi?
```

Où? Quand? Titre de scène

Quoi? Didascalie

Qui? Personnage

Dialogue

Comment? Indication

A Mathieu arrive à l'internat.

B Mathieu fait chanter Corbin.

C Mathieu découvre que les élèves chantent.

23

Die Lernenden halten – wie die Schauspieler von «Les Choristes» – einen Ausschnitt des Drehbuchs in den Händen. Sie üben die Dialoge und lernen dabei die richtige Aussprache. Sie achten beim Schauspielern ebenfalls auf Tonfall, Lautstärke und Intonation. Zum Schluss spielen sie die Szene einer anderen Gruppe vor.

Rollenspiele dieser Art ermöglichen den Lernenden einen Perspektivenwechsel: Die Schülerinnen und Schüler können verschiedene Identitäten erkunden, andere Verhaltensweisen ausprobieren und unterschiedliche Standpunkte einnehmen.

In Posten C2 erhalten die Lernenden eine weitere Gelegenheit, Szenen aus dem Film nachzuspielen.

1 Die Darstellungsform der Dialoge entspricht den üblichen formalen Kriterien eines Drehbuchs: Das besondere Layout und Schriftbild zeichnen sich unter anderem durch die Titelzeilen, die Didaskalien und die Indikationen aus; aber auch dadurch, dass Namen oder Ortsangaben grossgeschrieben werden und die Dialoge eingerückt sind. Eine Seite eines Drehbuchs entspricht ungefähr einer Minute Film.

2 Die Drehbuchausschnitte entsprechen folgenden Filmszenen:

A) 00:04:37–00:04:55.
Mathieu trifft Pépinot vor dem Tor.

B) 00:33:13–00:33:36.
Corbin singt vor.

C) 00:23:03–00:24:09.
Corbin singt im Schlafsaal.

3 Um den Dialog richtig interpretieren zu können, müssen die Lernenden zunächst das Verständnis sichern. Die originale Tonspur hilft ihnen, sich an die gesehene Szene zu erinnern.

4 In allen drei Szenen hat Mathieu am meisten Text. Szene A stellt einen kurzen Einstieg ins Rollenspiel dar. Szene B kann auch von einem Schüler oder einer Schülerin allein eingeübt werden. In Szene C können die Rollen von Corbin und Leclerc von einer Person übernommen werden.

5 Mit der Original-Tonspur üben die Lernenden nicht nur die richtige Aussprache der einzelnen Wörter, sondern vor allem auch die passende Intonation ein. Man kann die Dialoge laut, leise, fröhlich, traurig, übermütig, schlapp, schüchtern oder streng vortragen. Die Indikationen über dem Text geben den Lernenden wichtige Hinweise für das Vortragen. Das Nachahmen der Schauspieler unterstützt sie darin.

6 Für das Vorspielen schliessen sich zwei Gruppen zusammen. Die Aufführung würdigt die Vorarbeit, die die Lernenden geleistet haben. Sie sollten nun die Texte gut aussprechen und vorführen können. Es wird nicht verlangt, dass die Texte auswendig vorgetragen werden.

Die Lehrperson kann die Lernenden an Strategien erinnern, die ihnen beim Präsentieren von

Atelier **B2**

A l'écrit | **A l'oral**
Tu es... | T'es...
Ce n'est pas... | C'est pas...
Monsieur | M'sieur

8

A EXT. PORTAIL – JOUR

Mathieu arrive à l'internat. Pépinot attend à la grille.

MATHIEU Bonjour! T'es tout seul? Qu'est-ce que tu fais là?

PEPINOT (à voix basse)
J'attends samedi.

MATHIEU Pourquoi?

PEPINOT Mon Papa va venir me chercher.

MATHIEU Oui, mais on n'est pas samedi aujourd'hui.

9

B INT. SALLE DE CLASSE – MATIN

Mathieu auditionne les élèves pour la chorale.

MATHIEU Fais-moi voir, Corbin.
(chante)
Do mi sol doooo!

CORBIN (chante faux)
Doo.

MATHIEU (chante)
Dooo! Doo doo dooo!

CORBIN (chante faux)
Dooo.

MATHIEU Ah non, ça je suis désolé, ça n'existe pas cette note…
(le fait avancer)
Bon, viens un peu là.
(à Pépinot)
Monsieur Pépinot, donnez-moi la partition.
(prend la partition, à Pépinot)
Merci beaucoup.
(à Corbin)
Ouvre tes mains…
(place les mains)
bien, présente-les comme ça.
Voilà, je te nomme pupitre.

auditionner
vorsingen lassen

la partition
die Partitur, die (Musik-) Noten

le pupitre
das Notenpult

Atelier **B2**

C INT. CHAMBRE - NUIT

Mathieu traverse le dortoir. Tous arrêtent de chanter, sauf Corbin.

CORBIN (chante seul)
Ici c'est pas toi qui feras la loi.
(aux autres)
Alors les mecs, vous vous dégonflez?

MATHIEU Toi, c'est Corbin, non?

CORBIN Oui, Monsieur, mais je fais rien.

MATHIEU Si, tu chantes!

CORBIN Non, M'sieur, je vous jure.

MATHIEU (fort)
Tu chantes! Et tu chantes faux en plus.
(moins fort)
Tu ne t'en rends même pas compte.
Allez, recommence, je t'écoute.
Tu veux peut-être aller chanter
chez le directeur? Allez:
(chante)
Crâne d'obus, d'obus t'es foutu.

CORBIN (chante faux)
Crâne d'obus, d'obus t'es foutu.

MATHIEU (chante)
Ici c'est pas toi qui feras la loi.

CORBIN (chante faux)
Ici c'est pas toi qui feras la loi.

MATHIEU On t'a jamais dit que tu chantais comme une gamelle.

LECLERC Euh Monsieur, c'est vrai que c'est de la musique
que vous avez dans votre cartable?

MATHIEU Mêlez-vous de vos affaires. D'ailleurs à ce propos:
(sévère)
le prochain que je prendrai à fouiller dans mes
affaires, ça lui coûtera cher. Alors maintenant
silence. On dort, au lit, hop, terminé.

10

Ici c'est pas toi qui feras la loi.
Hier hast du nichts zu bestimmen.

vous vous dégonflez
macht ihr schlapp

je vous jure
ich schwör's

Tu ne t'en rends même pas compte.
Du merkst es nicht einmal.

crâne d'obus
Eierkopf, Granatenschädel

t'es foutu
du machst es nicht mehr lange

chanter comme une gamelle
falsch singen

fouiller dans mes affaires
in meinen Sachen stöbern

ça lui coûtera cher
das wird ihn teuer zu stehen kommen

Die Bearbeitung von B3 verläuft in drei Schritten. Zuerst testen die Lernenden ihr Verständnis der Filmhandlung mit zwei Kreuzworträtseln. Dabei halten sie wichtige Informationen von «Les Choristes» fest und machen sich mit dem Rätselformat vertraut. Danach stellen sie selber Kreuzworträtsel für Mitschülerinnen und Mitschüler her. Dies verlangt, dass sie den Filmanfang noch einmal Revue passieren lassen, um Inhalte für ihr eigenes Rätsel zu finden. Gleichzeitig erfordert das Erstellen der Rätselsätze eine intensive Spracharbeit. Für die nötige Motivation sorgt der Spiel- und-Spass-Faktor dieses Postens. Denn zum Schluss regen die Eigenkreationen der Lernenden die anderen zum Rätseln und Kopfzerbrechen an.

1 Die Kreuzworträtsel auf Seite 26 haben Modellcharakter und bieten den Lernenden beim Erstellen der eigenen Rätsel Unterstützung. Die Lösungen zu den beiden Rätseln befinden sich auf Seite 27 im *magazine*. Für die nachfolgenden Schritte ist es allerdings nicht wesentlich, dass sie alle richtigen Antworten finden und eintragen.

2 Um eigene Rätsel zu kreieren, sind der Fantasie keine Grenzen gesetzt. Sie können, wie in den beiden Beispielen, Lückentexte ergänzen lassen, Fragen stellen (z. B. *Comment s'appelle le professeur de sport?*) oder sich mit Bildern oder Skizzen behelfen (z. B. *Qui est-ce?* mit einem Pfeil auf eine Person auf dem Filmposter).

Bei Platzmangel können die Lernenden ihre Entwürfe auch auf der leeren Seite 49 im *magazine* notieren.

3 Für den Austausch der Rätsel schliessen sich zwei oder mehr Gruppen zusammen. Der Austausch würdigt die Vorarbeit, die die Lernenden geleistet haben. Sie sind nun die Experten ihrer eigenen Aufgaben und lösen die Rätsel der anderen.

Atelier **B3**

Mots-croisés

Tu remplis des mots-croisés.
Tu crées des mots-croisés pour d'autres.

1 » Remplis les grilles.

2 » Crée des mots-croisés à la page 27 ou sur Internet (www.xwords-generator.de).

3 » Donne tes mots-croisés à quelqu'un d'autre.

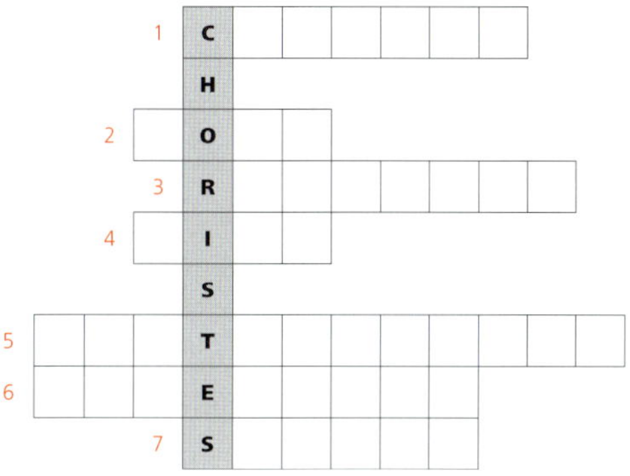

1. Mathieu veut faire une…
2. L'internat s'appelle «… de l'étang».
3. A l'internat, il y a le principe «Action – …».
4. On appelle un surveillant aussi un…
5. Le métier de rêve d'un élève est «pilote de…».
6. Rachin est le… de l'école.
7. Pépinot attend son père le…

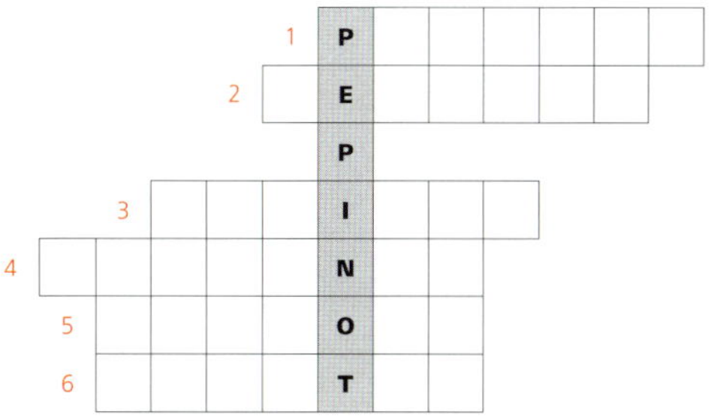

1. En 2004, Morhange rencontre…, son ancien copain de l'internat.
2. Mathieu connaît le coupable de l'accident de Maxence, mais il ne le… pas.
3. Mathieu aime la…
4. L'histoire se passe en mille-neuf-cent-…-neuf.
5. A l'internat, il n'y a pas de filles, il y a seulement des…
6. Corbin ne sait pas chanter. Mathieu le nomme… (Notenpult).

26

Auf individuelle Bedürfnisse eingehen

Anforderungen reduzieren
Zusätzlicher Support
» Den Lernenden Strukturen zur Verfügung stellen: *XY est un/le… de l'école., / XY s'appelle…, / XY est plutôt…*

Anforderungen erweitern
Selbstständigere Arbeit durch Einzelarbeit
» In Einzelarbeit ein Kreuzworträtsel erstellen
Beurteilung und Rückmeldung
» Den Lernpartnern ein Feedback zum Kreuzworträtsel geben

SOLUTIONS

1 CHORALE | 2 FOND | 3 REACTION | 4 PION | 5 MONTGOLFIERE | 6 DIRECTEUR | 7 SAMEDI

1 PEPINOT | 2 DENONCE | 3 MUSIQUE | 4 QUARANTE | 5 GARÇONS | 6 PUPITRE

In «Autour du film» finden die Lernenden spannende Hintergrundinformationen zum Film und Anekdoten zu den Dreharbeiten. Man schaut den Film mit ganz anderen Augen, wenn man weiss, dass die Schauspieler bei brütender Hitze Winterkleider tragen mussten, oder wenn man versucht, verschiedene Unstimmigkeiten zu entdecken. Die Informationen sind nicht didaktisiert und können von den Schülerinnen und Schülern selber erkundet werden. Allerdings ist es für die *rétrospective* am Ende des *parcours* Voraussetzung, sich damit beschäftigt zu haben. Die Texte sind auf der Multimedia-CD hörbar, was den Zugang zu den Inhalten erleichtern kann.

Es kann wertvoll sein, die Einsichten, die die Lernenden gewonnen haben, in der Klasse zu besprechen. Dazu könnten ihnen beispielsweise folgende Leitfragen und Redemittel zur Verfügung gestellt werden:

1. Welchen Text habe ich gelesen?
   J'ai choisi le texte...»
   J'ai lu une information sur...
2. Warum habe ich diesen Text gewählt?
   J'aime les anecdotes sur les acteurs / le tournage / le décor...
   Je m'intéresse à la géographie / à la musique / à la vie des acteurs...
3. Was habe ich erfahren?
   Le texte dit que...
   Maintenant je sais pourquoi...
   Le texte parle du/de la/des...

Es ist auch möglich, einzelne Filmausschnitte noch einmal in der Klasse mit einem neuen Blick anzuschauen. Dazu eignen sich vor allem Szenen, bei denen man etwas Besonderes im Bild beobachten kann:

» 00:50:42–00:51:20:
  Im Hintergrund schneidet ein Mann immer am selben Ort die Torte.
» 01:00:34–01:01:35:
  Rachin gibt Mondain Ohrfeigen, die nicht echt sind.
» 01:12:56–01:13:06:
  Morhange stützt sich auf die Säule, weil er den Fuss gebrochen hat.
» 01:21:22–01:21:50:
  Das vom Brand beschädigte Schloss im Hintergrund ist eine Tapete.
» 01:27:57–01:28:30:
  Der Bus erscheint einmal mit und einmal ohne Schild.

Autour du film

11–20

Après la sortie du film «Les Choristes», beaucoup d'enfants et d'adolescents français commencent à chanter dans une chorale.

Après le tournage, beaucoup de garçons qui ont joué dans le film commencent à chanter dans une chorale.

Pendant le tournage, il fait si chaud que Berléand (Rachin) joue parfois en slip. Cela fait rire toute l'équipe et ils ont du mal à tourner les scènes sérieuses.

Au début, les garçons qui jouent dans le film ne se connaissent pas. Après le tournage, beaucoup d'entre eux restent amis.

Jean-Baptiste Maunier (Pierre Morhange) se casse le pied la veille du tournage de cette scène. C'est pour cela qu'il se tient dans cette position.

«Les Petits Chanteurs de Saint-Marc» chantent les chansons du film. Cette chorale d'un Collège à Lyon – aujourd'hui connue dans toute l'Europe – donne des concerts.

Le film «Les Choristes» est tourné en 2004. Le lieu principal de tournage est le Château Ravel dans le Département du Puy-de-Dôme, près de Clermont-Ferrand.

Les gifles de Rachin ne sont pas réelles. C'est surtout les bruitages et le jeu des acte qui donnent cette impressi

Pour trouver les jeunes acteurs, plus de 3000 castings ont lieu. Finalement, beaucoup d'enfants de la région d'Auvergne obtiennent un rôle.

La couleur des yeux de Pierre Morhange change! Jean-Baptiste Maunier – qui joue Morhange en 1949 – a les yeux bleus alors que Jacques Perrin – qui joue Morhange en 2004 – a les yeux bruns.

28

Die Szenen können gezeigt werden, bevor die Lernenden die entsprechenden Texte gelesen haben. Mit Fragen kann man sie dazu anleiten, den entsprechenden Absatz zu lesen und nach der Lösung zu suchen:

» *Quelle erreur s'est glissée dans cette scène?*
» *Les gifles de Rachin sont-elles réelles?*
» *Pourquoi Pierre Morhange se tient-il dans cette position?*
» *Comment faire croire que le château a brûlé?*

Mit diesem Vorgehen veranlasst man die Lernenden dazu, schon vor dem Lesen Hypothesen über den Textinhalt zu bilden. Weitere Strategien, die den Lernenden das Textverstehen erleichtern können, sind beispielsweise *Images, Noms et nombres, Vocabulaire connu et mots parallèles, Deviner* etc.

Le tournage a lieu en juillet et en août. Parfois, il fait plus de 40°. Les caméramans et les techniciens sont en short et en t-shirt. La neige est artificielle, les feuilles des plantes sont arrachées pour créer une ambiance hivernale.

Christophe Barratier est le réalisateur du film. Il compose aussi les deux thèmes de musique «Cerf-volant» et «Nous sommes de fond de l'étang».

21–30

Le directeur conduit une traction.

Comme dans beaucoup de films, il y a des erreurs. Lors d'une visite de la mère de Pierre, un homme coupe sa tarte toujours au même endroit.

Christina Aguilera reprend en partie l'air de piano de la chanson «Vois sur ton chemin» dans sa chanson «Oh Mother» de l'album «Back to Basics».

Tu trouves cette chanson sur Youtube.

La participation au film est pour Jean-Baptiste Maunier le début d'une carrière de comédien et de chanteur.

Comme dans beaucoup de films, il y a des erreurs.
Lors du départ en bus, on voit d'abord un panneau à l'arrière qui indique que la vitesse maximale autorisée du bus est de 85 km/h.
10 secondes après, on voit le même bus partir sans panneau.

Le film «Les Choristes» est une production franco-suisse. Un des producteurs est le Bâlois Arthur Cohn.

Le château ne brûle pas réellement. L'arrière-fond n'est qu'une toile.

En 2005, le film «Les Choristes» est nominé pour l'Oscar du meilleur film en langue étrangère et il remporte beaucoup de prix.

29

Auf individuelle Bedürfnisse eingehen

Anforderungen reduzieren

Unterstützung durch Plenum

» Das Verstehen der Hintergrundinformationen mit Filmausschnitten und einem Klassengespräch unterstützen

Anforderungen erweitern

Weiterführende Aufgabe

» Eine Internet-Recherche machen und noch mehr Hintergrundinformationen in Erfahrung bringen

In *activité* C schauen die Lernenden die Fortsetzung des Films und folgen dabei den drei Phasen «vor – während – nach dem Sehen». In der Phase «Vor dem Sehen» erinnern sie sich an das Gesehene und beschäftigen sich mit Standfotos und Bildlegenden der nachfolgenden Kapitel. Dabei stellen sie Vermutungen über den weiteren Verlauf der Geschichte an. Während der Filmpräsentation verifizieren oder widerlegen sie ihre Hypothesen. Im Anschluss an die Präsentation suchen sie Titel, die ihres Erachtens am besten zu den Szenen passen. Dabei sichern sie das Verstehen dieses Filmteils.

Der Klassenwortschatz nimmt Strukturen aus der *revue* auf, denen die Lernenden schon mehrfach begegnet sind. Zudem enthält er Adjektive für Personenbeschreibungen. Der Klassenwortschatz zeichnet sich durch ein hohes Transferpotenzial aus. Mit den angeeigneten Strukturen können die Lernenden sich über den Film und die Figuren äussern. Ausserdem können sie den Wortschatz auch auf kommende Unterrichtssituationen transferieren bzw. ausserhalb der Schule einsetzen.

1 Die Standbilder und die Texte auf Seite 18 fassen das bereits Gesehene zusammen.

2 Es ist leichter, einer Filmgeschichte zu folgen, wenn man sich im Voraus Gedanken über ihren möglichen Verlauf macht. Die Standbilder und die Texte laden die Lernenden ein, Hypothesen über den weiteren Handlungsverlauf zu bilden.

Activité **C**

La magie du chant

Tu regardes la suite du film. Tu donnes un titre à chaque scène.

1 » Regardez les images de la page 18 pour vous rappeler ce qui s'est passé.
2 » Regardez les images et lisez les textes.

A Mondain, un nouvel élève, vient à l'internat.

B Morhange et Mondain se disputent.

C Pierre s'absente pour voir sa mère de loin.

D Mondain et Corbin ne respectent pas les règles.

E La chorale chante. Pierre a une belle voix.

F C'est le jour des visites. Violette vient voir son fils.

G Mathieu compose des chansons pour la chorale.

H Mondain disparaît et 200 000 francs sont volés.

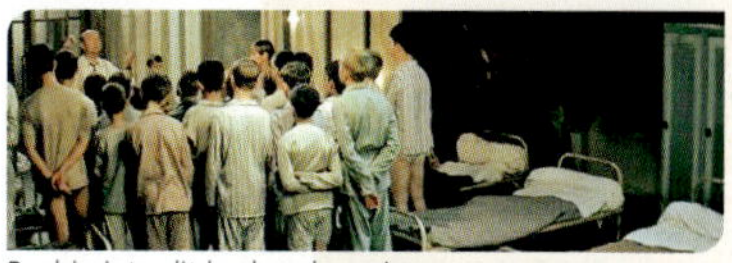
I Rachin interdit la chorale mais…

J Les gendarmes emmènent Mondain.

K C'est de nouveau le jour des visites.

une belle voix	eine schöne Stimme	interdire	verbieten
disparaître	verschwinden	emmener	abführen
volés	gestohlen		

Activité C

1 » Regardez les chapitres 12 à 17.

2 Avez-vous bien compris l'histoire?
» Clarifiez vos questions à deux et ensuite en classe.

3 » Choisissez des titres pour les scènes. Notez la lettre de la scène à côté du titre.

Un bon titre pour la scène… c'est: «…»

Pour moi, la scène… s'appelle plutôt: «…»

Ce titre me fait penser à la scène…

Moi aussi.

Moi, je pense plutôt à la scène…

L'arrivée de Mondain
Un élève difficile
La rencontre au grenier
Violette la serveuse
Avoir mal au cœur
Le repas nocturne
La magie du chant
Les répétitions de chant
Le jour des visites
La visite de Violette
Mathieu le compositeur
L'argent volé
De nouvelles chansons
Les gifles du directeur
La disparition de Mondain
La chorale clandestine
La fascination de Mathieu
Chanter en pyjama
La force de la musique
La gendarmerie

au grenier	auf dem Dachboden
avoir mal au cœur	Kummer haben
le repas	die Mahlzeit
nocturne	nächtlich
l'argent (m)	das Geld
volé/-e	gestohlen
la disparition	das Verschwinden
clandestin/-e	heimlich, illegal
la force	die Kraft
la gifle	die Ohrfeige

31

1 Die Lernenden schauen die sechs nächsten Kapitel (00:36:34–01.03:09).

2 Handlungsfragen, die die Lernenden nicht alleine zu klären vermögen, können im Plenum besprochen werden.

3 Wenn die Lernenden den Szenen Titel geben, werden kognitive Fähigkeiten und Fertigkeiten geschult. Sie entscheiden, auf welchen Inhalt sich jede der elf Szenen reduzieren lässt. Die Farben bieten eine Hilfestellung bei der Auswahl. Oft können die Lernenden zwischen gleichfarbigen Titeln auswählen. Zudem sind die Titel chronologisch angeordnet. Es gibt allerdings Titel, die zu mehreren Szenen passen, was die Diskussionen unter den Lernenden anregt und spannend macht.

Dieser authentische Gesprächsanlass bietet eine wertvolle Möglichkeit, um die Fertigkeit «Sprechen» zu fördern. In den Sprechblasen werden die dafür benötigten Redemittel vorgegeben. In der *revue* finden die Lernenden zusätzliche Unterstützung. Die Lehrperson kann die Lernenden auffordern, dieses Nachschlagewerk zu Hilfe zu nehmen. Unter «Donner son avis» und «Faire des hypothèses» finden sich weitere Redemittel, die für diesen Gesprächsanlass dienlich sein können, wie *Je suis d'accord avec toi. / Je ne suis pas d'accord avec toi. / Ça me plaît. / Ça ne me plaît pas. / Nous avons choisi… parce que… / Moi, je pense… / A mon avis… / Selon moi…* Wenn die Klasse ein Signal vereinbart hat, bei dem man sich nur in der Zielsprache austauscht (vgl. *fil rouge,* Seite 20), wird dies nun eingesetzt.

Auf individuelle Bedürfnisse eingehen

Anforderungen reduzieren

Zusätzlicher Support

» Den Schluss dieses Teils ein zweites Mal mit deutschen Untertiteln anschauen («Heimliche Proben»: 00:58:13–01:02:04)

Unterstützung durch Plenum

» Mit den Lernenden, die dies wünschen, den Anfang der *activité* gemeinsam bearbeiten

Anforderungen erweitern

Mehr und komplexere sprachliche Mittel

» Auf anspruchsvollere und vielfältigere Redemittel zurückgreifen

1 Die Lernenden kennen verschiedene Techniken, um den Klassenwortschatz zu memorieren. Sie haben auch Aktivitäten ausprobiert, um sich Wörter zu merken (Würfelspiele, Rollenspiele …). Bei diesem letzten *magazine* des Schuljahres kann die Lehrperson ein Reflexionsmoment einbauen, damit sich die Lernenden überlegen, welche Mnemotechniken ihnen am dienlichsten sind. Ihre Überlegungen und Feststellungen können die Lernenden im Formular 6 des ESP II notieren («Wie ich am erfolgreichsten Wörter lerne»). Im Sinne der Mehrsprachigkeitsdidaktik lohnt es sich, die Reflexion auf weitere Fremdsprachen auszuweiten und beispielsweise die Wortschatzerwerbstechniken der Lernenden in Französisch und Englisch zu vergleichen.

2 Es ist möglich, dass die Lernenden einige Wörter aus dem Film aufschnappen und diese lernen möchten. Diese sprachlichen Mittel haben den Vorteil, dass sie in visuelle Kontexte eingebunden und deshalb besser zu memorieren sind.

Der Klassenwortschatz könnte auch mit Strukturen aus der *revue* oder mit Adjektiven ergänzt werden.

Auf individuelle Bedürfnisse eingehen

Anforderungen reduzieren

Stoffreduktion

» Die Anzahl zu lernender Ausdrücke des Klassenwortschatzes reduzieren

Anforderungen erweitern

Weiterführende Aufgabe

» In Absprache mit der Klasse den Klassenwortschatz erweitern

Selbstständiges Orthografietraining

» Die orthografisch korrekte Schreibweise möglichst vieler Ausdrücke des Klassenwortschatzes einüben

Selbstständiger Wortschatzerwerb

» Einen umfangreichen persönlichen Wortschatz anlegen

Activité **C**

1 32-33 » Lis et écoute les expressions.

Je trouve que… est…	Ich finde, dass… …ist.
Peut-être que… est…	Vielleicht ist… …
A mon avis… est…	Meiner Meinung nach ist… …
sympa	sympathisch
arrogant / arrogante	arrogant
malheureux / malheureuse	unglücklich
timide	schüchtern
sensible	sensibel
sévère	streng
stressé / stressée	nervös
effrayé / effrayée	erschrocken
joyeux / joyeuse	fröhlich
impatient / impatiente	ungeduldig
maladroit / maladroite	ungeschickt
fâché / fâchée	zornig, wütend
content / contente	zufrieden
sûr de lui / sûre d'elle	selbstsicher
Je pense que… se sent…	Ich denke, dass… sich… fühlt.
triste	traurig
mal à l'aise	nicht wohl
heureux / heureuse	glücklich

arrogant
arrogant

sévère
severe

impatient
impatient

2 » Choisis d'autres expressions pour ton vocabulaire personnel. Note-les dans la revue.

32

Atelier **C**

Atelier C

Il y a trois postes à choix aux pages 34 à 41. A vous de choisir!

C1 | La musique nous parle

Tu te laisses emporter par la musique du film.

C2 | Script | Drehbuch

Tu découvres le script du film et tu lis les dialogues comme une actrice ou un acteur.

```
A    INT. EN BAS DES ESCALIERS - NUIT

Pépinot est assis. Mathieu arrive.

MATHIEU        (étonné)
               Ben, qu'est-ce que tu fais là, toi?
               (avance vers lui)
               Hein?

PEPINOT        (à voix basse)
               J'ai pas le droit de monter.

MATHIEU        Comment ça, t'as pas le droit? Et pourquoi ça?
```

C3 | Une chanson en images

Tu représentes les paroles d'une chanson du film en images.

33

Die Lernenden können aus einem Wahlangebot von drei Posten auswählen. Sie bearbeiten mindestens einen davon.

Organisation: Die Lernenden bearbeiten den Posten in Partnerarbeit. Die Zweiergruppen von C2 schliessen sich gegen Ende der Postenarbeit zu einer Vierergruppe zusammen.

Es empfiehlt sich, dass die Lernenden für eine selbstständige Bearbeitung des Postens die *revue* zu Hilfe nehmen, um die Aufträge in der Rubrik «Consignes» nachzuschlagen.

Das Bearbeiten der Posten C1, C2 oder C3 verlangt von den Lernenden das Anhören der entsprechenden Audiodateien (Filmmusik, Dialoge oder Chansons). Alle Gruppen brauchen daher Zugang zu einem Computer. Die mp3-Dateien auf der Multimedia-CD lassen sich auch auf einem entsprechenden Gerät abspielen.

Auf individuelle Bedürfnisse eingehen

Anforderungen reduzieren

Unterstützung durch Plenum

» Vor der Auswahl die Posten mit den Lernenden, die dies wünschen, besprechen

Anforderungen erweitern

Weiterführende Aufgabe

» Den Mitschülerinnen und Mitschülern von der Postenarbeit berichten und die Produkte präsentieren.
Die nötigen Verben (*lire, écouter, regarder, choisir / lire, apprendre, jouer / regarder, écouter, représenter*) und sonstige Redemittel können von der Lehrperson zur Verfügung gestellt oder von den Lernenden in der *revue* unter «Nous parlons français!» selber nachgeschlagen werden («Clarifier», «Donner son avis»). Z. B.: *D'abord, nous avons…; Puis on a…; Finalement, nous avons…*

Fakultatives Zusatzangebot

» Einen weiteren Posten wählen und bearbeiten

Die Musik hat in «Les Choristes» einen besonderen Stellenwert. Sie ist nicht nur Begleitung, sondern auch Inhalt des Films. Durch sie verändern sich die Menschen, sie lässt Wünsche entstehen und Träume wahr werden. Die Aussage der verschiedenen Bilder und Szenen wird durch die Filmmusik bestärkt. Die musikalische Untermalung ist in «Les Choristes» so gut gelungen, dass die Filmmusik mit dem europäischen Filmpreis 2004 und dem César 2005 ausgezeichnet wurde.

In Posten C1 beschäftigen sich die Lernenden mit der Musik von Bruno Coulais. Sie hören vier Musikstücke aus dem Film und versuchen, sie der entsprechenden Szene zuzuordnen. Dabei konzentrieren sie sich auf die Musik und nehmen die Stimmungen und Gefühle wahr, die sie vermittelt. Danach überlegen sie, welche Melodien der Chorlieder sich für die Untermalung der zuletzt gesehenen Szenen eignen.

1 Die Szenen stammen aus den Filmsequenzen von *activité* A «L'arrivée à l'école», «Pépinot», *activité* B «Action – réaction» und *activité* C «Sous la pluie». Die Überschriften der Szenen entsprechen den Titeln der Filmmusik. Die Standbilder und die Kurzzusammenfassungen ermöglichen ein schnelles Zurückbesinnen auf die entsprechende Szene.

2 Die Musikstücke haben alle ihren eigenen Charakter. Während «L'arrivée à l'école» eine unheimliche und bedrohliche Atmosphäre schafft, klingt «Pépinot» ruhig und melancholisch. «Sous la pluie» verbreitet eine traurige und wehmütige Stimmung, «Action – réaction» wirkt dagegen bedrohlich und spannungsgeladen. Aufgrund dieser Einschätzung kann man Stück B dem ersten Bild zuordnen, auf dem Mathieu im gespenstischen Nebel auf das Internat zuschreitet. Stück D begleitet den kleinen Pépinot, der immer wieder zum Tor zurückkehrt und dort sehnsüchtig auf seinen Vater wartet. Zum dritten Bild passt ebenfalls ein trauriges Musikstück, Buchstabe A. Es bleibt Musikstück C, das die bedrohliche Stimmung im Internat ausdrückt.

Atelier **C1**

La musique nous parle

Dans les films, la musique joue un rôle important. Elle crée l'ambiance d'une scène, annonce un nouvel événement ou exprime les émotions des personnages.

Tu te laisses emporter par la musique du film.

1 » Lisez les titres des musiques et les explications. Est-ce que vous vous souvenez des scènes du film?

2 » Ecoutez les musiques A à D. Associez-les aux titres.

3 » Regardez les expressions «Emotions». Qu'est-ce que les musiques expriment? Notez 1 à 3 expressions à côté de chaque note.

34–37

L'arrivée à l'école
Clément Mathieu arrive à l'internat «Fond de l'étang».

A ♪

Pépinot
Le petit garçon attend son papa qui vient le chercher samedi. Mais ses parents sont morts.

B ♪

Sous la pluie
Pierre Morhange observe de loin sa maman qui travaille dans un restaurant.

C ♪

Action–réaction
A l'internat il y a le principe «action–réaction»: quand on fait une bêtise, on est tout de suite puni.

D ♪

Pour moi, cette musique exprime…

Pour moi, elle exprime aussi…

38

Emotions

la tristesse	die Traurigkeit	la nostalgie	die Sehnsucht
la tranquillité	die Ruhe	la menace	die Bedrohung
le danger	die Gefahr	le suspense	die Spannung
la solitude	die Einsamkeit	le bonheur	das Glück
la joie	die Freude	l'enthousiasme (m)	die Begeisterung, der Enthusiasmus

34

3 Bei diesem Arbeitsschritt benennen die Lernenden die verschiedenen Stimmungen, die sie in den Musikstücken erkennen. Dabei müssen sie nicht unbedingt einer Meinung sein. Die Sprechblasen unterstützen sie im Aushandlungsprozess, der Gelegenheit für einen mündlichen Austausch bietet.

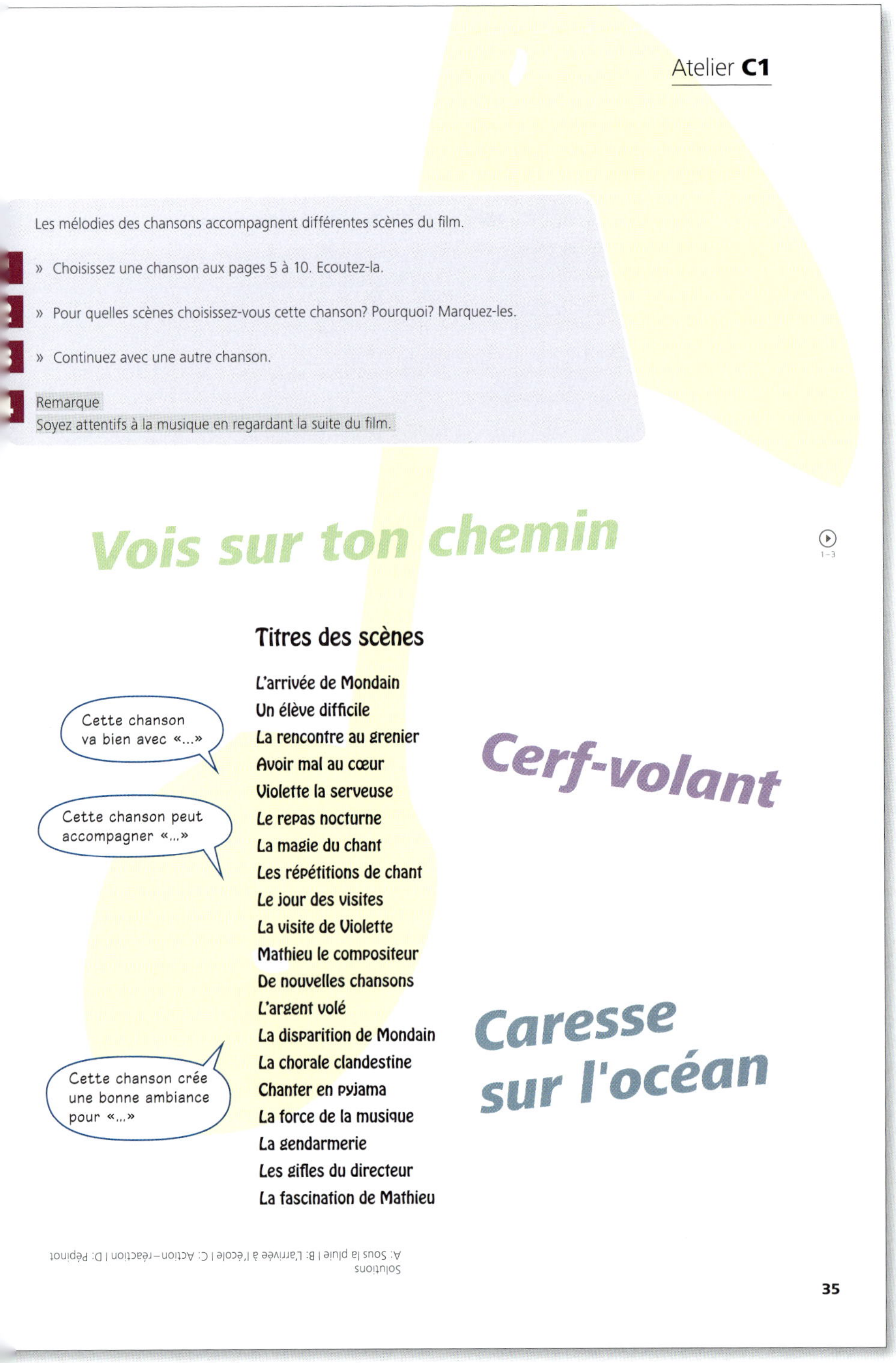

Atelier **C1**

Les mélodies des chansons accompagnent différentes scènes du film.

» Choisissez une chanson aux pages 5 à 10. Ecoutez-la.

» Pour quelles scènes choisissez-vous cette chanson? Pourquoi? Marquez-les.

» Continuez avec une autre chanson.

Remarque
Soyez attentifs à la musique en regardant la suite du film.

Vois sur ton chemin

Titres des scènes

L'arrivée de Mondain
Un élève difficile
La rencontre au grenier
Avoir mal au cœur
Violette la serveuse
Le repas nocturne
La magie du chant
Les répétitions de chant
Le jour des visites
La visite de Violette
Mathieu le compositeur
De nouvelles chansons
L'argent volé
La disparition de Mondain
La chorale clandestine
Chanter en pyjama
La force de la musique
La gendarmerie
Les gifles du directeur
La fascination de Mathieu

Cerf-volant

Caresse sur l'océan

Solutions
A: Sous la pluie | B: L'arrivée à l'école | C: Action–réaction | D: Pépinot

35

1 Zwei der vier Chorlieder folgen denselben Melodien wie die rein instrumentale Filmmusik: «Vois sur ton chemin» entspricht «Sous la pluie», «Caresse sur l'océan» hat die Melodie von «Pépinot».

2 Diese Aufgabe ist mehrschrittig. Als Erstes bestimmen die Lernenden den Charakter des Chansons. Um sich auf eine Szene zu einigen, füllen sie die Titel mit Inhalt. Die Standbilder auf Seite 30 können sie dabei unterstützen.

Erst dann sind die Lernenden in der Lage, die Zuordnung von Chanson und Szenentitel im Gespräch miteinander auszuhandeln. Die Sprechblasen können mit Strukturen aus dem Klassenwortschatz wie *Je pense que…* oder *Je trouve que…* angereichert werden.

3 Bei diesem Posten bietet es sich an, in alle Chorlieder der Seiten 5 bis 10 im *magazine* hineinzuhören. Es müssen nicht für alle Lieder entsprechende Szenen gefunden werden.

4 Die Filmmusik hilft den Lernenden, die Stimmung einer Kommunikationssituation einzuschätzen. Wenn sie sich bewusst darauf achten, kann die Filmmusik sogar zu einer Entschlüsselungshilfe werden und Teil ihres strategischen Handelns sein.

Auf individuelle Bedürfnisse eingehen

Anforderungen reduzieren
Reduzierte und weniger komplexe sprachliche Mittel
» Die Sprechblasen den Lernenden vorsprechen, üben und ggf. reduzieren

Anforderungen erweitern
Mehr und komplexere sprachliche Mittel
» Die Sprechblasen mit anspruchsvolleren und vielfältigeren Redemitteln aus dem Klassenwortschatz und aus der *revue* («Nous parlons français!»: «Faire des hypothèses») anreichern
Weiterführende Aufgabe
» Sich mehr Filmmusik anhören (zum Beispiel auf youtube, in iTunes oder auf der bei Peermusic im Jahre 2012 erschienenen Soundtrack-CD «Les Choristes – Original Motion Picture Soundtrack»)

In Posten C2 spielen die Lernenden wie in B2 verschiedene Szenen aus dem Film nach. Dabei halten sie – wie die Schauspieler von «Les Choristes» – einen Ausschnitt des Drehbuchs in den Händen. Sie üben die Dialoge und lernen dabei die richtige Aussprache. Sie achten beim Schauspielern ebenfalls auf Tonfall, Lautstärke und Intonation. Zum Schluss spielen sie die Szene einer anderen Gruppe vor.

Rollenspiele dieser Art ermöglichen den Lernenden einen Perspektivenwechsel: Die Schülerinnen und Schüler können verschiedene Identitäten erkunden, andere Verhaltensweisen ausprobieren und unterschiedliche Standpunkte einnehmen.

Atelier **C2**

Script

Tu découvres le script du film et tu lis les dialogues comme une actrice ou un acteur.

1 » Découvrez la présentation d'un script.
2 » Choisissez un dialogue.
3 » Lisez et écoutez le dialogue et vérifiez si vous comprenez la même chose.
4 » Répartissez les rôles et marquez votre texte.
5 » Apprenez à lire les textes avec le CD.
6 » Jouez les dialogues devant un autre groupe.
7 » Choisissez un autre dialogue.

Voici les éléments d'un script:

```
A    INT. EN BAS DES ESCALIERS - NUIT

Pépinot est assis. Mathieu arrive.

MATHIEU        (étonné)
               Ben, qu'est-ce que tu fais là, toi?
               (avance vers lui)
               Hein?

PEPINOT        (à voix b
               J'ai pas le droit de monter.
```

Où? Quand? Titre de scène
Quoi? Didascalie
Qui? Personnage
Dialogue
Comment? Indication

A Pépinot n'a pas le droit de monter.

B Chabert emmène Mondain au cachot.

C Monsieur Langlois chante.

36

1 Die Darstellungsform der Dialoge entspricht den üblichen formalen Kriterien eines Drehbuchs: Das besondere Layout und Schriftbild zeichnen sich unter anderem durch die Titelzeilen, die Didaskalien und die Indikationen aus; aber auch dadurch, dass Namen oder Ortsangaben grossgeschrieben werden und die Dialoge eingerückt sind. Eine Seite eines Drehbuchs entspricht ungefähr einer Minute Film.

2 Die Drehbuchausschnitte entsprechen folgenden Filmszenen:

A) 00:43:32–00:44:04.
Pépinot sitzt auf der Treppe.

B) 00:48:25–00:49:02.
Langlois komplimentiert Mathieu.

C) 00:53:26–00:53:46.
Chabert sperrt Mondain ein.

3 Um den Dialog richtig interpretieren zu können, müssen die Lernenden zunächst das Verständnis sichern. Die originale Tonspur hilft ihnen, sich an die gesehene Szene zu erinnern.

4 In den drei Dialogen spricht Mathieu mit Pépinot, mit Chabert und mit Langlois. Der Sprechanteil der Schauspieler ist in allen drei Szenen mehr oder weniger gleich.

5 Mit der Original-Tonspur üben die Lernenden nicht nur die richtige Aussprache der einzelnen Wörter, sondern vor allem auch die passende Intonation ein. Man kann die Dialoge laut, leise, erstaunt, enttäuscht, ernst, heiter, singend oder monoton vortragen. Die Indikationen über dem Text geben den Lernenden wichtige Hinweise für das Vortragen. Das Nachahmen der Schauspieler unterstützt sie darin.

6 Für das Vorspielen schliessen sich zwei Gruppen zusammen. Die Aufführung würdigt die Vorarbeit, die die Lernenden geleistet haben. Sie sollten nun die Texte gut aussprechen und vorführen können. Es wird nicht verlangt, dass die Texte auswendig vorgetragen werden.

Die Lehrperson kann die Lernenden an Strategien erinnern, die ihnen beim Präsentieren von Szenen in der *tâche* von *magazine* 7.3 dienlich waren *(Expression de la voix, Combler un blanc)*, oder sie auf die Strategien-Sammlung in der *revue* verweisen. Techniken, die

Atelier **C2**

A l'écrit	**A l'oral**
Je n'ai pas le droit…	J'ai pas le droit…
Tu as…	T'as…

```
A   INT. EN BAS DES ESCALIERS - NUIT

Pépinot est assis. Mathieu arrive.

MATHIEU        (étonné)
               Ben, qu'est-ce que tu fais là, toi?
               (avance vers lui)
               Hein?

PEPINOT        (à voix basse)
               J'ai pas le droit de monter.

MATHIEU        Comment ça, t'as pas le droit? Et pourquoi ça?

PEPINOT        J'ai pas de sous.

MATHIEU        T'as pas de sous pour aller dormir? Qu'est-ce que
               c'est que cette histoire?

PEPINOT        C'est Mondain! Il me laisse pas monter si je
               lui donne pas dix sous.

MATHIEU        (s'en va, outré)
```

39

j'ai pas le droit
ich darf nicht

les sous (m)
das Geld

outré
empört

```
B   EXT. COUR - APRES-MIDI

Chabert emmène Mondain au cachot. Mathieu est dans
sa salle de classe.

CHABERT        (à Mondain, en le poussant)
               Avance! Allez, petit merdeux.
               Allez, fonce.

MATHIEU        (à Chabert, de la fenêtre)
               Qu'est-ce qu'il a fait?

CHABERT        (à Mathieu, s'arrête en maîtrisant Mondain)
               Il m'a volé ma montre. C'est dans ma chambre
               que je l'ai surpris. Alors je suis passé voir
               Rachin: action - réaction!

MATHIEU        Et vous l'emmenez où?
```

40

emmener
abführen

le cachot
der Kerker

37

das Vortragen erleichtern, sind beispielsweise *Pauses de discours, D'autres moyens d'expression que la parole* etc.

7 Die Lernenden können auch denselben Dialog beibehalten und die Rollen tauschen.

Auf individuelle Bedürfnisse eingehen

Anforderungen reduzieren
Unterstützung durch Gruppenarbeit
» Mit einer anderen Partnergruppe, die den gleichen Dialog gewählt hat, Verständnisfragen klären

Anforderungen erweitern
Weiterführende Aufgabe
» Den Dialog auswendig lernen

Atelier **C2**

CHABERT (à Mathieu)
Au cachot, quinze jours.
(à Mondain, en avançant)
Allez!

MATHIEU Attendez!

CHABERT (entre dans le bâtiment et disparaît)
Attendre quoi?

MATHIEU (à voix basse, dépité)
C'est mon seul baryton.

dépité/-e
bitter enttäuscht

le baryton
Bariton, tiefe Singstimmlage

41

C INT. SALLE DE CLASSE – MATIN

Mathieu finit la répétition. Langlois arrive dans la salle.

MATHIEU (aux élèves en rangeant les partitions, d'un air sérieux)
Bon, prenez vos cahiers de calcul.

LANGLOIS (à Mathieu)
Comment, mais, c'est vous qui faites chanter les enfants?

MATHIEU Euh oui, Monsieur. C'est un reproche?

LANGLOIS (soudain heureux)
Oh, pas du tout! Au contraire, j'adore la musique. Il m'arrive parfois moi-même de pousser la chansonnette.

MATHIEU (surpris)
Ah bon.

LANGLOIS (chantonne)
Qu'est-ce qu'on attend pour être heureux?
Qu'est-ce qu'on attend pour faire la fête?
La la la la la, la la la la la, la la la la la…

MATHIEU (joyeux)
Bonne journée!

LANGLOIS (à Mathieu)
A vous aussi, cher collègue!
(aux élèves, sérieux)
Arithmétique, page 27.

les cahiers de calcul (m)
die Rechenhefte

un reproche
ein Vorwurf

pousser la chansonnette
ein Liedchen trällern

Atelier **C3**

Une chanson en images

Tu représentes les paroles d'une chanson du film en images.

» Regardez la représentation de la chanson «Caresse sur l'océan» aux pages 8 et 9.
  » Ecoutez la chanson.
  » Cherchez la représentation de quelques paroles aux pages 8 et 9.

» Ecoutez la chanson «Cerf-volant».
  » Réécoutez-la et lisez les paroles. Marquez les mots importants.
  » Représentez les paroles de la chanson aux pages 40 et 41.

Caresse sur l'océan

le vent
der Wind

l'arc-en-ciel
der Regenbogen

le printemps

une île immergée
eine überflutete Insel

les ailes
die Flügel

l'aube grise
das Morgengrauen

l'océan

les Châteaux en Espagne
die Luftschlösser

l'oiseau

les montagnes
die Berge

l'hiver

Cerf-volant

Cerf-volant
Volant au vent
Ne t'arrête pas
Vers la mer
Haut dans les airs
Un enfant te voit
Voyage insolent
Troubles enivrants
Amours innocentes
Suivent ta voie
Suivent ta voie
En volant

Cerf-volant
Volant au vent
Ne t'arrête pas
Vers la mer
Haut dans les airs
Un enfant te voit
Et dans la tourmente
Tes ailes triomphantes
N'oublie pas de revenir
Vers moi

le cerf-volant	der Drachen
volant au vent	im Wind fliegend
haut dans les airs	hoch in den Lüften
le voyage	die Reise
ta voie	dein Weg
innocent/-e	unschuldig
la tourmente	der Sturm
tes ailes (f)	deine Flügel

39

Inhalt dieses Postens sind zwei Liedtexte. An einem Beispiel sehen die Lernenden, wie sich ein Liedtext kreativ gestalten lässt, bevor sie selber den Text des Chansons «Cerf-volant» aufschreiben und illustrieren.

1 Die Illustration greift einzelne Textausschnitte aus dem Lied «Caresse sur l'océan» auf. Das Bild als Ganzes vermittelt die Reise der Vögel aus dem dunklen, kalten Winter hin zum hellen, freundlichen Frühling. Mehr Informationen zur Illustration und zur Aussage des Liedes befinden sich im *fil rouge* auf Seite 12.

2 Die Wörter, die in der Illustration abgebildet sind, sind bedeutungstragend. Für die eigene Zeichnung können die Lernenden ähnlich vorgehen, indem sie im Liedtext «Cerf-volant» einzelne Schlüsselwörter markieren und diese später im Bild verschmelzen lassen.

3 Die Lernenden markieren die wichtigsten Wörter im Text, da sie diese für ihre Zeichnung brauchen. Sinntragend sind beispielsweise Nomen wie *cerf-volant, vent, mer, airs, enfant, voyage* aber auch Adjektive oder Verben wie *volant, triomphantes, revenir* etc. Es kann gut sein, dass das Lied bei den Lernenden noch weitere Bilder im Zusammenhang mit dem Film «Les Choristes» auslöst.

4 Man kann das Lied auf einer ganz konkreten Ebene darstellen oder sich in einer abstrakteren Interpretation versuchen. Die Lernenden lassen sich bei der Interpretation vor allem von ihren persönlichen Empfindungen leiten.

Diese Postenarbeit eignet sich für den fächerübergreifenden Unterricht. Man könnte auch im Musikunterricht oder im Bildnerischen Gestalten die Chorlieder abspielen und der Musik grafisch Ausdruck verleihen.

Auf individuelle Bedürfnisse eingehen

Anforderungen reduzieren
Unterstützung durch Plenum
» Mit den Lernenden, die dies wünschen, die Schlüsselwörter zu «Cerf-volant» gemeinsam erarbeiten

Anforderungen erweitern
Fakultatives Zusatzangebot
» Ein weiteres Lied der Filmmusik «Les Choristes» darstellen (zum Beispiel: «Vois sur ton chemin»)

Cerf-volant

Cerf-volant
Volant au vent
Ne t'arrête pas
Vers la mer
Haut dans les airs
Un enfant te voit
Voyage insolent
Troubles enivrants
Amours innocentes
Suivent ta voie
Suivent ta voie
En volant

Cerf-volant
Volant au vent
Ne t'arrête pas
Vers la mer
Haut dans les airs
Un enfant te voit
Et dans la tourmente
Tes ailes triomphantes
N'oublie pas de revenir
Vers moi

41

Das Vorgehen beim Visionieren des letzten Filmteils ist ähnlich wie in *activités* B und C. Die Lernenden erinnern sich an Szenen, die sie bei der letzten Vorführung gesehen haben, und antizipieren den Fortgang der Geschichte anhand von Standbildern und Zusammenfassungen. Nach der Verständnissicherung kann der Anfang des Films noch einmal gezeigt werden, um den Bogen des Films zu schliessen.

1 Die Lernenden schauen die sechs letzten Kapitel und den Abspann (01:03:10 – 01:32:36).

2 Der Anfang des Films (00:00:00 – 00:04:11) kann noch einmal gezeigt werden, da die Lernenden jetzt die Rahmengeschichte besser einordnen können.

Auf individuelle Bedürfnisse eingehen

Anforderungen reduzieren

Zusätzlicher Support

» Den Anfang dieses Teils ein zweites Mal mit deutschen Untertiteln anschauen («Das Geld wird gefunden»: 01:16:56 – 01:18:00)

Activité **D**

Le renvoi **de Mathieu**

Tu regardes la dernière partie du film.

» Regardez les images de la page 30 pour vous rappeler ce qui s'est passé.
» Regardez les images et lisez les textes.

Mathieu propose à Violette d'inscrire Pierre au conservatoire de musique.

Rachin lève l'interdiction de la chorale pour la visite de la comtesse.

Violette est amoureuse. De qui?

La chorale donne un concert pour la comtesse.

Le Père Maxence retrouve les 200 000 francs. Qui a volé l'argent?

L'internat prend feu. 60 gamins disparus…

Rachin renvoie Mathieu.

Les élèves disent au revoir.

Mathieu et Pépinot…

1 » Regardez les chapitres 18 à 23.

Avez-vous bien compris l'histoire?
» Clarifiez vos questions à deux et ensuite en classe.

2 » Regardez encore une fois le début du film (chapitres 1 et 2).

lever l'interdiction (f)	das Verbot aufheben
amoureux/-se	verliebt
volé	gestohlen
l'argent (m)	das Geld
des gamins (m)	Kinder
disparu/-e	verschwunden
renvoyer	entlassen

42

Les **adieux**

43

Die Standbilder der Schlussszene laden dazu ein, die letzten Momente des Films Revue passieren zu lassen und sich die Abschiedsbriefe der Lernenden genauer anzuschauen.

Die Bilder «Les adieux» werden nicht didaktisiert, aber die Seite bietet die Möglichkeit für ein Klassengespräch. Die Lernenden können beispielsweise zu zweit ein Bild wählen und dazu Aussagen vorbereiten. Der Klassenwortschatz aus *magazine* 7.2 kann sie dabei unterstützen *(On voit un/une/des…, Ça fait penser à un/une/des…, En haut,…, En bas,…, A gauche,..., A droite,…, Ça se passe à/en…).* Sie finden den Klassenwortschatz und weitere hilfreiche Strukturen in der *revue*.

Philosophischere Themen wie der Drang nach Freiheit und der symbolische Ausbruch aus den dicken Schlossmauern mit den Papierflugzeugen sowie auch der gewaltfreie Widerstand durch die Chormusik können Stoff für eine Diskussion in der Schulsprache bieten. Dies kann beispielsweise im fächerübergreifenden Unterricht in einer Deutsch- oder Geschichtsstunde geschehen.

Rachin verbietet Mathieu, sich von den Internatsschülern zu verabschieden. Um Monsieur Mathieu dennoch Adieu zu sagen, schreiben die Kinder Abschiedsbrieflein, falten sie zu Papierflugzeugen und werfen sie aus dem Fenster vor Mathieus Füsse. Die Papierflugzeuge kommen nicht zum ersten Mal im Film vor. Die entsprechenden Szenen und deren Symbolgehalt könnten thematisiert werden.

Man erkennt die verschiedenen Figuren in den einzelnen Botschaften wieder: «Au revoir, crane d'obu» («Au revoir, crâne d'obus») stammt wahrscheinlich von Corbin, der Mathieu diesen Übernamen gab. «Au revoir monsieur Mathieu» hat wohl Morhange geschrieben und seinen Brief mit Musiknoten verziert. «Il fau revenir faire les note avec nous» («Il faut revenir faire les notes avec nous») stammt vermutlich von Pépinot, der mit der Orthografie noch zu kämpfen hat. Es mag den Lernenden gefallen, wenn sie sehen, dass auch frankophone Schüler mit der französischen Rechtschreibung ihre Mühe haben.

In der Abschiedsszene singen die Kinder im Chor «Cerf-volant». Einmal mehr zeigt sich die Macht der Musik, gegen die auch der aufgebrachte Rachin nichts bewirken kann.

Das unterste Bild zeigt Mathieu, der ein letztes Mal zum Schild «Fond de l'étang» hochblickt. Dieser Moment nimmt das Einstiegsbild von Mathieu auf Seite 17 im *magazine* auf.

Die Zitate laden die Lernenden ein, sich an Schlüsselszenen des Films zu erinnern. Die Doppelseite ist nicht didaktisiert, aber sie kann als Vorbereitung auf die *rétrospective* bearbeitet werden. Viele Zitate bieten Anlass für ein Klassengespräch über den Film und dessen Figuren. Einige Zitate können auch als Anstoss zu weiterführenden Diskussionen genutzt werden: Was heisst gute Erziehung? Was ist Gerechtigkeit? Was bedeutet Freiheit?

Texte interpretieren setzt ein hohes Sprachniveau voraus, über das die Lernenden am Ende der 7. Klasse in der Fremdsprache noch nicht verfügen. Es bietet sich deshalb an, die Zitate in der Schulsprache Deutsch zu interpretieren. Im Sinne eines fächerübergreifenden Unterrichts könnte diese Sequenz auch im Deutschunterricht stattfinden.

Citations du film

Replonge dans le film avec des phrases de Pépinot, Mathieu, Rachin…

1 (42) **«J'attends samedi. […] Mon papa va venir me chercher.»** (Pépinot)
Ich warte auf Samstag. Mein Papa wird mich abholen.

2 **«Ils sont comment, les gamins exactement?»** (Clément Mathieu)
Wie sind diese Kinder eigentlich?

3 **«Au moins, il mangera chaud midi et soir.»** (Violette Morhange)
Er wird zumindest mittags und abends warm essen.

4 **«Morhange. Tête d'ange et le diable au corps.»** (Ancien surveillant)
Morhange. Ein Engelsgesicht und den Teufel im Körper.

5 **«Action–réaction.»** (Directeur Rachin)

6 **«Mais vos manières m'agacent.»** (Directeur Rachin)
Aber Ihr Getue geht mir auf die Nerven.

7 **«J'obtins 2 pompiers, 3 cow-boys, 1 dresseur de tigre, 1 pilote de guerre, 2 espions, 1 général de Napoléon, 1 pilote de montgolfière, 3 légionnaires. Mais pas un seul pion.»** (Clément Mathieu)

8 **«C'est gentil d'avoir été volontaire pour me soigner.»** (Père Maxence)
Es ist lieb von dir, dass du dich freiwillig gemeldet hast, um mich zu pflegen.

44

Die Zitate entsprechen mehr oder weniger der chronologischen Abfolge der Filmszenen und werden durch ihre Farben den verschiedenen Sprechern zugewiesen. Auf der Multimedia-CD kann man die Texte einzeln anklicken und die Originaltonspur dazu hören. Dies steigert den Wiedererkennungswert.

1 00:04:44. Siehe Kommentar 9.

2 00:05:44. Die Frage, die Mathieu stellt, können sich die Lernenden ebenfalls stellen. Wie sind diese Kinder? Worin unterscheiden sie sich von anderen? Inwiefern sind sie gar nicht anders als Gleichaltrige?

3 00:30:26. Das Zitat von Violette zeigt die prekären sozialen Verhältnisse der Nachkriegszeit auf. Sie sieht im Internat zumindest den Vorteil, dass ihr Sohn etwas Warmes zu essen bekommt. Aber was fehlt Pierre Morhange im Internat dennoch?

4 00:10:30. Das Zusammenspiel von «mort» und «ange» im Nachnamen von Pierre könnte von den Lernenden interpretiert werden. Wann zeigt Pierre im Film welche Seite von sich?

5 00:27:23. Was halten die Lernenden von diesem Prinzip? Finden sie dieses System gerecht/ungerecht, sinnvoll/sinnlos? Aus dieser Frage könnten sich Gespräche über Disziplin ergeben.

6 00:20:53. Der Rektor kann nicht bestreiten, dass das Ergebnis von Mathieus Experiment positiv ist. Dennoch gefällt ihm die Art und Weise nicht, in der Mathieu mit ihm umspringt.

7 00:18:28. Der Berufswunsch *pilote de montgolfière* stammt von Corbin. Er gibt an, die 200 000 *francs* gestohlen zu haben, um sich einen Heissluftballon zu kaufen. Wer ist schuld am Diebstahl? Corbin? Oder Mathieu, weil er bei den Kindern einen Freiheitsdrang weckt, mit dem sie nie gelernt haben umzugehen?

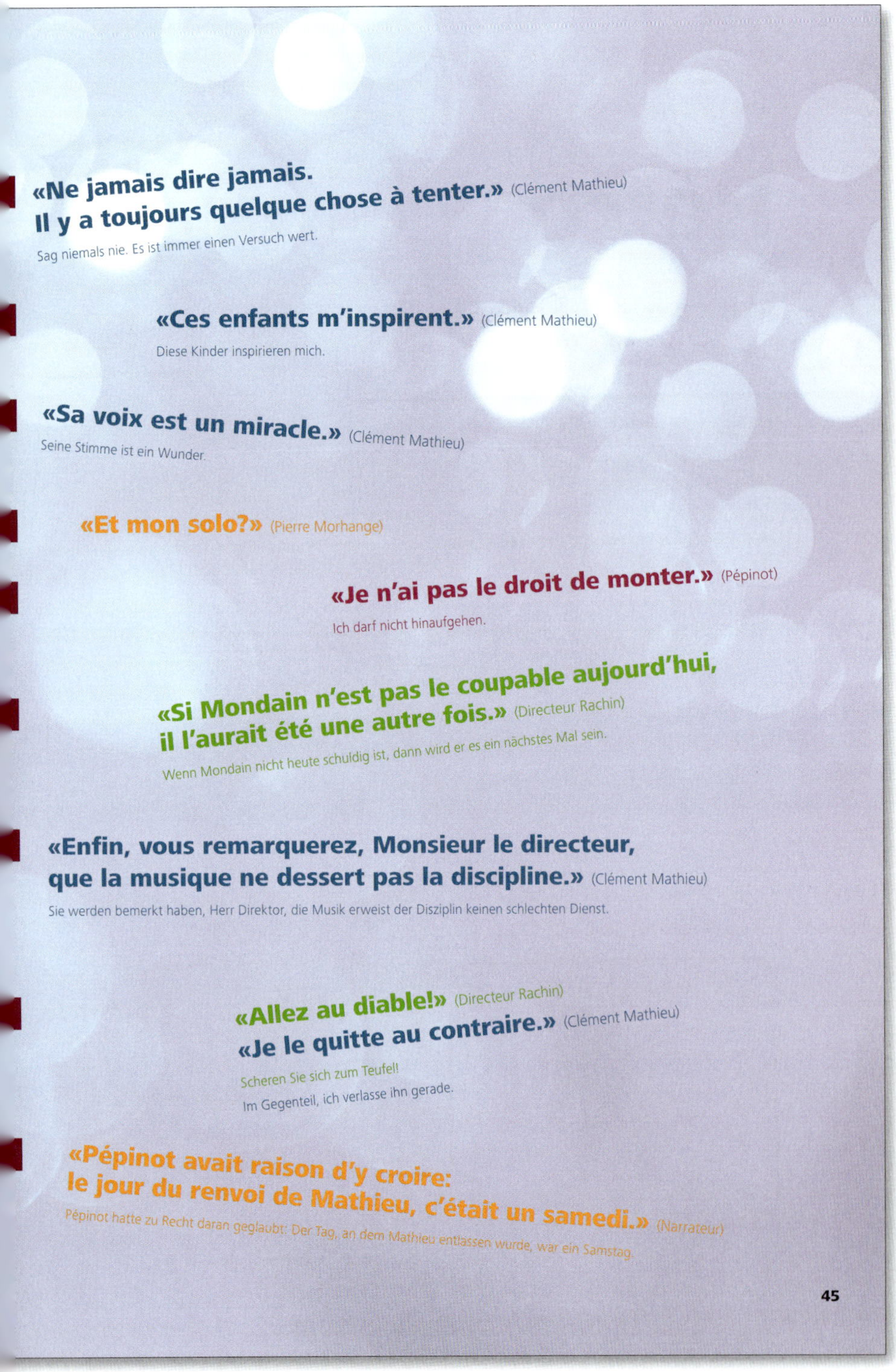
**«Ne jamais dire jamais.
Il y a toujours quelque chose à tenter.»** (Clément Mathieu)
Sag niemals nie. Es ist immer einen Versuch wert.

«Ces enfants m'inspirent.» (Clément Mathieu)
Diese Kinder inspirieren mich.

«Sa voix est un miracle.» (Clément Mathieu)
Seine Stimme ist ein Wunder.

«Et mon solo?» (Pierre Morhange)

«Je n'ai pas le droit de monter.» (Pépinot)
Ich darf nicht hinaufgehen.

**«Si Mondain n'est pas le coupable aujourd'hui,
il l'aurait été une autre fois.»** (Directeur Rachin)
Wenn Mondain nicht heute schuldig ist, dann wird er es ein nächstes Mal sein.

**«Enfin, vous remarquerez, Monsieur le directeur,
que la musique ne dessert pas la discipline.»** (Clément Mathieu)
Sie werden bemerkt haben, Herr Direktor, die Musik erweist der Disziplin keinen schlechten Dienst.

«Allez au diable!» (Directeur Rachin)
«Je le quitte au contraire.» (Clément Mathieu)
Scheren Sie sich zum Teufel!
Im Gegenteil, ich verlasse ihn gerade.

**«Pépinot avait raison d'y croire:
le jour du renvoi de Mathieu, c'était un samedi.»** (Narrateur)
Pépinot hatte zu Recht daran geglaubt: Der Tag, an dem Mathieu entlassen wurde, war ein Samstag.

45

1 00:21:53. Mathieu beginnt, ein Lied für die Schüler aufzuschreiben, obwohl er sich geschworen hat, nie mehr zu komponieren. Er glaubt an das Gute in den Schülern.

2 00:51:24. Mathieu macht aus den Kindern bessere Menschen – die Kinder machen aus Mathieu einen besseren Komponisten. Er komponiert jede Nacht für sie (vgl. *fil rouge,* Seite 12).

3 00:46:48. Mathieu erkennt das Talent von Pierre Morhange und fördert ihn. Er interessiert sich für seine Schüler und erkennt ihre Stärken. Die Lernenden können überlegen, wie sich seine Beziehung zu den Schülern im Verlaufe des Films entwickelt.

4 01:06:09. Pierre verlangt seinen Solopart, aber Mathieu gibt ihm zu verstehen, dass niemand unentbehrlich ist und der Chor auch ohne ihn auskommt. Mathieu ist nicht nur Aufseher, sondern auch Erzieher. Die Auflösung der Szene folgt beim Konzert, bei dem Mathieu Pierre zu seinem Solo auffordert und dafür Dankbarkeit erntet.

5 00:43:41. Die Gewalt an der Schule spitzt sich nach der Ankunft von Mondain zu. Die Kleinen werden im Internat gemobbt. Das Missverhältnis besteht aber schon vorher. Beispielsweise muss Pépinot den grösseren Schülern Schokolade abgeben, bevor er sein Mittagessen erhält.

6 01:18:09. Mondain wurde für einen Diebstahl bestraft, den er nicht begangen hat. Rachin meint, dass er so oder so ein schlechter Mensch sei, den man früher oder später für etwas bestrafen müsse. Mathieu ist darüber entsetzt. Was denken die Lernenden?

7 01:07:33. Die Musik erweist der Disziplin nicht nur keinen schlechten, sondern sogar einen sehr guten Dienst. Wie kann man sich das erklären?

8 01:23:36. Das Wortspiel funktioniert, weil Rachin den «Teufel» metaphorisch einsetzt, während Mathieu ihn auf der konkreten Ebene benutzt. Was macht Rachin zu einem Teufel? Die Lernenden können den Rektor charakterisieren und das Zitat auch in Zusammenhang mit den anderen Zitaten in grüner Schrift stellen.

9 01:28:09. Diese Aussage kann mit dem ersten Zitat in Verbindung gebracht werden: Pépinots Hoffen war nicht umsonst. Wie erging es Pépinot wohl im späteren Leben?

8 00:18:40. Auch hier zeigt sich wieder die andere Erziehungsmethode von Mathieu. Anstatt Le Querrec zu bestrafen, schickt er ihn auf die Krankenstation. Warum?

Um der grossen Rezeptionsleistung der Lernenden in diesem *parcours* gerecht zu werden, wird in der *rétrospective* der Film noch einmal als Ganzes betrachtet. In einer Rückschau drücken die Lernenden ihr Filmerlebnis, ihre Empfindungen und Gedanken aus.

Auch in der *rétrospective* werden weder eindeutige Antworten noch ein einheitliches Interpretationsergebnis erwartet. Filme wecken nicht nur Emotionen, die persönlich sind, sondern werfen auch Fragen auf, die oft unbeantwortet bleiben.

1 Die Lernenden schreiben ihre Gedanken zu den verschiedenen Aussagen auf. In die leeren Felder können sie weitere Aspekte notieren, die ihnen wichtig sind.

Voraussetzung für die Bearbeitung der *rétrospective* ist, dass der ganze Film gesehen und einzelne Themen von «Autour du film» (Seiten 28 und 29 im *magazine*) bearbeitet wurden.

Rétrospective

Rétrospective

Tu échanges tes impressions sur le film avec d'autres.

1 » Note quelques impressions.

Cela m'a touché/-e:

En allemand, le film pourrait s'appeler:

Je recommande le film à:

Cela m'a choqué/-e:

J'aimerais jouer ce rôle:

Je donne 1, 2, 3 ou 4 étoiles au film:

★ ★★ ★★★ ★★★★

Rétrospective

touché/-e	berührt
recommander	empfehlen
déçu/-e	enttäuscht
des sentiments (m)	Gefühle

Cela m'a fait rire:

Je trouve que c'est l'information la plus intéressante des pages 28 et 29:

J'aimerais savoir de…

ce qu'il fait plus tard.

Cela m'a déçu/-e:

A la maison, j'écoute cette musique parce qu'elle m'inspire des sentiments:

» Echangez vos impressions.

1 Damit möglichst alle Lernenden mit ihren individuellen Eindrücken zu Wort kommen können, findet der Austausch in Kleingruppen statt. Bei Bedarf können im Plenum anschliessend unterschiedliche Empfindungen bzw. Meinungen diskutiert werden.

Auf individuelle Bedürfnisse eingehen

Anforderungen reduzieren

Unterstützung durch Partnerarbeit

» Den Anfang der *rétrospective* zu zweit bearbeiten

Unterstützung durch Plenum

» Mit den Lernenden, die dies wünschen, Teile der *rétrospective* gemeinsam bearbeiten

Der Spielfilm «Les Choristes» wurde in der Auvergne gedreht. Die Lernenden begegnen dieser Region auf der Navigationskarte und im Film als Kulisse. In der Rubrik *coup d'œil* stehen den Lernenden weitere Inhalte als nicht didaktisiertes Angebot zur Verfügung.

Verschiedene Möglichkeiten, mit diesem *magazine*-Teil umzugehen, sind denkbar:

- Es wird den Lernenden überlassen, sich bei Interesse ausführlicher mit den angebotenen Inhalten zu befassen.
- Die Inhalte werden im Sinne einer Differenzierung für besonders interessierte Lernende verwendet.
- Das Vorwissen der Lernenden in Bezug auf den Ort wird in der Klasse zusammengetragen und die Inhalte werden anschliessend gemeinsam besprochen.
- Im Wechsel bereitet je eine Gruppe von Lernenden eine kurze Präsentation der in *Clin d'œil* vorgestellten Orte vor, indem sie im Internet recherchiert und die Kurzinformation in den *magazines* anreichert.
- Im Sinne eines fächerübergreifenden Unterrichts werden einzelne Inhalte vertieft und als bilinguale Sequenzen in den Sachfachunterricht integriert. Themen könnten sein: Vulkanlandschaften, weitere Orte, die als Filmkulissen dienten usw.

Coup d'œil

L'Auvergne

Le film «Les Choristes» a été tourné en Auvergne. La plupart des acteurs viennent de cette région située au centre de la France.

Une grande partie de l'Auvergne est recouverte de volcans – aujourd'hui inactifs – qui attirent les touristes.

Le Château de Ravel, qui date du 12e siècle, a servi de décor à l'internat «Fond de l'étang». Ravel est un petit village en Auvergne.

Clermont-Ferrand est la plus grande ville de l'Auvergne avec 140 000 habitants.

Bild- und Quellennachweis *fil rouge*

Titelseite
» unten (Standbilder): © 2003 Galatée Films - Pathé Production - France 2 Cinéma - Novo Arturo - Arthur Cohn

On se fait un ciné?
» Seite 4, 5 und 6 (Standbilder): © 2003 Galatée Films - Pathé Production - France 2 Cinéma - Novo Arturo - Arthur Cohn
» Seite 7: www.vegafilm.com
» Seite 8 (Standbilder): © 2003 Galatée Films - Pathé Production - France 2 Cinéma - Novo Arturo - Arthur Cohn

Cerf-volant
» Seite 9: Music: Bruno Coulais & Christophe Barratier – Lyrics: Christophe Barratier, © Passerelle (Cat. Hugo-Louis)/Peermusic France/Logline Studios, Rechte für die Schweiz: Sony/ATV Music Publishing (Germany) GmbH

Vois sur ton chemin
» Seite 10, 11: Music: Bruno Coulais – Lyrics: Christophe Barratier, © Passerelle (Cat. Hugo-Louis)/Peermusic France/Logline Studios, Rechte für die Schweiz: Sony/ATV Music Publishing (Germany) GmbH

Caresse sur l'océan
» Seite 14: Music: Bruno Coulais – Lyrics: Christophe Barratier & Bruno Coulais, © Passerelle (Cat. Hugo-Louis)/Peermusic France/ Logline Studios, Rechte für die Schweiz: Sony/ATV Music Publishing (Germany) GmbH

Carte de navigation
» Seite 16, 17 (Hintergrund): Gerard Labriet/Keystone

Les Choristes
» Seite 18: www.vegafilm.com

2004, New York – 1949, Fond de l'étang
» Seite 19, 20 (Standbilder): © 2003 Galatée Films - Pathé Production - France 2 Cinéma - Novo Arturo - Arthur Cohn

L'expérience commence
» Seite 21, 22 (Standbilder): © 2003 Galatée Films - Pathé Production - France 2 Cinéma - Novo Arturo - Arthur Cohn

Atelier B
» Seite 23 (Standbilder): © 2003 Galatée Films - Pathé Production - France 2 Cinéma - Novo Arturo - Arthur Cohn

Langage du corps
» Seite 24 (Standbilder): © 2003 Galatée Films - Pathé Production - France 2 Cinéma - Novo Arturo - Arthur Cohn

Script
» Seite 27 (Skript + Standbilder): © 2003 Galatée Films - Pathé Production - France 2 Cinéma - Novo Arturo - Arthur Cohn
» Seite 28, 29 (Skript): © 2003 Galatée Films - Pathé Production - France 2 Cinéma - Novo Arturo - Arthur Cohn

Autour du film
» Seite 32 von oben links nach unten rechts: (1, 2) www.thinkstock.com; (3, 5, 8, 9, 10, 11, 12) © 2003 Galatée Films - Pathé Production - France 2 Cinéma - Novo Arturo - Arthur Cohn; (4) susanice/ www.flickr.com; (6) Tom Hopkins/Keystone; (7) imagebroker/ Heiner Heine/Keystone
» Seite 33 von oben links nach unten rechts: (1, 3, 4, 7, 9) © 2003 Galatée Films - Pathé Production - France 2 Cinéma - Novo Arturo - Arthur Cohn; (2) Ana Municio/www.flickr.com; (5) D.S.B./www.flickr.com; (6) Ronni Junilainen/www.flickr.com; (8) © Kurt Krieger/Corbis; (10) www.thinkstock.com

La magie du chant
» Seite 34 (Standbilder): © 2003 Galatée Films - Pathé Production - France 2 Cinéma - Novo Arturo - Arthur Cohn

Atelier C
» Seite 37 (Standbild + Skript): © 2003 Galatée Films - Pathé Production - France 2 Cinéma - Novo Arturo - Arthur Cohn

La musique nous parle
» Seite 38 (Standbilder): © 2003 Galatée Films - Pathé Production - France 2 Cinéma - Novo Arturo - Arthur Cohn

Audiotracks

Track	Texte	Track	Texte
1.	Cerf-volant (Chanson)	22.	Autour du film 12
2.	Vois sur ton chemin (Chanson)	23.	Autour du film 13
3.	Caresse sur l'océan (Chanson)	24.	Autour du film 14
4.	2004, New York	25.	Autour du film 15
5.	1949, Fond de l'étang	26.	Autour du film 16
6.	Adjectifs (A)	27.	Autour du film 17
7.	Adjectifs (B1)	28.	Autour du film 18
8.	Script A (B2)	29.	Autour du film 19
9.	Script B (B2)	30.	Autour du film 20
10.	Script C (B2)	31.	Titres de scènes
11.	Autour du film 1	32.	Fichier
12.	Autour du film 2	33.	Expressions français-anglais
13.	Autour du film 3	34.	Musique A
14.	Autour du film 4	35.	Musique B
15.	Autour du film 5	36.	Musique C
16.	Autour du film 6	37.	Musique D
17.	Autour du film 7	38.	Emotions
18.	Autour du film 8	39.	Script A (C2)
19.	Autour du film 9	40.	Script B (C2)
20.	Autour du film 10	41.	Script C (C2)
21.	Autour du film 11	42.	Citations

50

Script
» Seite 40 (Skript + Standbilder): © 2003 Galatée Films - Pathé Production - France 2 Cinéma - Novo Arturo - Arthur Cohn
» Seite 41, 42 (Skript): © 2003 Galatée Films - Pathé Production - France 2 Cinéma - Novo Arturo - Arthur Cohn

Une chanson en images
» Seite 43, 44 (Liedausschnitte): Music: Bruno Coulais & Christophe Barratier – Lyrics: Christophe Barratier, © Passerelle (Cat. Hugo-Louis)/Peermusic France/Logline Studios, Rechte für die Schweiz: Sony/ATV Music Publishing (Germany) GmbH

Le renvoi de Mathieu
» Seite 46 (Standbilder): © 2003 Galatée Films - Pathé Production - France 2 Cinéma - Novo Arturo - Arthur Cohn

Les adieux
» Seite 47 (Standbilder): © 2003 Galatée Films - Pathé Production - France 2 Cinéma - Novo Arturo - Arthur Cohn

Citations du film
» Seite 48, 49: © 2003 Galatée Films - Pathé Production - France 2 Cinéma - Novo Arturo - Arthur Cohn

L'Auvergne
» Seite 52 von oben nach unten rechts: Gerard Labriet/Keystone; Serge Laroge/www.flickr.com; Sébastien Betrand/www.flickr.com; Yann Guichaoua/Keystone